Yvonnette

Zorro

DU MÊME AUTEUR

LE PLAN INFINI, Fayard, 1994.
LA MAISON AUX ESPRITS, Fayard, 1994.
EVA LUNA, Fayard, 1995.
PAULA, Fayard, 1997.
LES CONTES D'EVA LUNA, LGF, 1998.
D'AMOUR ET D'OMBRE, LGF, 1998.
FILLE DU DESTIN, Grasset, 2000.
PORTRAIT SÉPIA, Grasset, 2001.
APHRODITE, *Contes, recettes et autres aphrodisiaques*, Grasset, 2001.
LA CITÉ DES DIEUX SAUVAGES, Grasset, 2002.
LE ROYAUME DU DRAGON D'OR, Grasset, 2004.

ISABEL ALLENDE

Zorro

roman

Traduit de l'espagnol (Chili)
par
ALEX ET NELLY LHERMILLIER

BERNARD GRASSET
PARIS

L'édition originale de cet ouvrage a été publiée par Areté Random House Mondadori S.A. en 2005,
sous le titre :

EL ZORRO

Comienza la leyenda

Cette histoire est celle de Diego de La Vega, elle raconte comment il devint le légendaire Zorro. Son identité, tenue secrète pendant tant d'années, est aujourd'hui révélée, avec une certaine hésitation, dans l'intention de devancer ceux qui s'acharnent à diffamer Zorro. Le nombre de ses rivaux est considérable, comme cela arrive en général à ceux qui défendent les faibles, volent au secours des demoiselles, humilient les puissants. Tout idéaliste se fait, bien sûr, des ennemis, mais ses amis sont bien plus nombreux. Voici ici le récit de ses aventures, car à quoi servirait que Diego risque sa vie au nom de la justice si personne n'en sait rien? L'héroïsme est une activité mal rétribuée, qui conduit souvent à une fin prématurée, raison pour laquelle elle attire soit des fanatiques soit des gens qui éprouvent une fascination morbide pour la mort. Il existe fort peu de héros qui soient à la fois romantiques et sympathiques. Disons-le sans ambages : aucun n'égale Zorro.

PREMIÈRE PARTIE

Californie, 1790-1810

Commençons par le commencement, un événement sans lequel Diego de La Vega n'aurait pas vu le jour. Il a eu lieu en Haute-Californie, à la mission de San Gabriel, en l'an 1790 de Notre Seigneur. En ce temps-là, la mission était dirigée par le père Mendoza, un franciscain aux épaules de bûcheron qui ne faisait pas ses quarante ans bien vécus, énergique et autoritaire, pour qui le plus difficile, dans son ministère, était d'imiter l'humilité et la douceur de saint François d'Assise. En Californie plusieurs autres religieux, exerçant dans vingt-trois missions, étaient chargés de répandre la doctrine du Christ chez plusieurs milliers de gentils des tribus chumash, shoshone et autres, qui ne se prêtaient pas toujours de bonne grâce à la recevoir. Les natifs de la côte californienne avaient un réseau de troc et de commerce qui fonctionnait depuis des milliers d'années. Leur environnement, très riche en ressources naturelles, avait permis à chaque tribu de développer des spécialités différentes. Les Espagnols étaient impressionnés par l'économie chumash, si complexe qu'elle pouvait se comparer avec celle de la Chine. Les Indiens utilisaient des coquillages comme monnaie et organisaient régulièrement des foires où, en plus d'échanger des biens, on arrangeait les mariages.

Déconcertés par le mystère de l'homme torturé sur une croix que les Blancs adoraient, les Indiens ne voyaient pas l'intérêt de vivre mal en ce monde pour jouir d'un hypothétique bien-être dans l'au-delà. Au paradis chrétien, ils pourraient s'installer sur un nuage et jouer de la harpe avec les anges, mais la majorité d'entre eux préférait en réalité, après la mort, chasser l'ours avec leurs ancêtres sur les terres du Grand-Esprit. Ils ne comprenaient pas non plus pourquoi les étrangers plantaient un drapeau en terre, marquaient des lignes imaginaires, la déclaraient leur propriété et s'offensaient si quelqu'un y entrait en poursuivant un cerf. L'idée de posséder la terre leur paraissait aussi invraisemblable que celle de se partager la mer. Lorsque parvint au père Mendoza la nouvelle que plusieurs tribus s'étaient soulevées, commandées par un guerrier à tête de loup, il pria pour les victimes, mais ne s'inquiéta pas outre mesure, persuadé que San Gabriel était à l'abri. Appartenir à sa mission était un privilège, comme le prouvaient les familles indigènes qui venaient solliciter sa protection en échange du baptême et restaient de bon gré sous son toit ; jamais il n'avait dû faire appel aux militaires pour recruter de futurs convertis. Il attribua cette insurrection, la première qui survenait en Haute-Californie, aux abus de la soldatesque espagnole et à la sévérité de ses frères missionnaires. Les tribus, réparties en petits groupes, avaient des coutumes différentes et communiquaient au moyen d'un système de signaux ; jamais elles ne s'étaient mises d'accord sur rien, hormis le commerce, et certainement pas à propos de la guerre. D'après lui, ces pauvres gens étaient d'innocentes brebis de Dieu, qui péchaient par ignorance et non par vice ; il devait y avoir des raisons accablantes pour qu'ils se soulèvent contre les colonisateurs.

Le missionnaire travaillait sans répit, coude à coude avec les Indiens dans les champs, au traitement des cuirs, au broyage du maïs. L'après-midi, quand les autres se reposaient, il soignait les blessures dues à de petits accidents ou arrachait quelques dents gâtées. Il donnait en plus des cours de caté-chisme et d'arithmétique, afin que les néophytes – comme on appelait les Indiens convertis – puissent compter les peaux, les

12

bougies et les vaches, mais pas de lecture ou d'écriture, ces connaissances n'ayant pas d'application pratique en ce lieu. Le soir il faisait du vin, tenait les comptes, écrivait dans ses carnets et priait. Au lever du jour il sonnait la cloche de l'église pour appeler sa congrégation à la messe et, après l'office, supervisait le petit déjeuner d'un œil attentif, veillant à ce que personne ne restât sur sa faim. C'est à cause de tout cela, et non par excès de confiance en lui ou par vanité, qu'il était convaincu que les tribus sur le pied de guerre n'attaqueraient pas sa mission. Cependant, comme les mauvaises nouvelles continuèrent à arriver semaine après semaine, il finit par leur prêter attention. Il envoya deux hommes de toute confiance vérifier ce qui se passait dans le reste de la région ; ceux-ci ne tardèrent pas à situer les Indiens en guerre et à obtenir les détails, car ils furent reçus comme des amis par les sujets mêmes qu'ils allaient espionner. Ils revinrent raconter au missionnaire qu'un héros surgi de la profondeur de la forêt, et possédé par l'esprit du loup, avait réussi à unir plusieurs tribus pour repousser les Espagnols des terres de leurs ancêtres, sur lesquelles ils avaient toujours chassé sans permis. Les Indiens manquaient d'une stratégie claire : ils se contentaient d'attaquer les missions et les villages sous l'impulsion du moment, incendiaient tout ce qui se trouvait sur leur passage et se retiraient sur-le-champ, aussi vite qu'ils étaient arrivés. Ils recrutaient les néophytes qui n'étaient pas encore ramollis par l'humiliation prolongée au service des Blancs, et grossissaient ainsi leurs rangs. Les hommes du père Mendoza ajoutèrent que Chef-Loup-Gris avait San Gabriel dans sa ligne de mire, non par rancœur particulière vis-à-vis du missionnaire, à qui l'on ne pouvait rien reprocher, mais parce que la mission se trouvait sur leur chemin. Dans cette perspective, le prêtre dut prendre des mesures. Il n'avait aucune intention de perdre le fruit de longues années de travail, et encore moins de permettre qu'on lui enlevât ses Indiens, qui loin de sa tutelle succomberaient au péché et retourneraient vivre comme des sauvages. Il écrivit un message au capitaine Alejandro de La Vega pour lui demander un prompt secours. Il craignait le pire, disait-il, car les insurgés n'étaient pas loin, prêts à attaquer à tout moment, et lui ne pouvait se défendre sans les renforts militaires appropriés. Il envoya deux missives identiques au fort de San Diego, par deux cavaliers rapides qui empruntèrent des routes différentes, de façon que si l'un était intercepté l'autre atteignît son but.

*

Quelques jours plus tard, le capitaine Alejandro de La Vega arriva au galop à la mission. D'un bond il sauta de cheval dans la cour, arracha la lourde casaque de son uniforme, son foulard et son chapeau, plongea la tête dans l'auge où les femmes rinçaient des vêtements. Le cheval était couvert d'écume, car il avait porté sur plusieurs lieues le cavalier et son harnachement de dragon de l'armée espagnole : lance, épée, bouclier de cuir double et carabine, outre le harnais. De La Vega était accompagné de deux hommes et de plusieurs chevaux qui transportaient des provisions. Le père Mendoza sortit le recevoir à bras ouverts, mais lorsqu'il vit qu'il n'était escorté que de deux soldats en guenilles aussi exténués que leurs montures, il ne put dissimuler sa déception.

« Je regrette, Père, je ne dispose pas de plus de soldats que ces deux braves. Le reste du détachement est posté au village de La Reina de Los Angeles, qui lui aussi est menacé par le soulèvement, s'excusa le capitaine tout en séchant son visage avec les manches de sa chemise.

— Que Dieu nous vienne en aide, puisque l'Espagne ne le fait pas, répliqua le prêtre entre ses dents.

— Savez-vous combien d'Indiens vont attaquer?

— Ici, très peu savent compter avec précision, capitaine, mais d'après ce qu'ont pu constater mes hommes, ils peuvent être près de cinq cents.

« — Cela veut dire qu'ils ne seront pas plus de cent cinquante, père. Nous pouvons nous défendre. Sur quels effectifs pouvons-nous compter? demanda Alejandro de La Vega.

— Sur moi, qui ai été soldat avant d'être prêtre, et sur deux autres missionnaires, jeunes et courageux. Nous avons trois soldats assignés à la mission, qui vivent ici. Egalement plusieurs mousquets et des carabines, des munitions, deux sabres et la poudre que nous employons à la carrière de pierre.

— Combien de néophytes?

— Mon fils, soyons réalistes : la plupart d'entre eux ne se battront pas contre des gens de leur race, expliqua le missionnaire. Tout au plus peut-on compter sur une demi-douzaine de jeunes élevés ici et sur quelques femmes qui nous aideront à charger les armes. Je ne veux pas risquer la vie de mes néophytes, ils sont comme des enfants, capitaine. Je les soigne comme s'ils étaient mes propres fils.

— Bien, mon père, mettons-nous au travail, au nom de Dieu. D'après ce que je vois, l'église est l'édifice le plus solide de la mission. C'est là que nous organiserons la défense », dit le capitaine.

Au cours des jours qui suivirent, personne ne prit de repos à San Gabriel ; les plus jeunes enfants eux-mêmes furent mis à contribution. Le père Mendoza, qui connaissait bien l'âme humaine, doutait de la loyauté des néophytes, surtout lorsqu'ils se verraient entourés d'Indiens libres. Consterné, il nota comme une lueur sauvage dans les yeux de certains d'entre eux et le peu d'enthousiasme qu'ils mettaient à accomplir les ordres : ils laissaient tomber les pierres, leurs sacs de sable s'éventraient, ils s'emmêlaient dans les cordes, leurs seaux de brai se renversaient. Forcé par les circonstances, pour l'exemple, il enfreignit sa propre règle de compassion et, sans que sa volonté tressaillît, condamna deux Indiens au cep et infligea dix coups de fouet à un troisième. Puis, avec de grosses planches, il fit renforcer la porte du dortoir des femmes célibataires, construit comme une prison pour que les

15

plus audacieuses n'aillent pas se promener sous la lune en compagnie de leur amoureux. C'était une bâtisse ronde, aux épais murs d'adobe, sans fenêtres, et qui avait l'avantage supplémentaire qu'on pouvait la barricader de l'extérieur par une barre de fer et des cadenas. On y enferma la plus grande partie des néophytes mâles enchaînés par les chevilles, pour éviter qu'à l'heure de la bataille ils ne collaborent avec l'ennemi.

« Les Indiens n'ont pas peur, père Mendoza. Ils croient que nous possédons une magie très puissante, dit le capitaine de La Vega en donnant une tape sur la culasse de sa carabine.

— Ces gens connaissent très bien les armes à feu, même s'ils n'ont pas encore découvert leur fonctionnement. Ce que les Indiens craignent en vérité, c'est la croix du Christ, répliqua le missionnaire en montrant l'autel.

— Dans ce cas, nous allons leur donner une démonstration du pouvoir de la croix et de celui de la poudre », dit le capitaine en riant, et il exposa son plan.

Ils se trouvaient dans l'église, à l'intérieur de laquelle ils avaient installé des barricades de sacs de sable, face à la porte, et disposé des nids avec les armes à feu à des endroits stratégiques. D'après le capitaine de La Vega, tant qu'ils maintiendraient les attaquants à une certaine distance, pour pouvoir recharger les carabines et les mousquets, la bataille pencherait en leur faveur, mais au combat corps à corps leur désavantage était terrible, car les Indiens les dépassaient en nombre et en férocité.

Le père Mendoza admira l'audace de l'homme. De La Vega avait une trentaine d'années et était déjà un soldat vétéran, rompu à la guerre dans les campagnes d'Italie, d'où il était revenu marqué de fières cicatrices. C'était le troisième fils d'une famille d'hidalgos, dont on pouvait remonter le lignage jusqu'au Cid Campéador. Ses ancêtres avaient lutté contre les Maures sous les étendards catholiques d'Isabelle et de Ferdinand, mais de tant de courage exalté et de sang répandu pour l'Espagne ils n'avaient tiré aucune fortune, juste de l'honneur. A la mort de son père, le fils aîné hérita de la maison familiale, un édifice centenaire en pierre enraciné sur un morceau de terre sèche en Castille. L'Eglise réclama le cadet et au benjamin revint l'armée; il n'y avait d'autre destin pour un jeune homme de son sang. En récompense pour le courage dont il avait fait preuve en Italie, il avait reçu une petite bourse de doublons d'or et l'autorisation d'aller tenter sa chance au Nouveau Monde. C'est ainsi qu'il avait atterri en Haute-Californie, où il était arrivé pour escorter doña Eulalia de Callís, l'épouse du gouverneur Pedro Fages, surnommé L'Ours à cause de son mauvais caractère et du nombre de ces animaux qu'il avait abattus de sa propre main.

Le père Mendoza avait entendu les histoires qui circulaient sur le voyage épique de doña Eulalia, une dame au tempérament aussi fougueux que celui de son mari. Sa caravane avait mis six mois pour parcourir la distance qui séparait Mexico, où elle vivait comme une princesse, de Monterrey, l'inhospitalière forteresse militaire où l'attendait son mari. Elle avançait à pas de tortue, traînant un train de charrettes à bœufs et une file interminable de mules qui transportaient son équipage; de plus, à chaque endroit où ils campaient elle organisait une fête de cour qui durait en général plusieurs jours. On disait qu'elle était excentrique, qu'elle lavait son corps avec du lait d'ânesse et teignait ses cheveux, qui lui arrivaient aux talons, avec les onguents rougeâtres des courtisanes de Venise; que par pur gaspillage, et non par vertu chrétienne, elle se défaisait de ses vêtements de soie et de brocart pour couvrir les Indiens nus qui venaient au-devant d'elle sur le chemin; et pour comble de scandale, ajoutait-on, elle s'était éprise du beau capitaine Alejandro de La Vega. « Enfin, qui suis-je, moi pauvre franciscain, pour juger cette dame? », conclut le père Mendoza en observant de La Vega du coin de l'œil et en se demandant avec curiosité, bien malgré lui, ce qu'il y avait de vrai dans ces rumeurs.

17

*

Dans leurs lettres au directeur des missions à Mexico, les missionnaires se plaignaient de ce que les Indiens préféraient vivre nus, dans des huttes de paille, armés d'arcs et de flèches, sans éducation, sans gouvernement, sans religion ni respect de l'autorité, s'adonnant tout entiers à satisfaire leurs honteux appétits, comme si l'eau miraculeuse du baptême n'avait jamais lavé leurs péchés. L'obstination des Indiens à s'accrocher à leurs coutumes devait être l'œuvre de Satan, il n'y avait pas d'autre explication ; c'est pourquoi ils partaient chasser les déserteurs au lasso, et ensuite les fouettaient pour leur inculquer leur doctrine d'amour et de pardon. Le père Mendoza, quant à lui, avait eu une jeunesse assez dissipée avant de devenir prêtre, et l'idée de satisfaire des appétits honteux ne lui était pas étrangère, raison pour laquelle il sympathisait avec les indigènes. Il professait en outre une secrète admiration pour les idées progressistes de ses rivaux, les jésuites. Il n'était pas comme d'autres religieux, y compris la plupart de ses frères franciscains, qui faisaient de l'ignorance une vertu. Quelques années plus tôt, alors qu'il s'apprêtait à prendre en charge la mission de San Gabriel, il avait lu avec le plus grand intérêt le rapport d'un certain Jean-François de La Pérouse, un explorateur qui avait décrit les néophytes en Californie comme des êtres tristes, sans personnalité, privés d'esprit, qui lui rappelaient les esclaves noirs traumatisés des plantations des Caraïbes. Les autorités espagnoles attribuèrent les opinions de La Pérouse au fait lamentable que l'homme était français, mais elles firent une profonde impression sur le père Mendoza. Au fond de son âme, il avait autant confiance en la science qu'en Dieu, aussi décida-t-il qu'il ferait de sa mission un exemple de prospérité et de justice. Il se proposa de gagner des adeptes au moyen de la persuasion, plutôt qu'à celui du lasso, et de les retenir avec de bonnes œuvres, au lieu de coups de fouet. Il y réussit de

18

manière spectaculaire. Sous sa direction, l'existence des Indiens s'améliora au point que si La Pérouse était passé par là il aurait été admiratif. Le père Mendoza pouvait se vanter – bien qu'il ne le fît jamais – qu'à San Gabriel il avait triplé le nombre de baptisés, et qu'aucun ne s'échappait très long-temps, les rares fugitifs reparaissaient toujours repentis. Malgré le dur labeur et les restrictions sexuelles, ils revenaient parce qu'il les traitait avec clémence et que jamais auparavant ils n'avaient disposé de trois repas par jour et d'un toit solide où se réfugier pendant les tempêtes.

La mission attirait des voyageurs du reste de l'Amérique et de l'Espagne, qui accouraient dans ce territoire reculé pour apprendre le secret du succès du père Mendoza. Ils étaient très impressionnés par les champs de céréales et de légumes; les vignes qui produisaient du bon vin; le système d'irrigation inspiré des aqueducs romains; les écuries et les enclos; les troupeaux paissant à perte de vue sur les collines; les magasins remplis de peaux tannées et de tonneaux de graisse. Ils s'émerveillaient de la paix dans laquelle les jours s'écoulaient et de la douceur des néophytes, qui devenaient célèbres au-delà des frontières grâce à leur fine vannerie et à leurs objets en cuir. « A ventre plein, cœur satisfait », telle était la devise du père Mendoza, qui vivait dans l'obsession de la nutrition depuis qu'il avait entendu dire que les marins mouraient parfois du scorbut, alors qu'un citron pouvait prévenir la maladie. Il est plus facile de sauver l'âme si le corps est sain, pensait-il, voilà pourquoi la première chose qu'il fit en arri-vant à la mission fut de remplacer l'éternelle bouillie de maïs, base de l'alimentation, par des ragoûts de viande, des légumes et du beurre pour les galettes. Il fournissait du lait pour les enfants, ce qui représentait un énorme effort, car chaque seau de liquide écumant était obtenu au prix d'une bataille avec les vaches sauvages. Il fallait trois hommes robustes pour traire chacune d'elles et, souvent, c'était la vache qui gagnait. Mendoza combattait la répugnance des enfants pour le lait par la méthode qu'il employait pour les purger une fois par mois, afin de les débarrasser des vers intestinaux : il les attachait, leur pinçait le nez et leur introduisait un entonnoir dans la bouche. Une telle détermination donnait obligatoirement des résultats. A force d'entonnoir, les enfants acquéraient de la vigueur et un caractère bien trempé. La population de San Gabriel ignorait les vers et elle était la seule à être débarrassée des fléaux fatidiques qui décimaient d'autres colonies, bien qu'il arrivât qu'un rhume ou une quelconque diarrhée expédiât directement les néophytes dans l'autre monde.

*

Les Indiens attaquèrent le mercredi en milieu de journée. Ils s'approchèrent discrètement, mais lorsqu'ils envahirent les terres de la mission, on les attendait. La première impression des guerriers excités fut que l'endroit était désert; seuls deux chiens maigres et une poule distraite les reçurent dans la cour. Ils ne trouvèrent âme qui vive nulle part, n'entendirent pas de voix et ne virent aucune fumée dans les foyers des cabanes. Certains des Indiens étaient vêtus de peaux et montaient à cheval, mais la plupart d'entre eux allaient nus et à pied, armés d'arcs et de flèches, de massues et de lances. A leur tête galopait le chef mystérieux, peint de rayures rouges et noires, vêtu d'une courte tunique en peau de loup et coiffé d'une tête complète de cet animal en guise de couvre-chef. On voyait à peine sa figure, qui apparaissait entre les mâchoires du loup, enveloppée d'une longue chevelure obscure.

En quelques minutes les assaillants parcoururent la mission, ils mirent le feu aux maisons de paille et détruisirent les pots de terre, les tonneaux, les outils, les métiers à tisser et tout ce qui se trouvait à leur portée sans rencontrer la moindre résistance. Leurs terrifiants hurlements de combat et leur grande hâte les empêchèrent d'entendre les appels des néophytes, enfermés sous barre de fer et cadenas dans le dortoir des femmes. Enhardis, ils se dirigèrent vers l'église et lancèrent une pluie de flèches, mais celles-ci s'écrasèrent inutilement contre les solides murs de terre. Sur une injonction de Chef-Loup-Gris ils se lancèrent sans ordre ni concertation contre les épaisses portes en bois, qui tremblèrent sous le choc mais ne cédèrent pas. Les cris et les hurlements augmentaient de volume à chaque poussée de la horde pour abattre la porte, tandis que quelques guerriers plus athlétiques et plus audacieux cherchaient comment grimper aux petites fenêtres et au clocher.

A l'intérieur de l'église, la tension devenait plus intolérable à chaque poussée que recevait la porte. Les défenseurs — quatre missionnaires, cinq soldats et huit néophytes — étaient placés sur les côtés de la nef, protégés par des sacs de sable et secondés par des jeunes filles chargées de recharger les armes. De La Vega les avait entraînées le mieux possible, mais on ne pouvait trop attendre de jeunes filles terrorisées qui n'avaient jamais vu un mousquet de près. Le travail consistait en une série de mouvements, que n'importe quel soldat effectuait sans réfléchir, mais que le capitaine avait mis des heures à leur expliquer. Une fois l'arme prête, la jeune fille la remettait à l'homme qui tirait tandis qu'elle en préparait une autre. En actionnant la détente, une étincelle mettait le feu à l'explosif du bassinet qui, à son tour, faisait détoner le canon. La poudre humide, la pierre à fusil usée et les embouchures bloquées faisaient échouer de nombreux tirs; il était en outre fréquent d'oublier de sortir la baguette du canon avant de tirer.

« Ne perdez pas courage, la guerre, c'est toujours comme ça, du bruit et de la turbulence. Si une arme se coince, la suivante doit être prête pour continuer à tuer », furent les instructions d'Alejandro de La Vega.

Dans une pièce derrière l'autel se trouvaient le reste des femmes et tous les enfants de la mission, que le père Mendoza s'était juré de protéger au prix de sa vie. Les défenseurs du

21

site, les doigts raidis sur les détentes et la moitié du visage protégée par un mouchoir trempé d'eau et de vinaigre, attendaient en silence l'ordre du capitaine, le seul à garder un flegme inaltérable face aux cris des Indiens et au fracas de leurs corps se jetant contre la porte. Froidement, Alejandro de La Vega calculait la résistance du bois. Le succès de son plan dépendait d'une action au moment opportun et en parfaite coordination. Il n'avait pas eu l'occasion de combattre depuis les campagnes d'Italie, il y avait de cela plusieurs années, mais il était lucide et calme; le seul signe de son appréhension, c'était le chatouillement qu'il sentait toujours dans les mains avant de tirer.

Bientôt, les Indiens se lassèrent de percuter contre la porte et ils reculèrent pour reprendre des forces et recevoir des instructions de leur chef. Un silence menaçant remplaça le vacarme précédent. Ce fut le moment que choisit le capitaine de La Vega pour donner le signal. La cloche de l'église se mit à sonner furieusement, tandis que quatre néophytes mettaient le feu à des tissus trempés de brai, produisant une fumée épaisse et fétide. Deux autres levèrent la lourde barre de la porte. Les coups de cloche rendirent leur énergie aux Indiens, qui se regroupèrent pour se lancer de nouveau à l'attaque. Cette fois, la porte céda au premier contact et ils tombèrent les uns sur les autres dans la plus grande confusion, s'écrasant contre une barrière de sacs de sable et de pierres. Eblouis par la lumière du dehors, ils se retrouvèrent dans la pénombre et la fumée de l'intérieur. Dix mousquets tirèrent à l'unisson depuis les côtés, blessant plusieurs Indiens qui s'écroulèrent en hurlant. Le capitaine alluma la mèche et en quelques secondes le feu atteignit les sacs de poudre mélangée à de la graisse et des projectiles disposés devant la barricade. L'explosion secoua les fondations de l'église, lança une grêle de particules de métal et de cailloux sur les Indiens et arracha à la base la grande croix de bois qui se trouvait sur l'autel. Les défenseurs sentirent le souffle chaud qui les jeta en arrière, et

22

le bruit épouvantable les assourdit, mais ils purent voir les corps des Indiens projetés comme des marionnettes dans un nuage rougeâtre. Protégés derrière leurs parapets, ils eurent le temps de se relever, de recharger leurs armes et de tirer pour la deuxième fois avant que les premières flèches ne volent en l'air. Plusieurs Indiens gisaient sur le sol, et ceux qui étaient encore debout toussaient et larmoyaient à cause de la fumée, sans pouvoir viser avec leurs arcs; en revanche, ils constituaient des cibles faciles pour les balles.

Ils eurent le temps de recharger trois fois les mousquets avant que Chef-Loup-Gris, suivi de ses plus vaillants guerriers, parvînt à escalader la barricade et à envahir la nef, où il fut reçu par les Espagnols. Dans le chaos de la bataille, le capitaine Alejandro de La Vega ne perdit jamais de vue le chef indien et, dès qu'il réussit à se libérer des ennemis qui l'entouraient, il lui sauta dessus, l'affrontant avec un rugissement de fauve, le sabre à la main. Il abattit l'acier de toutes ses forces, mais frappa dans le vide, car l'instinct de Chef-Loup Gris l'avertit du danger une seconde avant le coup, qu'il esquiva en se jetant sur le côté. Le brutal élan employé dans l'estocade déséquilibra le capitaine, qui partit en avant, buta, tomba à genoux tandis que son épée frappait le sol, se brisant en deux. Dans un cri de triomphe, l'Indien leva la lance pour transpercer l'Espagnol de part en part, mais il ne put achever son geste, car un coup de crosse sur la nuque le précipita sur le ventre, immobile.

« Dieu me pardonne! » s'exclama le père Mendoza, qui brandissait un mousquet par le canon et distribuait des coups à gauche et à droite avec un plaisir féroce. Une flaque sombre se répandit rapidement autour du chef et l'altière tête de loup de sa coiffe devint rouge, à la surprise du capitaine de La Vega qui se croyait déjà mort. Le père Mendoza ponctua sa joie déplacée par un bon coup de pied dans le corps inerte du chef à terre. Il lui avait suffi de sentir la poudre pour redevenir le soldat sanguinaire qu'il avait été dans sa jeunesse.

23

En quelques minutes la nouvelle courut parmi les Indiens que leur chef était tombé et ils commencèrent à battre en retraite, d'abord en hésitant et ensuite en courant, se perdant au loin. Les vainqueurs, trempés de sueur et à demi asphyxiés, attendirent que la poussière provoquée par la retraite de l'ennemi fût retombée pour sortir respirer l'air pur. Au carillonnement dément de la cloche de l'église s'ajoutèrent une salve de tirs en l'air et les vivats interminables de ceux qui avaient la vie sauve, dominant les plaintes des blessés et les pleurs hystériques des femmes et des enfants, toujours enfermés derrière l'autel et noyés dans la fumée.

*

Le père Mendoza retroussa les manches de sa soutane trempée de sang et se mit en devoir de rendre la normalité à sa mission, sans s'apercevoir qu'il avait perdu une oreille et que le sang n'était pas celui de ses adversaires, mais le sien. Il fit le compte de ses pertes, minimes, et éleva au ciel une double prière afin de rendre grâces pour la victoire et demander pardon d'avoir perdu de vue la compassion chrétienne dans l'enthousiasme de la bataille. Deux de ses soldats souffraient de légères blessures et l'un des missionnaires avait un bras transpercé par une flèche. L'unique mort à déplorer était celle de l'une des jeunes filles qui chargeaient les armes, une petite Indienne de quinze ans qui était restée étendue de tout son long, le crâne fracassé par un coup de gourdin et une expression de surprise dans ses grands yeux sombres. Tandis que le père Mendoza organisait les siens pour éteindre les incendies, s'occuper des blessés et enterrer les morts, le capitaine Alejandro de La Vega, un sabre étranger à la main, parcourait la nef de l'église à la recherche du cadavre du chef indien, avec l'intention d'enfiler sa tête sur une pique et de la planter à l'entrée de la mission, pour décourager quiconque caresserait l'idée de suivre son exemple. Il le trouva là où il était tombé, paquet pathétique inondé de son sang. D'une tape il lui arracha la tête de loup et de la pointe du pied retourna le corps, beaucoup plus petit qu'il ne le paraissait lorsqu'il brandissait une lance. Encore aveuglé par la rage et haletant de l'effort du combat, le capitaine attrapa le chef par sa longue chevelure et leva le sabre pour le décapiter d'un seul coup de lame, mais avant qu'il ne parvienne à baisser le bras, le vaincu ouvrit les yeux et le regarda avec une expression de curiosité inattendue.

« Sainte Vierge Marie, il est vivant! » s'exclama de La Vega en faisant un pas en arrière.

Il ne fut pas tant surpris que son ennemi respire encore, que par la beauté de ses yeux en amande couleur caramel, aux sourcils épais, les yeux diaphanes d'une biche dans ce visage couvert de sang et de peinture de guerre. De La Vega lâcha son sabre, il s'agenouilla et lui passa la main sous la nuque, l'asseyant avec précaution. Les yeux de biche se refermèrent et un long gémissement s'échappa de sa bouche. Le capitaine jeta un coup d'œil autour de lui et comprit qu'ils étaient seuls dans ce coin de l'église, tout près de l'autel. Obéissant à une impulsion, il souleva le blessé dans l'intention de le jeter sur son épaule, mais il se révéla beaucoup plus léger qu'il ne s'y attendait. Il le porta dans ses bras comme un enfant, évitant les sacs de sable, les pierres, les armes et les corps des morts qui n'avaient pas encore été retirés par les missionnaires, et sortit de l'église à la lumière de ce jour d'automne dont il se souviendrait sa vie durant.

« Il est vivant, père Mendoza, annonça-t-il en déposant le blessé sur le sol.

— Dommage, capitaine, parce que nous allons de toute façon devoir l'exécuter », répliqua le père Mendoza, qui portait maintenant une chemise enroulée autour de la tête, comme un turban, pour étancher le sang de son oreille coupée.

Alejandro de La Vega ne put jamais expliquer pourquoi, au

lieu de profiter de ce moment pour décapiter son ennemi, il partit chercher de l'eau et des chiffons afin de le laver. Aidé par une néophyte, il divisa la tignasse noire et mouilla la longue entaille, qui au contact de l'eau se remit à saigner abondamment. Il palpa le crâne avec ses doigts, vérifiant qu'il y avait une blessure enflammée, mais que l'os était intact. A la guerre, il avait vu des blessures bien plus vilaines. Il prit l'une des aiguilles courbes qui servent à faire les matelas et les crins de cheval que le père Mendoza avait mis à tremper dans de la tequila pour recoudre les blessés, et il cousit le cuir chevelu. Puis, il nettoya le visage du chef, constatant que la peau était claire et les traits délicats. Prenant sa dague, il déchira la tunique en peau de loup ensanglantée, pour voir s'il n'y avait pas d'autres blessures, et alors un cri lui échappa.

« C'est une femme! » s'exclama-t-il stupéfait.

Le père Mendoza et les autres accoururent sur-le-champ et restèrent à contempler, muets de surprise, les seins de vierge du guerrier.

« Maintenant, il va être beaucoup plus difficile de l'exécuter... », soupira enfin le père Mendoza.

*

Son nom était Toypurnia et elle était âgée d'à peine vingt ans. Elle avait réussi à convaincre les guerriers de plusieurs tribus de la suivre, grâce à la légende mythique qui la précédait. Sa mère était Chouette-Blanche, chamane et guérisseuse d'une tribu d'Indiens gabrieliens; son père, un marin déserteur d'un bateau espagnol. L'homme avait vécu plusieurs années caché chez les Indiens, jusqu'à ce qu'une pneumonie l'emporte; sa fille était alors une adolescente. Toypurnia avait appris de son père les bases de la langue castillane, de sa mère l'utilisation des plantes médicinales et les traditions de son peuple. Son extraordinaire destin s'était manifesté quelques mois après sa naissance, l'après-midi où sa mère l'avait laissée endormie sous un arbre, tandis qu'elle se baignait dans la rivière, et qu'un loup s'était approché du paquet enveloppé de peaux, l'avait pris dans sa gueule et emporté en le traînant vers la forêt. Désespérée, Chouette-Blanche avait suivi les empreintes de l'animal pendant plusieurs jours, sans retrouver sa fille. Au cours de cet été-là, les cheveux de la mère avaient blanchi et la tribu n'avait cessé de chercher la fillette, jusqu'à ce qu'eût disparu le dernier espoir de la trouver ; alors on avait mené les cérémonies pour la guider vers les vastes prairies du Grand-Esprit. Sentant dans la moelle de ses os que sa fille était vivante, Chouette-Blanche avait refusé de participer aux funérailles et continué à scruter l'horizon. Un matin, au début de l'hiver, ils avaient vu surgir de la brume une créature efflanquée, immonde et nue, qui avançait à quatre pattes, le nez collé à la terre. C'était la fillette perdue, qui arrivait en grognant comme un chien, avec sur elle une odeur de fauve. On lui donna le nom de Toypurnia, qui dans la langue de sa tribu signifie Fille-de-Loup, et on l'éleva comme les garçons, avec arc, flèche et lance, parce qu'elle était revenue de la forêt avec un cœur indompté.

Tout cela, Alejandro de La Vega l'apprit au cours des jours suivants, de la bouche des Indiens prisonniers qui, enfermés dans les cellules des missionnaires, se lamentaient de leurs blessures et de l'humiliation subie. Le père Mendoza avait décidé de les libérer au fur et à mesure qu'ils se remettaient, vu qu'il ne pouvait les garder captifs indéfiniment et que, sans leur chef, ils semblaient être revenus à l'indifférence et à la docilité d'autrefois. Il ne voulut pas les fouetter, comme ils le méritaient assurément, car le châtiment ne ferait qu'attiser leur rancœur, et il n'essaya pas non plus de les convertir à sa foi, parce qu'il lui parut qu'aucun d'eux n'avait l'étoffe d'un chrétien ; ils seraient comme des pommes pourries qui contamineraient la pureté de son troupeau. Il n'échappa point au missionnaire que la jeune Toypurnia exerçait une véritable fascination sur le capitaine de La Vega, qui cherchait des prétextes pour venir à chaque instant dans la cave souterraine, où on laissait vieillir le vin et où on avait installé la captive. Le missionnaire avait choisi la cave comme cellule pour deux raisons : on pouvait la garder fermée à clé, et l'obscurité donnerait à Toypurnia l'occasion de méditer sur ses actions. Comme les Indiens affirmaient que leur chef se transformait en loup et pouvait s'échapper de n'importe où, il prit la précaution supplémentaire de l'immobiliser avec des courroies en cuir sur les grossières planches qui lui servaient de litière. La jeune fille se débattit pendant plusieurs jours entre l'inconscience et les cauchemars, trempée d'une sueur fébrile, alimentée de lait, de vin et de miel, à la cuiller, par la main du capitaine de La Vega. De temps en temps elle se réveillait dans des ténèbres absolues et craignait d'être aveugle, mais d'autres fois elle ouvrait les yeux dans la lumière tremblante d'une lampe à huile et percevait le visage d'un inconnu qui l'appelait par son nom.

Une semaine plus tard, Toypurnia faisait ses premiers pas clandestins, appuyée sur le beau capitaine, qui avait décidé d'ignorer les ordres du père Mendoza de la garder attachée et dans le noir. A ce moment, les deux jeunes gens pouvaient communiquer, parce qu'elle se souvenait des fragments de castillan que son père lui avait appris et qu'Alejandro fit l'effort d'apprendre quelques mots de sa langue à elle. Quand le père Mendoza les surprit se tenant par la main, il décida qu'il était temps de considérer la prisonnière guérie et de la juger. Rien n'était plus loin de son intention que d'exécuter quiconque, en vérité il ne savait même pas comment s'y prendre, mais il était responsable de la sécurité de la mission et de ses néophytes, et cette femme avait causé plusieurs morts. Il rappela tristement au capitaine qu'en Espagne la peine pour crimes de rébellion, comme celui de Toypurnia, consistait en rien moins que la mort lente par le vil garrot, où le supplicié perdait le souffle tandis qu'un tourniquet de fer lui serrait le cou.

« Nous ne sommes pas en Espagne, répliqua le capitaine en frémissant.

— Je suppose que vous êtes d'accord avec moi, capitaine, sur le fait que tant qu'elle sera en vie nous serons tous en danger, parce qu'elle soulèvera à nouveau les tribus. Pas question du garrot, il est par trop cruel, mais, la mort dans l'âme, il nous faudra la pendre, il n'y a pas d'autre solution.

— Cette femme est métisse, père, elle a du sang espagnol. Vous avez le pouvoir de juger les Indiens sous votre juridiction, mais pas elle. Seul le gouverneur de Haute-Californie peut la condamner », répliqua le capitaine.

Le père Mendoza, pour qui l'idée de porter la responsabilité de la mort d'un autre être humain était une charge trop lourde, se saisit immédiatement de cet argument. De La Vega proposa d'aller personnellement à Monterrey afin que Pedro Fages décidât du sort de Toypurnia, et le missionnaire accepta avec un profond soupir de soulagement.

*

Alejandro de La Vega arriva à Monterrey en moins de temps qu'il le fallait à un cavalier pour couvrir cette distance dans des circonstances normales, parce qu'il était pressé de remplir sa mission et qu'il devait éviter les Indiens soulevés. Il entreprit le voyage seul et au galop, faisant halte dans les missions le long du chemin pour changer de cheval et dormir quelques heures. Il avait déjà parcouru ce trajet et le connaissait bien, mais cette nature prodigue en forêts interminables l'émerveillait toujours, avec ses milliers d'espèces d'animaux et d'oiseaux, ses ruisseaux et ses douces pentes, les sables blancs des plages du Pacifique. Il ne fit pas de mauvaises rencontres avec les Indiens, car ceux-ci erraient dans les montagnes, sans chef et sans but, démoralisés. Si les prédictions du père Mendoza étaient exactes, leur enthousiasme avait complètement disparu et il leur faudrait des années pour se réorganiser.

La garnison de Monterrey, construite sur un promontoire isolé à sept cents lieues de la ville de Mexico et à un demi-monde de distance de Madrid, était un édifice aussi funèbre qu'un cachot, une monstruosité de pierre et de mortier, où était stationné un petit contingent de soldats, seule compagnie du gouverneur et de sa famille. Ce jour-là, un brouillard humide amplifiait la clameur des vagues contre les rochers et le vacarme des mouettes.

Pedro Fages reçut le capitaine dans une salle presque nue, dont les petites fenêtres laissaient à peine entrer la lumière, mais par où se glissaient les bourrasques glacées du vent marin. Les murs portaient des têtes d'ours empaillées, des sabres, des pistolets et le blason brodé d'or de doña Eulalia de Callís, mais défraîchi et déteint. En guise de mobilier il y avait une douzaine de fauteuils en bois non recouverts, une immense armoire et une table militaire. Les plafonds noirs de suie et le sol de terre battue étaient typiques de la plus rude caserne. Le gouverneur, un notable corpulent avec une grosse voix extraordinaire, avait la rare vertu d'être invulnérable à la flatterie et à la corruption. Il exerçait le pouvoir avec la secrète certitude que son destin maudit était de sortir la Haute-Californie de la barbarie, quel qu'en fût le prix. Il se comparait aux premiers conquistadors espagnols, des gens comme Hernán Cortés qui avaient gagné tant de terre pour l'empire. Il accomplissait son devoir avec un grand sens de l'histoire, bien qu'il eût en vérité préféré jouir de la fortune de sa femme à Barcelone, comme elle le lui demandait sans arrêt. Une ordonnance leur servit du vin rouge dans des verres en cristal de Bohême, apportés de loin dans les malles d'Eulalia de Callís, qui contrastaient avec le rudimentaire ameublement du fort. Les hommes portèrent un toast à la lointaine patrie et à leur amitié, commentant la révolution qui avait soulevé en armes le peuple de France. L'événement avait eu lieu voilà plus d'un an, mais la nouvelle venait d'arriver à Monterrey. Ils tombèrent d'accord sur le fait qu'il n'y avait pas de raison de s'alarmer : l'ordre avait sûrement été rétabli dans ce pays et le roi Louis XVI devait être de nouveau sur son trône, même s'ils le considéraient comme un homme pusillanime, peu digne de pitié. Dans le fond, ils se réjouissaient de ce que les Français s'entre-tuent, mais les bonnes manières les empêchaient de l'exprimer à voix haute. De loin arrivait un son atténué de voix et de cris, qui augmenta peu à peu en intensité, jusqu'à ce qu'il fût impossible de continuer à l'ignorer.

« Excusez-moi, capitaine, ce sont des affaires de femmes, dit Pedro Fages en faisant un geste d'impatience.

— Son Excellence doña Eulalia va-t-elle bien? » s'enquit Alejandro de La Vega en rougissant jusqu'à la racine des cheveux.

Pedro Fages le transperça de son regard d'acier, essayant de deviner ses intentions. Il était au courant des rumeurs que les gens faisaient courir sur ce beau capitaine et sa femme, il n'était pas sourd. Personne n'avait compris, et lui moins encore, que doña Eulalia eût mis six mois à rejoindre Monterrey, alors que cette distance pouvait être parcourue en beaucoup moins de temps; on disait que le voyage avait été prolongé exprès, parce qu'ils ne se résignaient pas à se séparer. A ces cancans s'ajouta la version exagérée d'une attaque de bandits au cours de laquelle de La Vega, supposait-on, avait risqué sa vie pour la sauver. La vérité était tout autre, mais Pedro Fages ne la sut jamais. Les attaquants n'avaient été qu'une demi-douzaine d'Indiens excités par l'alcool, qui s'enfuirent dès qu'ils entendirent les premiers coups de feu, rien d'autre; quant à la blessure que de La Vega avait reçue à la jambe, ce ne fut pas en défendant doña Eulalia de Callís, comme on le disait, mais à cause d'un léger coup de corne de vache. Pedro Fages se flattait de savoir juger les hommes – il n'avait pas pour rien exercé le pouvoir depuis tant d'années –, et après avoir examiné Alejandro de La Vega il avait décidé qu'il ne valait pas la peine de gaspiller des soupçons à son sujet : il était certain qu'il lui avait remis son épouse sans qu'elle eût commis la moindre infidélité. Il connaissait sa femme mieux que personne. Si ces deux-là étaient tombés amoureux, aucun pouvoir humain ou divin n'aurait dissuadé Eulalia de quitter son amant pour revenir vers son mari. Peut-être y eut-il une affinité platonique entre eux, mais rien qui puisse m'empêcher de dormir, conclut le gouverneur. C'était un homme d'honneur et il avait l'impression d'avoir une dette envers cet officier, qui ayant eu six mois pour séduire Eulalia s'en était abstenu. Il lui en attribuait entièrement le mérite, car il considérait que si l'on peut parfois se fier à la loyauté d'un homme, il ne faut jamais se fier à celle des femmes, êtres velléitaires par nature, inaptes à la fidélité.

Pendant ce temps, le remue-ménage des domestiques courant dans les couloirs, les claquements de portes et les cris étouffés continuaient. Alejandro de La Vega connaissait, comme tout le monde, les disputes de ce couple, aussi épiques que leurs réconciliations. Il avait entendu dire qu'au cours de leurs emportements les Fages se lançaient la vaisselle à la tête et que plus d'une fois don Pedro avait dégainé le sabre contre elle, mais ensuite ils s'enfermaient plusieurs jours pour faire l'amour. Le robuste gouverneur donna un coup de poing sur la table qui fit danser les coupes, et il confia à son hôte qu'Eulalia était cloîtrée depuis cinq jours dans ses appartements sous le coup d'une violente colère.

« Le raffinement auquel elle est habituée lui manque, dit-il au moment où un hurlement de folle faisait trembler les murs.

— Peut-être se sent-elle un peu seule, Excellence, murmura de La Vega pour dire quelque chose.

— Je lui ai promis que dans trois ans nous retournerons à Mexico ou en Espagne, mais elle refuse d'entendre raison. Ma patience est à bout, capitaine de La Vega. Je vais l'envoyer à la mission la plus proche afin que les frères la mettent au travail avec les Indiens ; on verra si elle apprend à me respecter ! rugit Fages.

— Me permettez-vous de dire quelques mots à madame, Excellence ? » demanda le capitaine.

Pendant ces cinq jours de prétendue crise de nerfs, la femme du gouverneur avait même refusé de recevoir son fils âgé de trois ans. L'enfant pleurait, pelotonné par terre, et il urinait de terreur sur lui quand son père attaquait la porte avec d'inutiles coups de bâton. Seule une Indienne franchissait le seuil pour lui porter à manger et vider le vase de nuit, mais lorsque Eulalia sut qu'Alejandro de La Vega était en visite et souhaitait la voir, son hystérie retomba en un instant. Elle se rafraîchit le visage, arrangea sa tresse rouge, s'habilla de soie mauve et se para de toutes ses perles. Pedro Fages la vit entrer, aussi pimpante et souriante que dans ses meilleurs moments, et il anticipa avec nostalgie la chaleur d'une possible réconciliation, bien qu'il ne fût pas disposé à lui pardonner trop vite, sa femme méritait une punition. Ce soir-là, au cours de l'austère dîner, dans une salle à manger aussi lugubre que la salle d'armes, Eulalia de Callís et Pedro Fages se lancèrent à la face les récriminations qui leur empoisonnaient l'âme, en prenant leur hôte pour témoin. Alejandro de La Vega se réfugia dans un inconfortable silence jusqu'au moment du dessert, lorsqu'il devina que le vin avait fait son effet et que la colère des époux commençait à céder ; alors il exposa le motif de sa visite. Il expliqua le fait que Toypurnia avait du sang espagnol, il décrivit son courage et son intelligence, quoiqu'il omît sa beauté, et pria le gouverneur d'être indulgent envers elle, rendant justice à sa réputation de compatissant et au nom de leur mutuelle amitié. Pedro Fages ne se fit pas prier, car la rougeur du décolleté d'Eulalia avait réussi à le distraire, et il consentit à commuer la peine de mort en vingt ans de prison.

« En prison, cette femme va devenir une martyre aux yeux des Indiens. Il suffira d'invoquer son nom pour mettre de nouveau les tribus sur le pied de guerre, l'interrompit Eulalia. J'ai une meilleure idée. Avant tout, elle doit être baptisée, comme Dieu l'exige, ensuite vous me l'amènerez ici et je m'en chargerai. Je vous parie qu'en un an j'aurai transformé cette Toypurnia, la Fille-de-Loup, l'Indienne sauvage, en une dame chrétienne et espagnole. Ainsi, nous détruirons pour toujours son influence sur les Indiens.

— Et en même temps, tu auras de quoi te distraire et quelqu'un pour te tenir compagnie », ajouta son mari, de bonne humeur.

Ainsi fut fait. Alejandro de La Vega lui-même fut chargé d'aller chercher la prisonnière à San Gabriel et de la conduire à Monterrey, au soulagement du père Mendoza, qui avait hâte de se débarrasser d'elle. La jeune fille était un volcan prêt à exploser dans la mission, où les néophytes ne s'étaient pas encore remis du raffut de la guerre. A son baptême, Toypurnia reçut le nom de Regina María de la Inmaculada Concepción, mais elle en oublia aussitôt la plus grande partie pour ne garder que Regina. Le père Mendoza la vêtit de la bure des néophytes, lui mit au cou une médaille de la Vierge, l'aida à monter sur le cheval, car elle avait les mains liées, et lui donna sa bénédiction. Dès que les bâtisses basses de la mission furent derrière eux, le capitaine de La Vega libéra les mains de la captive et, lui montrant d'un geste l'immensité de l'horizon, l'invita à prendre la fuite. Regina réfléchit quelques minutes, et sans doute dut-elle calculer que si on la reprenait il n'y aurait pas de pardon pour elle, car elle refusa de la tête. Ou peut-être ne fut-ce pas seulement la peur, mais ce même sentiment ardent qui troublait l'esprit de l'Espagnol. En tout cas, elle le suivit sans la moindre rébellion pendant le voyage, qu'il fit traîner le plus possible, car il imaginait qu'ils ne se reverraient pas. Alejandro de La Vega savoura chaque pas du Camino Real, le Chemin royal, à ses côtés, toutes les nuits où ils dormirent sous les étoiles sans se toucher, chaque occasion où ils se baignèrent ensemble dans la mer, tandis qu'il livrait un combat opiniâtre contre son désir et son imagination. Il savait qu'un hidalgo de La Vega, un homme de son honneur

34

et de son lignage, ne pouvait rêver mariage avec une métisse. S'il avait espéré que ces journées passées à cheval en compagnie de Regina dans les solitudes californiennes refroidiraient son amour, ce fut une déconvenue, car lorsque inévitablement ils arrivèrent à la garnison de Monterrey, il était amoureux comme un adolescent. Il dut faire appel à sa longue discipline de soldat pour se séparer de cette femme et se jurer obstinément qu'il ne tenterait plus jamais de la revoir.

*

Trois ans plus tard, Pedro Fages tint la promesse faite à son épouse et il renonça à son poste de gouverneur de Haute-Californie pour revenir à la civilisation. Au fond, il se réjouissait de cette résolution, car l'exercice du pouvoir lui était toujours apparu comme une tâche ingrate. Le couple fit charger les troupeaux de mules et les charrettes à bœufs de ses malles, rassembla sa petite cour et se mit en route pour Mexico, où Eulalia de Callís avait fait décorer un palais baroque avec toute la pompe propre à son rang. Par nécessité, ils s'arrêtaient dans chaque village et mission du chemin, pour reprendre des forces et donner aux colons le plaisir de les accueillir. Malgré leur mauvais caractère à tous deux, les Fages étaient aimés, parce qu'il avait gouverné avec justice et qu'elle avait la réputation d'être follement généreuse. La population de La Reina de Los Angeles joignit ses ressources à celles de la proche mission de San Gabriel, la plus prospère de la province, à quatre lieues de là, pour offrir aux voyageurs une digne réception. La localité, fondée dans le style des villes coloniales espagnoles, était un carré avec une place centrale, conçu pour croître et prospérer, même si à cette époque elle ne comptait que quatre rues principales et une centaine de maisons en *cañabrava*, les durs roseaux sauvages. Il y avait aussi une taverne, dont l'arrière-boutique servait de magasin, une église, une prison et une demi-douzaine d'édifices en briques crues, pierres et tuiles, où résidaient les autorités. Malgré la faible population et la pauvreté généralisée, les colons étaient connus pour leur hospitalité et pour les réceptions qu'offraient les familles à tour de rôle tout au long de l'année. Guitares, trompettes, violons et pianos animaient les soirées, les samedis et dimanches on dansait le fandango. L'arrivée des gouverneurs fut le meilleur prétexte qu'on avait eu de faire la fête depuis la fondation. On dressa des arches ornées d'étendards et de fleurs en papier autour de la place, on installa de longues tables avec des nappes blanches, et tous ceux qui étaient capables de jouer d'un instrument furent recrutés pour la soirée, y compris deux prisonniers qui furent libérés du cep lorsqu'on sut qu'ils savaient gratter la guitare.

Les préparatifs prirent plusieurs mois au cours desquels on ne parla pas d'autre chose. Les femmes se firent des robes de gala, les hommes polirent leurs boutons et leurs boucles d'argent, les musiciens répétèrent des danses venues du Mexique, les cuisinières s'affairèrent au banquet le plus somptueux qu'on eût vu dans ces parages. Le père Mendoza vint avec ses néophytes, apportant plusieurs tonneaux de son meilleur vin, deux vaches, plusieurs cochons, des poules et des canards, qui furent sacrifiés pour l'occasion.

Le capitaine Alejandro de La Vega fut chargé du maintien de l'ordre pendant le séjour des gouverneurs dans la localité. Dès l'instant où il apprit sa venue, l'image de Regina le tourmenta sans répit. Il se demandait ce qu'elle avait bien pu devenir pendant ces trois siècles de séparation, comment elle avait survécu dans la sombre garnison de Monterrey, et si elle se souvenait seulement de lui. Ses doutes se volatilisèrent le soir de la fête, lorsqu'à la lumière des torches et au son de l'orchestre il vit arriver une éblouissante jeune fille, vêtue et peignée à la mode européenne, et qu'il reconnut immédiatement ces yeux couleur de sucre brûlé. Elle aussi l'aperçut au milieu de la foule et s'avança sans hésiter, se plantant devant lui avec l'expression la plus sérieuse du monde. Le capitaine, l'âme sur le point d'exploser, voulut tendre la main pour l'inviter à danser, mais au lieu de cela il lui demanda en bredouillant si elle voulait l'épouser. Ce ne fut pas une impulsion incontrôlée, il y avait réfléchi pendant trois ans et était arrivé à la conclusion qu'il valait mieux tacher son impeccable lignage que vivre sans elle. Il se rendait compte qu'il ne pourrait jamais, en Espagne, la présenter à sa famille ou en société, mais peu lui importait, parce qu'il était prêt, pour elle, à prendre racine en Californie et à ne plus quitter le Nouveau Monde. Regina l'accepta parce qu'elle l'avait aimé en secret depuis le jour où il l'avait ramenée à la vie, alors qu'elle agonisait dans la cave à vin du père Mendoza.

Et c'est ainsi que la brillante visite des gouverneurs à La Reina de Los Angeles fut couronnée par le mariage du capitaine avec la mystérieuse dame de compagnie d'Eulalia de Callís. Le père Mendoza, qui s'était laissé pousser les cheveux jusqu'aux épaules pour dissimuler l'horrible cicatrice de son oreille coupée, procéda à la cérémonie, bien qu'il eût tenté jusqu'au dernier moment de dissuader le capitaine de se marier. Ce n'était pas que la fiancée fût métisse qui le dérangeait, de nombreux Espagnols épousaient des Indiennes, mais le soupçon que sous l'impeccable apparence de demoiselle européenne de Regina guettait, intacte, Toypurnia, Fille-de-Loup. Pedro Fages en personne conduisit la fiancée à l'autel, parce qu'il avait la conviction qu'elle avait sauvé son ménage : dans son désir de l'éduquer, le caractère d'Eulalia s'était en effet adouci et elle avait cessé de le tourmenter avec ses colères. Considérant qu'en plus il devait la vie de sa femme à Alejandro de La Vega, comme l'affirmaient les cancans, il décida qu'il avait là une bonne occasion de se montrer généreux. D'un trait de plume il assigna au couple resplendissant les titres de propriété d'un ranch et plusieurs milliers de têtes de bétail, car il était dans ses attributions de distribuer les terres aux colons. Il en traça le contour sur une carte, en suivant l'élan de son crayon, et ensuite, lorsqu'ils vérifièrent

les limites réelles du ranch, il s'avéra qu'il couvrait des hecta-
res de pâturages, de collines, de forêts, de rivières et de plage.
Il fallait plusieurs jours pour parcourir la propriété à cheval :
c'était la plus grande et la mieux située de la région. Sans
l'avoir sollicité, Alejandro de La Vega devint un homme
riche. Quelques semaines plus tard, quand les gens commencèrent à l'appeler don Alejandro, il renonça à l'armée du roi
pour s'employer entièrement à prospérer sur cette nouvelle
terre. Un an plus tard, il fut élu alcade de La Reina de Los
Angeles.

*

De La Vega fit construire une vaste demeure, solide et sans
prétention, au toit de tuiles et au sol de rustiques dalles de
grès. Il décora sa maison de meubles lourds, fabriqués dans le
village par un menuisier galicien, sans aucune considération
esthétique, uniquement de solidité. La situation était privilé-
giée, tout près de la plage, à quelques milles de La Reina de
Los Angeles et de la mission de San Gabriel. La grande
maison d'adobe, dans le style des haciendas mexicaines, était
perchée sur un promontoire et son orientation offrait une vue
panoramique de la côte et de la mer. Non loin de là se trouvaient les sinistres dépôts naturels de brai, dont personne ne
s'approchait volontiers parce que s'y lamentaient les âmes des
morts prisonnières dans le goudron. Entre la plage et
l'hacienda s'étendait un labyrinthe de grottes, lieu sacré des
Indiens, aussi redouté que les mares de brai. Les Indiens ne
s'y aventuraient pas par respect pour leurs ancêtres, et les
Espagnols non plus, à cause des fréquents éboulements et
parce qu'il était facile de s'y perdre.
De La Vega installa plusieurs familles d'Indiens et de vachers métis sur sa propriété, il marqua son bétail et envisagea
d'élever des chevaux de race à partir de quelques spécimens
qu'il fit venir du Mexique. Dans le temps qui lui restait, il

installa une petite fabrique de savon et se mit à faire des expériences dans sa cuisine afin de trouver la formule parfaite pour fumer la viande relevée de piment. Il voulait obtenir une viande sèche, mais savoureuse, pouvant être conservée pendant des mois sans se décomposer. Cette expérience consumait ses heures et emplissait le ciel d'une fumée volcanique, que le vent entraînait sur plusieurs lieues au large et qui modifiait le comportement des baleines. Il pensait que s'il obtenait le juste équilibre entre le bon goût et la conservation, il pourrait vendre le produit à l'armée et aux bateaux. Il lui semblait que c'était un terrible gaspillage que d'arracher les cuirs et la graisse du bétail et de perdre des montagnes de bonne viande. Tandis que son mari multipliait le nombre des bovins, des moutons et des chevaux du ranch, dirigeait la police du village et faisait du commerce avec les bateaux marchands, Regina s'occupait de pourvoir aux besoins des Indiens de l'hacienda. Elle ne s'intéressait pas du tout à la vie sociale de la colonie et répondait avec une indifférence olympienne aux commentaires qui circulaient sur son compte. Dans son dos on faisait des commentaires sur son caractère sauvage et méprisant, sur ses origines plus que douteuses, sur ses escapades à cheval, sur ses bains de mer dans le plus simple appareil. Comme elle était arrivée protégée par les Fages, la minuscule société de la localité, qui avait maintenant abrégé son nom et s'appelait simplement Pueblo de Los Angeles, Village des Anges, se montra au début disposée à l'accepter en son sein sans poser de questions, mais elle s'exclut d'elle-même. Bientôt, les robes qu'elle portait sous l'influence d'Eulalia de Callís finirent dévorées par les mites dans les armoires. Elle se sentait plus à l'aise nu-pieds, vêtue de la bure grossière des néophytes. La journée passait ainsi. L'après-midi, lorsqu'elle estimait qu'Alejandro allait rentrer à la maison, elle faisait sa toilette, enroulait sa chevelure en un chignon improvisé et se mettait une robe toute simple qui lui donnait l'innocente apparence d'une novice. Son mari, aveuglé par l'amour et occupé à ses affaires, écartait les signes qui trahissaient l'état d'âme de Regina ; il voulait la voir heureuse et il ne lui demanda jamais si elle l'était, de crainte qu'elle lui dît la vérité. Il attribuait l'originalité de sa femme à son inexpérience de jeune mariée et à son caractère renfermé. Il préférait ne pas penser que la dame aux bonnes manières qui s'asseyait avec lui à table était le même guerrier peinturluré qui avait attaqué la mission San Gabriel quelques années plus tôt. Il pensait que la maternité guérirait sa femme des derniers vices du passé, mais malgré les longs et fréquents ébats dans le lit à quatre piliers qu'ils partageaient, l'enfant tant désiré n'arriva qu'en 1795.

Pendant les mois de sa grossesse, Regina devint encore plus silencieuse et plus sauvage. Sous prétexte de se sentir plus à l'aise, elle cessa de se vêtir et de se coiffer à la mode européenne. Elle se baignait dans la mer avec les dauphins qui venaient par centaines s'accoupler près de la plage, accompagnée d'une douce néophyte du nom d'Ana, que le père Mendoza lui avait envoyée de la mission. La jeune fille aussi était enceinte, mais elle était célibataire, ayant obstinément refusé de révéler l'identité de l'homme qui l'avait séduite. Le missionnaire ne voulait pas de ce mauvais exemple pour ses Indiens, mais comme il n'était pas assez sévère pour l'expulser de la mission, il finit par l'offrir comme servante à la famille de La Vega. Ce fut une bonne idée, parce qu'entre Regina et Ana naquit sur-le-champ une muette complicité qui leur convenait à toutes deux, la première gagnant ainsi de la compagnie et la seconde une protection. Ana prit l'initiative de se baigner avec les dauphins, êtres sacrés qui nagent en cercle pour maintenir le monde en ordre et en sécurité. Ces nobles animaux savaient que les deux femmes étaient enceintes et ils passaient près d'elles en les frôlant de leurs grands corps veloutés, pour leur donner force et courage à l'heure de l'accouchement.

En mai de cette année-là, Ana et Regina enfantèrent au cours de la même semaine, qui coïncida avec les célèbres incendies, enregistrés dans les chroniques de Los Angeles comme les plus catastrophiques depuis sa fondation. Il fallait chaque été se résigner à voir brûler des forêts, lorsqu'une étincelle enflammait les pâturages secs. Cela n'avait rien de grave : les broussailles étaient ainsi dégagées, ouvrant des espaces pour les pousses tendres du printemps suivant, mais cette année-là les incendies commencèrent tôt dans la saison et, d'après le père Mendoza, ils furent le châtiment de Dieu pour tant de péchés sans repentir dans la colonie. Les flammes embrasèrent plusieurs fermes, détruisant sur leur passage les installations humaines et le bétail, qui ne trouva nulle part où s'échapper. Le dimanche, les vents changèrent de direction et l'incendie s'arrêta à un quart de lieue de l'hacienda de La Vega, ce que les Indiens interprétèrent comme d'excellent augure pour les deux enfants nés dans la maison.

L'esprit des dauphins aida Ana à accoucher, mais il n'en fut pas de même pour Regina. Tandis que la première eut son bébé en quatre heures, accroupie sur une couverture par terre, avec une adolescente indienne de la cuisine pour toute assistance, Regina mit cinquante heures à enfanter le sien, supplice qu'elle supporta stoïquement, serrant un morceau de bois entre ses dents. Désespéré, Alejandro de La Vega fit appeler l'unique sage-femme de Los Angeles, mais celle-ci s'avoua vaincue lorsqu'elle comprit que le bébé se présentait en travers et que Regina n'avait plus la force de continuer à lutter. Alors Alejandro eut recours au père Mendoza, qui était ce qu'il y avait de plus proche d'un médecin dans les environs. Le missionnaire ordonna aux domestiques de dire le chapelet, il aspergea Regina d'eau bénite et, sans attendre, se prépara à sortir l'enfant à la main. Par pure détermination il parvint à le pêcher à l'aveuglette par les pieds et d'une brusque secousse le tira vers la lumière sans beaucoup d'égards, car le temps pressait. Le bébé était bleu et avait le cordon enroulé autour du cou, mais à force de prières et de claques, le père Mendoza finit par l'obliger à respirer.

« Quel nom va-t-on lui donner? demanda-t-il lorsqu'il le mit dans les bras de son père.

— Alejandro, comme moi, mon père et mon grand-père, indiqua celui-ci.

— Il s'appellera Diego, l'interrompit Regina, consumée par la fièvre et par le filet de sang ininterrompu qui trempait ses draps.

— Pourquoi Diego? Personne ne porte ce nom dans la famille de La Vega.

— Parce que c'est son nom », répliqua-t-elle.

Alejandro avait enduré avec elle le long supplice et, plus que tout au monde, il avait peur de la perdre. Il vit qu'elle se vidait de son sang et il n'eut pas le courage de la contredire. Il en conclut que si sur son lit d'agonie elle choisissait ce prénom pour son premier-né, elle devait avoir de bonnes raisons, aussi autorisa-t-il le père Mendoza à baptiser le bébé très vite, car il semblait aussi faible que sa mère et courait le risque d'aller finir dans les limbes s'il mourait avant de recevoir le sacrement.

Il fallut plusieurs semaines à Regina pour se remettre du choc de l'accouchement et elle y parvint uniquement grâce à sa mère, Chouette-Blanche, qui arriva pieds nus avec son sac de plantes médicinales sur l'épaule alors qu'on préparait déjà les cierges pour les obsèques. La guérisseuse indienne n'avait pas vu sa fille depuis sept ans, c'est-à-dire depuis l'époque où celle-ci était partie dans la forêt pour soulever les guerriers d'autres tribus. Alejandro attribua l'étrange apparition de sa belle-mère au système de courrier des Indiens, un mystère que les Blancs ne parvenaient pas à éclaircir.

Un message envoyé de la garnison de Monterrey mettait deux semaines ventre à terre pour atteindre la Basse-Californie, mais quand la nouvelle arrivait elle était déjà ancienne pour les Indiens, qui l'avaient reçue dix jours plus tôt, comme par enchantement. Il n'y avait pas d'autre façon d'expliquer que cette femme pût jaillir du néant sans avoir été appelée, juste au moment où on avait le plus besoin d'elle. Chouette-Blanche imposa sa présence sans dire un mot. Âgée d'un peu plus de quarante ans, elle était grande, forte, belle, tannée par le soleil et le travail. Son visage jeune, aux yeux de miel semblables à ceux de sa fille, était encadré d'une crinière indomptée de cheveux couleur fumée, à laquelle elle devait son nom. Elle entra sans demander la permission, poussa Alejandro de La Vega lorsque celui-ci essaya de savoir qui elle était, parcourut sans hésiter la géographie compliquée de la demeure et se planta devant le lit de sa fille. Elle l'appela par son vrai nom, Toypurnia, et lui parla dans la langue de ses ancêtres, jusqu'à ce que la moribonde ouvrît les yeux. Puis elle sortit de son sac les herbes médicinales de son salut, les fit bouillir dans une marmite sur un brasero et les lui donna à boire. La maison tout entière s'imprégna de l'odeur de sauge.

Pendant ce temps Ana, avec son habituelle bonne volonté, avait mis à son sein le fils de Regina, qui pleurait de faim ; ainsi Diego et Bernardo commencèrent-ils leur vie avec le même lait et dans les mêmes bras. Cela en fit des frères d'âme pour le reste de leur vie.

*

Lorsque Chouette-Blanche eut constaté que sa fille pouvait tenir debout et manger sans dégoût, elle mit ses plantes et son saint-frusquin dans son sac, jeta un regard sur Diego et Bernardo qui dormaient côte à côte dans le même berceau, sans manifester le moindre intérêt pour vérifier lequel des deux était son petit-fils, et partit sans dire adieu. Alejandro de La Vega la vit s'en aller avec un grand soulagement. Il lui était reconnaissant d'avoir sauvé Regina d'une mort certaine, mais il préférait la tenir éloignée, car sous l'influx de cette femme il se sentait mal à l'aise et, en plus, les Indiens de la ferme agissaient avec insolence. Le matin ils venaient travailler avec le visage peinturluré, la nuit ils dansaient comme des somnambules au son de lugubres ocarinas et le plus souvent ignoraient ses ordres, comme s'ils avaient perdu leur castillan.

La normalité revint à la ferme dans la mesure où Regina recouvra la santé. Au printemps suivant tous, sauf Alejandro de La Vega, avaient oublié qu'elle avait eu un pied dans la tombe. Il n'était nul besoin d'avoir de grandes connaissances en médecine pour deviner qu'elle ne pourrait plus avoir d'enfant. Sans que lui-même en eût conscience, cette circonstance commença à éloigner Alejandro de sa femme. Il rêvait d'une famille nombreuse, comme celles des autres propriétaires de la région. L'un de ses amis avait engendré trente-six enfants légitimes, outre les bâtards qui n'entraient pas dans ses comptes. Il en avait vingt d'un premier mariage à Mexico et seize du second, les cinq derniers étant nés en Haute-Californie, un par an. La crainte qu'il arrivât malheur à ce fils irremplaçable, comme à tant d'enfants qui mouraient avant d'apprendre à marcher, empêchait Alejandro de dormir la nuit. Il prit l'habitude de prier à voix haute, agenouillé près du berceau de son fils, implorant la protection du ciel. Impavide, les bras croisés sur la poitrine, Regina regardait son mari s'humilier depuis le seuil de la chambre. Dans ces moments elle croyait le haïr, mais ensuite tous deux se retrouvaient entre les draps, où la chaleur et l'odeur de l'intimité les réconciliaient pendant quelques heures. Le matin, Alejandro s'habillait et descendait à son bureau où une Indienne lui servait un chocolat épais et amer, comme il l'aimait. Il commençait la journée par une réunion avec son majordome, afin de lui donner les ordres indispensables à la bonne marche de l'hacienda, puis il prenait en charge ses nombreuses responsabilités d'alcade. Les époux passaient la journée séparés, chacun à ses occupations, jusqu'à ce que le coucher du soleil indiquât l'heure de se retrouver. En été ils dînaient sur la terrasse aux bougainvillées, toujours accompagnés de quelques musiciens qui jouaient leurs chansons préférées; en hiver, ils le faisaient dans la salle de couture, où personne n'avait jamais cousu un seul bouton, ce nom étant dû au tableau qui montrait une Hollandaise en train de broder à la lueur d'une lampe à huile. Il était fréquent qu'Alejandro reste à Los Angeles pour y passer la nuit, parce qu'il était tard, se rendant à une fête ou à une partie de cartes en compagnie d'autres messieurs. Les bals, les parties de cartes, les veillées musicales et les petites soirées entre amis occupaient chaque jour de l'année, il n'y avait rien d'autre à faire, hormis les sports en plein air, que pratiquaient tant les hommes que les femmes. Regina ne participait à rien de cela, c'était une âme solitaire et elle se méfiait par principe de tous les Espagnols, sauf de son mari et du père Mendoza. Accompagner Alejandro dans ses voyages ou visiter les bateaux américains de contrebande ne l'intéressait pas non plus ; elle n'était jamais montée à bord de l'un d'eux pour faire du commerce avec les marins. Au moins une fois l'an, Alejandro se rendait à Mexico pour affaires, absences qui duraient en général deux mois et dont il revenait chargé de cadeaux et d'idées nouvelles, qui ne réussissaient pas à beaucoup émouvoir sa femme.

Regina retourna à ses longues chevauchées, emmenant à présent son fils dans un panier attaché dans son dos, et elle perdit toute inclination pour les affaires domestiques, qui furent déléguées à Ana. Elle retrouva sa vieille habitude de rendre visite aux Indiens, y compris ceux qui n'appartenaient pas à sa ferme, afin de se rendre compte de leurs misères et de les soulager dans la mesure du possible. Lorsqu'ils s'étaient partagé les terres et avaient soumis les tribus de la région, les Blancs avaient établi un système de service obligatoire, qui ne se distinguait de l'esclavage qu'en ce que les Indiens étaient aussi des sujets du roi d'Espagne, et qu'en théorie ils jouissaient de certains droits. Dans la pratique, ils n'avaient pas un sou, travaillaient en échange de nourriture, d'alcool, de tabac et de l'autorisation d'élever quelques animaux. Pour la plupart, les propriétaires terriens étaient des patriarches bienveillants, plus occupés de leurs plaisirs et de leurs passions que

45

de leur terre et de leurs péons, mais il arrivait que l'un d'eux ait mauvais caractère ; alors les Indiens – *la indiada* comme on les appelait – souffraient de la faim et tâtaient du fouet. Les néophytes de la mission étaient pauvres eux aussi, ils vivaient avec leurs familles dans des huttes rondes faites de troncs et de paille, travaillaient du lever au coucher du soleil et dépendaient entièrement des frères pour leur subsistance. Alejandro de La Vega essayait d'être un bon patron, mais il était blessé que Regina demande toujours davantage pour les Indiens. Mille fois il lui avait expliqué qu'il ne pouvait y avoir de différence dans le traitement que recevaient les leurs et ceux des autres fermes, car cela soulevait des problèmes dans la colonie.

Le père Mendoza et Regina, unis par le même désir de protéger les Indiens, finirent par devenir amis ; il lui pardonna d'avoir attaqué la mission et elle lui était reconnaissante d'avoir mis Diego au monde. Les patrons les fuyaient, parce que le missionnaire avait une autorité morale et qu'elle était l'épouse de l'alcade. Chaque fois que Regina menait l'une de ses campagnes de justice, elle s'habillait en Espagnole, se peignait d'un chignon sévère, se mettait une croix d'améthyste sur la poitrine et utilisait un élégant attelage de promenade, cadeau de son mari, au lieu de la jument sauvage qu'elle montait habituellement à cru. Ils la recevaient sèchement, parce qu'elle n'était pas l'une des leurs. Aucun fermier n'admettait avoir des ancêtres indigènes, tous se déclaraient de pure souche espagnole, personnes blanches et de *sang pur*. Ils ne pardonnaient pas à Regina de ne même pas faire l'effort de dissimuler ses origines, bien que ce fût justement ce que le père Mendoza admirait le plus chez elle. Lorsqu'on sut avec certitude que sa mère était indienne, la colonie espagnole lui tourna le dos, mais personne n'osa lui faire un affront de face, par respect pour la position et la fortune de son mari. Ils continuèrent à l'inviter à leurs soirées et leurs fandangos, certains de ne pas l'y voir, son mari y venant seul.

46

De La Vega n'avait pas beaucoup de temps à consacrer à sa famille, occupé comme il l'était par l'administration de la localité, son hacienda, ses affaires et le règlement des conflits qui ne manquaient jamais de surgir entre les habitants. Les mardis et les jeudis, sans faute, il se rendait à Los Angeles pour y remplir ses tâches politiques, charge prestigieuse comportant plus de devoirs que de satisfactions, mais à laquelle il ne renonçait pas par esprit de service. Il n'était pas cupide et n'abusait pas de son pouvoir. Doué d'une autorité naturelle, mais pas d'une grande vision, il était rare qu'il remît en question les idées héritées de ses ancêtres, même si elles ne correspondaient pas à la réalité de l'Amérique. Pour lui, tout se réduisait à une question d'honneur, à l'orgueil d'être ce qu'il était – un irréprochable hidalgo catholique – et à porter le front haut. Il s'inquiétait de ce que Diego, trop attaché à sa mère, à Bernardo et aux domestiques indigènes, n'assumât pas la position qui lui revenait par sa naissance, mais il estimait qu'il était encore bien jeune et qu'il serait toujours temps de le redresser. Il se fit la promesse de diriger sa formation virile dès que possible, mais il remettait toujours le moment, il y avait d'autres affaires plus urgentes à régler. Souvent, le désir de protéger son fils et de le rendre heureux l'émouvait jusqu'aux larmes. Son amour pour cet enfant le laissait perplexe, c'était comme la douleur d'un coup d'épée. Il traçait pour lui de superbes projets d'avenir : il serait courageux, bon chrétien et loyal au roi, comme tout gentilhomme de La Vega, et plus riche que l'avait jamais été aucun de ses parents, propriétaire de terres vastes et fertiles, avec un climat tempéré et de l'eau en abondance, où la nature était généreuse et la vie douce, pas comme sur les sols incultes de sa famille en Espagne. Il aurait plus de troupeaux de vaches, de moutons et de cochons que le roi Salomon, élèverait les meilleurs taureaux de combat et les plus élégants chevaux arabes, deviendrait l'homme le plus influent de Haute-Californie et finirait gouverneur. Mais cela, ce serait pour plus tard, il devrait d'abord tremper son caractère à l'université ou à l'école militaire en Espagne. Il espérait qu'à l'époque où Diego aurait l'âge de voyager, la situation de l'Europe serait plus stable. On ne pouvait compter sur la paix, vu que le Vieux Continent ne l'avait jamais connue, mais on pouvait supposer que les peuples seraient revenus à plus de sagesse. Les nouvelles étaient désastreuses. Il expliquait cela à Regina, mais elle ne partageait pas ses ambitions pour leur fils ni son inquiétude pour les problèmes de l'autre côté de la mer. Elle ne concevait pas le monde au-delà des limites qu'elle pouvait parcourir à cheval, les affaires de la France parvenaient moins encore à la toucher. Son mari lui avait raconté qu'en 1793, l'année de leur mariage justement, les Français avaient décapité le roi Louis XVI à Paris devant une populace avide de sang et de vengeance. José Díaz, un capitaine de bateau ami d'Alejandro, lui avait offert une guillotine en miniature, jouet épouvantable qu'il utilisait pour couper le bout de ses cigares et, en même temps, expliquer comment les têtes des nobles volaient en France, un terrible exemple, qui selon lui pourrait plonger l'Europe dans le chaos le plus total. Cette idée paraissait tentante à Regina, car elle supposait que si les Indiens disposaient d'une telle machine, les Blancs les respecteraient, mais elle avait assez de bon sens pour ne pas faire part de ses réflexions à son mari. Entre eux existaient suffisamment de motifs d'amertume, ce n'était pas la peine d'en ajouter un de plus. Elle-même s'étonnait de constater combien elle avait changé, elle se regardait dans le miroir et ne retrouvait pas la moindre trace de Toypurnia, ne voyant qu'une femme au regard dur et aux lèvres serrées. La nécessité de vivre hors de son milieu et d'éviter les problèmes l'avait rendue prudente et réservée; il était rare qu'elle affrontât son mari, elle préférait agir dans son dos. Alejandro de La Vega ne se doutait pas qu'elle parlait à Diego dans sa langue, aussi eut-il une surprise très désagréable lorsque c'est dans la langue des Indiens que l'enfant prononça ses premiers mots. S'il avait su que sa femme profitait de chacune de ses absences pour l'emmener en visite dans la tribu de sa mère, il le lui aurait interdit.

*

Lorsque Regina apparaissait dans le village des Indiens avec Diego et Bernardo, sa mère Chouette-Blanche abandonnait ses occupations pour se consacrer entièrement à eux. La tribu s'était réduite, en raison des maladies mortelles et du recrutement des hommes par les Espagnols. A peine restait-il une vingtaine de familles de plus en plus misérables. L'Indienne bourrait le crâne des enfants de mythes et légendes de son peuple, elle nettoyait leur âme avec la fumée d'une graminée douce qu'elle utilisait dans ses cérémonies, et les emmenait cueillir des plantes magiques. Dès qu'ils purent se tenir solidement sur leurs jambes et empoigner un bâton, elle demanda aux hommes de leur enseigner l'art du combat. Ils apprirent à pêcher en transperçant les poissons avec des baguettes pointues et à chasser. Ils reçurent en cadeau une peau de cerf entière, avec la tête et les bois, pour s'en couvrir pendant la chasse et attirer ainsi le gros gibier. Ils attendaient, immobiles, que la proie s'approche, et tiraient alors leurs flèches. L'invasion des Espagnols avait rendu les Indiens dociles, mais en présence de Toypurnia-Regina, de nouveau leur sang s'échauffait au souvenir de la guerre d'honneur qu'elle avait conduite. Le respect étonné qu'ils lui vouaient se traduisait en tendresse pour Diego et Bernardo. Ils croyaient que tous deux étaient ses fils.

C'est Chouette-Blanche qui emmena les enfants parcourir les grottes voisines de l'hacienda de La Vega, qui leur apprit à lire les symboles taillés sur les murs mille ans auparavant et leur indiqua la manière de les utiliser pour s'orienter à l'intérieur. Elle leur expliqua que les grottes étaient divisées en sept Directions sacrées, carte fondamentale pour les voyages spirituels, et que pour cette raison, dans les temps anciens, les initiés y venaient en quête de leur propre centre, qui devait coïncider avec le centre du monde où s'engendre la vie. Lorsque cette concomitance avait lieu, leur apprit l'aïeule, une flamme incandescente jaillissait du fond de la terre et dansait dans l'air pendant un long moment, baignant l'initié de lumière et de chaleur surnaturelle. Elle les avertit que les grottes étaient des temples naturels et qu'elles étaient protégées par une énergie supérieure, c'est pourquoi on ne devait y entrer qu'avec des intentions pures. « Celui qui entre avec des intentions impures, les grottes l'engloutissent vivant, puis recrachent ses os », leur dit-elle. Elle ajouta que, comme le commande le Grand-Esprit, si on aide les autres, un espace s'ouvre dans le corps pour recevoir des bénédictions, cela étant la seule manière de se préparer pour l'Okahué.

« Avant qu'arrivent les Blancs nous venions dans ces cavernes chercher l'harmonie et atteindre l'Okahué, mais à présent personne ne vient plus, leur dit Chouette-Blanche.

— Qu'est-ce que c'est, Okahué? demanda Diego.

— Ce sont les cinq vertus essentielles : l'honneur, la justice, le respect, la dignité et le courage.

— Je les veux toutes, grand-mère.

— Pour cela tu dois passer par de nombreuses épreuves sans pleurer », répliqua Chouette-Blanche d'un ton sec.

A partir de ce jour, Diego et Bernardo se mirent à explorer les cavernes seuls. Avant d'arriver à mémoriser les pétroglyphes pour se guider, comme le leur avait indiqué la grand-mère, ils marquaient le chemin avec des cailloux. Ils inventaient leurs propres cérémonies, s'inspirant de ce qu'ils avaient vu et entendu dans la tribu, et des histoires de Chouette-Blanche. Ils demandaient au Grand-Esprit des Indiens et au Dieu du père Mendoza de leur permettre d'obtenir l'Okahué, mais jamais ils ne virent aucune flamme jaillir spontanément et danser dans l'air, comme ils l'espéraient. En revanche, la curiosité les conduisit à un passage naturel, qu'ils découvrirent par hasard en déplaçant des pierres pour marquer une

Roue magique sur le sol, comme celles que dessinait l'aïeule : trente-six pierres en cercle et une au centre, d'où partaient quatre chemins rectilignes. Lorsqu'ils retirèrent une pierre ronde, qu'ils voulaient mettre au centre de la Roue, plusieurs autres s'écroulèrent, laissant une petite entrée visible. Diego, plus fluet et plus agile, se traîna à l'intérieur et découvrit un long tunnel, qui bientôt s'élargissait assez pour s'y tenir debout. Ils revinrent avec des bougies, des pics et des pelles, et au cours des semaines qui suivirent ils l'agrandirent. Un jour, la pointe du pic de Bernardo ouvrit un trou par lequel filtra un rayon de lumière ; les enfants s'aperçurent alors, ravis, qu'ils avaient débouché juste au centre de l'immense cheminée du salon de l'hacienda de La Vega. Les coups funèbres de la grosse horloge leur souhaitèrent la bienvenue. Bien des années plus tard, ils apprirent que Regina avait suggéré l'emplacement de la maison justement à cause de sa proximité avec les grottes sacrées.

A partir de cette découverte, ils s'employèrent à renforcer le tunnel avec des planches et des rocs, parce que les murs d'argile s'émiettaient, et en plus ils ouvrirent une petite porte dissimulée entre les briques de la cheminée afin de relier les cavernes à la maison. Le foyer était si haut, si large et si profond qu'une vache pouvait y tenir debout, comme il convenait à la dignité de ce salon, qu'on n'utilisait jamais pour accueillir des hôtes, mais qui de temps à autre abritait les réunions politiques d'Alejandro de La Vega. Les meubles, grossiers et peu confortables, comme ceux du reste de la maison, s'alignaient contre les murs, comme s'ils étaient en vente, accumulant la poussière et cette odeur de graisse rance des vieilleries. Le plus visible était une immense peinture à l'huile représentant saint Antoine, déjà vieux et n'ayant plus que la peau sur les os, couvert de pustules et de haillons, en train de repousser les tentations de Satan, l'une de ces horreurs commandées au mètre carré en Espagne, très appréciées en Californie. A une place d'honneur, où ils pouvaient être admirés, étaient exposés le bâton et les ornements d'alcade que le maître de maison arborait lors des actes officiels. Ces actes allaient des affaires majeures, comme le tracé des rues, aux plus petits détails, comme autoriser les sérénades, car si on les avait laissées à la fantaisie des jeunes messieurs amoureux, personne n'aurait pu dormir en paix dans la petite ville. Du plafond pendait, au-dessus d'une table d'acacia, un lustre en fer de la taille d'un cèdre, avec cent cinquante bougies intactes, car personne n'avait le courage de descendre ce monument pour les allumer; les rares fois où l'on ouvrait la salle, on utilisait des lampes à huile. On ne faisait pas non plus de feu dans la cheminée, bien qu'elle fût toujours préparée avec plusieurs troncs épais. Lorsqu'ils revenaient de la plage, Diego et Bernardo prirent l'habitude de raccourcir le trajet en passant à travers les cavernes. Ils empruntaient le tunnel secret et surgissaient comme des fantômes dans l'obscure excavation de la cheminée. Ils avaient juré, avec la solennité des enfants absorbés dans leurs jeux, qu'ils ne partageraient jamais ce secret avec quiconque. Ils avaient également promis à Chouette-Blanche qu'ils ne pénétreraient dans les cavernes qu'avec des intentions pures et non pour jouer des tours pendables, mais pour eux tout ce qu'ils fabriquaient là faisait partie de l'entraînement qui leur permettrait d'atteindre leur rêve d'Okahué.

*

A peu près à l'époque où Chouette-Blanche s'appliquait à entretenir les racines indigènes des enfants, Alejandro de La Vega commença à éduquer Diego comme un hidalgo. C'est l'année où arrivèrent les deux coffres qu'Eulalia de Callís avait envoyés d'Europe en cadeau. L'ancien gouverneur, Pedro Fages, était mort à Mexico, foudroyé par l'une de ses colères. Il était tombé comme un sac aux pieds de sa femme au milieu d'une dispute, affectant pour toujours la digestion de cette dernière, qui s'accusa d'avoir causé sa mort. Après avoir passé sa vie à se quereller avec lui, Eulalia, se voyant veuve, s'abîma dans la plus profonde tristesse, car elle comprit combien ce retentissant mari allait lui manquer. Elle savait que personne ne pourrait remplacer cet homme extraordinaire, chasseur d'ours et grand soldat, le seul capable de lui tenir tête sans courber l'échine. La tendresse qu'elle n'avait pas éprouvée pour lui de son vivant tomba sur elle comme un fléau lorsqu'elle le vit dans son cercueil, et continua à la martyriser pour toujours avec des souvenirs que le temps enjolivait. Enfin, fatiguée de pleurer, elle suivit les conseils de ses amis et de son confesseur et retourna avec son fils à Barcelone, sa ville natale, où elle pouvait compter sur l'appui de sa fortune et de sa puissante famille. De temps à autre, elle se souvenait de Regina, qu'elle considérait comme sa protégée, et elle lui écrivait sur du papier égyptien sur lequel figuraient ses armoiries imprimées en or. Par l'une de ces lettres, ils avaient appris que le fils des Fages était mort de fièvre pernicieuse, laissant Eulalia encore plus désolée. Les deux malles arrivèrent en assez mauvais état, ayant quitté Barcelone près d'un an auparavant et navigué sur bien des mers avant d'atteindre Los Angeles. L'une était pleine de vêtements de luxe, de chaussures à talons, de chapeaux à plumes et de colifichets que Regina n'aurait que rarement l'occasion de porter. L'autre, destinée à Alejandro de La Vega, contenait une cape noire doublée de soie avec des boutons de Tolède en argent ouvré, quelques bouteilles du meilleur xérès espagnol, un jeu de pistolets de duel avec des incrustations en nacre, un fleuret italien et le *Traité d'escrime et abrégé du duel*, de maître Manuel Escalante. Comme il était expliqué sur la première page, il s'agissait d'un précis des « dernières instructions pour ne jamais hésiter quand il faut se battre au sabre espagnol ou au fleuret dans des affaires d'honneur ».

Eulalia de Callís n'aurait pu envoyer un présent plus approprié. Cela faisait des années qu'Alejandro de La Vega

53

n'avait pas pratiqué l'épée, mais grâce au manuel il put rafraîchir ses connaissances pour enseigner l'escrime à son fils, qui ne savait pas encore se moucher. Il fit fabriquer un fleuret, un plastron rembourré ainsi qu'un masque miniature pour Diego, et dès lors il prit l'habitude de s'entraîner avec lui deux heures par jour. Diego montra pour l'escrime le même talent naturel qu'il avait pour toutes les activités athlétiques, mais il ne la prenait pas au sérieux, comme son père le souhaitait ; pour lui, ce n'était qu'un autre jeu parmi tous ceux, nombreux, qu'il partageait avec Bernardo. Cette complicité permanente des enfants préoccupait Alejandro de La Vega et lui apparaissait comme une faiblesse de caractère de son fils, qui avait atteint l'âge d'assumer son destin. Il avait de l'affection pour Bernardo et le distinguait parmi les domestiques indiens, car il l'avait pratiquement vu naître, mais il n'oubliait pas les différences qui séparent les personnes. Sans ces différences, imposées par Dieu à une fin précise, le chaos régnerait en ce monde, soutenait-il. Son exemple préféré était la France, où tout était sens dessus dessous à cause de cette révolution exécrable. Dans ce pays on ne savait plus qui était qui, le pouvoir passait de main en main comme une pièce de monnaie. Alejandro priait pour qu'une chose pareille n'arrivât jamais en Espagne. Bien qu'une succession de monarques ineptes eût irrémédiablement plongé l'empire dans la ruine, il n'avait jamais mis en doute la légitimité divine de la monarchie, de même qu'il ne remettait pas en question l'ordre hiérarchique dans lequel il avait été formé et la supériorité absolue de sa race, de sa nation et de sa foi. Il était d'avis que Diego et Bernardo étaient nés différents, qu'ils ne seraient jamais égaux, et que plus vite ils le comprendraient moins ils auraient de problèmes à l'avenir. Bernardo avait assumé la chose sans que personne la lui eût expliquée, mais c'était un sujet qui arrachait des larmes à Diego quand son père le lui rappelait. Loin de seconder son mari dans ses objectifs didactiques, Regina continuait à traiter Bernardo comme son

54

propre fils. Dans sa tribu, personne n'était supérieur à quelqu'un d'autre par la naissance, uniquement par le courage ou la sagesse et, d'après elle, il était encore trop tôt pour savoir lequel des deux enfants était le plus vaillant ou le plus sage.

Diego et Bernardo ne se séparaient qu'à l'heure de dormir, lorsque chacun allait au lit avec sa mère. Tous deux furent mordus par le même chien, piqués par les abeilles de la même ruche, et ils eurent la rougeole en même temps. Quand l'un faisait une bêtise, personne ne prenait la peine d'identifier le coupable ; on les obligeait à se baisser côte à côte, on leur donnait le même nombre de coups de badine sur le derrière et ils recevaient la punition sans broncher, parce que cela leur paraissait pure justice. Tous, excepté Alejandro de La Vega, les considéraient comme des frères, non seulement parce qu'ils étaient inséparables, mais parce qu'à première vue ils se ressemblaient. Le soleil avait brûlé leur peau, leur donnant la même couleur bois, Ana leur confectionnait les mêmes pantalons de toile, Regina leur coupait les cheveux à la manière des Indiens. Il fallait les regarder avec attention pour voir que Bernardo avait de nobles traits d'Indien tandis que Diego était grand et délicat, avec les yeux couleur caramel de sa mère. Au cours des années qui suivirent, ils apprirent à manier le fleuret selon les très utiles instructions de maître Escalante, à galoper sans monture, à utiliser le fouet et le lasso, à se pendre à l'avant-toit de la maison par les pieds, comme des chauves-souris. Les Indiens leur apprirent à plonger dans la mer pour arracher les coquillages des rochers, à poursuivre une proie pendant des jours jusqu'à ce qu'ils l'atteignent, à fabriquer des arcs et des flèches, à supporter la douleur et la fatigue sans se plaindre.

Alejandro de La Vega les emmenait au rodéo à l'époque du marquage du bétail, chacun avec son *reata* ou lasso, pour qu'ils aident à la tâche. C'était la seule occupation manuelle d'un hidalgo, plus un sport qu'un travail. Les propriétaires de la région se rassemblaient avec leurs fils, des vachers et des

Indiens, ils encerclaient les bêtes, les séparaient et leur apposaient leurs marques, qui ensuite étaient enregistrées dans un livre afin d'éviter les confusions et les vols. C'était aussi l'époque de l'abattage, quand il fallait collecter les peaux, saler la viande et préparer la graisse. Les abatteurs, fabuleux cavaliers capables de tuer un taureau en pleine course d'un coup de poignard dans la nuque, étaient les rois du rodéo, en général embauchés un an à l'avance pour cette besogne. Ils arrivaient du Mexique et des plaines américaines, avec leurs chevaux entraînés et leurs longues dagues à double tranchant. A mesure que les bêtes s'écroulaient, les écorcheurs leurs tombaient dessus pour leur enlever la peau, qu'ils détachaient tout entière en quelques minutes, puis les dépeceurs, chargés de découper la viande, et enfin les Indiennes, dont l'humble tâche consistait à rassembler la graisse et à la faire fondre dans d'immenses chaudrons avant de la stocker dans des outres faites de vessies, de boyaux ou de peaux cousues. C'est elles aussi qui devaient tanner les cuirs, en les râpant à l'aide de pierres aiguisées, dans une besogne interminable effectuée à genoux. L'odeur du sang rendait le bétail fou et il y avait toujours des chevaux étripés, un vacher piétiné ou tué d'un coup de corne. Il fallait voir le monstre aux milliers de têtes souffler bruyamment en courant dans un enfer de poussière suspendue dans l'air; il fallait admirer les vachers coiffés de leurs chapeaux blancs, collés à leurs coursiers, les lassos dansant au-dessus de leur tête et les couteaux resplendissants à la ceinture; il fallait entendre la trépidation du troupeau sur le sol, les cris des hommes exaltés, les hennissements des chevaux, les aboiements des chiens; il fallait sentir l'exhalaison de l'écume sur les animaux, la sueur des vachers, l'odeur tiède et secrète des Indiennes, qui perturbait les hommes pour toujours.

A la fin du rodéo, la population célébrait le travail dûment accompli par une fête de plusieurs jours, à laquelle participaient pauvres et riches, Blancs et Indiens, jeunes et les quelques vieux de la colonie. Il y avait plus de nourriture et d'alcool qu'il n'en fallait, on dansait jusqu'à ce que les couples tombent étourdis au son des musiciens venus de Mexico, les paris se croisaient sur des combats d'hommes, de rats, de coqs, de chiens, d'ours contre des taureaux. On pouvait perdre en une nuit ce qu'on avait gagné pendant le rodéo. La fête culminait le troisième jour avec une messe offerte par le père Mendoza, qui poussait les ivrognes en direction de l'église avec une cravache et, le mousquet à la main, obligeait les séducteurs des demoiselles néophytes à se marier, parce qu'il avait fait les comptes et s'était aperçu que neuf mois après chaque rodéo naissait un nombre scandaleux d'enfants de père inconnu.

Une année de sécheresse, il fallut sacrifier les chevaux sauvages pour laisser les pâturages au bétail. Diego accompagna les vachers, mais pour une fois Bernardo refusa d'aller avec lui, car il savait de quoi il retournait et ne pouvait le supporter. On encerclait les troupeaux de chevaux, on les effrayait avec la poudre et les chiens, on les poursuivait au triple galop en les poussant vers les falaises, où ils se précipitaient dans une aveugle cavalcade. Ils tombaient dans le vide par centaines, les uns sur les autres, se brisant le cou ou se cassant les pattes au fond du ravin. Les plus chanceux mouraient sur le coup, les autres agonisaient pendant des jours dans un nuage de mouches et une puanteur de viande macérée qui attirait les ours et les vautours.

*

Deux fois par semaine, Diego devait se rendre à la mission de San Gabriel pour y recevoir les rudiments de scolarité que lui transmettait le père Mendoza. Bernardo l'accompagnait toujours et le missionnaire finit par l'accepter dans la classe, bien qu'il considérât inutile et même dangereux de trop éduquer les Indiens, car cela leur mettait des idées insolentes dans le crâne. Le gamin n'avait pas la même vivacité mentale que Diego et il prenait en général du retard, mais il était obstiné et ne renonçait pas, même s'il devait passer ses nuits à se brûler les cils à la lumière des bougies. Il était d'un caractère réservé et calme, qui contrastait avec la joie explosive de Diego. Il secondait son ami avec une loyauté sans faille dans tous les mauvais tours qui passaient par la tête de celui-ci et, le cas échéant, il se résignait sans simagrées à être puni pour une chose qui n'avait pas été son idée, mais celle de Diego. Dès qu'il avait pu se tenir debout il avait assumé le rôle de protéger son frère de lait, qu'il croyait destiné à de grandes prouesses, comme les guerriers héroïques du répertoire mythologique de Chouette-Blanche.

Diego, pour qui rester tranquille à l'intérieur était une torture, s'arrangeait souvent pour échapper à la tutelle du père Mendoza et sortir à l'air libre. Les leçons lui entraient par une oreille et il les récitait rapidement, avant qu'elles ne ressortent par l'autre. Il avait tant d'aplomb qu'il parvenait à tromper le père Mendoza, mais ensuite Bernardo devait les lui apprendre mot à mot et ainsi, à force de les répéter, il finissait par les savoir. Il était aussi acharné à jouer que Bernardo à étudier. Après bien des tergiversations, ils en vinrent à un accord : Diego instruirait Bernardo et, en échange, celui-ci pratiquerait le lasso, le fouet et l'épée avec lui.

« Je ne vois pas pourquoi nous devons nous évertuer à apprendre des choses qui ne nous serviront à rien, protesta Diego un jour qu'il répétait depuis des heures la même rengaine en latin.

— Tôt ou tard, tout sert, répliqua Bernardo. C'est comme l'épée. Je ne serai probablement jamais un dragon, mais il n'est pas inutile d'apprendre à m'en servir. »

En Haute-Californie, très peu de gens savaient lire et écrire, sauf les missionnaires, qui bien qu'étant des hommes rudes, presque tous d'origine paysanne, avaient au moins un vernis de culture. Il n'y avait pas de livres disponibles et dans les rares occasions où arrivait une lettre, comme elle apportait sûrement une mauvaise nouvelle, le destinataire ne se pressait pas de la porter à un religieux pour qu'il la déchiffre; mais Alejandro de La Vega avait le prurit de l'éducation et il se battit pendant des années pour faire venir un maître d'école de Mexico. A cette époque, Los Angeles était déjà plus importante que la bourgade de quatre rues qu'il avait vue naître; elle était devenue la halte obligatoire des voyageurs, un lieu de repos pour les marins des bateaux marchands, un centre de commerce de cette province. Monterrey, la capitale, était si loin que la plupart des affaires du gouvernement se réglaient à Los Angeles. Hormis les autorités et les officiers militaires, la population était mélangée, se qualifiant de *gens de raison* pour se distinguer des Indiens purs et des domestiques. Les Espagnols de *sang pur* constituaient une classe à part. La localité comptait déjà des arènes et une maison de tolérance flambant neuve composée de trois métisses à la vertu négociable et d'une opulente mulâtresse de Panamá, dont le prix était fixe et assez élevé. Il y avait un édifice spécial pour les réunions de l'alcade et des dirigeants, qui servait également de tribunal et de théâtre, où l'on présentait en général des opérettes, des œuvres morales et des actes patriotiques. Sur la Place d'Armes avait été construit un kiosque pour les musiciens qui animaient les après-midi à l'heure de la promenade, quand les jeunes célibataires des deux sexes, surveillés par leurs parents, se montraient en groupes, les jeunes filles marchant dans un sens et les jeunes hommes en sens inverse. En revanche, il n'existait pas encore d'hôtel; en fait, dix ans allaient passer avant que le premier soit élevé; les voyageurs étaient logés dans les maisons riches, où la nourriture et les lits pour recevoir ceux qui demandaient l'hospitalité ne firent jamais défaut. Au vu d'un tel progrès, Alejandro de La Vega considéra indispensable qu'il y eût aussi une école, bien que personne ne partageât son inquiétude. De ses propres deniers, seul et à la force du poignet, il réussit à fonder la première de la province, qui serait la seule pendant de nombreuses années.

L'école ouvrit ses portes juste au moment où Diego fêta ses neuf ans et où le père Mendoza annonça qu'il lui avait appris tout ce qu'il savait, sauf dire la messe et exorciser les démons. C'était une pièce aussi sombre et poussiéreuse que la prison, située à un angle de la place principale, pourvue d'une douzaine de bancs de fer et d'un fouet à sept lanières accroché près du tableau. Le maître était l'un de ces petits hommes insignifiants que le moindre soupçon d'autorité transforme en êtres brutaux. Diego eut la malchance d'être l'un de ses premiers élèves, avec une poignée d'autres garçons, rejetons des familles honorables de la localité. Bernardo ne put assister aux cours, bien que Diego eût supplié son père de lui permettre d'étudier. L'ambition de Bernardo parut louable à Alejandro de La Vega, mais il décida qu'on ne pouvait faire d'exceptions, parce que si on l'acceptait on devrait autoriser l'entrée à d'autres comme lui, et le maître avait très clairement annoncé son intention de s'en aller si un Indien quel qu'il fût montrait son nez dans son « digne établissement du savoir », comme il le qualifiait. La nécessité d'enseigner à Bernardo, plus que le fouet à sept lanières, motiva Diego pour prêter plus d'attention aux cours.

Parmi les élèves il y avait García, fils d'un soldat espagnol et de la propriétaire de la taverne, un enfant d'une intelligence limitée, grassouillet, aux pieds plats et au sourire nigaud, victime préférée du maître et des autres élèves qui le tourmentaient sans arrêt. Par un désir de justice que lui-même ne parvenait pas à s'expliquer, Diego devint son défenseur, gagnant l'admiration fanatique du gros garçon.

*

Entre les nombreuses tâches qui lui incombaient – cultiver la terre, exciter le bétail et christianiser les Indiens –, les années passèrent sans que le père Mendoza trouvât le temps de réparer le toit de l'église, endommagé lors de l'attaque de Toypurnia. A cette occasion, ils avaient coupé la route aux Indiens avec une explosion de poudre qui avait ébranlé l'édifice jusqu'à la moelle. Pendant la messe, lorsqu'il levait l'hostie pour la consacrer, son regard se posait inévitablement sur les poutres branlantes et, alarmé, le missionnaire se promettait de les réparer avant qu'elles ne s'écroulent sur sa petite congrégation, mais ensuite il lui fallait s'occuper d'autres affaires et il oubliait ses projets jusqu'à la messe suivante. Pendant ce temps, les termites dévorèrent peu à peu le bois et l'accident que le père Mendoza redoutait tant finit par arriver. Par chance, il ne se produisit pas lorsque l'église était pleine, ce qui aurait été une catastrophe, mais lors d'un des nombreux tremblements qui secouaient souvent la terre dans cette zone ; ce n'était pas pour rien que la rivière s'appelait *Jesús de los Temblores*, Jésus des Tremblements. Le toit s'écroula en faisant une seule victime, le père Alvear, saint homme qui avait fait le voyage depuis le Pérou pour connaître la mission de San Gabriel. Le fracas de l'éboulement et le nuage de poussière attirèrent les néophytes, qui arrivèrent en courant et se mirent immédiatement au travail pour dégager les décombres et déterrer l'infortuné visiteur. Ils le trouvèrent écrasé comme une blatte sous la grande poutre. En toute logique il aurait dû mourir, car il leur fallut une bonne partie de la nuit pour le délivrer, tandis que le pauvre homme perdait irrémédiablement son sang ; mais Dieu fit un miracle, comme l'expliqua le père Mendoza, et quand ils le sortirent enfin des ruines il respirait encore. Il suffit d'un coup d'œil au père Mendoza pour se rendre compte que ses maigres connaissances en médecine ne réussiraient pas à sauver le blessé, pour autant que le pouvoir divin voulût bien l'aider. Sans plus attendre, il envoya un néophyte avec deux chevaux chercher Chouette-Blanche. Au cours des années, il avait pu constater que la vénération des Indiens pour cette femme était pleinement justifiée.

Par pur hasard, Diego et Bernardo arrivèrent à la mission le lendemain du tremblement, conduisant des pur-sang qu'Alejandro de La Vega envoyait en cadeau aux missionnaires. Comme personne ne vint les accueillir ni les remercier, parce que tout le monde s'affairait à ramasser les ruines du séisme et à assister à l'agonie du père Alvear, les enfants attachèrent les chevaux et restèrent pour prendre part au nouveau spectacle. C'est ainsi qu'ils étaient présents lorsque Chouette-Blanche arriva au galop. Malgré son visage sillonné de nouvelles rides et sa crinière encore plus blanche, elle avait très peu changé pendant ces années, c'était la même femme forte et éternellement jeune qui, dix ans plus tôt, était arrivée à l'hacienda de La Vega pour sauver Regina de la mort. Cette fois, elle venait pour une mission semblable et apportait aussi son sac de plantes médicinales. Comme l'Indienne refusait d'apprendre le castillan et que le vocabulaire du père Mendoza dans sa langue à elle était très réduit, Diego proposa de traduire. On avait installé le patient sur la table en bois brut de la salle à manger et les habitants de San Gabriel s'étaient rassemblés autour de lui. Chouette-Blanche examina attentivement les blessures, que le père Mendoza avait bandées, mais sans oser recoudre, car en dessous les os étaient en miettes. La guérisseuse palpa de ses doigts experts tout le corps et elle fit l'inventaire des réparations qui devaient être effectuées.

« Dis au Blanc que tout peut être guéri, sauf cette jambe, qui est pourrie. D'abord je la coupe, ensuite je m'occupe du reste », annonça-t-elle à son petit-fils.

Diego traduisit sans prendre la précaution de baisser la voix, parce que de toute façon le père Alvear était presque mort, mais dès qu'il eut répété le diagnostic de sa grand-mère, le moribond ouvrit tout grands deux yeux de feu.

« Je préfère mourir tout de suite, malédiction », dit-il avec la plus grande fermeté.

Chouette-Blanche l'ignora, tandis que le père Mendoza ouvrait de force la bouche du pauvre homme, comme il le faisait avec les enfants qui refusaient de boire le lait, et lui introduisait son fameux entonnoir. On y versa deux cuillères d'un épais sirop couleur rouille, que Chouette-Blanche sortit de son sac. Le temps qu'on nettoie une scie à bois à l'eau chlorée et qu'on prépare des bouts de tissu pour le bandage, le père Alvear était retombé dans un profond sommeil dont il se réveillerait dix heures plus tard, lucide et tranquille, alors que le moignon de sa jambe avait cessé de saigner depuis un bon moment. Chouette-Blanche avait rafistolé le reste de son corps par une douzaine de coutures grossières et elle l'avait enseveli dans des toiles d'araignée, des onguents mystérieux et des bandes. De son côté, le père Mendoza avait décidé que les néophytes se relaieraient pour prier sans interruption, jour et nuit, jusqu'à ce que le malade fût guéri. La méthode donna des résultats. Contre toute attente, le père Alvear se remit assez rapidement et sept semaines plus tard, transporté dans une litière à bras, il put rentrer par bateau au Pérou.

*

Bernardo n'oublierait jamais la terreur de la jambe coupée du père Alvear, et Diego n'oublierait jamais le fabuleux pouvoir du sirop de sa grand-mère. Dans les mois qui suivirent, il lui rendit souvent visite dans son village pour la prier de lui dévoiler le secret de cette potion, mais elle refusa toujours, lui opposant l'argument logique qu'un remède aussi magique ne pouvait tomber entre les mains d'un petit espiègle qui à coup sûr l'utiliserait à mauvais escient. Dans une impulsion, comme tant de celles qui lui valaient ensuite une bonne raclée, Diego vola une calebasse contenant l'élixir du sommeil, se promettant qu'il ne l'emploierait pas pour amputer des membres humains, mais à des fins louables; cependant, dès qu'il eut le trésor en son pouvoir il se mit à imaginer des façons d'en tirer parti. L'occasion se présenta par une chaude après-midi de juin où il revenait de nager avec Bernardo, seul sport où celui-ci le dépassait largement, parce qu'il avait plus de résistance, de calme et de force. Alors que Diego s'épuisait à battre des bras contre les vagues et s'essoufflait, Bernardo gardait pendant des heures le rythme régulier de son souffle et de ses brasses, se laissant porter par les courants mystérieux du fond de la mer. Si les dauphins arrivaient, ils entouraient bientôt Bernardo, comme le faisaient les chevaux, même les plus sauvages. Quand personne d'autre n'osait s'avancer vers un poulain furieux, lui s'en approchait prudemment, collait sa bouche à son oreille et lui murmurait des mots secrets, jusqu'à ce qu'il fût calmé. Dans tout le secteur il n'y avait personne qui domptait plus rapidement et mieux un poulain que ce jeune Indien. Cet après-midi-là ils entendirent de loin les cris de terreur de García, une fois de plus torturé par les durs de l'école. Ils étaient cinq, conduits par Carlos Alcázar, l'élève le plus grand et le plus redoutable de tous. Il avait la capacité intellectuelle d'un pou, mais elle lui suffisait pour inventer des méthodes de cruauté toujours nouvelles. Cette fois ils avaient déshabillé García, l'avaient attaché à un arbre et enduit de miel de haut en bas. García criait à pleins poumons, tandis que ses cinq bourreaux observaient fascinés le nuage de moustiques et les files de fourmis qui commençaient à l'attaquer. Rapidement, Diego et Bernardo évaluèrent la situation et comprirent alors qu'ils étaient indubitablement en désavantage. Ils ne pouvaient se battre contre Carlos et ses sbires, il n'était pas question non plus d'aller chercher de l'aide, parce qu'ils seraient passés pour des lâches. Diego s'approcha d'eux en souriant, tandis que dans son dos Bernardo serrait les dents et les poings.

« Qu'est-ce que vous faites? demanda-t-il comme si ce n'était pas évident.

— Rien qui t'intéresse, idiot, à moins que tu veuilles finir comme García, répliqua Carlos, tandis que sa bande faisait chorus par des éclats de rire.

— Je m'en fiche, mais je pensais utiliser ce gros benêt

comme appât pour les ours. Ce serait dommage de perdre cette bonne graisse avec les fourmis, dit Diego, indifférent.

— Ours ? grogna Carlos.

— Je t'échange Carlos contre un ours, proposa Diego d'un air indolent, tandis qu'il se curait les ongles à l'aide d'un petit bout de bois.

— D'où vas-tu sortir un ours ? demanda le dur.

— Ça, c'est mon affaire. Je pense l'amener vivant et avec un chapeau sur la tête. Je peux t'en faire cadeau si tu veux, Carlos, mais pour ça, j'ai besoin de García », répondit Diego.

Les gamins se consultèrent en chuchotant, tandis que García avait des sueurs froides et que Bernardo se grattait le crâne, jugeant que cette fois Diego exagérait. La méthode habituelle pour attraper des ours vivants, qu'on utilisait dans les combats contre les taureaux, exigeait de la force, de l'agilité et de bons chevaux. Plusieurs cavaliers aguerris attrapaient l'animal au lasso, puis ils l'attachaient à leurs coursiers, tandis qu'un autre vacher, qui servait d'appât, allait devant en le provoquant. Ils le guidaient ainsi vers un enclos, mais le divertissement pouvait coûter cher, car il arrivait que l'ours, capable de courir plus vite que n'importe quel cheval, réussît à se libérer et se précipitât contre celui qui était le plus près.

« Qui va t'aider ? demanda Carlos.

— Bernardo.

— Cet Indien stupide ?

— Bernardo et moi pouvons le faire seuls, à condition que nous ayons García comme appât », dit Diego.

En deux minutes ils conclurent le marché et les sans-cœur s'éloignèrent, pendant que Diego et Bernardo libéraient García et l'aidaient à se débarrasser du miel et de la morve dans la rivière.

« Comment allons-nous chasser un ours vivant ? demanda Bernardo.

— Je ne sais pas encore, je dois y réfléchir », répliqua Diego, et son frère ne douta pas qu'il trouverait la solution.

Le reste de la semaine se passa à préparer les éléments nécessaires pour le tour pendable qu'ils allaient commettre.
Trouver un ours n'était pas le plus difficile, ils se rassemblaient par douzaines aux endroits où l'on tuait les bœufs,
attirés par l'odeur de la viande, mais ils ne pouvaient en
affronter plus d'un, surtout s'il s'agissait de femelles avec leurs
petits. Il leur fallait trouver un ours solitaire, ce qui n'était pas
difficile non plus, car il y en avait beaucoup en été. García se
déclara malade et il ne sortit pas de chez lui pendant plusieurs
jours, mais Diego et Bernardo l'obligèrent à les accompagner
avec l'argument irréfutable que, s'il ne le faisait pas, il finirait
de nouveau entre les mains de la bande de voyous de Carlos
Alcázar. En plaisantant, Diego lui dit qu'ils allaient vraiment
se servir de lui comme appât, mais lorsqu'il vit que García
avait les genoux qui tremblaient, il s'apitoya et lui fit part du
plan imaginé par Bernardo.

Les trois gamins annoncèrent à leurs mères qu'ils passe-
raient la nuit à la mission, où le père Mendoza célébrait,
comme tous les ans, la fête de la Saint-Jean. Ils partirent très
tôt dans une charrette tirée par deux vieilles mules, armés de
leurs *reatas*. García était mort de peur, Bernardo, inquiet ;
quant à Diego, il sifflait. Dès qu'ils eurent laissé la maison de
l'hacienda derrière eux, ils abandonnèrent le Chemin royal et
s'enfoncèrent par le Sentier des Esquilles, que les Indiens
croyaient ensorcelé. L'âge des mules et les irrégularités du
terrain les obligeaient à avancer lentement, ce qui leur donnait le temps de se guider d'après les empreintes sur le sol et
les coups de griffes sur l'écorce des arbres. Ils allaient arriver à
la scierie d'Alejandro de La Vega, qui fournissait le bois pour
la construction des maisons et la réparation des bateaux,
quand les braiments des mules épouvantées les avertirent de la
présence d'un ours. Les bûcherons étaient allés à la fête de la
Saint-Jean et on ne voyait âme qui vive aux alentours, seulement des scies et des haches abandonnées, ainsi que des piles
de troncs autour de la rustique construction en planches. Ils

détachèrent les mules et les tirèrent jusqu'à la baraque pour les mettre à l'abri ; puis Diego et Bernardo se mirent en devoir d'installer leur piège, tandis que García surveillait, non loin du refuge. Il avait emporté une importante collation, et comme le trac lui donnait faim, il n'avait pas cessé de mastiquer depuis qu'ils étaient partis, le matin. Retranché dans sa cachette il observa les autres, qui passèrent des cordes dans les plus grosses branches de deux arbres, posèrent les lassos, comme ils avaient vu les vachers le faire, et au centre placèrent le mieux qu'ils purent quelques branches couvertes de la peau de cerf qu'ils utilisaient lorsqu'ils allaient chasser avec les Indiens. Sous la dépouille, ils mirent la viande fraîche d'un lapin et une boule de graisse enrobée de potion soporifique. Puis ils allèrent à la cabane partager le goûter de García.

Les acolytes s'étaient préparés à y passer deux jours, mais ils n'eurent pas à attendre si longtemps, car l'ours fit son apparition un peu plus tard, annoncé par les braiments des mules. C'était un vieux mâle assez grand, au pelage brun. Il avançait comme une masse tremblante de graisse et de peau sombre, oscillant d'un côté à l'autre avec une agilité et une grâce surprenantes. Les gosses ne se laissèrent pas tromper par l'attitude de paisible curiosité de la bête, ils savaient de quoi elle était capable et ils prièrent que la brise ne lui portât pas l'odeur humaine et celle des mules. Si l'ours fonçait sur la cabane, la porte ne résisterait pas. L'animal fit deux tours dans les environs, et soudain il vit ce qui lui parut être un gibier immobile. Il se dressa sur deux pattes et leva celles de devant ; alors les enfants purent le voir tout entier : il s'agissait d'un géant de huit pieds de haut. Il poussa un grognement épouvantable, donna quelques coups de pattes menaçants et se précipita ensuite de toute l'énormité de son poids sur la peau, écrasant la légère armature qui la soutenait. Il se retrouva par terre sans savoir ce qui lui arrivait, mais il reprit immédiatement ses esprits et se redressa. Il attaqua de nouveau le faux gibier avec ses griffes et découvrit alors la charogne cachée dessous, qu'il dévora de deux coups de dents. Il déchira la peau, cherchant un aliment plus consistant et, n'en trouvant pas, se remit debout, déconcerté. Il avança de quelques pas et marcha complètement sur les collets, activant le piège. En un instant les cordes se tendirent et l'ours fut pendu tête en bas entre les deux arbres. Les gamins fêtèrent à grands cris une victoire très brève, car le poids de l'animal se balançant en l'air rompit les branches. Terrifiés, Diego, Bernardo et García se réfugièrent dans la baraque avec les mules, cherchant quelque chose avec quoi se défendre, tandis qu'au-dehors l'ours, pantois sur le sol, essayait de libérer sa patte droite du collet qui le retenait toujours à l'une des branches cassées de l'arbre. Il se démena pendant un bon moment, de plus en plus emberlificoté et irrité, et comme il ne put se libérer, il avança en traînant la branche.

« Et maintenant? demanda Bernardo avec un calme feint.

— Maintenant on attend », répliqua Diego.

Remarquant quelque chose de chaud entre ses jambes et voyant une tache s'étendre sur son pantalon, García perdit la tête et se mit à pleurer à gros sanglots. Bernardo lui sauta dessus et lui mit la main sur la bouche, mais il était trop tard. L'ours les avait entendus. Il se tourna vers la cabane et donna des coups de patte sur la porte, secouant tellement la fragile construction que des planches se détachèrent du toit. A l'intérieur, Diego attendait face à la porte, son fouet à la main, et Bernardo brandissait une petite barre de fer qu'il avait trouvée dans la cabane. Par chance pour eux, la bête était assommée par sa chute et gênée par la branche attachée à sa patte. Elle flanqua un dernier coup à la porte, sans beaucoup d'enthousiasme, et s'éloigna en titubant en direction de la forêt, mais elle n'alla pas bien loin, car la branche, s'accrochant entre des troncs de la scierie, l'arrêta net. Les enfants ne pouvaient plus la voir, mais ils entendirent ses rugissements désespérés pendant un long moment, jusqu'à ce qu'ils s'espacent en soupirs résignés et s'arrêtent enfin totalement.

« Et maintenant ? demanda de nouveau Bernardo.

— Maintenant il faut le mettre dans la charrette, annonça Diego.

— Tu es fou ? On peut pas sortir d'ici ! s'exclama García, le pantalon tout barbouillé et nauséabond.

— Je ne sais pas combien de temps il va rester endormi. Il est très grand et je suppose que la potion soporifique de ma grand-mère est calculée pour la taille d'un homme. Il faut agir vite, car s'il se réveille on est faits », ordonna Diego.

Bernardo le suivit sans demander plus d'explications, comme il le faisait toujours, mais García resta en arrière, utilisant le peu de souffle qui lui restait pour gémir. Ils trouvèrent l'ours sur le dos, tel qu'il était tombé sous le coup de massue de la drogue, non loin de la cabane. Le plan de Diego supposait que l'animal serait endormi, suspendu au piège dans les arbres, pour pouvoir mettre la charrette dessous et le laisser tomber. Maintenant, ils allaient devoir hisser le géant sur la charrette. Ils le tâtèrent à distance avec un bâton et, comme il ne bougea pas, ils prirent le risque de s'approcher. Il était plus vieux qu'ils ne le pensaient : il lui manquait deux griffes à une patte, il avait plusieurs dents cassées, son pelage était parsemé de taches de pelade et de vieilles cicatrices. L'haleine de dragon leur arriva en plein visage, mais il n'était pas question de reculer, ils entreprirent de le museler et de lui attacher les quatre pattes avec les cordes. Au début ils improvisaient avec mille précautions, qui auraient été inutiles si la bête s'était réveillée, mais quand ils furent convaincus qu'elle était comme morte, ils se hâtèrent. Lorsqu'ils eurent immobilisé l'ours, ils allèrent chercher les pauvres mules paralysées de terreur. Bernardo employa avec elles sa technique des murmures à l'oreille, comme il le faisait avec les chevaux sauvages, et elles lui obéirent. García s'approcha prudemment, après s'être assuré que les ronflements de l'ours étaient fondés, mais il grelottait et puait tellement qu'ils l'envoyèrent se laver et rincer son pantalon dans un ruisseau. Bernardo et Diego

69

utilisèrent la méthode habituelle des vachers pour hisser les tonneaux : ils fixèrent deux *reatas* à un bout de la charrette inclinée, ils les passèrent sous l'animal, puis par-dessus en sens contraire, attachèrent les extrémités aux mules et les firent haler. A la deuxième tentative ils parvinrent à le déplacer en roulant, et ainsi le hissèrent peu à peu dans la charrette. L'effort brutal les laissa à bout de souffle, mais heureux d'être arrivés à leurs fins. Ils s'embrassèrent en sautant comme des fous, fiers comme ils ne l'avaient jamais été auparavant. Ils attelèrent les mules à la voiture et s'apprêtèrent à retourner à la ville, mais avant cela Diego apporta un pot de goudron qu'il avait ramassé dans les dépôts de brai voisins de sa maison, et s'en servit pour coller un chapeau mexicain sur la tête de l'ours. Ils étaient épuisés, trempés de sueur et imprégnés de l'odeur pestilentielle de la bête sauvage ; García, quant à lui, était un paquet de nerfs, c'est à peine s'il pouvait tenir debout, il sentait encore la porcherie et ses vêtements étaient trempés. Le travail leur avait pris une bonne partie de l'après-midi, mais lorsque enfin les mules prirent le Sentier des Esquilles, ils avaient encore deux heures de jour devant eux. Ils pressèrent le pas et purent atteindre le Chemin royal juste avant que la nuit tombe ; à partir de là, les mules endurantes continuèrent par instinct, pendant que l'ours respirait bruyamment dans sa prison de cordes. Il s'était réveillé de la léthargie provoquée par la drogue de Chouette-Blanche, mais il restait tranquille.

Lorsqu'ils entrèrent dans Los Angeles il faisait complètement nuit. A la lumière de deux lampes à huile, ils détachèrent les pattes arrière de l'animal, mais laissèrent les pattes avant et le museau attachés, et ils l'asticotèrent jusqu'à ce qu'il saute de la charrette et se mette debout, étourdi, mais toujours aussi furieux. Ils appelèrent à grands cris et aussitôt les gens sortirent de chez eux avec des lampes et des torches. La rue se remplit de curieux venus admirer le plus insolite des spectacles : Diego de La Vega marchait devant, tirant avec un lasso un ours de taille gigantesque qui chancelait sur deux pattes, un chapeau sur la tête, tandis que Bernardo et García l'aiguillonnaient par-derrière. Les applaudissements et les vivats continueraient à résonner pendant des semaines dans les oreilles des trois gamins. A ce moment, ils avaient eu le temps de mesurer la gravité de leur imprudence et de se remettre de la punition méritée qu'ils avaient reçue. Rien ne put ternir la victoire éclatante de cette aventure. Carlos et ses acolytes ne les embêtèrent plus jamais.

*

La prouesse de l'ours, exagérée et enjolivée jusqu'à l'invraisemblable, passa de bouche en bouche et avec le temps traversa le détroit de Béring, colportée par les commerçants de peaux de loutre, pour arriver jusqu'en Russie. Diego, Bernardo et García n'échappèrent pas à la raclée que leur administrèrent leurs parents, mais personne ne put leur disputer le titre de champions. Ils se gardèrent bien, évidemment, de mentionner la potion barbiturique de Chouette-Blanche. Leur trophée resta quelques jours dans un enclos, exposé aux railleries et aux jets de pierres des curieux, pendant qu'on cherchait le meilleur taureau pour le combattre, mais Diego et Bernardo eurent pitié de l'ours prisonnier et, la nuit qui précéda le combat, ils lui rendirent sa liberté.

En octobre, alors qu'on ne parlait encore que de ça dans la ville, les pirates attaquèrent. Ils s'abattirent d'un coup, avec l'expérience de nombreuses années de perfidie, s'approchant de la côte sans être vus dans un brigantin armé de quatorze canons légers qui avait fait le voyage depuis l'Amérique du Sud, se laissant dériver vers Hawaii pour profiter des vents qui les avaient poussés vers la Haute-Californie. Ils étaient à l'affût de bateaux chargés de trésors d'Amérique, destinés aux coffres royaux en Espagne. Ils attaquaient rarement sur la terre ferme, parce que les villes importantes pouvaient se défendre et que les autres étaient trop pauvres, mais ils navi-guaient depuis une éternité sans avoir fait de capture et l'équipage avait besoin d'eau fraîche et de brûler un peu d'énergie. Le capitaine avait décidé de se rendre à Los Ange-les, bien qu'il n'espérât pas y trouver grand-chose d'inté-ressant, juste de la nourriture, de l'alcool et de la distraction pour ses hommes. Ils pensaient qu'ils ne rencontreraient pas de résistance, précédés qu'ils étaient par la mauvaise réputa-tion qu'eux-mêmes se chargeaient de faire courir – des histoi-res terrifiantes de sang et de cendres – sur la manière dont ils coupaient les hommes en morceaux, étripaient les femmes enceintes et embrochaient les enfants sur des crochets pour les pendre aux mâts comme des trophées. Cette réputation de barbares leur convenait. Lors des attaques, il leur suffisait de s'annoncer par quelques coups de canon ou d'apparaître en hurlant pour que la population parte en courant; c'est ainsi qu'ils recueillaient le butin sans avoir la peine de se battre. Ils jetèrent l'ancre et se préparèrent à l'attaque. Dans ce cas, les canons du brigantin étaient inutiles, car ils n'atteignaient pas Los Angeles. Ils débarquèrent dans des canots, le couteau entre les dents et le sabre à la main, telle une horde de démons. A mi-chemin ils tombèrent sur l'hacienda de La Vega. La grande maison d'adobe, avec ses toits rouges, ses bougainvillées mauves grimpant sur les murs, son jardin d'orangeraies, son air aimable de prospérité et de paix, fut irrésistible pour ces navigateurs frustes, qui pour toute nourri-ture n'avaient eu depuis longtemps que de l'eau croupie, de la viande boucanée infecte, des galettes pleines de vers et aussi dures que des pierres brûlées. Le capitaine eut beau bramer que l'objectif était la ville, les hommes se jetèrent sur l'hacienda en donnant des coups de pied aux chiens et en tirant à bout portant sur les deux jardiniers indiens qui eurent le malheur de se trouver sur leur chemin.

A ce moment, Alejandro de La Vega se trouvait à Mexico pour acheter des meubles plus jolis que ceux, encombrants, de sa maison, du velours doré pour faire des rideaux, des couverts en argent massif, de la vaisselle anglaise et des verres en cristal d'Autriche. Avec ce cadeau de pharaon, il espérait émouvoir Regina, et voir si une fois pour toutes elle abandonnerait ses habitudes d'Indienne et se tournerait vers le raffinement européen qu'il souhaitait pour sa famille. Ses affaires avaient le vent en poupe et pour la première fois il pouvait s'offrir le plaisir de vivre comme il convenait à un homme de son rang. Il ne pouvait imaginer que tandis qu'il marchandait le prix des tapis turcs sa maison était pillée par trente-six scélérats.

Les bruyants aboiements des chiens réveillèrent Regina. Sa chambre se trouvait dans une petite tour, seule audace dans la lourde et plate architecture de la maison. La lumière timide de cette heure matinale éclairait le ciel de tons orangés et entrait par sa fenêtre qui n'avait ni rideaux ni persiennes. Elle s'enveloppa dans un châle et sortit pieds nus sur le balcon pour voir ce qui arrivait aux chiens, juste au moment où les premiers assaillants forçaient le portail de bois du jardin. Il ne lui vint pas à l'idée que c'étaient des pirates, parce qu'elle n'en avait jamais vu, mais elle ne s'attarda pas à vérifier leur identité. Diego, qui à dix ans partageait encore le lit de sa mère quand son père était absent, la vit passer en courant en chemise de nuit. Regina saisit au vol un sabre et une dague suspendus au mur, qu'on n'avait pas utilisés depuis que son mari avait abandonné la carrière militaire, mais qu'on gardait aiguisés, et elle descendit les escaliers en appelant à grands cris les serviteurs. Diego sauta aussi du lit et la suivit. En l'absence d'Alejandro de La Vega, les portes en chêne de la maison étaient fermées de l'intérieur par une lourde barre de fer. L'ardeur des pirates s'écrasa contre cet obstacle invulnérable, ce qui donna à Regina le temps de distribuer les armes à feu gardées dans les coffres et d'organiser la défense.

Diego, pas encore tout à fait réveillé, se retrouva devant une femme inconnue, qui avait à peine un vague air de famille. En quelques secondes sa mère s'était transformée en Fille-de-Loup. Ses cheveux s'étaient dressés sur sa tête, dans ses yeux brillait une lueur féroce qui lui donnait un aspect halluciné, et elle montrait les dents, la bouche écumante comme un chien enragé, tandis qu'elle aboyait des ordres aux domestiques en langue indienne. Elle brandissait un sabre dans une main et une dague dans l'autre quand les persiennes qui protégeaient les fenêtres du rez-de-chaussée cédèrent et que les premiers pirates firent irruption dans la maison. Malgré le fracas de l'assaut, Diego parvint à entendre un hurlement, qui paraissait plus de joie que de terreur, sortir de la terre, parcourir le corps de sa mère et faire trembler les murs. La vue de cette femme à peine couverte du fin tissu d'une chemise de nuit, qui venait à leur rencontre en dressant deux lames avec une impétuosité impossible chez quelqu'un de sa taille, surprit les assaillants l'espace de quelques secondes. Cela donna le temps de faire feu aux domestiques qui avaient des armes. Sous les tirs, deux flibustiers tombèrent sur le ventre et un troisième chancela, mais il n'y eut pas le temps de recharger, déjà une autre douzaine grimpait par les fenêtres. Diego prit un lourd candélabre en métal et partit défendre sa mère, tandis que celle-ci reculait vers le salon. Elle avait perdu le sabre et tenait la dague à deux mains, donnant des coups d'épée à l'aveuglette contre les vandales qui l'encerclaient. Diego mit le candélabre entre les jambes de l'un, le jetant à terre, mais il ne réussit pas à lui en asséner un coup, car un brutal coup de pied dans la poitrine le projeta contre le mur. Il ne sut jamais combien de temps il était resté étourdi là, car les versions de l'attaque qu'on raconta plus tard se contredisaient. D'aucuns parlèrent d'heures, mais d'autres affirmèrent qu'en quelques minutes les pirates tuèrent ou blessèrent tous ceux qu'ils croisèrent sur leur chemin, qu'ils détruisirent ce qu'ils ne purent voler et qu'avant de partir vers Los Angeles ils mirent le feu aux meubles.

Quand Diego reprit connaissance, les malfaiteurs parcouraient encore la maison, cherchant ce qu'ils pouvaient emporter, et déjà la fumée de l'incendie s'infiltrait par les fentes. Il se mit debout malgré la terrible douleur qui lui transperçait la poitrine, l'obligeant à respirer par à-coups, et il avança en titubant, toussant et appelant sa mère. Il la trouva sous la grande table du salon, sa chemise de batiste trempée de sang, mais lucide et les yeux ouverts. « Cache-toi, mon fils! » lui ordonna-t-elle de toute sa voix avant de s'évanouir. Diego la prit par les bras et dans un effort titanesque, parce qu'il avait les côtes écrasées par le coup de pied reçu, il la traîna en direction de la cheminée. Il réussit à ouvrir la porte secrète, dont il était seul avec Bernardo à connaître l'existence, puis la tira vers le tunnel. Une fois de l'autre côté, il referma le piège et resta là, dans l'obscurité, la tête de sa mère sur ses genoux, maman, maman, pleurant et implorant Dieu et les esprits de sa tribu de ne pas la laisser mourir.

*

Bernardo lui aussi était au lit lorsque l'assaut fut lancé. Il dormait avec sa mère dans l'une des pièces destinées aux domestiques, à l'autre bout de la demeure. Leur cellule était plus vaste que celles sans fenêtres des autres domestiques, parce qu'on l'utilisait aussi pour repasser, travail qu'Ana ne déléguait à personne. Alejandro de La Vega exigeait que les plis de ses chemises fussent parfaits, et elle était fière de les repasser elle-même. Outre un lit étroit avec un matelas de paille et un grand coffre démantibulé dans lequel elle gardait ses maigres biens, la pièce contenait une longue table de travail et un récipient en métal pour les braises des fers à repasser, ainsi que d'immenses paniers contenant le linge propre qu'Ana avait l'intention de repasser le lendemain. Le sol était de terre; un poncho de laine accroché au linteau servait de porte; la lumière et l'air entraient par deux petites fenêtres.

75

Ce ne sont ni les hurlements des pirates ni les coups de feu à l'autre bout de la maison qui réveillèrent Bernardo, mais la secousse que lui donna Ana. Il pensa que la terre tremblait, comme d'autres fois, mais elle ne lui laissa pas le temps de réfléchir; elle le saisit par un bras, le souleva avec la force d'une tornade, et d'une enjambée l'emporta de l'autre côté de la pièce. D'une poussée brutale elle le plongea à l'intérieur de l'un des grands paniers. « Quoi qu'il arrive, tu ne bouges pas, tu m'as compris? » Son ton était si catégorique que Bernardo eut l'impression qu'elle lui parlait avec une haine secrète. Jamais il ne l'avait vue troublée. Sa mère était d'une douceur légendaire, toujours docile et contente, bien qu'elle n'eût que peu de motifs d'être heureuse. Elle s'adonnait sans réserve à la tâche d'adorer son fils et de servir ses maîtres, résignée à son humble existence et sans inquiétudes dans l'âme, mais à ce moment, le dernier qu'elle partagerait avec Bernardo, elle prit la dureté et la solidité de la glace. Saisissant un paquet de linge, elle en couvrit l'enfant, l'écrasant au fond du panier. De là, enveloppé dans les blanches ténèbres des chiffons, étouffé par l'odeur d'amidon et de terreur, Bernardo entendit les cris, les jurons et les éclats de rire des hommes qui entraient dans la pièce où Ana les attendait, la mort déjà inscrite sur son front, prête à les distraire le temps qu'il faudrait pour qu'ils ne trouvent pas son fils.

Les pirates étaient pressés et un seul coup d'œil leur suffit pour se rendre compte qu'il n'y avait rien de précieux dans cette chambre de servante. Peut-être auraient-ils regardé depuis le seuil et fait demi-tour s'il n'y avait eu là cette jeune indigène qui les défiait, les poings sur les hanches et une détermination suicidaire sur son visage rond, avec la cape nocturne de ses cheveux, ses hanches généreuses et ses seins fermes. Pendant un an et quatre mois ils avaient parcouru l'océan sans but précis et sans la consolation de pouvoir poser les yeux sur une femme. Pendant un instant ils crurent se trouver devant un mirage, comme tous ceux qui les tourmentaient en pleine mer, mais alors leur parvint l'odeur sucrée d'Ana et ils oublièrent leur hâte. D'un geste ils arrachèrent la chemise de toile grossière qui couvrait son corps et se jetèrent sur elle. Ana ne résista pas. Elle supporta dans un silence sépulcral tout ce qu'ils eurent envie de faire d'elle. Lorsqu'elle tomba à terre, soumise par les hommes, sa tête se trouva si près du panier de Bernardo que celui-ci put compter une à une les faibles plaintes de sa mère, couvertes par le souffle brutal de ses assaillants.

A aucun moment l'enfant ne bougea sous la montagne de tissus qui le couvrait, et là, paralysé de terreur, il vécut tout le supplice de sa mère. Pelotonné dans le panier, l'esprit vide, submergé par les nausées, il suait de la bile. Au bout d'un temps infini, il prit conscience du silence absolu et de l'odeur de fumée. Il laissa passer un moment, jusqu'à n'en plus pouvoir, parce qu'il étouffait, et il appela doucement Ana. Personne ne répondit. Il l'appela en vain à plusieurs reprises et enfin se risqua à passer la tête. Par le trou de la porte entraient des bouffées de fumée, mais l'incendie de la maison n'arrivait pas jusque-là. Engourdi par la tension et l'immobilité, Bernardo dut faire un effort pour s'extraire du panier. Il vit sa mère à l'endroit même où les hommes l'avaient écrasée, nue, avec sa longue chevelure étalée comme un éventail sur le sol, le cou tranché d'une oreille à l'autre. L'enfant s'assit à côté d'elle et lui prit la main, calme, muet. Il ne dirait plus un mot pendant de nombreuses années.

C'est ainsi qu'on le retrouva, muet et taché du sang de sa mère, des heures plus tard, alors que les pirates étaient déjà loin. La population de Los Angeles comptait ses morts, éteignait ses incendies, et personne n'avait eu l'idée d'aller voir ce qui s'était passé à l'hacienda de La Vega, jusqu'à ce que le père Mendoza, alerté par une prémonition si vive qu'il ne put l'ignorer, accourût avec une demi-douzaine de néophytes pour investir le lieu. Les flammes avaient brûlé le mobilier, léché quelques poutres, mais la maison était solide et, lorsqu'il arriva, le feu s'éteignait tout seul. L'assaut avait fait plusieurs blessés et cinq morts, y compris Ana, qu'ils trouvèrent telle que ses assassins l'avaient abandonnée.

« Que Dieu nous protège », s'exclama le père Mendoza face à cette tragédie.

Il couvrit le corps d'Ana d'un poncho et souleva Bernardo dans ses bras robustes. Pétrifié, l'enfant avait le regard fixe et, sur le visage, un spasme qui lui serrait les mâchoires. « Où sont doña Regina et Diego? » demanda le missionnaire, mais Bernardo ne parut pas l'entendre. Il le laissa entre les mains d'une Indienne du service, qui le berça dans son giron, comme un bébé, au son d'une triste litanie dans sa langue, tandis qu'il parcourait de nouveau la maison en appelant ceux qui manquaient.

*

Le temps s'écoula sans changement dans le tunnel; comme la lumière du jour ne pénétrait pas jusque-là, il était impossible de calculer l'heure dans ces ténèbres éternelles. Diego ne put deviner ce qui se passait dans la maison, car jusque-là n'arrivaient pas non plus les sons de l'extérieur ni la fumée de l'incendie. Il attendit sans savoir ce qu'il attendait, tandis que Regina entrait et sortait de son évanouissement, exténuée. Immobile pour ne pas déranger sa mère, malgré le martyre du coup de pied qui lui enfonçait des dagues dans la poitrine à chaque respiration, et l'atroce fourmillement dans ses jambes engourdies, le garçon attendait. Par moments il était vaincu par la fatigue, mais il se réveillait aussitôt, entouré d'ombres, le cœur soulevé par la souffrance. Il sentit le froid le pénétrer et plusieurs fois il essaya de remuer ses membres, mais une irrésistible paresse l'envahissait et il recommençait à dodeliner de la tête, s'enfonçant dans une brume cotonneuse. Une bonne partie de la journée s'écoula dans cette léthargie, jusqu'à ce qu'enfin Regina pousse un gémissement et bouge;

alors il se réveilla en sursaut. En constatant que sa mère était vivante, d'un coup il reprit courage et une vague de bonheur le submergea de la tête aux pieds tandis qu'il se penchait pour la couvrir de baisers fous. Avec un soin infini Diego prit sa tête, qui était devenue de marbre, et il la posa par terre. Il lui fallut plusieurs minutes avant de retrouver l'usage de ses jambes et de parvenir à se déplacer à quatre pattes à la recherche de bougies, que Bernardo et lui cachaient pour leurs invocations d'*Okahué*. La voix de sa grand-mère lui demanda dans la langue des Indiens quelles étaient les cinq vertus essentielles, il ne put se souvenir d'aucune, excepté le courage.

A la lumière de la chandelle, Regina ouvrit les yeux et se vit ensevelie dans une caverne avec son fils. Elle n'eut pas la force de lui demander ce qui s'était passé ni de le consoler par des paroles mensongères, elle put seulement lui indiquer de déchirer sa chemise de nuit et de s'en servir pour bander la blessure à sa poitrine. Diego le fit avec des doigts tremblants et il vit que sa mère avait reçu un profond coup de couteau sous l'épaule. Il ne sut quoi faire de plus et resta à attendre.

« Ma vie s'en va Diego, tu dois aller chercher de l'aide », murmura Regina au bout d'un moment.

L'enfant calcula que par les cavernes il pouvait atteindre la plage et de là demander du secours, courir sans être vu mais cela lui prendrait du temps. Dans une impulsion, il décida qu'il valait la peine de courir le risque de passer la tête par la trappe de la cheminée pour se rendre compte de la situation dans la maison. La petite porte était bien dissimulée derrière les troncs empilés dans le foyer et il pourrait jeter un coup d'œil sans être vu, même s'il y avait des gens dans le salon.

La première chose qu'il perçut en ouvrant le piège, ce fut l'odeur âcre de roussi et l'impact du nuage de fumée, qui le firent reculer, mais aussitôt il comprit que cela lui permettait de mieux se cacher. Silencieux comme un chat, il franchit la porte secrète et s'accroupit derrière les troncs. Les chaises et le tapis étaient couverts de suie, le tableau de saint Antoine avait complètement brûlé, les murs et les poutres du toit fumaient encore, mais les flammes étaient éteintes. Un calme anormal régnait dans la maison et il supposa qu'il n'y avait plus personne, ce qui lui donna le courage d'avancer. Il se glissa prudemment le long des murs, larmoyant et toussant, et parcourut une à une les pièces du rez-de-chaussée. Il ne pouvait imaginer ce qui s'était passé, si tous étaient morts ou s'ils avaient réussi à s'enfuir. Dans les ruines du vestibule il vit un désordre de naufrage et des taches de sang, mais les corps des hommes qu'il avait lui-même vus tomber au petit matin n'étaient plus là. Assailli de doutes, il s'imagina plongé dans un cauchemar épouvantable dont il allait être réveillé par la voix affectueuse d'Ana annonçant le petit déjeuner. Il continua à explorer en direction des logements des domestiques, suffoqué par la brume grise de l'incendie, qui lorsqu'il ouvrait une porte ou franchissait un coin jaillissait par rafales. Il se souvint de sa mère, se mourant sans aide, décida qu'il n'avait rien à perdre et, oubliant toute prudence, il se mit à courir dans les interminables couloirs de l'hacienda, presque à l'aveuglette, lorsque soudain il buta contre un corps solide et deux bras puissants le saisirent. Il cria de frayeur et à cause de la douleur de ses côtes brisées, sentit que les nausées revenaient et qu'il était sur le point de s'évanouir. « Diego! Dieu soit loué! » entendit-il prononcer la voix de stentor du père Mendoza, et il sentit sa vieille soutane et ses joues mal rasées contre son front; alors il s'abandonna, comme le bébé qu'il était encore, pleurant et vomissant, inconsolable.

Le père Mendoza avait envoyé les survivants à la mission de San Gabriel. La seule explication qui lui vint à l'esprit pour justifier l'absence de Regina et de son fils fut qu'ils avaient été enlevés par les pirates, bien qu'il n'eût jamais entendu parler de quelque chose de semblable dans ces parages. Il savait que sur d'autres mers les pirates prenaient des otages pour obtenir une rançon ou les vendre comme esclaves, mais rien de cela n'arrivait sur cette lointaine côte d'Amérique. Il ne pouvait se figurer comment annoncer la terrible nouvelle à Alejandro de La Vega. Aidé par les deux autres franciscains qui vivaient à la mission, il avait fait son possible pour soulager les blessés et consoler les autres victimes de l'attaque. Le lendemain, il devrait se rendre à Los Angeles, où l'attendait la lourde tâche d'enterrer les morts et de faire l'inventaire des dégâts. Il était exténué, mais tellement inquiet qu'il ne put partir avec les autres à la mission et préféra rester pour visiter la maison une fois de plus. Il en était là lorsque Diego tomba sur lui.

Regina survécut grâce au fait que le père Mendoza l'enveloppa dans des couvertures, la mit dans sa carriole déglinguée et l'emmena à la mission. Il n'eut pas le temps d'envoyer chercher Chouette-Blanche, parce que la profonde entaille continuait à saigner et que Regina s'affaiblissait à vue d'œil. A la lumière de quelques lampes à huile, les missionnaires commencèrent par l'enivrer avec du rhum, puis ils nettoyèrent sa blessure avant d'en extraire, à l'aide des tenailles servant à tordre le fil de fer, la pointe du poignard du pirate incrustée dans l'os de la clavicule. Ils cautérisèrent ensuite la plaie avec un fer incandescent tandis que Regina mordait un morceau de bois, comme elle l'avait fait pendant son accouchement. Diego se bouchait les oreilles pour ne pas entendre ses gémissements étouffés, oppressé par la culpabilité et la honte d'avoir gaspillé, pour un mauvais tour de morveux, la potion somnifère qui aurait pu éviter cette torture à Regina. La douleur de sa mère fut son terrible châtiment pour avoir volé le remède magique.

*

Lorsqu'on enleva sa chemise à Diego, on constata que le coup de pied avait tuméfié sa chair du cou jusqu'à l'aine. Le père Mendoza diagnostiqua qu'il devait avoir plusieurs côtes enfoncées et il lui confectionna un corset en cuir de vache, renforcé par des baguettes de liane pour l'immobiliser.

L'enfant ne pouvait ni se baisser ni lever les bras, mais grâce à ce corset il retrouva l'usage complet de ses poumons en quelques semaines. Bernardo, en revanche, ne guérit pas de ses traumatismes, beaucoup plus sérieux que ceux de Diego. Il passa plusieurs jours dans le même état de prostration où l'avait trouvé le père Mendoza, le regard fixe et les dents si serrées qu'on dut recourir à l'entonnoir pour le nourrir de bouillie de maïs. Il assista aux obsèques collectives des victimes des pirates et, sans une larme, regarda descendre dans la fosse la caisse qui contenait le corps de sa mère. Lorsque les autres finirent par s'apercevoir que Bernardo n'avait pas prononcé un mot depuis des semaines, Diego, qui l'avait accompagné jour et nuit sans le laisser seul un instant, avait déjà assumé le fait irréfutable qu'il ne parlerait peut-être plus jamais. Les Indiens dirent qu'il avait avalé sa langue. Le père Mendoza commença par l'obliger à faire des gargarismes avec du vin de messe et du miel; puis il lui badigeonna la gorge avec du borax, lui mit des cataplasmes chauds sur le cou et lui donna à manger des scarabées réduits en bouillie. Comme aucun de ses remèdes improvisés contre le mutisme ne donna de résultat, il opta pour le recours extrême à l'exorcisme. Jamais il ne lui avait été donné d'expulser les démons et il ne se sentait pas qualifié pour une tâche si pénible, bien qu'il connût la méthode, mais personne d'autre ne pouvait le faire dans les environs. Pour trouver un exorciste autorisé par l'Inquisition il fallait faire le voyage à Mexico et, franchement, le missionnaire considéra que ça n'en valait pas la peine. Il étudia à fond les textes les plus pertinents sur la question, il jeûna deux jours en guise de préparation, puis s'enferma avec Bernardo dans l'église pour se battre à mains nues avec Satan. Cela ne servit à rien. Vaincu, le père Mendoza en conclut que le traumatisme avait abêti le pauvre enfant et il cessa de lui prêter attention. Il délégua la corvée de l'alimenter avec un entonnoir à une néophyte et retourna à ses affaires. Il était entièrement pris par ses devoirs de la mission, par la tâche spirituelle d'aider la population de Los Angeles à se remettre de ses malheurs, et par les petits détails bureaucratiques qu'exigeaient de lui ses supérieurs de Mexico, ce qui représentait toujours le plus pesant de son ministère. Les gens avaient déjà mis Bernardo à l'écart comme irrémédiablement idiot, quand Chouette-Blanche apparut à la mission pour l'emmener dans son petit village. Le missionnaire le lui confia, car il ne savait quoi faire de lui, bien qu'il n'espérât point que la magie de l'Indienne obtînt la guérison qu'il n'avait pas obtenu par l'exorcisme. Diego mourait d'envie d'accompagner son frère de lait, mais il n'eut pas le cœur de laisser sa mère, qui ne quittait pas encore son lit de convalescente ; en plus, le père Mendoza ne lui permit pas de monter à cheval avec le corset. Pour la première fois depuis leur naissance, les enfants se séparèrent.

Chouette-Blanche vérifia que Bernardo n'avait pas avalé sa langue – elle était intacte dans sa bouche – et elle diagnostiqua que son mutisme était une forme de deuil : il ne parlait pas parce qu'il ne voulait pas. Elle devina que sous la sourde colère qui dévorait l'enfant, il y avait un insondable océan de tristesse. Elle n'essaya pas de le consoler ou de le guérir parce que, d'après elle, Bernardo avait tous les droits du monde de rester muet, mais elle lui apprit à communiquer avec l'esprit de sa mère grâce à l'observation des étoiles, et avec ses semblables en s'aidant du langage des signes qu'utilisaient les Indiens de différentes tribus pour faire du commerce. Elle lui apprit également à jouer d'une délicate flûte de roseau. Avec le temps et la pratique, l'enfant parviendrait à sortir de ce simple instrument presque autant de sons que la voix humaine. Dès qu'on le laissa en paix, Bernardo s'éveilla. Le premier symptôme fut un appétit vorace, il ne fut plus besoin de le nourrir par des méthodes cruelles ; et le second, la timide amitié qu'il noua avec Eclair-dans-la-Nuit. La fillette avait deux ans de plus que lui et elle portait ce nom parce qu'elle était née par une nuit d'orage. Elle était minuscule pour son âge et avait l'aimable expression d'un écureuil. Elle accueillit

Bernardo avec naturel, sans se sentir gênée par son mutisme, et elle devint sa compagne de chaque instant, remplaçant Diego sans le savoir. Ils ne se séparaient que la nuit, lorsqu'il devait aller dormir dans la case de Chouette-Blanche et elle dans celle de sa famille. Eclair-dans-la-Nuit l'emmenait à la rivière, là elle se déshabillait entièrement et se jetait à l'eau la tête la première, tandis qu'il cherchait à quoi se distraire pour ne pas la regarder en face : à dix ans, l'enseignement du père Mendoza sur les tentations de la chair l'avait déjà marqué. Bernardo la suivait sans enlever son pantalon, étonné qu'elle ait la même résistance que lui pour nager comme un poisson dans l'eau glacée.

Eclair-dans-la-Nuit connaissait par cœur l'histoire mythique de son peuple et elle ne se lassait pas de la lui raconter, de même qu'il ne se lassait pas de l'écouter. La voix de la fillette était un baume pour Bernardo, qui l'écoutait ébloui, sans avoir conscience que son amour pour elle commençait à faire fondre le glacier de son cœur. De nouveau il se comporta comme n'importe quel enfant de son âge, bien qu'il ne parlât ni ne pleurât. Ensemble ils accompagnaient Chouette-Blanche, l'aidant dans ses activités de guérisseuse et de chamane en cueillant des plantes médicinales et préparant des potions. Lorsque Bernardo sourit à nouveau, la grand-mère considéra qu'elle ne pouvait rien faire de plus pour lui et que le moment était venu de le renvoyer à l'hacienda de La Vega. Elle devait s'occuper des rites et cérémonies qui marqueraient la première menstruation d'Eclair-dans-la-Nuit, qui à cette époque, sans crier gare, entra dans l'adolescence. Cette soudaine transition n'éloigna pas la fillette de Bernardo, au contraire, elle parut les rapprocher davantage. En guise d'adieu, elle l'emmena une fois encore à la rivière, et avec son sang menstruel peignit sur un rocher deux oiseaux en vol. « C'est nous, nous volerons toujours ensemble », lui dit-elle. Spontanément, Bernardo l'embrassa sur la joue puis se mit à courir, le corps en flammes.

Diego, qui avait attendu Bernardo avec une tristesse de chien orphelin, le vit arriver de loin et courut lui souhaiter la bienvenue avec des cris de joie, mais lorsqu'il l'eut devant lui il comprit que son frère de lait était une autre personne. Il venait sur un cheval prêté, son baluchon sur l'épaule, plus grand et plus rustre, les cheveux longs, une allure d'Indien adulte et la lumière impossible à confondre d'un amour secret dans les pupilles. Diego s'arrêta, interdit, mais alors Bernardo descendit de cheval et l'embrassa en le soulevant à bout de bras, sans effort, et ils redevinrent les jumeaux inséparables d'autrefois. Diego eut l'impression d'avoir retrouvé la moitié de son âme. Il ne lui importait pas le moins du monde que Bernardo ne parlât pas, car aucun des deux n'avait jamais eu besoin de mots pour savoir ce que l'autre pensait.

Bernardo fut surpris qu'en ses mois d'absence on ait entièrement reconstruit la maison brûlée pendant l'incendie. Alejandro de La Vega avait voulu effacer toute trace du passage des pirates et profiter de ce malheur pour embellir sa résidence. Lorsqu'il revint en Haute-Californie six semaines après l'attaque, avec son chargement de produits de luxe pour amadouer sa femme, il découvrit qu'aucun chien n'aboyait après lui; la demeure était abandonnée, son contenu transformé en cendres et sa famille absente. Le seul à venir l'accueillir fut le père Mendoza, qui le mit au courant de ce qui s'était passé et l'emmena à la mission, où Regina commençait à faire ses premiers pas de convalescente, encore enveloppée de bandes et un bras en écharpe. Être passée à côté de la mort avait d'un seul coup de griffe arraché toute sa fraîcheur à Regina. Alejandro avait laissé une jeune épouse, et peu après l'accueillait une femme d'à peine trente-cinq ans mais déjà mûre, avec quelques mèches de cheveux gris, qui ne montra pas le moindre intérêt pour les tapis turcs et les couverts d'argent ouvré qu'il avait achetés.

Les nouvelles étaient mauvaises, mais comme le dit le père Mendoza, elles auraient pu être bien pires. De La Vega décida de tourner la page, puisqu'il était impossible de punir ces hors-la-loi, qui devaient être près d'arriver en mer de Chine, et il se mit au travail pour réparer l'hacienda. A Mexico il avait vu comment vivaient les gens de la haute société et il décida de les imiter, non par vanité, mais pour que dans le futur Diego héritât de la grande maison et la remplît de petits-enfants, comme il disait en guise d'excuse pour la dépense inconsidérée. Il commanda des matériaux de construction et envoya chercher des artisans en Basse-Californie – des ferronniers, des céramistes, des tailleurs de pierre, des peintres – qui en peu de temps ajoutèrent un autre étage, de longs couloirs avec des arcades, des sols en carreaux de faïence, un balcon dans la salle à manger et une gloriette dans le patio pour les musiciens, des petites fontaines mauresques, des grilles en fer forgé, des portes en bois sculpté, des fenêtres aux vitres peintes. Dans le jardin principal il fit installer des statues, des bancs de pierre, des cages avec des oiseaux, des pots de fleurs et une fontaine en marbre couronnée d'un Neptune et de trois sirènes, que les Indiens graveurs copièrent exactement d'après un tableau italien. Lorsque Bernardo arriva, la grande maison était déjà couverte de tuiles rouges, la deuxième couche de peinture abricot était passée sur les murs et l'on commençait à ouvrir les paquets apportés de Mexico pour la décorer. « Dès que Regina sera guérie, nous inaugurerons la maison avec une soirée dont la population se souviendra pendant cent ans », annonça Alejandro de La Vega ; mais ce jour tarda à venir, car les prétextes renouvelés ne manquèrent pas à sa femme pour ajourner la fête.

*

Bernardo apprit à Diego le langage des signes des Indiens, qu'ils enrichirent de signaux de leur invention et qu'ils utilisaient pour se comprendre lorsque la télépathie ou la musique de la flûte ne suffisaient pas. Parfois, lorsqu'il s'agissait de sujets plus compliqués, ils avaient recours à la craie et à l'ardoise, mais ils devaient le faire en cachette afin que ce ne soit pas perçu comme de la fatuité de leur part. Usant du martinet, le maître d'école réussissait à apprendre l'alphabet à quelques gamins privilégiés de la localité, mais de là à la lecture courante il y avait un abîme et, de toute façon, aucun Indien n'était admis à l'école. Bien malgré lui, Diego finit par devenir un bon élève, et alors il comprit pour la première fois la manie de son père pour l'éducation. Il se mit à lire tout ce qui lui tombait entre les mains. Le *Traité d'escrime et abrégé du duel* de maître Manuel Escalante lui apparut comme un précis de concepts remarquablement semblables à l'Okahué des Indiens, parce qu'il y était aussi question d'honneur, de justice, de respect, de dignité et de courage. Auparavant, il s'était contenté d'assimiler les leçons d'escrime de son père et d'imiter les mouvements dessinés sur les pages du manuel; or, lorsqu'il se mit à le lire, il sut que l'escrime ne consistait pas uniquement à être habile au maniement du fleuret, de l'épée et du sabre, mais que c'était aussi un art spirituel. A cette époque, le capitaine José Díaz offrit à Alejandro de La Vega une caisse de livres qu'un passager avait oubliée dans son bateau à la hauteur de l'Equateur. Elle arriva à la maison fermée à coup de mailloche et, une fois ouverte, révéla un fabuleux contenu de poèmes épiques et de romans, de volumes jaunis, lus et relus, exhalant une odeur de miel et de cire. Diego les dévora avec passion, bien que son père méprisât le roman comme un genre mineur bourré d'inconsistances, d'erreurs fondamentales et de drames personnels qui n'étaient pas de son ressort. Ces livres furent une drogue pour Diego et Bernardo; ils les lurent tant de fois qu'ils finirent par les savoir par cœur. Le monde dans lequel ils vivaient se rétrécit et ils commencèrent à rêver de pays et d'aventures par-delà l'horizon.

A treize ans, Diego avait encore l'air d'un enfant, mais Bernardo, comme beaucoup de garçons de sa race, avait atteint la taille définitive qu'il aurait adulte. L'impassibilité de son visage cuivré ne s'adoucissait que pendant les moments de complicité avec Diego, lorsqu'il caressait les chevaux, et dans les nombreuses occasions où il s'échappait pour aller rendre visite à Eclair-dans-la-Nuit. La jeune fille grandit peu pendant cette période, elle était petite et fine, avec un visage inoubliable. Sa joie et sa beauté lui donnèrent de la notoriété et lorsqu'elle eut quinze ans les meilleurs guerriers de plusieurs tribus se la disputaient. Bernardo vivait dans la terrible crainte qu'un jour, en allant lui rendre visite, elle ne fût plus là parce qu'elle serait partie avec un autre. L'apparence du garçon était trompeuse, il n'était ni très grand ni très musclé, mais il avait une force inattendue et une résistance de bœuf dans les travaux physiques. Son silence trompait aussi, non seulement parce que les gens le croyaient idiot, mais aussi parce qu'il paraissait triste. En réalité il ne l'était pas, mais on comptait sur les doigts d'une main les personnes qui avaient accès à son intimité, qui le connaissaient et avaient entendu son rire. Il portait toujours le pantalon et la chemise des néophytes, avec une ceinture tissée à la taille et un poncho de plusieurs couleurs en hiver. Un bandeau sur le front retenait en arrière son épaisse chevelure tressée qui lui tombait jusqu'au milieu du dos. Il était fier de sa race.

Diego, au contraire, avait l'aspect trompeur d'un fils à papa, malgré ses manières athlétiques et son teint hâlé. De sa mère il avait hérité les yeux et l'esprit de rébellion ; de son père il tenait des os longs, des traits ciselés, une élégance naturelle et sa curiosité pour la connaissance. Tous deux lui avaient légué un courage impulsif, qui frôlait parfois l'inconscience ; mais qui sait d'où il tirait la grâce folâtre qu'aucun de ses ancêtres, gens plutôt taciturnes, n'avait jamais montrée. Au contraire de Bernardo, qui était d'une sérénité stupéfiante, Diego ne pouvait rester tranquille bien longtemps, il lui venait tant d'idées à la fois que sa vie ne lui suffisait pas pour les mettre en pratique. A cet âge, il battait déjà son père dans les duels d'escrime et personne ne le dépassait au maniement du fouet. Bernardo lui en avait fabriqué un avec du cuir de taureau tressé, qu'il portait toujours enroulé, pendu à sa ceinture. Il ne perdait pas une occasion de s'exercer. De la pointe de son fouet il pouvait cueillir une fleur intacte ou éteindre une bougie, il aurait également pu enlever le cigare de la bouche de son père sans toucher son visage, mais une telle audace ne lui vint jamais à l'esprit. Sa relation avec Alejandro de La Vega était de crainte respectueuse, il s'adressait à lui en lui donnant du *Votre Grâce* et ne remettait jamais devant lui son autorité en question, bien qu'il s'arrangeât presque toujours pour faire ce qu'il voulait dans son dos, plus parce qu'il était espiègle que rebelle, car il admirait aveuglément son père et avait assimilé ses sévères leçons d'honneur. Il était fier d'être un descendant du Cid Campéador, hidalgo de pure souche, mais jamais il ne reniait sa part indigène, car il sentait également de la fierté pour le passé guerrier de sa mère. Tandis qu'Alejandro de La Vega, toujours conscient de sa classe sociale et de la pureté de son sang, essayait de cacher le métissage de son fils, celui-ci le portait la tête haute. La relation de Diego avec sa mère était intime et affectueuse, mais elle, il ne pouvait la tromper comme il le faisait de temps à autre avec son père. Regina possédait un troisième œil sur la nuque pour voir l'invisible, et une fermeté de pierre pour se faire obéir.

Considérant que Diego et Bernardo avaient l'âge de devenir des hommes, Regina profita d'une des absences d'Alejandro de La Vega à Monterrey pour les emmener au village de Chouette-Blanche; mais cela, comme tant d'autres choses, elle ne le raconta pas à son mari, afin d'éviter les problèmes. Avec les années, les différences entre eux s'étaient accentuées, les étreintes nocturnes ne suffisaient plus à les réconcilier. Seule la nostalgie de l'ancien amour les aidait à demeurer ensemble, en dépit du fait qu'ils vivaient dans des mondes fort distants et n'avaient plus grand-chose à se dire.

Au cours de leurs premières années de mariage, l'enthousiasme amoureux d'Alejandro de La Vega était si pressant que
plus d'une fois, lors d'un de ses voyages, il avait fait demi-tour
et galopé plusieurs lieues pour le seul plaisir de passer deux
heures de plus avec sa femme. Il ne se lassait pas d'admirer sa
beauté royale, qui remplissait son esprit de joie et enflammait
son désir, mais en même temps il avait honte de sa condition
de métisse. Par orgueil, il feignait d'ignorer que la lésineuse
société coloniale la rejetait, mais avec le temps il commença à
la rendre coupable de ces vexations; sa femme ne faisait rien
pour se faire pardonner son sang mêlé, elle était sauvage et
hautaine. Au début, Regina s'était efforcée de s'adapter aux
coutumes de son mari, à sa langue aux consonances rugueu-
ses, à ses idées fixes, à sa religion obscure, aux murs épais de sa
maison, aux vêtements serrés et aux bottines en chevreau,
mais la tâche était herculéenne et elle avait fini par s'avouer
vaincue. Par amour, elle avait essayé de renoncer à ses origines
et de se transformer en Espagnole, mais elle n'y était pas
parvenue, parce qu'elle continuait à rêver dans sa propre
langue. Regina ne dit pas à Diego et à Bernardo les raisons de
leur voyage au villages des Indiens, car elle ne voulut pas les
effrayer avant l'heure, mais ils devinèrent qu'il s'agissait de
quelque chose de spécial et de secret qu'ils ne pouvaient
partager avec personne et moins encore avec Alejandro de La
Vega.
    Chouette-Blanche les attendait à mi-chemin. La tribu avait
dû partir plus loin, poussée vers les montagnes par les Blancs
qui continuaient à accaparer la terre. Les colons étaient de
plus en plus nombreux et de plus en plus insatiables.
L'immense territoire vierge de la Haute-Californie commençait à devenir étroit pour tant de bétail et de cupidité. Autrefois, les montagnes étaient couvertes d'herbe toujours verte et
haute comme un homme, il y avait des sources et des ruisseaux de tous côtés, au printemps les champs se couvraient de
fleurs; mais les vaches des colons avaient piétiné le sol et les

90

montagnes s'étaient asséchées. Chouette-Blanche avait vu le futur dans ses voyages chamaniques, elle savait qu'il n'y avait aucun moyen d'arrêter les envahisseurs, que bientôt son peuple disparaîtrait. Elle avait conseillé à la tribu de chercher d'autres pâturages, loin des Blancs, et elle-même avait dirigé le déplacement de son village à plusieurs lieues de là. L'aïeule avait préparé à l'intention de Diego et Bernardo un rituel plus complet que les épreuves de rodomontade des guerriers. Il ne lui parut pas indispensable de les suspendre à un arbre avec des crochets traversant leurs pectoraux, car ils étaient trop jeunes pour cela et de surcroît n'avaient nul besoin de prouver leur courage. Elle se proposa en revanche de les mettre en contact avec le Grand-Esprit, afin qu'il leur révélât leur destin. Regina prit congé des garçons avec son habituelle sobriété, précisant qu'elle reviendrait les chercher dans seize jours, lorsqu'ils auraient achevé les quatre étapes de leur initiation.

*

Chouette-Blanche jeta sur son épaule le sac de son emploi, qui contenait des instruments de musique, des pipes, des plantes médicinales et des reliques magiques, et elle se mit en route à grandes enjambées de marcheuse vers les montagnes vierges. Les gamins, qui pour seul bagage emportaient une couverture de laine, la suivirent sans poser de questions. Dans la première étape du voyage, ils marchèrent quatre jours au milieu d'une végétation épaisse, à peine soutenus par quelques gorgées d'eau, si bien que la faim et la fatigue les plongèrent dans un état anormal de lucidité. La nature se dévoila à eux dans toute sa splendeur mystérieuse ; pour la première fois ils perçurent l'immense diversité de la forêt, le concert de la brise, la présence proche des animaux sauvages qui les accompagnaient parfois un bon bout de chemin. Au début ils souffraient des égratignures et des coupures des branches, de

91

la fatigue surnaturelle des os, du vide insondable qui leur creusait l'estomac, mais le quatrième jour ils marchaient comme flottant dans le brouillard. L'aïeule décida alors qu'ils étaient prêts pour la seconde phase du rite et elle leur ordonna de creuser un trou d'un demi-corps de profondeur sur un de diamètre. Tandis qu'elle préparait un bûcher pour faire chauffer des pierres, les enfants coupèrent et écorcèrent de fines branches d'arbres qu'ils utilisèrent pour monter une coupole au-dessus du trou, qu'ils couvrirent avec leurs mantes. Dans cette maison ronde, symbole de la Terre-Mère, ils devraient se purifier et faire le voyage en quête d'une vision, guidés par les esprits. Chouette-Blanche alimenta un Feu sacré entouré de pierres représentant la force créative de la vie. Tous trois burent de l'eau, mangèrent une poignée de noix et de fruits secs, puis la grand-mère leur ordonna de se déshabiller et, au son de son tambour et de sa crécelle, elle les fit danser frénétiquement pendant des heures et des heures, jusqu'à ce qu'ils tombent prostrés. Elle les conduisit au refuge, où ils avaient placé les pierres brûlantes, et elle leur donna un breuvage de *toloache*. Les garçons se submergèrent dans la vapeur des roches humides, la fumée des pipes, l'odeur des herbes magiques et les images qu'invoquait la drogue. Au cours des quatre jours suivants, ils sortirent de temps en temps respirer l'air frais, renouveler le Feu sacré, réchauffer les pierres et se nourrir de quelques graines de céréales. Par moments ils s'endormaient, en sueur. Diego rêvait qu'il nageait dans des eaux glacées avec les dauphins, et Bernardo rêvait du rire contagieux d'Eclair-dans-la-Nuit. L'aïeule les guidait par des prières et des chants, tandis que dehors les esprits de tous les temps entouraient la hutte. Pendant la journée s'approchaient des cerfs, des lièvres, des pumas, des ours; la nuit hurlaient les loups et les coyotes. Un aigle planait dans le ciel, les surveillant infatigablement, mais lorsqu'ils furent prêts pour la troisième partie du rituel, il disparut.

L'aïeule leur remit un couteau à chacun, elle leur permit d'emporter leurs couvertures et les envoya dans des directions opposées, l'un vers l'est l'autre vers l'ouest, avec l'ordre de se nourrir de ce qu'ils pourraient trouver ou chasser, sauf de champignons, quels qu'ils soient, et de revenir dans quatre jours. Si le Grand-Esprit en décidait ainsi, dit-elle, ils rencontreraient leur vision dans ce laps de temps, autrement cela ne se produirait pas cette fois et ils devraient laisser passer quatre années avant d'essayer à nouveau. A leur retour, ils auraient les quatre derniers jours pour se reposer et reprendre une vie normale, avant de regagner le village. Diego et Bernardo s'étaient tellement consumés lors des premières étapes du rite, qu'en se voyant à la lumière resplendissante de l'aube ils ne se reconnurent pas. Ils étaient déshydratés, avaient les yeux enfoncés dans les orbites, le regard ardent des hallucinés, la peau grisâtre tendue sur les os et un air d'une telle désolation que, malgré la gravité des adieux, ils se mirent à rire. Ils s'embrassèrent émus et partirent chacun de son côté.

Ils marchèrent sans but, sans savoir ce qu'ils cherchaient, affamés et effrayés, s'alimentant de racines tendres et de graines, jusqu'à ce que la faim les incite à chasser des mulots et des oiseaux avec un arc et des flèches faits de baguettes. Quand l'obscurité les empêchait de continuer à avancer, ils préparaient un feu et s'endormaient, grelottant de froid, entourés d'esprits et d'animaux sauvages. Ils s'éveillaient durs de givre et glacés jusqu'aux os, avec cette stupéfiante clairvoyance que provoque souvent une extrême fatigue.

Au bout de quelques heures de marche, Bernardo s'aperçut qu'il était suivi, mais lorsqu'il se retournait pour regarder derrière lui il ne voyait que les arbres, qui le surveillaient tels des géants immobiles. Il était dans la forêt, embrassé par des fougères aux feuilles brillantes, entouré de chênes tordus et de sapins odorants, un espace paisible et vert, éclairé par de grosses taches de lumière qui filtraient à travers le feuillage. C'était un endroit sacré. Une grande partie de cette journée devrait s'écouler avant que son timide compagnon ne se découvre. C'était un poulain sans mère, noir comme la nuit, si jeune que ses pattes se pliaient encore. Malgré sa délicatesse de nouveau-né et son immense solitude d'orphelin, on pouvait deviner le magnifique étalon qu'il allait devenir. Bernardo comprit que c'était un animal magique. Les chevaux se déplacent en groupes, toujours dans les prairies, que faisait-il seul dans la forêt? Il l'appela avec les plus beaux sons de sa flûte, mais l'animal s'arrêta à une certaine distance, le regard méfiant, les naseaux ouverts, les pattes tremblantes, et il n'osa pas approcher. Le garçon cueillit une poignée d'herbe humide, il s'assit sur un rocher, la mit dans sa bouche et commença à la mastiquer, puis il l'offrit au petit animal dans la paume de sa main. Un bon moment passa avant que celui-ci se décide à faire quelques pas hésitants. Enfin il étira le cou et s'approcha pour renifler cette pâte verte, observant le garçon avec le regard pur de ses yeux châtains, mesurant ses intentions, calculant sa retraite en cas de danger. Ce qu'il vit dut lui plaire, car bientôt son museau velouté touchait la main tendue pour goûter l'étrange aliment. « Ce n'est pas la même chose que le lait de ta mère, mais ça sert aussi », murmura Bernardo. C'étaient les premiers mots qu'il prononçait depuis trois ans. Il sentit que chacun d'eux se formait dans son ventre, montait comme une boule de coton dans sa gorge, restait à tourner un moment dans sa bouche puis sortait mastiqué entre ses dents, comme l'herbe destinée au poulain. Quelque chose se brisa dans sa poitrine, un lourd pot en terre, et toute sa rage, toute sa culpabilité et ses serments de terrifiante vengeance se déversèrent en un torrent irrépressible. Il tomba à genoux sur la terre en pleurant, vomissant une boue verte et amère, bouleversé par le souvenir tenace de ce matin fatidique au cours duquel il avait perdu sa mère et avec elle son enfance. Les nausées lui retournèrent l'estomac et le laissèrent vide, propre. Le poulain recula, apeuré, mais il ne s'enfuit pas, et lorsque enfin Bernardo se calma, put se mettre debout et chercher une flaque d'eau où se laver, il le suivit de près. Dès cet instant ils ne se séparèrent plus pendant les trois jours qui suivirent. Bernardo lui apprit à creuser avec ses sabots pour trouver les herbes les plus tendres, il le soutint jusqu'à ce que ses pattes soient bien solides et qu'il puisse commencer à trotter; la nuit, il dormit accroché à lui pour lui donner de sa chaleur, il lui joua de la flûte. « Je t'appellerai Tornado, si ce nom te plaît, pour que tu coures comme le vent », lui proposa-t-il avec sa flûte, car après cette unique phrase il était retourné se réfugier dans le silence. Il pensa qu'il le dompterait pour l'offrir à Diego, n'imaginant pas de meilleur destin pour cette noble créature, mais lorsqu'il se réveilla, le quatrième jour, le poulain avait disparu. La brume s'était levée et la lumière blanche de l'aube léchait les montagnes. Bernardo chercha en vain Tornado, l'appelant d'une voix que le manque de pratique rendait rauque, jusqu'à ce qu'il comprenne que l'animal n'était pas venu à ses côtés pour trouver un maître, mais dans le but de lui montrer le chemin à suivre dans la vie. Alors il devina que son esprit guide était le cheval et qu'il devait développer ses vertus : loyauté, force, résistance. Il décida que sa planète serait le soleil et son élément les collines, où Tornado trottait sûrement en ce moment pour aller retrouver son troupeau.

*

Diego avait moins le sens de l'orientation que Bernardo et il se perdit rapidement; il avait également moins d'habileté pour chasser et il ne réussit à trouver qu'un mulot minuscule, qui une fois dépouillé se réduisit à une poignée de petits os pathétiques. Il finit par dévorer des fourmis, des vers et des lézards. Il était épuisé par la faim et les contraintes des huit journées précédentes, aussi les forces lui manquaient-elles pour prévoir les dangers qui le guettaient, mais il était résolu à ne pas se laisser aller à la tentation de faire marche arrière.

Chouette-Blanche lui avait expliqué que l'objectif de cette longue épreuve était de laisser son enfance derrière lui et de devenir un homme, il n'avait aucune intention d'échouer à mi-chemin, mais l'envie de pleurer gagnait sur sa détermination. Il ne connaissait pas la solitude. Il avait grandi auprès de Bernardo, entouré d'amis et de personnes qui le choyaient, jamais ne lui avait manqué la présence inconditionnelle de sa mère. Pour la première fois il se retrouvait seul, et cela lui arrivait justement au milieu de cette nature sauvage. Il craignit de ne pas retrouver le chemin du retour jusqu'au minuscule campement de Chouette-Blanche, il lui vint à l'idée qu'il pouvait passer les quatre jours suivants assis sous le même arbre, mais son impatience naturelle le poussa en avant. Bientôt il se trouva perdu dans l'immensité des montagnes. Il tomba sur une source et en profita pour boire et se laver, puis il s'alimenta de fruits inconnus cueillis aux arbres. Trois corbeaux, oiseaux vénérés par la tribu de sa mère, passèrent en volant plusieurs fois tout près de sa tête; il y vit un signe de bon augure et cela lui donna le courage de continuer. A la tombée de la nuit, il découvrit un trou protégé par deux rochers, alluma un feu, s'enveloppa dans sa couverture et s'endormit à l'instant, priant sa bonne étoile de ne pas l'abandonner – cette étoile qui, d'après Bernardo, l'éclairait toujours –, car ce ne serait vraiment pas drôle d'être arrivé si loin pour mourir entre les griffes d'un puma. Il se réveilla en pleine nuit avec le reflux acide des fruits qu'il avait mangés et les hurlements de coyotes tout proches. Du feu il ne restait que de timides braises, qu'il alimenta avec quelques branches, songeant que cette ridicule flambée ne suffirait pas à tenir les fauves à distance. Il se souvint que les jours précédents il avait vu plusieurs sortes d'animaux, qui les entouraient sans les attaquer, et il fit une prière pour qu'ils ne le fassent pas maintenant qu'il se trouvait seul. A ce moment il vit clairement, à la lumière des flammes, des yeux rouges qui l'observaient avec une fixité spectrale. Il empoigna son couteau, croyant que c'était un loup audacieux, mais en se redressant il le vit mieux et s'aperçut qu'il s'agissait d'un renard. Il lui parut curieux qu'il reste immobile, on aurait dit un chat se réchauffant aux braises du feu. Il l'appela, mais l'animal ne s'approcha pas, et lorsque lui-même voulut le faire, il recula avec prudence, maintenant toujours la même distance entre eux. Pendant un moment Diego s'occupa du feu, puis il se rendormit, vaincu par la fatigue, malgré les hurlements insistants des lointains coyotes. A chaque instant il se réveillait en sursaut, ne sachant où il se trouvait, et il voyait l'étrange renard toujours à la même place, comme un esprit vigilant. La nuit lui parut interminable, jusqu'à ce que les premières lueurs du jour révèlent enfin le profil des montagnes. Le renard n'était plus là.

Au cours des jours suivants, il ne se passa rien que Diego pût interpréter comme une vision, excepté la présence du renard, qui arrivait à la tombée de la nuit et restait avec lui jusqu'au petit matin, toujours calme et attentif. Le troisième jour, las et défaillant de faim, il essaya de trouver le chemin du retour, mais il fut incapable de se situer. Il décida qu'il était impossible de retrouver Chouette-Blanche, mais que s'il descendait des montagnes il arriverait tôt ou tard à la mer, et là trouverait le Chemin royal. Il se mit en chemin, pensant à la déception de sa grand-mère et de sa mère lorsqu'elles sauraient que les efforts surhumains de ces journées ne lui avaient pas apporté la vision qui devait lui révéler son destin, seulement de l'abattement, et il se demanda si Bernardo avait eu plus de chance que lui. Il ne réussit pas à aller bien loin, car en enjambant un tronc tombé il posa le pied sur un serpent. Il fut mordu à la cheville et deux ou trois secondes s'écoulèrent avant qu'il entende le grelot impossible à confondre du serpent à sonnettes et se rende vraiment compte de ce qui était arrivé. Il n'eut pas de doute : la bête avait le cou fin, la tête triangulaire et les paupières sombres. La terreur le frappa à l'estomac comme l'inoubliable coup de pied du

97

pirate. Il recula de plusieurs pas, s'éloignant du serpent, tout en récapitulant ses vagues connaissances sur le crotale. Il savait que le venin n'est pas toujours mortel, car cela dépend de la quantité injectée, mais il était affaibli et se trouvait si loin de tout secours que la mort semblait probable, sinon à cause du venin, du moins par inanition. Il avait vu un vacher expédié dans l'autre monde par l'un de ces reptiles ; l'homme s'était couché sur du foin pour dissiper son ivresse et il ne s'était jamais réveillé. Selon le père Mendoza, Dieu l'avait rappelé en son sein – où il ne frapperait plus sa femme – grâce à la parfaite combinaison du venin et de l'alcool. Il se souvint également des remèdes de cheval utilisés dans ces cas-là : se couper profondément avec un couteau ou se brûler avec un charbon ardent. Secoué de frissons, il vit sa jambe virer au violet, il sentit sa bouche se remplir de salive, son visage et ses mains le démanger. Il comprit qu'il commençait à délirer de panique et qu'il devait prendre rapidement une décision, avant que ses pensées ne se brouillent complètement : s'il se déplaçait, le venin allait circuler plus rapidement dans son corps, et s'il ne le faisait pas il mourrait sur place. Il préféra continuer à avancer, bien que ses genoux flageolent et que ses paupières aient tellement enflé qu'il n'y voyait plus. Il se mit à descendre la montagne en trottant, appelant sa grand-mère d'une voix de somnambule, tandis que ses dernières forces se consumaient irrémissiblement.

Diego tomba sur le ventre. Par un lent et long effort il parvint à se retourner sur le dos, le visage tourné vers le ciel, sous le soleil éblouissant du matin. Il haletait, tourmenté par une soif subite, et transpirait de la chaux vive tout en grelottant du froid de la sépulture. Il maudit le Dieu chrétien de l'avoir abandonné, et le Grand-Esprit qui au lieu de le récompenser par une vision, car tel était le pacte, se moquait de lui avec cet indigne mauvais tour. Il perdit tout contact avec la réalité et oublia aussi la peur. Il se mit à flotter dans un vent chaud de tempête, comme si des courants extraordinaires l'emportaient en spirale vers la lumière. Il se sentit soudain submergé de joie face à la possibilité de la mort et s'abandonna dans une immense paix. Le tourbillon ardent dans lequel il flottait atteignait peu à peu le ciel, quand les vents s'inversèrent, le lançant comme une pierre au fond d'un abîme. Avant de plonger dans un délire total, il vit dans un éclair de conscience les petits yeux rouges du renard, le regardant depuis la mort.

Au cours des heures qui suivirent, Diego pataugea dans le goudron de ses cauchemars et lorsque enfin il parvint à s'en défaire pour sortir à la surface, il ne se rappelait que la soif infinie et les yeux immobiles du renard. Il se retrouva enveloppé dans une couverture, éclairé par les flammes d'un feu, en compagnie de Bernardo et de Chouette-Blanche. Il lui fallut un moment pour réintégrer son corps, faire l'inventaire de ses douleurs et arriver à une conclusion.

« Le serpent à sonnettes m'a tué, dit-il dès qu'il put parler.

— Tu n'es pas mort, mon fils, mais il s'en est fallu de peu, dit Chouette-Blanche en souriant.

— Grand-mère, je n'ai pas réussi l'épreuve, dit le garçon.

— Si Diego, tu l'as réussie », l'informa-t-elle.

Bernardo l'avait trouvé et ramené jusque-là. Le jeune Indien s'apprêtait à s'en retourner là où était Chouette-Blanche quand lui était apparu un renard. Il ne douta pas qu'il s'agissait d'un signal, car il lui sembla anormal que cet animal aux habitudes nocturnes lui passe entre les jambes en plein jour. Au lieu d'obéir à son instinct et de le chasser, il s'arrêta pour l'observer. Le renard ne s'enfuit pas, il s'installa à quelques pas de lui pour le regarder à son tour, les oreilles en alerte et le museau tremblant. En d'autres circonstances, Bernardo se serait contenté de prendre note de l'étrange attitude de l'animal, mais il se trouvait dans un état d'hallucination, les sens en éveil et le cœur ouvert aux présages. Sans hésiter il se mit à le suivre là où le renard voulut l'emmener, et un peu plus tard buta sur le corps inerte de

Diego. Il vit la jambe de son frère monstrueusement enflée et comprit aussitôt ce qui s'était passé. Il ne pouvait perdre un instant, il le mit sur son épaule, comme un ballot, et partit à marche forcée vers l'endroit où se trouvait Chouette-Blanche, qui appliqua ses herbes sur la jambe de son petit-fils et lui fit transpirer le venin jusqu'à ce qu'il ouvre les yeux.

« Le renard t'a sauvé. C'est ton animal totémique, ton guide spirituel, lui expliqua-t-elle. Tu dois cultiver son habileté, sa ruse, son intelligence. Ta mère est la lune et ta maison, les cavernes. Comme le renard, tu devras découvrir ce qui se cache dans l'obscurité, dissimuler, te cacher le jour et agir la nuit.

— Pourquoi? demanda Diego, perplexe.

— Un jour tu le sauras, on ne peut presser le Grand-Esprit. Pendant ce temps, prépare-toi, afin d'être prêt quand ce jour arrivera », lui apprit l'Indienne.

*

Par prudence, les garçons gardèrent le secret sur le rite conduit par Chouette-Blanche. La colonie espagnole regardait les traditions des Indiens comme d'extravagants actes d'ignorance, quand ce n'était pas de sauvagerie. Diego ne voulait pas que des commentaires arrivent aux oreilles de son père. Il avoua à Regina son étrange expérience avec le renard, sans lui donner de détails. Personne ne posa de question à Bernardo, car son mutisme l'avait rendu invisible, condition extrêmement avantageuse. Les gens parlaient et agissaient devant lui comme s'il n'existait pas, lui donnant l'occasion d'en apprendre beaucoup sur la duplicité de la condition humaine. Il se mit à s'exercer à lire l'expression corporelle et découvrit ainsi que les mots ne correspondent pas toujours aux intentions. Il en conclut que les durs sont généralement faciles à faire fléchir, que les véhéments sont les moins sincères, que l'arrogance est le propre des ignorants, que les adulateurs sont le plus souvent des minables. Par l'observation systématique et dissimulée, il apprit à déchiffrer le caractère de ceux qui l'entouraient et utilisa ces connaissances pour protéger Diego qui, d'un naturel confiant, avait du mal à imaginer chez les autres les défauts qu'il n'avait pas. Les garçons ne revirent ni le poulain noir ni le renard. Bernardo crut parfois apercevoir Tornado galopant au milieu d'un troupeau sauvage et, au cours de l'une de ses promenades, Diego découvrit une cavité avec des renardeaux qui venaient de naître; mais ils ne purent rien mettre de cela en relation avec les visions attribuées au Grand-Esprit.

Toujours est-il que le rite de Chouette-Blanche marqua une étape. Tous deux eurent l'impression d'avoir franchi un seuil et laissé derrière eux leur enfance. Ils ne se sentaient pas encore des hommes, mais ils savaient qu'ils faisaient les premiers pas sur le rude chemin de la virilité. Ils s'éveillèrent ensemble aux exigences péremptoires du désir charnel, bien plus intolérable que la douce et vague attraction que Bernardo éprouvait depuis l'âge de dix ans pour Eclair-dans-la-Nuit. L'idée ne leur vint pas de satisfaire leur désir avec les Indiennes complaisantes de la tribu de Chouette-Blanche, où ne régnaient pas les restrictions imposées par les missionnaires aux néophytes, car Diego en était empêché par le respect absolu qu'il vouait à sa grand-mère et Bernardo par son amour de jeune chien pour Eclair-dans-la-Nuit. Bernardo ne s'attendait pas à ce que son amour fût partagé, il avait conscience qu'elle était une femme accomplie, courtisée par une demi-douzaine d'hommes qui venaient de loin pour lui apporter des cadeaux, alors qu'il était un adolescent maladroit, n'ayant rien à offrir, et de surcroît aussi muet qu'un lapin. Aucun des deux n'eut recours aux métisses ou à la belle mulâtresse de la maison close de Los Angeles, car ils en avaient plus peur que d'un taureau lâché; c'étaient des créatures d'une autre espèce, à la bouche peinte de carmin et au pénétrant parfum de jasmin flétri. Comme tous les autres

101

enfants de leur âge – à l'exception de Carlos Alcázar qui se vantait d'avoir passé l'épreuve –, ils regardaient ces femmes de loin, avec vénération et terreur. Diego se rendait sur la Place d'Armes avec d'autres fils d'hidalgos à l'heure de la promenade. A chaque tour de la place ils croisaient les mêmes jeunes filles, de leur classe sociale et de leur âge, qui souriaient à peine, jetant un coup d'œil sur le côté, la moitié du visage cachée par un éventail ou une mantille, tandis qu'ils transpiraient d'un amour impossible dans leurs costumes du dimanche. Ils ne se parlaient pas, mais quelques-uns, les plus audacieux, demandaient à l'alcade la permission d'aller donner des sérénades sous les balcons des filles, idée qui faisait trembler Diego de honte, en partie parce que l'alcade était son père. Cependant, il imaginait qu'à l'avenir il lui faudrait recourir à cette méthode, raison pour laquelle il répétait chaque jour des chansons romantiques sur sa mandoline.

Alejandro de La Vega constata avec une immense satisfaction que ce fils, qu'il croyait être un incorrigible écervelé, devenait enfin l'héritier dont il rêvait depuis qu'il l'avait vu naître. Il renouvela ses projets de l'éduquer comme un seigneur, qui dans le tourbillon de la reconstruction de l'hacienda avaient été remis. Il pensa l'envoyer dans un collège religieux de Mexico, car la situation en Europe était toujours aussi instable, maintenant à cause de Napoléon Bonaparte, mais Regina fit un tel tapage à l'idée de se séparer de Diego qu'on ne reparla plus de l'affaire pendant deux ans. Entre-temps, Alejandro fit participer son fils à la direction de l'hacienda, et il vit qu'il était beaucoup plus vif que ses notes à l'école ne permettaient de le supposer. Non seulement il déchiffra au premier regard l'essaim d'annotations et de chiffres des livres de comptabilité, mais il augmenta les revenus de la famille en perfectionnant la formule du savon et la recette du fumage de la viande que son père avait obtenue après d'innombrables fumigations. Diego supprima la soude caustique du savon, il lui ajouta de la crème de lait et suggéra de le donner à essayer aux dames de la colonie, qui acquéraient ces articles chez les marins américains en violant les restrictions que l'Espagne imposait au commerce des colonies. Qu'il s'agît de contrebande importait peu, tout le monde fermait les yeux, l'inconvénient venait de ce que les bateaux se faisaient trop attendre. Les savons au lait furent un succès, de même que la viande fumée lorsque Diego réussit à atténuer la mauvaise odeur de sueur de mule qui la caractérisait. Alejandro de La Vega commença à traiter son fils avec respect et à le consulter dans certains domaines.

A cette époque, Bernardo raconta à Diego – dans leur langage secret de signes et d'annotations sur le tableau – que l'un des fermiers, Juan Alcázar, le père de Carlos, avait étendu ses terres au-delà des limites indiquées sur les documents. L'Espagnol avait envahi avec son bétail les montagnes où s'était réfugiée l'une des nombreuses tribus déplacées par les colons. Diego accompagna son frère et ils arrivèrent à temps pour voir les contremaîtres brûler les cabanes, secondés par un détachement de soldats. Du village, il ne resta que des cendres. Malgré la terreur que leur causa la scène, Diego et Bernardo se précipitèrent pour intervenir. Sans se consulter, d'un seul élan ils se placèrent entre les chevaux des agresseurs et les corps des victimes. Ils auraient été impitoyablement piétinés si l'un d'eux n'avait reconnu le fils de don Alejandro de La Vega. Aussi les écartèrent-ils à coups de fouet. A une certaine distance, les deux adolescents épouvantés virent comment les quelques Indiens qui se rebellèrent furent domptés à coups de cravache et comment le chef, un ancien, fut pendu à un arbre pour servir d'avertissement aux autres. Ils séquestrèrent les hommes qui pouvaient travailler dans les champs ou servir dans l'armée et les emmenèrent enchaînés comme des animaux. Les vieux, les femmes et les enfants furent condamnés à errer dans les bois, affamés et désespérés. Rien de cela n'était nouveau, cela arrivait de plus en plus fréquemment sans que personne n'osât intervenir, sauf le père

Mendoza, mais ses protestations tombaient dans les oreilles sourdes de la lente et lointaine bureaucratie d'Espagne. Les documents naviguaient pendant des années, ils se perdaient dans les bureaux poussiéreux de quelques juges qui n'avaient jamais mis les pieds en Amérique, s'emberlificotaient dans des subterfuges d'avocaillons et finalement, même si les magistrats se prononçaient en faveur des indigènes, il n'y avait personne pour faire valoir la justice de ce côté-ci de l'océan. A Monter-rey, le gouverneur ignorait les réclamations, car les Indiens n'étaient pas sa priorité. Les officiers chargés des garnisons faisaient partie du problème, car ils mettaient leurs soldats au service des colons blancs, ne doutant pas de la supériorité morale des Espagnols qui, comme eux, étaient venus de très loin dans le seul but de civiliser et de christianiser cette terre sauvage. Diego alla parler à son père. Comme toujours l'après-midi, il le trouva plongé dans ses gros livres, en train d'étudier de vieilles batailles, seul vice qui lui restait des ambitions militaires de sa jeunesse. Sur une longue table il déployait ses armées de soldats de plomb d'après les descrip-tions des textes, passion qu'il ne parvint jamais à inculquer à Diego. Le garçon raconta précipitamment les événements dont lui et Bernardo venaient d'être les témoins, mais son indignation se brisa contre l'indifférence d'Alejandro de La Vega.

« Que proposes-tu que je fasse, mon fils?

— Votre Grâce est l'alcade...

— La répartition des terres n'est pas de ma juridiction, Diego, et je n'ai pas d'autorité sur les soldats.

— Mais le señor Alcázar a tué et séquestré des Indiens! Pardonnez mon insistance, Votre Grâce, mais comment pouvez-vous permettre de tels abus? balbutia Diego, accablé.

— Je parlerai à Juan Alcázar, mais je doute qu'il m'écoute », répliqua Alejandro en déplaçant une rangée de ses soldats sur le plateau.

Alejandro de La Vega tint sa promesse. Il fit plus que parler au fermier, il alla se plaindre à la caserne, écrivit un rapport au gouverneur et envoya une plainte en Espagne. Il tint son fils informé de chaque démarche, car il ne le faisait que pour lui. Il connaissait trop bien le système de classes pour avoir quelque espoir de réparer le mal. Pressé par Diego, il essaya d'aider les victimes devenues de misérables vagabonds, leur offrant la protection dans sa propre hacienda. Comme il le supposait, ses démarches devant les autorités ne servirent pas à grand-chose. Juan Alcázar annexa les terres des Indiens aux siennes, la tribu disparut sans laisser de trace et on ne parla plus de l'affaire. Diego de La Vega n'oublia jamais la leçon ; le mauvais goût de l'injustice lui resta pour toujours au plus profond de la mémoire et il en émergerait à maintes reprises, déterminant le cours de sa vie.

*

Le quinzième anniversaire de Diego donna lieu à une fête dans la grande maison de l'hacienda. Regina, qui avait toujours refusé d'ouvrir ses portes, décida que c'était l'occasion parfaite de faire taire la racaille qui s'était offert le luxe de la mépriser pendant tant d'années. Non seulement elle accepta que son mari invite qui il voulait, mais elle-même s'occupa d'organiser les festivités. Pour la première fois de sa vie elle rendit visite aux bateaux de contrebande afin de se procurer le nécessaire, et mit une douzaine de femmes à des travaux de couture et de broderie. Diego n'oublia pas que c'était aussi l'anniversaire de Bernardo, mais Alejandro de La Vega lui fit voir que bien que le garçon fût comme un membre de la famille, on ne pouvait offenser les invités en les asseyant à la même table que lui. Pour une fois Bernardo devrait occuper sa place parmi les Indiens du service, décréta-t-il. Il ne fut pas nécessaire de discuter davantage, car Bernardo régla sans appel le problème en écrivant sur son ardoise qu'il avait l'intention d'aller en visite au village de Chouette-Blanche.

Diego n'essaya pas de le faire changer d'avis, parce qu'il savait que son frère voulait voir Eclair-dans-la-Nuit, et qu'il ne pouvait pas non plus trop tirer sur la corde vis-à-vis de son père, qui avait déjà accepté que Bernardo parte avec lui en Espagne.

Les projets d'envoyer Diego au collège de Mexico avaient changé avec l'arrivée d'une lettre de Tomás de Romeu, le plus vieil ami d'Alejandro de La Vega. Dans leur jeunesse, ils avaient fait ensemble la guerre en Italie et pendant plus de vingt ans ils étaient restés en contact par des lettres occasionnelles. Tandis qu'Alejandro poursuivait son destin en Amérique, Tomás avait épousé une riche héritière catalane et passé son temps à bien vivre, jusqu'à la mort en couches de sa femme ; il n'avait eu alors d'autre alternative que de se ranger pour s'occuper de ses deux filles et de ce qui restait de la fortune de sa femme. Dans sa lettre, Tomás de Romeu commentait que Barcelone était toujours la ville la plus intéressante d'Espagne, et que ce pays offrait la meilleure éducation pour un jeune homme. On y vivait une époque passionnante. En 1808, Napoléon avait envahi l'Espagne avec cent cinquante mille hommes, il avait enlevé le roi légitime et l'avait contraint à abdiquer en faveur de son propre frère, Joseph Bonaparte ; tout cela paraissait un inconcevable outrage à Alejandro de La Vega, jusqu'à ce qu'il reçût la lettre de son ami. Tomás expliquait que seul le patriotisme d'une populace ignorante, excitée par le bas clergé et par quelques fanatiques, pouvait s'opposer aux idées libérales des Français, qui voulaient en finir avec le féodalisme et l'oppression religieuse. L'influence des Français, disait-il, était comme un vent frais de renouveau, qui balayait les institutions médiévales telles que l'Inquisition et les privilèges des nobles et des militaires. Dans sa lettre, Tomás de Romeu proposait d'héberger Diego chez lui, où il serait soigné et aimé comme un fils, afin qu'il pût achever son éducation au Collège d'Humanités qui, bien que religieux – et lui n'était pas un

106

ami des soutanes –, avait une excellente réputation. Pour couronner le tout, il ajoutait que le jeune homme pourrait étudier avec le célèbre maître d'escrime Manuel Escalante, qui était venu s'installer à Barcelone après avoir parcouru l'Europe en enseignant son art. Cette dernière information suffit à Diego pour supplier son père de lui permettre de faire ce voyage, avec une telle ténacité qu'Alejandro céda finalement, plus par lassitude que par conviction, car aucun des arguments de son ami Tomás ne pouvait diminuer sa répugnance de savoir sa patrie envahie par des étrangers. Père et fils se gardèrent bien de raconter à Regina qu'en plus l'Espagne était ravagée par les guérillas, cruelle forme de lutte imaginée par le peuple pour combattre les troupes de Napoléon, qui si elle ne permettait pas de récupérer des territoires harcelait l'ennemi telles des guêpes, épuisant ses ressources et sa patience.

La soirée d'anniversaire commença avec une messe du père Mendoza, des courses de chevaux et une corrida, au cours de laquelle Diego lui-même fit plusieurs passes de cape avant que le matador professionnel n'entre dans l'arène ; elle continua par un spectacle d'acrobates itinérants et culmina avec un feu d'artifice et un bal. Il y eut de la nourriture pendant trois jours pour cinq cents personnes, séparées par classes sociales : les Espagnols de pure souche ripaillaient aux tables principales couvertes de nappes brodées à Ténériffe ; les gens de raison, vêtus de leurs plus beaux atours, faisaient ribote aux tables latérales, à l'ombre d'une treille chargée de raisins ; les Indiens mangeaient en plein soleil dans les cours où l'on faisait rôtir la viande, griller les galettes de maïs, et où bouillaient les marmites de piment et de bouillie de maïs. Les invités accoururent des quatre points cardinaux, et pour la première fois dans l'histoire de la province il y eut des embouteillages sur le Chemin royal. Pas une seule jeune fille de famille respectable ne manqua, car toutes les mères avaient dans leur ligne de mire l'unique héritier d'Alejandro de La Vega, malgré son

107

quart de sang indien. Parmi elles on remarquait Lolita Pulido, nièce de don Juan Alcázar, une enfant de quatorze ans, douce et coquette, très différente de son cousin Carlos Alcázar qui depuis l'enfance était amoureux d'elle. Bien qu'Alejandro de La Vega détestât Juan Alcázar depuis l'incident avec les Indiens, il dut l'inviter avec toute sa famille, car c'était l'un des notables de la région. Diego ne salua ni le fermier ni son fils Carlos, mais il se montra aimable avec Lolita, considérant que la jeune fille n'était pas coupable des péchés de son oncle. De plus, il y avait un an qu'elle lui envoyait des messages d'amour par l'intermédiaire de sa duègne, auxquels il n'avait pas répondu par timidité et parce qu'il préférait se tenir le plus éloigné possible de tout membre de la famille Alcázar, même si c'était une cousine. Les mères des demoiselles à marier furent fort déçues de constater que Diego n'était absolument pas prêt pour des fiançailles, il était beaucoup plus enfant que ses quinze ans ne le laissaient supposer. A l'âge où les autres fils de dons cultivaient la moustache et donnaient des sérénades, Diego ne se rasait pas encore et restait sans voix devant une demoiselle.

Le gouverneur fit le voyage depuis Monterrey, amenant avec lui le comte Orloff, parent de la tsarine de Russie et chargé des territoires de l'Alaska. Il mesurait près de sept pieds de haut, il avait les yeux d'un bleu incroyable et se présenta paré du superbe uniforme des hussards, tout de rouge écarlate, avec une petite veste festonnée de peau blanche pendue à l'épaule, la poitrine barrée de cordons dorés et le bicorne à plumes. C'était sans aucun doute le plus bel homme qu'on eût jamais vu dans ces contrées. A Moscou, Orloff avait entendu parler de deux ours blancs, que Diego de La Vega avait attrapés vivants et habillés en femmes alors qu'il n'avait que huit ans. Il ne parut pas opportun à Diego de rectifier son erreur, mais Alejandro, avec sa vaine manie de l'exactitude, s'empressa d'expliquer qu'il ne s'agissait pas de deux ours, mais d'un seul, et brun, car il n'y en avait pas d'autres en

Californie; que Diego ne l'avait pas chassé seul, mais avec deux amis; qu'ils lui avaient collé un chapeau sur la tête avec du brai, et qu'à cette époque le gamin avait dix ans et non huit, comme le disait la légende. Carlos et sa bande, alors devenus des durs notables, passèrent pratiquement inaperçus dans la masse des invités, au contraire de García qui, ayant pris plusieurs verres de trop, pleurait publiquement de chagrin à cause du prochain départ de Diego. Au cours de ces années le fils du tavernier avait amassé plus de graisse qu'un buffle, mais il était resté le même enfant craintif qu'autrefois et continuait d'éprouver la même fascination pour Diego. La présence du splendide noble russe et l'abondance du banquet firent taire pour un temps les mauvaises langues de la colonie. Regina s'offrit la satisfaction de voir les mêmes personnes huppées qui l'avaient toujours dédaignée s'incliner devant elle pour lui baiser la main. Alejandro de La Vega, totalement étranger à de telles mesquineries, se promenait parmi les invités, fier de sa position sociale, de son hacienda, de son fils et, pour une fois, également orgueilleux de sa femme, qui se présenta à la fête vêtue comme une duchesse, d'une robe de velours bleu et d'une mantille en dentelle de Bruxelles.

Bernardo avait galopé deux jours dans la montagne pour rejoindre le village de sa tribu et faire ses adieux à Eclair-dans-la-Nuit. Elle l'attendait, le courrier des Indiens ayant répandu la nouvelle de son voyage avec Diego de La Vega. Elle lui prit la main et l'emmena à la rivière pour lui demander ce qu'il y avait au-delà de la mer, et quand il pensait revenir. Le garçon lui fit un grossier dessin sur le sol à l'aide d'un bout de bois, mais il ne put lui faire comprendre les distances immenses qui séparaient son village de l'Espagne mythique, car lui-même ne parvenait pas à les imaginer. Le père Mendoza lui avait montré une mappemonde, mais cette boule peinte ne pouvait lui donner l'idée de la réalité. Quant à son retour, il lui expliqua par signes qu'il ne le connaissait pas avec certitude, mais que ce serait dans de nombreuses années. « Dans ce cas,

je veux que tu emportes quelque chose de moi en souvenir »,
dit Eclair-dans-la-Nuit. Les yeux brillants, avec un regard
d'une sagesse millénaire, la jeune fille se dépouilla de ses
colliers de graines et de plumes, de la ceinture rouge qu'elle
portait à la taille, de ses bottes en lapin, de sa tunique en peau
de chevreau, et elle resta nue dans la lumière dorée qui filtrait
par petits points entre les feuilles des arbres. Bernardo sentit
que son sang se changeait en mélasse, qu'il s'étouffait de
surprise et de reconnaissance, que son âme s'échappait de lui
en soupirs. Il ne savait quoi faire devant cette créature extraordinaire, si différente de lui, si belle, qui s'offrait à lui
comme le plus extraordinaire des cadeaux. Eclair-dans-la-
Nuit lui prit une main et la posa sur son sein, elle prit l'autre
et la posa sur sa taille, puis elle leva les bras et se mit à dénouer la tresse de ses cheveux, qui tombèrent sur ses épaules
comme une cascade de plumes de corbeau. Bernardo laissa
échapper un sanglot et murmura son nom, Eclair-dans-la-
Nuit, le premier mot qu'elle l'entendait prononcer. La jeune
fille recueillit le son de son nom dans un baiser et continua à
embrasser Bernardo, baignant son visage de larmes par
anticipation, car avant qu'il ne s'en aille elle le regrettait déjà.
Des heures plus tard, quand Bernardo se réveilla du bonheur
absolu dans lequel l'amour l'avait plongé et qu'il put à nouveau penser, il osa suggérer l'impensable à Eclair-dans-la-
Nuit : qu'ils restent ensemble pour toujours. Elle lui répondit
par un joyeux éclat de rire et lui fit voir qu'il était encore un
gamin, peut-être le voyage l'aiderait-il à devenir un homme.
   Bernardo passa plusieurs semaines dans sa tribu, et pendant
cette période eurent lieu des événements essentiels dans sa vie,
mais il n'a pas voulu me les raconter. Le peu que je sais à ce
sujet, c'est Eclair-dans-la-Nuit qui me l'a révélé. Bien que je
puisse imaginer le reste sans problèmes, je ne le ferai pas, par
respect pour le tempérament réservé de Bernardo. Je ne veux
pas l'offenser. Il revint à l'hacienda juste à temps pour aider
Diego à empaqueter ses affaires en vue de la traversée, dans les

mêmes malles qu'avait envoyées Eulalia de Callís quelques années plus tôt. Dès que Bernardo apparut devant lui, Diego sut que quelque chose de fondamental avait changé dans la vie de son frère de lait, mais lorsqu'il voulut savoir ce que c'était il trouva un regard de pierre qui le coupa net. Alors il devina que le secret avait un rapport avec Eclair-dans-la-Nuit et il ne posa plus de questions. Pour la première fois dans leur vie il y avait quelque chose qu'ils ne pouvaient partager.

Alejandro de La Vega avait commandé à Mexico un trousseau de prince pour son fils, qu'il compléta avec les pistolets de duel ornés d'incrustations de nacre et la cape noire doublée de soie parée des boutons d'argent de Tolède, présents d'Eulalia. Diego y ajouta sa mandoline, instrument très utile au cas où il surmonterait sa timidité devant les femmes, le fleuret qui avait appartenu à son père, son fouet en cuir de taureau et le livre de maître Manuel Escalante. Par contraste, l'équipage de Bernardo se composait des vêtements qu'il portait, de deux jeux de rechange, d'une couverture noire de Castille et de bottes adéquates pour ses pieds larges, cadeau du père Mendoza, qui considéra qu'en Espagne il ne devait pas marcher pieds nus.

La veille du départ des deux jeunes gens, Chouette-Blanche fit son apparition pour leur dire adieu. Elle refusa d'entrer dans la maison, parce qu'elle savait qu'Alejandro de La Vega était gêné de l'avoir pour belle-mère, et préféra ne pas faire passer un mauvais moment à Regina. Elle retrouva les deux garçons dans le patio, loin des oreilles étrangères, et leur remit les présents qu'elle avait apportés pour eux. Elle donna à Diego un gros flacon du sirop soporifique, en l'avertissant qu'il ne pouvait l'utiliser que pour sauver des vies humaines. A son expression, Diego comprit que sa grand-mère savait qu'il lui avait volé la potion magique cinq ans auparavant et, rouge de honte, il l'assura qu'elle pouvait être tranquille, qu'il avait retenu la leçon, qu'il prendrait soin du breuvage comme d'un trésor et ne volerait plus jamais. A Bernardo, l'Indienne apporta une petite bourse en cuir qui contenait une tresse de cheveux noirs. Eclair-dans-la-Nuit la lui envoyait avec un message : qu'il parte en paix et devienne un homme sans se presser, car même si passaient de nombreuses lunes elle attendrait son retour en gardant son amour intact. Emu jusqu'à la moelle, Bernardo demanda à l'aïeule, par gestes, comment il était possible que la jeune fille la plus belle de l'univers l'aimât justement lui qui était un pou, et elle lui répondit qu'elle n'en savait rien, que les femmes étaient des êtres étranges. Puis elle ajouta, avec un clin d'œil espiègle, que n'importe quelle femme succomberait face à un homme qui ne parlait que pour elle. Bernardo pendit la petite bourse à son cou, sous sa chemise, près de son cœur.

Les époux de La Vega, accompagnés de leurs domestiques, du père Mendoza et de ses néophytes, vinrent faire leurs adieux aux garçons sur la plage. Une chaloupe vint les chercher pour les transporter sur une goélette à trois mâts, la *Santa Lucía*, commandée par le capitaine José Díaz, qui avait promis de les conduire sains et saufs à Panamá, première étape du long voyage vers l'Europe. La dernière chose que virent Diego et Bernardo avant de monter dans le bateau, ce fut la silhouette altière de Chouette-Blanche, avec son poncho en peau de lapin et sa chevelure indomptée dans le vent, leur disant adieu de la main depuis un promontoire de rochers, près des cavernes sacrées des Indiens.

DEUXIÈME PARTIE

Barcelone, 1810-1812

Je me décide à continuer d'un pas léger, puisque vous avez lu jusqu'ici. Ce qui suit est plus important que ce qui précède. L'enfance d'un héros n'est pas facile à raconter, mais je devais le faire pour vous donner une idée juste de la personnalité de Zorro. L'enfance est une époque malheureuse, pleine de craintes infondées, comme la peur du ridicule et de monstres imaginaires. Du point de vue littéraire, il n'y a pas de suspense, les enfants, sauf exceptions, manquant en général de piquant. De plus, ils n'ont pas de pouvoir, les adultes décident pour eux et le font mal, leur inculquant leurs propres idées erronées sur la réalité, dont les enfants passent ensuite le reste de leur vie à essayer de se libérer. Toutefois, ce ne fut pas le cas de Diego de La Vega, notre Zorro, car très tôt il n'en fit à peu près qu'à sa tête. Il eut la chance que les personnes qui l'entouraient, occupées à leurs passions et leurs affaires, relâchent leur vigilance. Il atteignit l'âge de quinze ans sans grands vices ni grandes vertus, hormis une soif inaltérable de justice, dont j'ignore si elle appartient à la première ou à la deuxième catégorie; disons simplement qu'elle est un trait inhérent à son caractère. Je pourrais y ajouter un autre trait, la vanité, mais ce serait beaucoup m'avancer : ce trait-là se développa plus tard, lorsqu'il se rendit compte que le nombre de ses ennemis augmentait, ce qui est toujours bon signe, de même que celui de ses admirateurs, essentiellement de sexe féminin. C'est aujourd'hui un homme de belle prestance – du

115

moins le vois-je ainsi – mais à quinze ans, lorsqu'il arriva à Barcelone, c'était encore un jeune garçon aux oreilles décollées, dont la voix n'avait pas fini de muer. Le problème des oreilles fut la raison pour laquelle il eut l'idée d'utiliser un masque, qui remplit la double fonction de cacher tant son identité que ces appendices de faune. Si Moncada avait vu celles de Zorro, il en aurait immédiatement déduit que son détesté rival était Diego de La Vega.

Et maintenant, si vous le permettez, je vais continuer mon récit, qui à ce point devient intéressant, du moins pour moi, car c'est à cette époque que j'ai connu notre héros.

*

La goélette marchande *Santa Lucía* – que les marins appelaient *Adelita*, par affection et parce qu'ils en avaient assez des embarcations portant des noms de saintes – fit le trajet entre Los Angeles et la ville de Panamá en une semaine. Cela faisait huit ans que le capitaine José Díaz parcourait la côte américaine du Pacifique et à cette époque il avait accumulé une petite fortune, avec laquelle il pensait trouver bientôt une épouse de trente ans plus jeune que lui et se retirer dans son village de Murcia. Alejandro de La Vega lui confia son fils Diego avec un peu d'appréhension, car il le considérait comme un homme à la morale flexible; on disait qu'il avait gagné son argent grâce à la contrebande et au trafic de femmes de joyeuse réputation; la Panaméenne phénoménale, dont l'insouciante joie de vivre éclairait les nuits des messieurs de Los Angeles, était arrivée à bord de la *Santa Lucía*. Mais ce n'était pas une raison pour se montrer pointilleux, décida Alejandro, Diego était mieux entre les mains d'une personne connue, aussi misérable fût-elle, que naviguant seul de par le monde. Diego et Bernardo seraient les seuls passagers à bord, et il pensait que le capitaine mettrait tout son zèle à s'occuper d'eux. Douze hommes d'équipage expérimentés manœuvraient la goélette, divisés en deux tours, appelés bâbord et tribord pour les différencier, mais dans ce cas ces noms n'avaient aucun sens. Tandis qu'une équipe travaillait pendant quatre heures, l'autre se reposait et jouait aux cartes. Une fois que Diego et Bernardo eurent réussi à maîtriser leur mal de mer et se furent habitués au tangage et au roulis de la navigation, ils purent s'intégrer à la vie ordinaire du bord. Ils se firent amis avec les marins, qui leur portaient une affection protectrice, et utilisèrent leur temps aux mêmes activités qu'eux. Le capitaine passait la plus grande partie de la journée enfermé dans sa cabine, à batifoler avec une métisse, et il ne se rendait même pas compte que les jeunes gens sous sa responsabilité sautaient comme des singes au haut des mâts, au risque de se rompre le cou.

Diego se révéla aussi habile à faire des acrobaties dans les cordages, pendu par une main ou une jambe, que doué pour les cartes. Il avait de la chance pour tirer les bonnes cartes et un talent époustouflant pour tricher. La plus grande innocence peinte sur le visage, il saigna à blanc ces joueurs experts, qui s'ils avaient parié de l'argent auraient été inconsolables, mais ils ne jouaient que des pois chiches ou des coquillages. L'argent était interdit à bord, afin d'éviter que les membres de l'équipage s'entre-tuent pour des dettes de jeu. Bernardo découvrit un aspect jusqu'alors inconnu de son frère de lait.

« On ne mourra pas de faim en Europe, Bernardo, car on trouvera toujours quelqu'un à battre au jeu, et on jouera alors des doublons d'or, pas des pois chiches, qu'est-ce que tu en dis? Ne me regarde pas comme ça, vieux, je t'en prie, j'ai l'impression d'être un criminel. Ce qui est déplaisant chez toi, c'est ta bigoterie. Ne vois-tu pas que nous sommes enfin libres? Le père Mendoza n'est plus là pour nous envoyer en enfer », dit Diego en riant, habitué qu'il était de s'adresser à Bernardo en faisant les questions et les réponses.

A hauteur d'Acapulco, les marins commencèrent à suspecter que Diego se moquait d'eux et ils le menacèrent de le jeter à l'eau dans le dos du capitaine, mais ils furent distraits par les baleines. Elles arrivèrent par douzaines, colossales créatures qui murmuraient d'amour en chœur et agitaient la mer de leurs coups de queue passionnés. Elles apparaissaient soudain à la surface et encerclaient la *Santa Lucía* de si près qu'on pouvait compter les crustacés pierreux et jaunâtres collés à leur échine. Sur la peau, sombre et couverte de croûtes, était imprimée toute l'histoire de chacun de ces géants et celle de leurs ancêtres des siècles passés. Tout à coup l'une d'elles s'élevait en l'air, faisait un tour en vrille et retombait avec grâce. Leurs jets éclaboussaient le bateau d'une fraîche et fine pluie. Dans l'effort d'éviter les baleines et l'excitation du port d'Acapulco, les marins pardonnèrent à Diego, mais ils l'avertirent de faire attention à lui, parce qu'il est plus facile de mourir en trichant qu'à la guerre. De plus, Bernardo ne le laissait pas en paix avec ses scrupules télépathiques et il dut lui promettre qu'il n'utiliserait plus cette nouvelle habileté, comme il le projetait, pour devenir riche aux dépens d'autrui.

La traversée en bateau non seulement les conduisit à bon port mais leur donna aussi le loisir de s'exercer à des prouesses athlétiques, que seuls sont en mesure de réaliser les marins endurcis et les phénomènes de foire. Enfants, ils se suspendaient tête en bas à l'avant-toit de la maison, accrochés par les pieds, sport dont Regina et Ana avaient en vain essayé de les décourager à coups de balai. Sur le bateau, ils pouvaient prendre des risques ; ils en profitèrent pour développer leur agilité innée, qui allait tant leur servir en ce monde. Ils apprirent à faire des cabrioles de trapéziste, à grimper aux cordages comme des araignées, à se balancer à quatre-vingts pieds de haut, à descendre du sommet du mât en se tenant aux câbles et à se glisser le long d'une corde souple pour trimer dans les voiles. On les regardait à peine et en réalité personne ne se souciait qu'ils se brisent le crâne en tombant. Les marins leur donnèrent quelques leçons fort utiles. Ils leur montrèrent comment faire différents nœuds, leur apprirent à chanter pour multiplier la force dans une tâche quelle qu'elle soit, à frapper les galettes pour en détacher les petits asticots des charançons, à ne jamais siffler en haute mer, car cela altère le vent, à dormir par courts moments, comme les nouveau-nés, et à boire du rhum mêlé de poudre pour prouver qu'ils étaient des hommes. Aucun des deux ne réussit cette dernière épreuve : les nausées firent presque rendre l'âme à Diego et Bernardo pleura toute la nuit, parce que sa mère lui apparut. Le second à bord, un Ecossais du nom de McFerrin, bien plus expérimenté que le capitaine en matière de navigation, leur donna le conseil le plus important : « une main pour naviguer, l'autre main pour toi. » A tout moment, y compris en eaux calmes, ils devaient bien s'accrocher. Bernardo l'oublia l'espace d'un instant, alors qu'il se trouvait à la poupe pour voir si les requins les suivaient. On n'en voyait nulle part, mais ils apparaissaient d'instinct dès que le cuisinier jetait les déchets par-dessus bord. Il était ainsi absorbé, regardant la surface de l'océan, lorsqu'un tangage inattendu l'expédia à l'eau. C'était un excellent nageur et, par chance pour lui, quelqu'un le vit tomber et donna l'alarme, sinon il serait resté là, car même dans ces circonstances il ne parvint pas à crier. Ce fut la cause d'un désagréable incident. Le capitaine José Díaz jugea qu'il ne valait pas la peine de s'arrêter et d'envoyer un canot le chercher, avec les embarras subséquents et la perte de temps. S'il s'était agi du fils d'Alejandro de La Vega, peut-être n'aurait-il pas autant hésité, mais il s'agissait seulement d'un Indien muet et, de son point de vue, également stupide. Il devait l'être pour passer par-dessus bord, argua-t-il. Tandis que le capitaine hésitait, pressé par McFerrin et le reste de l'équipage pour qui sauver le malheureux qui tombe à la mer est un principe inaliénable de la navigation, Diego se jeta au secours de son frère. Il ferma les yeux et sauta sans trop réfléchir, car vue du pont, la hauteur semblait énorme. Il n'oubliait pas non plus les requins, qui n'étaient jamais bien loin. Le plat sur l'eau le laissa étourdi pendant quelques secondes, mais Bernardo le rejoignit en quelques brasses et le maintint à la surface. Son principal passager courant le risque de finir dévoré s'il ne se décidait pas rapidement, José Díaz autorisa le sauvetage. L'Ecossais et trois autres hommes avaient déjà descendu le canot lorsque les premiers requins apparurent et commencèrent une joyeuse farandole autour des naufragés. Diego criait jusqu'à s'égosiller et il avalait de l'eau, tandis que Bernardo tenait calmement son ami d'un bras et nageait de l'autre. McFerrin tira un coup de pistolet sur le squale le plus proche, et aussitôt l'eau se teignit d'un coup de pinceau ondulant couleur rouille. Cela servit de distraction aux autres animaux, qui se jetèrent sur le blessé avec la claire intention d'en faire leur déjeuner, et les marins purent secourir les garçons. Un chœur d'applaudissements et de sifflements de l'équipage célébra la manœuvre.

Entre descendre le canot, rejoindre les naufragés, donner des coups de rame aux requins les plus audacieux et regagner le bord, on perdit un bon moment. Le capitaine considéra comme une insulte personnelle que Diego se fût jeté à l'eau pour lui forcer la main, aussi lui interdit-il en représailles de grimper aux mâts, mais il était déjà bien tard, car ils se trouvaient en vue de Panamá, où il devait laisser ses passagers. Les jeunes gens firent à regret leurs adieux à l'équipage de la *Santa Lucía* et descendirent à terre avec leurs bagages, armés jusqu'aux dents des pistolets de duel, de l'épée et du fouet de Diego, aussi mortel qu'un canon, outre le couteau de Bernardo, arme aux nombreux usages, depuis se curer les ongles ou couper le pain en tranches jusqu'à chasser de grosses proies. Alejandro de La Vega les avait avertis de ne faire confiance à personne. Les natifs avaient la réputation d'être des voleurs et ils devaient donc dormir à tour de rôle, sans perdre les malles de vue un instant.

*

La ville de Panamá parut magnifique à Diego et Bernardo, car n'importe quel lieu l'était forcément comparé à la petite bourgade de Los Angeles. Depuis trois siècles les richesses des Amériques passaient par là en direction des coffres royaux d'Espagne. De Panamá, elles étaient transportées par des troupeaux de mules à travers les montagnes, puis par des canots sur la rivière Chagres jusqu'à la mer des Caraïbes. L'importance de ce port, comme celle de Portobelo, sur la côte Atlantique de l'isthme, avait diminué dans la même mesure que l'or et l'argent des colonies. On pouvait également passer de l'océan Pacifique à l'océan Atlantique en faisant le tour du continent par le cap Horn, à l'extrême sud, mais il suffisait de jeter un coup d'œil sur une carte pour se rendre compte que c'était un trajet qui n'en finissait pas. Comme le père Mendoza l'avait expliqué aux garçons, le cap Horn se trouve là où s'achève le monde de Dieu et commence le monde des spectres. En traversant l'étroite ceinture de l'isthme de Panamá, un voyage qui prend seulement deux jours, on économise des mois de navigation, raison pour laquelle l'empereur Charles Ier rêvait, dès 1534, d'ouvrir un canal pour unir les deux océans, idée insensée, comme tant de celles qui passent par la tête de certains monarques. L'inconvénient majeur de l'endroit, c'étaient les miasmes ou émanations gazeuses qu'exhalaient la végétation en putréfaction de la forêt et les bourbiers des fleuves, à l'origine d'épouvantables calamités. Un nombre effroyable de voyageurs mouraient foudroyés par la fièvre jaune, le choléra et la dysenterie. D'autres devenaient fous, d'après ce qu'on disait, mais je suppose qu'il s'agissait de rêveurs, peu faits pour circuler en liberté sous les tropiques. Il en mourait tant pendant les épidémies que les fossoyeurs ne recouvraient pas les fosses communes où s'empilaient les cadavres, sachant qu'il en arriverait encore dans les prochaines heures. Pour protéger Diego et Bernardo de ces dangers, le père Mendoza leur avait remis à chacun une médaille de saint Christophe, patron des voyageurs et des navigateurs. Ces talismans donnè-rent des résultats miraculeux, et tous deux survécurent. Heureusement, car sinon cette histoire n'existerait pas. La chaleur était suffocante, et les moustiques les harcelaient, mais pour le reste tout se passa au mieux. Diego était enchanté dans cette ville où personne ne les surveillait et où il avait le choix entre tant de tentations. Seule la bondieuserie de Bernardo l'empêcha de finir dans un tripot clandestin ou dans les bras d'une femme de bonne volonté et de mauvaise réputation, où il aurait peut-être péri d'un coup de poignard ou de maladies exotiques. Cette nuit-là, Bernardo ne ferma pas l'œil, non tant pour se défendre des bandits que pour surveiller Diego.

Les frères de lait dînèrent dans une gargote du port et ils passèrent la nuit dans le dortoir commun d'une auberge, où les voyageurs s'installaient comme ils pouvaient sur des paillasses jetées à même le sol. En payant le double, ils eurent des hamacs et des moustiquaires crasseuses, mais ainsi étaient-ils à peu près à l'abri des rats et des cancrelats. Le lendemain ils traversèrent les montagnes pour aller à Cruces par une bonne route pavée, de la largeur de deux mules, qu'avec leur manque d'imagination caractéristique pour les noms les Espagnols appelaient *Camino Real*, autrement dit la Grand-route. En altitude, l'air était moins dense et humide que sur les basses terres, et la vue qui s'étendait à leurs pieds révélait un vrai paradis. Dans le vert absolu de la forêt brillaient, tels de prodigieux coups de pinceau, des oiseaux au plumage paré de bijoux et des papillons multicolores. Les natifs se révélèrent finalement des gens honnêtes et, au lieu de profiter de l'innocence des deux jeunes voyageurs, comme l'eût exigé leur mauvaise réputation, ils leur offrirent du poisson accompagné de grosses bananes frites et cette nuit-là ils les hébergèrent dans une hutte infestée de vermine, mais où ils furent au moins à l'abri des pluies torrentielles. Ils leur conseillèrent d'éviter les tarentules et certains crapauds verts qui crachent dans les yeux et rendent aveugles, ainsi qu'une variété de noix qui brûle l'émail des dents et provoque des crampes d'estomac mortelles.

En certains endroits, le fleuve Chagres ressemblait à un épais marais, mais en d'autres ses eaux étaient pures. On le parcourait dans des pirogues ou des barques plates, pouvant transporter huit à dix personnes avec leurs bagages. Diego et Bernardo durent attendre un jour entier qu'il y ait assez de passagers pour remplir l'embarcation. Ils voulurent faire trempette dans le fleuve – la lourde chaleur étourdissait les serpents et faisait taire les singes –, mais dès qu'ils mirent un pied dans l'eau ils réveillèrent les caïmans qui, de la couleur de la fange, dormaient sous la surface. Les gamins reculèrent en hâte, au milieu d'un éclat de rire général. Ils n'osèrent pas boire l'eau verdâtre pleine de têtards que leur offraient leurs aimables amphitryons, et ils supportèrent la soif, jusqu'à ce que d'autres voyageurs, rudes commerçants et aventuriers, partagent avec eux leurs bouteilles de vin et de bière. Ils acceptèrent avec tant d'avidité et burent avec tant de plaisir qu'aucun des deux ne fut ensuite capable de se souvenir de cette partie du voyage, excepté la manière singulière de naviguer des gens du cru. Six hommes pourvus de longues perches se tenaient debout sur deux passerelles aux deux extrémités de l'embarcation. Commençant par la poupe, ils enfonçaient la pointe des perches dans le lit du fleuve, puis le plus vite possible allaient vers la proue en poussant de tout leur corps, avançant ainsi, même à contre-courant. A cause de la chaleur, ils étaient nus. Le parcours prit environ dix-huit heures, que Diego et Bernardo passèrent dans un état d'hallucination éthylique, étendus de tout leur long sous la bâche qui les protégeait du soleil de lave ardente brûlant au-dessus de leurs têtes. Lorsqu'ils arrivèrent à destination les autres voyageurs, entre coups de coudes et rires, les firent descendre du bateau en les poussant. C'est ainsi qu'ils perdirent, au cours des douze lieues du trajet allant de l'embouchure du fleuve à la ville de Portobelo, l'une des malles contenant une grande partie du trousseau de prince acquis par Alejandro de La Vega pour son fils. Ce fut un accident plutôt heureux, car la dernière mode d'Europe en matière vestimentaire n'était pas encore arrivée en Californie. Les costumes de Diego étaient franchement risibles.

*

Portobelo, fondée en 1500 dans le golfe du Darien, était une ville essentielle, car c'est là qu'étaient embarqués les trésors en partance pour l'Espagne et qu'arrivait la marchandise européenne en Amérique. De l'avis des vieux capitaines, il n'existait pas, dans toutes les Indes, de port plus sûr et ayant une plus grande capacité. Il comptait plusieurs forts pour la défense, outre des récifs inexpugnables. Les Espagnols avaient construit les forteresses avec les coraux extraits du fond de la mer, malléables lorsqu'ils étaient humides, mais si résistants quand ils avaient séché que les boulets de canons les entamaient à peine. Une fois l'an, lorsque arrivait la Flotte du trésor, on organisait une foire de quarante jours et la population s'augmentait alors de milliers de visiteurs. Diego et Bernardo avaient entendu dire que dans la Maison royale du Trésor les lingots d'or étaient empilés comme des bûches, mais ils furent déçus, car au cours des dernières années la cité avait décliné, en partie à cause des attaques de pirates, mais surtout parce que les colonies américaines n'étaient plus aussi rentables pour l'Espagne qu'elles l'avaient été. Les maisons en bois et en pierre étaient décolorées par la pluie, les édifices publics et les magasins, envahis de mauvaises herbes, les forteresses languissaient dans une sieste éternelle. Malgré cela, plusieurs bateaux étaient ancrés dans le port, un essaim d'esclaves noirs chargeaient des métaux précieux, du coton, du tabac, du cacao, et déchargeaient des ballots pour les colonies. Parmi les embarcations on pouvait voir la *Madre de*

Dios, la « Mère de Dieu », sur laquelle Diego et Bernardo allaient traverser l'Atlantique.

Ce navire, construit cinquante ans plus tôt, encore en excellent état, avait trois mâts et des voiles carrées. Plus grand, plus lent et plus lourd que la goélette *Santa Lucía*, il se prêtait mieux aux voyages à travers l'océan. Une spectaculaire figure de proue en forme de sirène le couronnait. Les marins croyaient que les seins nus calmaient la mer, et ceux de cette sphinge étaient opulents. Le capitaine, Santiago de León, prouva qu'il était un homme à la personnalité singulière. De petite taille, sec, il avait les traits taillés au couteau sur un visage tanné par de nombreuses mers. Il boitait, à cause d'une malheureuse opération destinée à lui enlever une balle dans la jambe gauche, que le chirurgien n'avait pu extraire, mais en essayant il l'avait estropié et rendu souffrant pour le restant de ses jours. L'homme n'était pas enclin à se plaindre, il serrait les dents, se soignait avec du laudanum et tentait de se distraire avec sa collection de cartes imaginaires. Dessus figuraient des endroits que des voyageurs entêtés avaient en vain cherchés pendant des siècles, tels que l'Eldorado, la cité d'or pur ; l'Atlantide, le continent immergé dont les habitants sont humains mais ont des ouïes, comme les poissons ; les îles mystérieuses de Luquebaralideaux, dans la mer Sauvage, peuplées d'énormes saucisses aux dents pointues, mais dépourvues de squelette, qui circulent en troupeaux et se nourrissent de la moutarde qui coule dans les ruisseaux et qui, d'après les croyances, peuvent guérir les pires blessures. Le capitaine se distrayait en copiant les cartes et en y ajoutant des lieux de sa propre invention, avec des explications détaillées, puis il les vendait à prix d'or aux antiquaires de Londres. Il ne prétendait pas tromper, il les signait toujours de sa main et y ajoutait une phrase hermétique que tout connaisseur comprenait : *Œuvre numérotée de l'Encyclopédie des Désirs, version intégrale.*

Le vendredi le chargement était à bord, mais la *Madre de Dios* ne quitta pas le port, car le Christ est mort un vendredi.

C'est un mauvais jour pour entreprendre la navigation. Le samedi, les quarante hommes d'équipage refusèrent de partir, parce qu'ils virent un rouquin sur le quai et qu'un pélican tomba mort sur le pont du bateau, deux fort mauvais présages. Enfin, le dimanche, Santiago de León obtint de ses hommes qu'ils déploient les voiles. Les seuls passagers étaient Diego, Bernardo, un commissaire aux comptes qui rentrait du Mexique dans sa patrie, et sa fille de trente ans, laide et ronchonneuse. La demoiselle tomba amoureuse de chacun des rudes marins, mais ceux-ci la fuyaient comme la peste, car chacun sait qu'à bord les femmes vertueuses attirent les intempéries et autres calamités. Ils en déduisirent qu'elle était vertueuse plus par manque d'occasions de pécher que par vertu naturelle. Le commissaire et sa fille disposaient d'une cabine minuscule, mais Diego et Bernardo, comme l'équipage, dormaient dans des hamacs suspendus dans le malodorant pont inférieur. La cabine du capitaine, à la poupe, servait de bureau, d'officine de commandement, de réfectoire et de salle de récréation pour les officiers et les passagers. La porte et les meubles se pliaient selon les besoins, comme la plupart des choses à bord, où l'espace constituait le plus grand luxe. Au cours des semaines passées en haute mer, les garçons ne disposèrent jamais d'un moment d'intimité ; même les fonctions les plus élémentaires s'effectuaient à la vue de tous, dans un seau s'il y avait de la houle ou, par temps calme, assis sur une planche avec un trou donnant directement au-dessus de la mer. Personne ne sut comment se débrouilla la pudique fille du commissaire, car ils ne la virent jamais vider un vase de nuit. Les marins faisaient des paris à ce sujet, d'abord morts de rire puis effrayés, parce qu'une constipation aussi persévérante paraissait affaire de sorcellerie. A part le mouvement constant et la promiscuité, le plus remarquable était le bruit. Le bois craquait, les métaux s'entrechoquaient, les tonneaux roulaient, les cordes gémissaient et l'eau fouettait le bateau. Pour Diego et Bernardo, habitués à la solitude, à l'espace et au silence immenses de la Californie, s'adapter à la vie de navigateurs ne fut pas aisé.

Diego inventa de s'asseoir sur les épaules de la figure de proue, endroit idéal pour scruter la ligne infinie de l'horizon, s'éclabousser d'eau salée et saluer les dauphins. Il se tenait à la tête de la demoiselle en bois et appuyait les pieds sur ses mamelons. Etant donné la condition athlétique du garçon, le capitaine se contenta d'exiger de lui qu'il s'attache avec une corde nouée à la taille, car s'il tombait de là le bateau lui passerait dessus ; mais plus tard, lorsqu'il le surprit perché au sommet du grand mât, à plus de cent pieds de haut, il ne lui dit rien. Il décida que s'il était destiné à mourir jeune, il ne pourrait l'empêcher. Il y avait toujours de l'activité sur le bateau, qui ne s'interrompait pas pendant la nuit, mais le gros du travail était effectué de jour. Le premier tour était annoncé à midi par des coups de cloche, alors que le soleil brillait au zénith et que le capitaine effectuait la première mesure pour faire le point. A cette heure le cuisinier distribuait une pinte de citronnade par homme, pour prévenir le scorbut, et le second officier répartissait le rhum et le tabac, seuls vices permis à bord où parier de l'argent, se battre, tomber amoureux et même blasphémer étaient interdits. Dans le crépuscule nautique, à cette heure mystérieuse du soir et de l'aube où les étoiles scintillent au firmament mais où la ligne d'horizon est encore visible, le capitaine prenait de nouvelles mesures à l'aide de son sextant, il consultait ses chronomètres et le gros livre des éphémérides du ciel indiquant la position des astres à chaque instant. Pour Diego, cette opération géométrique se révéla fascinante, parce que toutes les étoiles lui paraissaient semblables et, où qu'il regardât, il ne voyait rien d'autre que la même mer d'acier et le même ciel blanc, mais bientôt il apprit à observer avec des yeux de navigateur. Le capitaine vivait également suspendu au baromètre, parce que les changements de pression dans l'air lui annonçaient les tempêtes et les jours où sa jambe le ferait souffrir encore plus.

Les premiers jours ils eurent du lait, de la viande et des légumes, mais avant la fin de la semaine ils durent se contenter de légumes, de riz, de fruits secs et de l'éternelle galette dure comme du marbre et grouillante de charançons. Ils avaient aussi de la viande salée, que le cuisinier laissait tremper deux jours dans de l'eau vinaigrée avant de la mettre dans la marmite, pour lui ôter sa consistance de selle de cheval. Diego pensa que son père pourrait faire un négoce extraordinaire avec sa viande fumée, mais Bernardo lui fit remarquer qu'en transporter en quantité suffisante à Portobelo tenait du rêve. A la table du capitaine, celle où Diego, le commissaire et sa fille étaient toujours invités, mais pas Bernardo, on servait en outre de la langue de bœuf en marinade, des olives, du fromage de la Mancha et du vin. Le capitaine mit à la disposition des passagers son jeu d'échecs et ses cartes, ainsi qu'un choix de livres qui n'intéressèrent que Diego, lequel y trouva deux essais sur l'indépendance des colonies. Diego admirait l'exemple des Nord-Américains, qui s'étaient libérés du joug anglais, mais il ne lui était pas venu à l'idée, avant de lire les ouvrages du capitaine, que les aspirations de liberté des colonies espagnoles en Amérique étaient également louables.

Santiago de León s'avéra être un interlocuteur si distrayant que Diego sacrifia des heures de joyeuses acrobaties dans les cordages pour converser avec lui et étudier ses cartes imaginaires. Le capitaine, un solitaire, découvrit le plaisir de partager ses connaissances avec un esprit jeune et curieux. C'était un lecteur infatigable, il avait avec lui des caisses de livres qu'il échangeait contre d'autres dans chaque port. Il avait fait plusieurs fois le tour du monde, connaissait des terres aussi étranges que celles décrites dans ses cartes fabuleuses et avait tant de fois frôlé la mort qu'il en avait perdu la peur de la vie. La plus grande révélation pour Diego, habitué à des vérités absolues, c'est que cet homme qui avait la mentalité d'un individu de la Renaissance doutait d'à peu près tout ce qui constituait le fondement intellectuel et moral d'Alejandro de La Vega, du père Mendoza ou de son maître d'école. Parfois venaient à Diego des questions sur les schémas rigides martelés dans son cerveau depuis sa naissance, mais jamais il n'avait osé les défier tout haut. Quand les règles l'incommodaient trop, il les vidait en cachette de leur substance, mais ne se rebellait jamais ouvertement. Avec Santiago de León, il osa parler de sujets qu'il n'aurait jamais abordés avec son père. Il découvrit, émerveillé, qu'il y avait une multitude de façons de penser. De León lui montra que les Espagnols n'étaient pas les seuls à se considérer comme supérieurs au reste de l'humanité, tous les peuples vivaient dans la même illusion ; que dans la guerre les Espagnols commettaient exactement les mêmes atrocités que les Français ou n'importe quelle autre armée : ils violaient, volaient, torturaient, assassinaient ; que chrétiens, maures et juifs affirmaient pareillement que leur Dieu était le seul Dieu véritable et qu'ils méprisaient les autres religions. Le capitaine était partisan de l'abolition de la monarchie et de l'indépendance des colonies, deux concepts révolutionnaires pour Diego, qui avait été élevé dans la croyance que le roi était sacré et que l'obligation naturelle de tout Espagnol était de conquérir et de christianiser d'autres terres. Santiago de León défendait avec exaltation les principes d'égalité, de liberté et de fraternité de la Révolution française, mais il n'acceptait pas que les Français aient envahi l'Espagne. Il démontra à ce sujet un patriotisme féroce : il préférait voir sa patrie plongée dans l'obscurantisme du Moyen Age, dit-il, qu'assister au triomphe des idées modernes si celles-ci étaient imposées par des étrangers. Il ne pardonnait pas à Napoléon d'avoir contraint le roi d'Espagne à abdiquer pour mettre à sa place son frère, Joseph Bonaparte, que le peuple avait surnommé *Pepe Botellas*, « Pépé Bouteilles ».

« Toute tyrannie est abominable, jeune homme, conclut le capitaine. Napoléon est un tyran. A quoi la Révolution a-t-elle servi si le roi a été remplacé par un empereur ? Les pays doivent être gouvernés par un conseil d'hommes éclairés, responsables de leurs actions devant le peuple.

— L'autorité des rois est d'origine divine, capitaine, affirma faiblement Diego, répétant les mots de son père, sans bien comprendre ce qu'il disait.

— Qui l'affirme? Que je sache, jeune de La Vega, Dieu ne s'est pas prononcé à ce sujet.

— D'après les Saintes Ecritures...

— Les avez-vous lues? l'interrompit emphatiquement Santiago de León. Nulle part les Saintes Ecritures ne disent que les Bourbons doivent régner en Espagne ou Napoléon en France. De plus, les Saintes Ecritures n'ont rien de sacré, elles furent écrites par des hommes et non par Dieu. »

Il faisait nuit et ils se promenaient sur le pont. La mer était calme et entre les éternels craquements du navire on entendait avec une netteté hallucinante la flûte de Bernardo cherchant Eclair-dans-la-Nuit et sa mère dans les étoiles.

« Croyez-vous que Dieu existe? lui demanda le capitaine.

— Bien sûr, capitaine! »

D'un geste large, Santiago de León montra l'obscur firmament émaillé de constellations.

« Si Dieu existe, il ne se préoccupe certainement pas de désigner les rois de chaque astre du ciel... », dit-il.

Diego de La Vega laissa échapper une exclamation d'épouvante. Douter de Dieu était la dernière chose qui lui passerait par l'esprit, mille fois plus grave que douter du mandat divin de la monarchie. Pour bien moins que cela la redoutable Inquisition avait brûlé des gens sur d'infâmes bûchers, ce qui ne paraissait pas le moins du monde inquiéter le capitaine.

*

Las de gagner des pois chiches et des petits coquillages en jouant aux cartes avec les marins, Diego décida de leur faire peur avec des histoires à faire se dresser les cheveux sur la tête, inspirées des livres du capitaine et des cartes fantastiques, qu'il enrichit en faisant appel à son inépuisable imagination, où figuraient des pieuvres gigantesques capables de détruire avec leurs tentacules des navires aussi grands que la *Madre de Dios,* des salamandres carnivores ayant la taille de baleines et des sirènes qui de loin ressemblaient à de sensuelles demoiselles, mais qui en réalité étaient des monstres avec des langues en forme de serpents. Il ne fallait jamais s'approcher d'elles, les prévint-il, parce qu'elles tendaient leurs bras morbides, étreignaient les imprudents, les embrassaient, et leurs langues mortifères s'introduisaient alors dans la gorge de la malheureuse victime et la dévoraient de l'intérieur, ne laissant que le squelette couvert de la peau.

« Vous avez vu ces lumières qui brillent parfois sur la mer, celles qu'on appelle des feux follets? Vous savez, bien sûr, qu'elles annoncent la présence des morts-vivants. Ce sont des marins chrétiens qui ont fait naufrage lors d'attaques de pirates turcs. Ils n'ont pas obtenu l'absolution de leurs péchés et leurs âmes ne trouvent pas le chemin du purgatoire. Ils sont prisonniers dans les restes de leurs bateaux au fond de la mer et ne savent pas qu'ils sont morts. Au cours de nuits comme celle-ci, ces âmes en peine montent à la surface. Si par malheur un navire se trouve dans les parages, les morts-vivants montent à bord et volent ce qu'ils trouvent, l'ancre, le gouvernail, les instruments du capitaine, les cordages et même les mâts. Et ce n'est pas le pire, mes amis, car ils ont également besoin de marins. Celui qu'ils réussissent à attraper, ils l'entraînent dans les profondeurs de l'océan afin qu'il les aide à sauver leur bateau et naviguer vers des côtes chrétiennes. J'espère que cela ne nous arrivera pas au cours de ce voyage, mais nous devons rester sur nos gardes. Si de silencieuses silhouettes noires apparaissent, vous pouvez être sûrs que ce sont des morts-vivants. Vous les reconnaîtrez à leurs capes, qu'ils portent pour dissimuler le bruit de hochet de leurs os. »

131

Il constata, ravi, que son éloquence produisait une épouvante collective. Il racontait ses histoires le soir, après le dîner, à l'heure où les hommes savouraient leur pinte de rhum et mâchonnaient leur tabac, parce qu'il était beaucoup plus facile de leur donner la chair de poule dans la pénombre. Après avoir préparé le terrain pendant plusieurs jours par des récits terrifiants, il s'apprêta à donner le coup de grâce. Entièrement vêtu de noir, portant des gants et la cape à boutons de Tolède, il faisait des apparitions subites, très brèves, dans les coins les plus obscurs. Dans cette tenue, de nuit, il était pratiquement invisible, sauf le visage, mais Bernardo eut l'idée de le lui couvrir d'un mouchoir également noir dans lequel il fit deux trous pour les yeux. Plusieurs marins virent au moins un mort-vivant. Le bruit courut en un instant que le bateau était ensorcelé et ils en rejetèrent la faute sur la fille du commissaire, qui devait être possédée, puisqu'elle n'utilisait pas le vase de nuit. Elle seule pouvait être responsable d'avoir attiré les spectres. La rumeur arriva aux oreilles de la vieille fille nerveuse et elle lui causa une migraine si brutale que le capitaine dut l'assommer pendant deux jours avec de fortes doses de laudanum. En apprenant ce qui s'était passé, Santiago de León réunit les marins sur le pont et il les menaça de leur supprimer à tous autant qu'ils étaient l'alcool et le tabac s'ils continuaient à propager des bêtises. Les feux follets, dit-il, étaient un phénomène naturel provoqué par des gaz émanant de la décomposition des algues, et les apparitions qu'ils croyaient voir n'étaient que le produit de leur imagination. Personne ne le crut, mais le capitaine imposa l'ordre. Une fois restauré un semblant de calme parmi ses hommes, il prit Diego par un bras, l'entraîna dans sa cabine et, en tête à tête, l'avertit que si un mort-vivant quel qu'il soit recommençait à rôder sur la *Madre de Dios*, il n'aurait aucun scrupule à lui faire administrer une raclée.

« J'ai droit de vie et de mort sur mon bateau, et à plus forte raison de vous marquer le dos pour toujours. Nous nous comprenons jeune de La Vega », lui dit-il entre ses dents en insistant sur chaque mot.

C'était clair comme de l'eau de roche, mais Diego ne répondit pas, parce qu'il fut distrait par un médaillon d'or et d'argent gravé de symboles étranges, pendu au cou du capitaine. S'apercevant que Diego l'avait vu, Santiago de León s'empressa de le cacher en boutonnant sa veste. Son geste fut si brusque que le garçon n'osa pas lui demander la signification du bijou. Ayant dit ce qu'il avait à dire, le capitaine se radoucit.

« Si les vents nous sont favorables et que nous ne tombons pas sur des pirates, ce voyage durera six semaines. Vous aurez largement l'occasion de vous ennuyer jeune homme. Au lieu d'effrayer les membres de mon équipage avec des plaisanteries infantiles, je vous suggère de vous consacrer à l'étude. La vie est courte, on n'a jamais trop de temps pour apprendre. »

Diego calcula qu'il avait lu pratiquement tout ce qu'il y avait d'intéressant à bord et qu'il savait déjà utiliser le sextant, les nœuds nautiques et les voiles, mais il acquiesça sans hésiter, parce qu'il avait une autre science à l'esprit. Il se dirigea vers la suffocante cale du bateau, où le cuisinier préparait le dessert du dimanche, un boudin de mélasse et de noix que l'équipage attendait toute la semaine avec impatience. C'était un Génois embarqué dans la marine marchande espagnole pour échapper à la prison, où il aurait dû se trouver en toute justice pour avoir tué sa femme d'un coup de hache. Il avait un nom qui allait peu à un navigateur : Galileo Tempesta. Avant de devenir le cuisinier de la *Madre de Dios*, Tempesta avait été magicien et gagnait sa vie en parcourant les marchés et les foires avec ses tours d'illusionniste. Il avait un visage expressif, un regard dominateur et des mains de virtuose, avec des doigts semblables à des tentacules. Il pouvait faire disparaître une pièce de monnaie avec une telle adresse qu'il était impossible de découvrir comment diable elle réapparaissait ailleurs. Il profitait des moments de répit dans ses tâches culinaires pour s'exercer ; lorsqu'il ne manipulait pas des pièces de monnaie, des cartes ou des dagues, il cousait des compartiments secrets dans des chapeaux, des bottes, des doublures et des poignets de vestes, pour y dissimuler des mouchoirs multicolores et des lapins vivants.

« Señor Tempesta, le capitaine m'envoie vous demander de m'apprendre tout ce que vous savez, lui annonça Diego à brûle-pourpoint.

— Je ne connais pas grand-chose en cuisine, jeune homme.

— Je faisais plutôt référence à la magie...

— Cela ne s'apprend pas en parlant, mais en pratiquant », répliqua Galileo Tempesta.

Il passa le reste du voyage à lui apprendre ses tours pour la même raison que le capitaine lui racontait ses voyages et lui montrait ses cartes : parce que ces hommes n'avaient jamais joui d'autant d'attention que celle que Diego leur portait. Au terme de la traversée, quarante et un jours plus tard, Diego pouvait, entre autres prouesses inusitées, avaler un doublon d'or et l'extraire intact de l'une de ses remarquables oreilles.

*

La *Madre de Dios* quitta la ville de Portobelo et, profitant des courants du golfe, fit cap vers le nord en longeant la côte. A hauteur des Bermudes elle traversa l'Atlantique et, quelques semaines plus tard, fit escale aux Açores pour s'approvisionner en eau et en aliments frais. L'archipel de neuf îles volcaniques, qui appartenait au Portugal, était le passage obligé des baleiniers de plusieurs nationalités. Ils accostèrent à l'île Flores – la bien nommée, car elle était couverte d'hortensias et de roses – justement un jour de fête nationale. Les membres de l'équipage se gorgèrent de vin ainsi que de l'épaisse soupe typique, puis ils se divertirent un moment à des bagarres aux poignards avec les chasseurs de baleines américains et norvégiens ; enfin, pour terminer en beauté cette fin de semaine parfaite, les hommes allèrent en masse participer à la grande fête des taureaux. La population masculine de l'île et les marins en visite se lancèrent au-devant des taureaux dans les rues pentues de la ville en criant les obscénités que le capitaine Santiago de León interdisait à bord. Les belles femmes de la localité, parées de fleurs dans leur chevelure et leur décolleté, se pressaient à distance prudente, tandis que le curé et deux moines préparaient les bandages et les sacrements pour recevoir blessés et moribonds. Diego savait que n'importe quel taureau est toujours plus rapide que le plus véloce des êtres humains, mais comme il fonce aveuglé par la rage, il est possible de le tromper. Il en avait tant vu dans sa courte vie qu'il ne les craignait pas trop. Grâce à quoi il sauva Galileo Tempesta d'un cheveu, alors qu'une paire de cornes allait l'embrocher par-derrière. Armé d'une badine, le garçon courut frapper la bête pour l'obliger à changer de direction, tandis que le magicien se jetait tête la première dans un massif d'hortensias au milieu des applaudissements et des éclats de rire de la foule. Ce fut ensuite au tour de Diego de s'enfuir comme un chevreuil, le taureau sur les talons. Bien qu'il y eût un nombre important d'estropiés et de contusionnés, personne ne mourut encorné cette année-là. En tout cas, les taureaux firent de Diego un héros. Galileo Tempesta, reconnaissant, lui fit cadeau d'une dague marocaine pourvue d'un ressort intégré, qui permettait de rentrer la lame dans le manche.

Pendant quelques semaines encore, poussé par le vent, le navire continua sa traversée, il longea l'Espagne en passant devant Cadix sans s'y arrêter, puis se dirigea vers le détroit de Gibraltar, port d'accès à la mer Méditerranée, contrôlé par les Anglais, alliés de l'Espagne et ennemis de Napoléon. Il suivit la côte sur une mer plus grosse, sans toucher aucun port, et enfin atteignit Barcelone où s'achevait le voyage de Diego et de Bernardo. Le vieux port catalan se présenta à leurs yeux comme une forêt de mâts et de voilures. Il y avait des embarcations de toutes provenances, formes et tailles. Si les jeunes avaient été impressionnés par la petite ville de Panamá, imaginez le choc que leur causa Barcelone. Superbe et massif, le profil de la ville se découpait sur un ciel de plomb, avec ses remparts, ses clochers et ses grosses tours. Vue de l'eau, elle avait l'air d'une ville splendide, mais cette nuit-là le ciel se couvrit et l'aspect de Barcelone changea. Ils ne purent mettre pied à terre que le lendemain matin, quand Santiago de León fit descendre les canots pour transporter l'impatient équipage et les passagers. Des centaines de chaloupes circulaient entre les bateaux, sur une mer graisseuse, et des milliers de mouettes emplissaient l'air de leurs cris.

Diego et Bernardo firent leurs adieux au capitaine, à Galileo Tempesta et aux autres hommes du bord, qui se poussaient pour prendre place dans les canots, pressés qu'ils étaient de dépenser leur paie en alcool et en femmes, tandis que le commissaire portait dans ses vieux bras sa fille, que la puanteur de l'air faisait défaillir. Il y avait de quoi. Lorsqu'ils accostèrent les attendait un beau port plein de vie, mais insalubre, couvert d'ordures, où pullulaient des rats aussi gros que des chiens entre les jambes d'une foule pressée. Dans les rigoles à ciel ouvert coulaient les eaux usées où barbotaient des enfants pieds nus, et des fenêtres des étages on jetait dans la rue le contenu des vases de nuit en criant ¡agua va!, « l'eau va! » Les passants devaient s'écarter pour ne pas être trempés d'urine. Barcelone, avec cent cinquante mille habitants, était l'une des villes les plus densément peuplées au monde. Enfermée entre d'épais remparts, surveillée par la sinistre forteresse de la Citadelle et prise entre la mer et les montagnes, elle ne pouvait s'étendre dans aucune direction, sauf en hauteur. On ajoutait des soupentes aux maisons et l'on subdivisait les pièces en cagibis étroits sans ventilation ni eau potable où s'entassaient les locataires. Sur les quais allaient des étrangers dans des tenues diverses qui s'insultaient dans des langues incompréhensibles, des marins coiffés du bonnet phrygien avec un perroquet sur l'épaule, des arrimeurs perclus de rhumatismes d'avoir porté tant de paquets, des commerçants grossiers proposant à grands cris de la viande séchée et des biscuits, des mendiants grouillant de poux et de pustules, des vauriens aux couteaux vifs et aux yeux désespérés. Les prostituées de bas étage ne manquaient pas, tandis que les plus huppées se promenaient dans des voitures, rivalisant d'éclat avec les dames distinguées. Les soldats français se déplaçaient en groupes, poussant les passants avec la culasse de leurs mousquets, par simple désir de provoquer. Dans leur dos, les femmes faisaient avec leurs doigts le signe de la malédiction et crachaient par terre. Cependant, rien ne parvenait à ternir l'élégance incomparable de la ville baignée dans la lumière argentée de la mer. En posant le pied sur le quai, Diego et Bernardo faillirent tomber par terre, comme cela leur était arrivé sur l'île Flores, parce qu'ils avaient perdu l'habitude de se déplacer à terre. Ils durent se soutenir l'un l'autre jusqu'à ce qu'ils puissent contrôler le tremblement de leurs genoux et ajuster leur vision.

« Et maintenant, qu'est-ce qu'on fait, Bernardo ? Je suis d'accord avec toi, la première chose à faire est de chercher une voiture de location et d'essayer de localiser la maison de don Tomás de Romeu. Nous devons d'abord récupérer ce qu'il reste de notre équipage, dis-tu ? Bien sûr, tu as raison... »

Ainsi se frayèrent-ils un chemin comme ils purent, Diego parlant seul et Bernardo un pas en arrière, sur le qui-vive, parce qu'il craignait que quelqu'un arrachât le sac des mains de son frère distrait. Ils passèrent sur la place du marché, où des matrones offraient des produits de la mer, baignant dans des tripes et des têtes de poissons qui macéraient par terre dans un nuage de mouches. A ce moment les intercepta un homme grand au profil de vautour, vêtu de peluche bleue, qui, pensa Diego, devait être amiral à en juger par les galons dorés de sa veste et le tricorne qui couvrait sa perruque blanche. Il le salua avec une profonde révérence, balayant les pavés de son chapeau californien.

« Señor don Diego de La Vega? s'enquit l'inconnu, visiblement déconcerté.

— Pour vous servir, *caballero*, répliqua Diego.

— Je ne suis pas un *caballero*, je suis Jordi, le cocher de don Tomás de Romeu. On m'a envoyé vous chercher. Je viendrai plus tard pour vos bagages », précisa l'homme avec un regard torve, car il pensa que ce morveux des Indes se moquait de lui.

Les oreilles de Diego prirent la couleur de la betterave et, enfonçant son chapeau sur sa tête, il s'apprêta à le suivre, tandis que Bernardo s'étouffait de rire. Jordi les conduisit vers une voiture plutôt usagée tirée par deux chevaux, où les attendait le majordome de la famille. Ils parcoururent des rues tortueuses et pavées, s'éloignèrent du port et arrivèrent bientôt dans un quartier aux demeures seigneuriales. Ils entrèrent dans la cour de la résidence de Tomás de Romeu, une grande maison à deux étages qui s'élevait entre deux églises. Le majordome commenta que les cloches ne dérangeaient plus à des heures intempestives, car les Français avaient retiré les battants, en représailles contre les curés qui encourageaient la guérilla. Intimidés par la taille de la maison, Diego et Bernardo ne se rendirent même pas compte de son délabrement. Jordi conduisit Bernardo dans le secteur des domestiques et le majordome guida Diego par l'escalier extérieur jusqu'à l'étage noble ou principal. Ils traversèrent des salons plongés dans une éternelle pénombre et des corridors glacés où pendaient des tapisseries effilochées et des armes du temps des croisades. Enfin ils arrivèrent dans une bibliothèque poussiéreuse, mal éclairée par quelques lampes à huile et un maigre feu dans la cheminée. Là attendait Tomás de Romeu, qui reçut Diego avec une étreinte paternelle, comme s'il l'avait connu depuis toujours.

« Je suis honoré que mon bon ami Alejandro m'ait confié son fils, déclara-t-il. Dès cet instant, Diego, vous faites partie de notre famille. Mes filles et moi veillerons à votre confort et votre contentement. »

C'était un homme sanguin et bedonnant, d'une cinquantaine d'années, à la voix tonitruante, aux favoris et aux sourcils épais. Ses lèvres se courbaient vers le haut en un sourire involontaire qui adoucissait son aspect quelque peu hautain. Il fumait un cigare et tenait un verre de xérès à la main. Il posa, par courtoisie, quelques questions sur le voyage et la famille que Diego avait laissée en Californie, puis il tira sur un cordon de soie pour appeler le majordome, à qui il ordonna en catalan de conduire son hôte à ses appartements.

« Nous dînerons à dix heures. Il n'est pas nécessaire de vous mettre en tenue de soirée, nous serons en famille », dit-il.

Ce soir-là, dans la salle à manger, une salle immense aux meubles vétustes qui avaient servi à plusieurs générations, Diego fit la connaissance des filles de Tomás de Romeu. Il lui suffit d'un seul regard pour décider que Juliana, l'aînée, était la plus belle femme au monde. Sans doute exagérait-il, mais la jeune fille avait en tout cas la réputation d'être l'une des beautés de Barcelone, aussi ravissante que l'avait été, à ce qu'on disait, la célèbre Madame Récamier, à Paris, à l'époque de sa gloire. Son port élégant, ses traits classiques et le contraste entre ses cheveux très noirs, sa peau laiteuse et ses yeux vert jade la rendaient inoubliable. Elle avait tant de prétendants que la famille et les curieux en avaient perdu le compte. Les mauvaises langues commentaient que tous avaient été repoussés parce que son ambitieux père espérait s'élever dans l'échelle sociale en la mariant à un prince. Ils se trompaient, Tomás de Romeu était incapable de tels calculs. Outre ses admirables attraits physiques, Juliana était instruite, vertueuse et sentimentale, elle jouait de la harpe avec des doigts tremblants de fée et faisait des œuvres de charité pour soulager les indigents. Lorsqu'elle fit son apparition dans la salle à manger vêtue de sa délicate robe blanche de mousseline style Empire, serrée sous les seins par un lacet de velours couleur pastèque et qui laissait à nu son long cou et ses bras ronds d'albâtre, chaussée d'escarpins de satin, ses cheveux noirs et bouclés coiffés d'un diadème de perles, Diego sentit ses genoux flageoler et le cœur lui manquer.

Il s'inclina pour lui baiser la main, et dans son trouble la mouilla de salive. Horrifié il bredouilla une excuse, tandis que Juliana souriait comme un ange et essuyait discrètement le dos de sa main sur sa robe de nymphe.

Isabel, en revanche, était si peu remarquable qu'elle ne semblait pas être du même sang que son éblouissante sœur. Elle avait onze ans et les portait assez mal, ses dents n'avaient pas encore pris leur place et ses os étaient apparents sous divers angles. De temps en temps, elle avait un œil qui partait sur le côté, ce qui lui donnait une expression distraite et faussement douce, car elle était d'un caractère plutôt piquant. Sa chevelure châtain était une touffe rebelle, que contrôlait à peine une demi-douzaine de rubans ; sa robe jaune était trop petite pour elle et, pour compléter son aspect d'orpheline, elle portait des bottines. Comme Diego le dirait plus tard à Bernardo, la pauvre Isabel avait l'air d'un squelette, avec quatre coudes et assez de cheveux pour couvrir deux têtes. Omnibulé par Juliana, Diego lui jeta à peine un regard de toute la soirée, mais Isabel l'observa sans s'en cacher, faisant un inventaire rigoureux de son costume démodé, de son accent étranger, de ses manières aussi passées de mode que ses vêtements et, bien sûr, de ses oreilles protubérantes. Elle en conclut que ce jeune homme venu des Indes était fou s'il prétendait impressionner sa sœur, comme le révélait sa conduite comique. Isabel soupira en pensant que Diego était un projet à long terme, il faudrait le changer presque entièrement, mais par chance la matière première était bonne : de la sympathie, un corps bien proportionné et ces yeux couleur ambre.

Le dîner consista en une soupe aux champignons, un succulent plat de *mer et montagne*, où le poisson rivalisait avec la viande, des salades, des fromages et, pour finir, de la crème catalane, le tout arrosé d'un vin rouge des vignobles de la famille. Diego jugea qu'à ce régime Tomás de Romeu ne ferait pas de vieux os et que ses filles finiraient par être aussi grosses que leur père. En Espagne, au cours de ces années, le peuple avait faim, mais la table des riches était toujours bien garnie. Après le repas ils passèrent dans l'un des salons in-hospitaliers, où Juliana les enchanta jusqu'à plus de minuit en jouant de la harpe, péniblement accompagnée par les gémissements qu'Isabel arrachait à un clavecin désaccordé. A cette heure, matinale pour Barcelone mais fort tardive pour Diego, Nuria, la duègne, apparut pour suggérer aux jeunes filles de se retirer. C'était une femme d'une quarantaine d'années, à la colonne vertébrale droite, aux traits nobles, qu'enlaidissaient une expression dure et la terrible sévérité de sa toilette. Elle portait une robe noire avec un col amidonné et un capuchon de la même couleur noué sous le menton par un ruban de satin. Le frôlement de son jupon, le tintement de ses clés et le craquement de ses souliers annonçaient sa présence. Elle salua Diego d'une révérence presque imperceptible après l'avoir examiné de la tête aux pieds avec une expression réprobatrice.

« Que dois-je faire de celui qu'on appelle Bernardo, l'Indien des Amériques ? demanda-t-elle à Tomás de Romeu.

— Si c'était possible, monsieur, je souhaiterais que Bernar-do partage mon logement. En réalité, nous sommes comme des frères, intervint Diego.

— Bien sûr, jeune homme. Faites le nécessaire, Nuria », ordonna Romeu, quelque peu surpris.

Dès que Juliana s'en fut, Diego sentit la fatigue accumulée ; le dîner lui pesait sur l'estomac, mais il dut rester une heure de plus à écouter les opinions politiques de son hôte.

« Joseph Bonaparte est un homme éclairé et sincère, il suffit de dire qu'il parle castillan et assiste aux corridas, dit Romeu.

— Mais il a usurpé le trône du roi légitime de l'Espagne, allégua Diego.

— Le roi Charles IV a démontré qu'il était un indigne descendant de ses ancêtres. La reine est frivole et l'héritier, Ferdinand, un personnage inepte à qui même ses propres parents ne font pas confiance. Ils ne méritent pas de régner. Les Français ont par ailleurs apporté des idées modernes. Si l'on permettait à Joseph Iᵉʳ de régner au lieu de lui faire la guerre, ce pays sortirait de son retard. L'armée française est invincible, la nôtre au contraire est en ruine, il n'y a pas de chevaux, pas d'armes, pas de bottes, les soldats sont nourris de pain et d'eau.

— Cependant, le peuple espagnol résiste à l'occupation depuis deux ans, l'interrompit Diego.

— Des bandes de civils armés conduisent une folle guérilla. Elles sont excitées par des fanatiques ou des ecclésiastiques ignorants. La populace lutte aveuglément, elle n'a pas d'idées, elle n'a que des rancœurs.

— On m'a parlé de la cruauté des Français.

— On commet des atrocités des deux côtés, jeune de La Vega. Les guérilleros assassinent non seulement les Français, mais aussi les civils espagnols qui leur refusent leur aide. Les Catalans sont les pires, vous n'imaginez pas la cruauté dont ils sont capables. Le maître Francisco Goya a peint ces horreurs. Connaît-on son œuvre en Amérique ?

— Je ne crois pas, monsieur.

— Vous devez voir ses tableaux, don Diego, pour comprendre que dans cette guerre il n'y a pas de bons, uniquement des méchants », soupira Romeu, et il continua sur d'autres sujets, jusqu'à ce que les yeux de Diego se ferment.

*

Au cours des mois qui suivirent, Diego de La Vega eut un aperçu de l'instabilité et de la complexité de la situation en Espagne, et il comprit combien les nouvelles avaient de retard dans sa maison. Son père réduisait la politique au blanc et au

142

noir, parce qu'elle était ainsi en Californie, mais dans la confusion de l'Europe prédominaient les tons de gris. Dans sa première lettre, Diego raconta à son père son voyage et ses impressions de Barcelone et des Catalans, qu'il décrivit comme jaloux de leur liberté, explosifs de tempérament, susceptibles en matière d'honneur et aussi travailleurs que des mules de charge. Eux-mêmes cultivaient la réputation d'avares, dit-il, mais une fois en confiance ils étaient généreux. Il ajouta que rien ne les irrite davantage que les impôts, surtout lorsqu'il faut les payer aux Français. Il décrivit aussi la famille de Romeu, omettant son fol amour pour Juliana, qui aurait pu être interprété comme un abus de l'hospitalité qu'il recevait. Dans sa deuxième lettre, il essaya d'expliquer à son père les événements politiques, bien qu'il se doutât que lorsqu'il la recevrait, dans plusieurs mois, la situation aurait changé du tout au tout.

> *Votre Grâce : Je vais bien et j'apprends beaucoup, en particulier la philosophie et le latin au Collège d'Humanités. Vous aurez plaisir à apprendre que le maître Manuel Escalante m'a accueilli dans son Académie et qu'il m'accorde son amitié, un honneur immérité, cela va de soi. Permettez-moi de vous raconter un peu la situation que l'on vit ici. Votre très cher ami, don Tomás de Romeu, est un "francisé". Il y a d'autres libéraux comme lui, qui partagent les mêmes idées politiques, mais ils détestent les Français. Ils craignent que Napoléon fasse de l'Espagne un satellite de la France, ce que don Tomás de Romeu verrait apparemment d'un bon œil.*
> *Comme Votre Grâce me l'a ordonné, j'ai rendu visite à Son Excellence doña Eulalia de Callís. J'ai appris d'elle que la noblesse, comme l'Eglise catholique et le peuple, attend le retour du roi Ferdinand VII, qu'on appelle "Le Désiré", El Deseado. Le peuple, qui se méfie également des Français, des libéraux, des nobles et de tout changement, a l'intention d'expulser les envahisseurs et lutte avec ce qu'il a sous la main :*

des haches, des gourdins, des couteaux, des piques et des pioches.

Ces sujets l'intéressaient – on ne parlait de rien d'autre au Collège d'Humanités et dans la maison de Tomás de Romeu –, mais ils ne l'empêchaient pas de dormir. Il était occupé à mille affaires différentes, la plus importante d'entre elles étant la contemplation de Juliana. Dans cette maison immense, impossible à éclairer ou à chauffer, la famille n'utilisait que quelques-uns des salons de l'étage noble et une aile du premier étage. Bernardo surprit plus d'une fois Diego pendu comme une mouche au balcon pour épier Juliana alors qu'elle cousait avec Nuria ou apprenait ses leçons. Les jeunes filles avaient échappé au couvent, où l'on éduquait les filles des familles huppées, grâce à l'antipathie que leur père portait aux religieux. Tomás de Romeu disait que derrière les jalousies des couvents les pauvres demoiselles étaient la proie de sœurs malveillantes qui leur remplissaient la tête de démons, et de prêtres pervertis qui les tripotaient sous prétexte de les confesser. Il leur assigna un tuteur, un individu malingre au visage marqué par la vérole, qui défaillait en présence de Juliana et que Nuria surveillait de près, comme un faucon. Isabel assistait aux cours, bien que le maître l'ignorât au point de ne jamais se souvenir de son prénom.

Juliana avait avec Diego la relation qu'on a avec un frère cadet étourdi. Elle l'appelait par son prénom et le tutoyait, suivant l'exemple d'Isabel qui dès le début l'avait traité de manière intime et affectueuse. Bien plus tard, quand leur vie à tous se compliqua et qu'ils vécurent ensemble des jours difficiles, Nuria le tutoya aussi, parce qu'elle en vint à l'aimer comme un neveu, mais à cette époque elle lui disait encore don Diego, la formule familière ne s'employant qu'entre parents ou pour s'adresser à une personne d'un rang inférieur. Juliana passa des semaines sans soupçonner qu'elle avait brisé le cœur de Diego, pas plus qu'elle ne s'était aperçue

144

qu'elle avait brisé celui de son malheureux tuteur. Quand Isabel le lui fit remarquer, elle se mit à rire joyeusement; heureusement, il ne le sut que plusieurs années plus tard.

Il ne fallut que peu de temps à Diego pour comprendre que Tomás de Romeu n'était ni aussi noble ni aussi riche qu'il lui avait paru au début. La maison et ses terres avaient appartenu à sa défunte épouse, unique héritière d'une famille de bourgeois qui avaient fait fortune dans l'industrie de la soie. A la mort de son beau-père, Tomás s'était retrouvé à la tête de l'exploitation, mais n'avait pas le sens des affaires et son héritage s'amenuisait peu à peu. Démentant la réputation des Catalans, il savait dépenser l'argent avec élégance, mais ne savait pas le gagner. Année après année ses revenus avaient diminué, et à ce rythme il se verrait bientôt obligé de vendre sa maison et de descendre dans l'échelle sociale. Parmi les nombreux prétendants de Juliana se trouvait Rafael Moncada, un noble à l'immense fortune. Une alliance avec lui résoudrait les problèmes de Tomás de Romeu, mais nous devons dire à l'honneur de celui-ci que jamais il ne fit pression sur sa fille pour qu'elle acceptât Moncada. Diego estima que l'hacienda de son père en Californie valait plusieurs fois les propriétés de Tomás de Romeu et il se demanda si Juliana serait disposée à partir avec lui pour le Nouveau Monde. Il exposa la chose à Bernardo et celui-ci lui fit voir, dans sa langue personnelle, que s'il ne se pressait pas, un autre candidat plus âgé, plus beau et plus intéressant lui ravirait la demoiselle. Habitué aux sarcasmes de son frère, Diego ne se démoralisa pas, mais il décida de hâter au maximum son éducation. Il brûlait d'impatience d'acquérir la dignité d'un hidalgo accompli. Il se familiarisa avec le catalan, langue qui lui semblait très mélodieuse, allait au collège et se rendait chaque jour aux cours de l'Académie d'escrime pour l'instruction des nobles et des chevaliers de maître Manuel Escalante.

L'idée que Diego s'était faite du célèbre maître ne coïncidait en rien avec la réalité. Après avoir étudié le manuel écrit par Escalante jusqu'à l'ultime virgule, il l'imaginait comme Apollon, un concentré de vertus et de beauté virile. En réalité, c'était un petit homme désagréable, méticuleux, soigné, au visage ascétique, aux lèvres dédaigneuses et à la petite moustache gominée, pour qui l'escrime semblait être l'unique religion valable. Ses élèves étaient des nobles de pure souche, sauf Diego de La Vega, qu'il accepta non tant à cause de la recommandation de Tomás de Romeu que parce qu'il passa l'examen d'admission avec les honneurs.

« *En garde monsieur*[1] *!* », ordonna le maître.

Diego adopta la deuxième position : le pied droit à courte distance de l'autre, les pointes formant un angle droit, les genoux légèrement fléchis, le corps de profil et à plomb sur les hanches, regardant de face, les bras relâchés.

« Changement de garde en avant! A fond! Changement de garde en arrière! Ongles rentrés! Garde de troisième! Extension du bras! Coupé! »

Très vite le maître cessa de lui donner des instructions. Des feintes, ils passèrent rapidement aux attaques, aux bottes imparables, aux coups de taille et aux parades, comme une danse violente et macabre. Diego s'échauffa et se mit à se battre comme si sa vie était en jeu, avec une impétuosité proche de la colère. Pour la première fois depuis des années, Escalante sentit la sueur couler sur son front et tremper sa chemise. Il était satisfait et une ébauche de sourire se profilait sur ses lèvres fines. Jamais il ne prodiguait de compliments à personne, mais il fut impressionné par la rapidité, la précision et la force du jeune homme.

« Où dites-vous avoir appris l'escrime, monsieur? demanda-t-il après avoir croisé le fer avec lui pendant quelques minutes.

— Avec mon père, en Californie, maître.

---

1. En français dans le texte. *(N.d.T.)*

146

— En Californie ?

— Au nord du Mexique...

— Il n'est pas nécessaire de me l'expliquer, j'ai vu une carte, l'interrompit sèchement Manuel Escalante.

— Pardon, maître. J'ai étudié votre livre et pratiqué pendant des années..., balbutia Diego.

— C'est ce que je vois. Vous êtes un élève appliqué, semble-t-il. Il vous faut encore apprendre à contrôler votre impatience et acquérir de l'élégance. Vous avez le style d'un corsaire, mais cela peut se corriger. Première leçon : le calme. On ne doit jamais combattre avec colère. La fermeté et la stabilité de l'acier dépendent de l'égalité d'humeur de l'esprit. Ne l'oubliez pas. Je vous recevrai chaque matin du lundi au samedi à huit heures précises, si vous manquez une seule fois, il ne sera pas nécessaire de revenir. Bon après-midi, monsieur. »

Sur ce, il le renvoya. Diego dut se contrôler pour ne pas crier de joie, mais une fois dans la rue il bondissait autour de Bernardo, qui l'attendait à la porte avec les chevaux.

« Nous deviendrons les meilleurs spadassins du monde, Bernardo. Oui mon frère, tu m'as bien entendu, tu apprendras la même chose que moi. Je suis d'accord, le maître ne t'acceptera pas, il est très vétilleux. S'il apprenait que j'ai un quart de sang indien, il me sortirait en me giflant de son académie. Mais ne t'inquiète pas, je t'apprendrai tout ce que je saurai. Le maître dit que je manque de style. Qu'est-ce que ça peut bien être ? »

Manuel Escalante tint sa promesse de polir Diego et celui-ci tint la sienne de transmettre ses connaissances à Bernardo. Ils pratiquaient l'escrime chaque jour dans l'un des grands salons vides de la maison de Tomás de Romeu, presque toujours avec Isabel. D'après Nuria, cette fille avait une curiosité satanique pour les choses des hommes, mais elle couvrait ses polissonneries, car elle l'avait élevée depuis la mort de sa mère, à sa naissance. Isabel obtint de Diego et de

147

Bernardo qu'ils lui apprennent à manier le fleuret et à monter à cheval à califourchon, comme le faisaient les femmes en Californie. Avec le précis de maître Escalante, elle passait des heures à pratiquer seule face à un miroir, devant le regard patient de sa sœur et de Nuria, qui brodaient des tapisseries au point de croix. Diego se résigna à la compagnie de la gamine par intérêt : elle le persuada qu'elle pouvait intercéder en sa faveur auprès de Juliana, ce qu'elle ne fit jamais. Bernardo, au contraire, se montrait toujours ravi de sa présence.

Bernardo occupait une place incertaine dans la hiérarchie de la maison, où vivaient environ quatre-vingts personnes, entre domestiques, employés, secrétaires et proches, comme on qualifiait les parents pauvres que Tomás de Romeu abritait sous son toit. Il dormait dans l'une des trois pièces mises à la disposition de Diego, mais n'avait pas accès aux salons de la famille, à moins d'y être convoqué, et il prenait ses repas à la cuisine. Il n'avait pas de fonction déterminée et disposait de beaucoup de temps pour arpenter la ville. Il en vint à connaître à fond les différents visages de la bruyante Barcelone, depuis les demeures seigneuriales des nobles de Catalogne aux galetas surpeuplés grouillant de rats et de poux du bas peuple, où éclataient inévitablement rixes et épidémies ; du vieux quartier de la cathédrale, construit sur des ruines romaines, avec son labyrinthe de ruelles tortueuses où passait à peine un âne, aux marchés populaires, boutiques d'artisans, magasins de babioles des turcs et aux quais, toujours envahis par une foule bigarrée. Le dimanche, à la sortie de la messe, il errait près des églises pour admirer les groupes qui dansaient de délicates sardanes, lesquelles lui apparaissaient comme un reflet parfait de la solidarité, de l'ordre et de l'absence d'ostentation des Barcelonais. Comme Diego, il apprit le catalan, pour se tenir au courant de ce qui se passait autour de lui. On employait le castillan et le français pour le gouvernement et dans la haute société, le latin pour les affaires académiques et religieuses, le catalan pour tout le reste. Son silence et son air digne lui gagnèrent le respect des gens de la maison. La domesticité, qui l'appelait affectueusement « l'Indien », ne prit pas la peine de vérifier s'il était sourd ou non, pensa qu'il l'était, et parlait donc devant lui sans se méfier, ce qui lui permettait de savoir bien des choses. Tomás de Romeu fit toujours comme s'il ignorait son existence, les domestiques étant pour lui invisibles. Quant à Nuria, le fait qu'il fût indien l'intriguait, c'était le premier qu'elle voyait en face. Les premiers jours, croyant qu'il ne la comprenait pas, elle s'adressait à lui par des grimaces de singe et des gestes théâtraux, mais lorsqu'elle sut qu'il n'était pas sourd, elle se mit à lui parler. Et dès qu'elle apprit qu'il était baptisé elle se prit de sympathie pour lui. Jamais elle n'avait eu un auditeur aussi attentif. Assurée que Bernardo ne pouvait trahir ses confidences, elle prit l'habitude de lui raconter ses rêves, véritables épopées fantastiques, et de l'inviter à écouter les lectures à voix haute de Juliana à l'heure du chocolat. Pour sa part, Juliana s'adressait à lui avec la même douceur qu'elle prodiguait à tous. Si elle comprit qu'il n'était pas le domestique de Diego, mais son frère de lait, elle ne fit pas l'effort de communiquer avec lui, supposant qu'ils n'avaient pas grand-chose à se dire. En revanche, Bernardo devint le meilleur ami et allié d'Isabel. Elle apprit à interpréter le langage des signes des Indiens et les inflexions de sa flûte, mais elle ne put jamais participer aux dialogues télépathiques que celui-ci entretenait sans effort avec Diego. En tout cas, comme ils n'avaient pas besoin de mots, ils se comprenaient parfaitement. Ils en vinrent à s'aimer tellement qu'avec les années Isabel disputait à Diego la seconde place dans le cœur de Bernardo. Eclair-dans-la-Nuit occupa toujours la première place.

*

Au printemps, quand l'air de la ville sentait la mer et les fleurs, les orchestres d'étudiants sortaient enchanter la nuit avec de la musique, et les amoureux offraient des sérénades, surveillés à distance par les soldats français, car même cette innocente distraction pouvait cacher de sinistres projets de la guérilla. Diego répétait des chansons sur sa mandoline, mais comme ils vivaient dans la même maison, il eût été ridicule de s'installer sous la fenêtre de Juliana pour lui donner la sérénade. Il voulut l'accompagner dans les concerts de harpe après le dîner, mais elle était une véritable virtuose et il était quant à lui aussi mauvais sur son instrument qu'Isabel à son clavecin, si bien que les veillées donnaient la migraine aux auditeurs. Il dut se contenter de la distraire avec les tours de magie appris de Galileo Tempesta, amplifiés et perfectionnés par des mois de pratique. Le jour où il avala la dague marocaine de Galileo Tempesta, Juliana s'évanouit et faillit tomber par terre, tandis qu'Isabel examinait l'arme, cherchant le ressort qui cachait la lame dans le manche. Nuria avertit Diego que s'il tentait à nouveau pareil artifice de nécromancien en présence de ses fillettes, elle-même lui enfoncerait ce couteau de Turc dans la gorge. Au cours des premières semaines, elle avait déclaré une sourde guerre des nerfs à Diego, parce que d'une manière ou d'une autre elle avait appris qu'il était métis. Il lui parut un comble que son maître acceptât dans l'intimité de sa famille ce jeune homme qui n'était pas de sang pur et qui avait en outre le culot de tomber amoureux de Juliana. Cependant, dès que Diego le voulut, il conquit le cœur aride de la duègne grâce à ses petites attentions : du massepain, une enluminure de saints, une rose qui jaillissait comme par magie de son poing. Bien qu'elle continuât à lui répondre d'un ton revêche et sarcastique, elle ne pouvait s'empêcher de rire sous cape lorsque quelqu'une de ses clowneries avait l'heur de lui plaire.

Un soir, Diego eut la mauvaise surprise d'entendre Rafael Moncada donner une sérénade dans la rue, accompagné par un ensemble de plusieurs musiciens. Indigné, il constata que non seulement son rival possédait une voix caressante de ténor, mais qu'en plus il chantait en italien. Il essaya de le ridiculiser aux yeux de Juliana, mais sa stratégie n'eut pas de résultat, car pour la première fois elle parut émue par une avance de Moncada. Cet homme inspirait à la jeune fille des sentiments confus, un mélange de méfiance instinctive et de curiosité circonspecte. En sa présence elle se sentait affligée et nue, mais l'assurance qui émanait de lui l'attirait aussi. Elle n'aimait pas la moue de dédain ou de cruauté qu'elle surprenait parfois sur son visage, moue qui ne correspondait pas à la générosité avec laquelle il distribuait des pièces aux mendiants qui attendaient à la sortie de la messe. Quoi qu'il en soit, le galant avait vingt-trois ans, cela faisait des mois qu'il la courtisait et il faudrait bientôt lui donner une réponse. Moncada était riche, d'un lignage sans tache, et il faisait bonne impression sur tous, sauf sur sa sœur Isabel, qui le détestait sans dissimulaion ni explication. Il y avait de solides arguments en faveur de ce prétendant, seul la retenait un inexplicable pressentiment de malheur. Pendant ce temps, il poursuivait son siège avec délicatesse, craignant que la moindre sollicitation pressante ne l'effrayât. Ils se voyaient à l'église, à des concerts et des représentations théâtrales, dans des promenades, dans des parcs et dans la rue. Il lui faisait souvent parvenir des cadeaux et de tendres missives, mais rien de compromettant. Il n'avait pas obtenu de Tomás de Romeu qu'il l'invitât chez lui, ni de sa tante Eulalia de Callís qu'elle acceptât d'inclure les Romeu dans son cercle d'habitués. Avec sa fermeté coutumière, elle avait fait savoir que Juliana était un très mauvais choix. « Son père est un traître, un francisé, cette famille n'a ni rang ni fortune, rien à offrir », tel fut son jugement lapidaire. Mais Moncada avait des vues sur Juliana depuis longtemps, il l'avait vue s'épanouir et il avait décidé qu'elle était la seule femme digne de lui. Il pensait qu'avec le temps sa tante Eulalia céderait devant les inégalables vertus de la jeune fille, il s'agissait simplement de manœuvrer avec diplomatie. Il n'était pas disposé à renoncer à Juliana, pas plus qu'à son héritage, et jamais ne douta qu'il obtiendrait les deux.

Rafael Moncada n'avait pas l'âge des sérénades et il était trop orgueilleux pour ce genre d'exhibition, mais il trouva le moyen de le faire avec humour. Lorsque Juliana se présenta au balcon, elle le vit déguisé en prince florentin, vêtu de brocart et de soie, avec un jabot orné de peau de loutre, des plumes d'autruche au chapeau et un luth dans les mains. Plusieurs valets l'éclairaient avec d'élégantes lanternes de cristal et à ses côtés les musiciens, vêtus comme des pages d'opérette, tiraient des accords mélodieux de leurs instruments. Le clou du spectacle fut sans doute la voix extraordinaire de Moncada. Sachant que Juliana était sur son balcon, Diego supporta l'humiliation caché derrière un rideau, comparant ces parfaits triolets de Moncada à l'hésitante mandoline avec laquelle il tentait de l'impressionner. Il ruminait des malédictions à mi-voix lorsque Bernardo arriva, lui faisant signe de le suivre et de s'armer de son épée. Il le conduisit à l'étage des domestiques, où Diego n'avait pas encore mis les pieds, bien qu'il y eût près d'un an qu'il vivait dans cette maison, et de là dans la rue par une petite porte de service. Collés au mur, ils arrivèrent sans être vus, jusqu'à l'endroit où son rival s'était posté pour briller avec ses ballades en italien. Bernardo montra un porche derrière Moncada et Diego sentit alors sa fureur se transformer en satisfaction diabolique, parce que ce n'était pas son rival qui chantait, mais un autre homme caché dans l'ombre.

Diego et Bernardo attendirent la fin de la sérénade. Le groupe se dispersa, partant dans deux voitures, tandis que le dernier valet remettait quelques pièces au véritable ténor. Après s'être assuré que le chanteur était seul, les jeunes gens l'interceptèrent par surprise. L'inconnu poussa un sifflet de serpent et voulut mettre la main sur son couteau courbe, qu'il tenait prêt dans sa ceinture, mais Diego posa la pointe de son épée sur son cou. L'homme recula avec une surprenante agilité, mais Bernardo lui fit un croche-pied qui le jeta à terre. Un blasphème s'échappa de ses lèvres lorsqu'il sentit de nouveau la pointe d'acier de Diego lui piquer le cou. A cette heure, dans la rue, la lumière provenait d'une lune timide et des deux lanternes de la maison, suffisantes pour voir qu'il s'agissait d'un gitan brun et fort, tout en muscle, fibre et os.

« Que diable voulez-vous de moi ? leur lâcha-t-il insolent, avec une expression féroce.

— Ton nom, rien d'autre. Tu peux garder cet argent mal gagné, répliqua Diego.

— Pourquoi voulez-vous mon nom ?

— Ton nom ! exigea Diego, pressant l'épée jusqu'à lui arracher quelques gouttes de sang.

— Pelayo », dit le gitan.

Diego retira l'acier, l'homme fit un pas en arrière et disparut aussitôt dans les ombres de la rue, avec la discrétion et la rapidité d'un félin.

« Souvenons-nous de ce nom, Bernardo. Je crois que nous retrouverons un jour ce coquin. Je ne peux rien dire de cela à Juliana, car elle penserait que je le fais par mesquinerie ou par jalousie. Je dois trouver un autre moyen de lui révéler que cette voix n'est pas celle de Moncada. Tu as une idée ? Bon, quand tu en auras tu me le diras », conclut Diego.

*

L'un des visiteurs assidus de la maison de Tomás de Romeu était le chargé d'affaires de Napoléon à Barcelone, le sieur Roland Duchamp, connu comme le Chevalier. Il était l'éminence grise derrière l'autorité officielle, plus influent, disait-on, que le roi Joseph Ier en personne. Napoléon avait peu à peu retiré du pouvoir à son frère, parce qu'il n'en avait plus besoin pour perpétuer la dynastie Bonaparte : il avait à présent un fils, un enfant chétif surnommé L'Aiglon et accablé depuis son plus jeune âge du titre de roi de Rome. Le Chevalier était à la tête d'un vaste réseau d'espions, qui l'informait des plans de ses ennemis avant même que ceux-ci les eussent formulés. Il avait le rang d'ambassadeur, mais en réalité même les plus hauts gradés de l'armée lui rendaient des comptes. Sa vie dans cette ville, où l'on détestait les Français, n'avait rien d'agréable. La haute société faisait le vide autour de lui, bien qu'il flattât les familles aisées en leur offrant des bals, des réceptions et des pièces de théâtre, de même qu'il tâchait de gagner la populace à sa cause en distribuant du pain et en autorisant les corridas, qui auparavant avaient été interdites. Personne ne voulait apparaître comme francisé. Les nobles, comme Eulalia de Callís, n'osaient pas ne pas le saluer, mais ils n'acceptaient pas non plus ses invitations. Tomás de Romeu, en revanche, s'honorait de son amitié, parce qu'il admirait tout ce qui venait de France, de ses idées philosophiques et son raffinement jusqu'à Napoléon lui-même, qu'il comparait à Alexandre le Grand. Il savait que le Chevalier était en relation avec la police secrète, mais il n'accordait pas de crédit aux rumeurs selon lesquelles il était responsable de tortures et d'exécutions dans la Citadelle. Il lui paraissait impossible qu'une personne aussi raffinée et cultivée fût mêlée aux actes de barbarie qu'on attribuait aux militaires. Ils discutaient d'art, de livres, des nouvelles découvertes scientifiques, des progrès de l'astronomie ; ils commentaient la situation des colonies en Amérique, comme le Venezuela, le Chili et d'autres, qui avaient proclamé leur indépendance.

Tandis que les deux messieurs partageaient des heures agréables avec leurs verres de cognac français et leurs cigares cubains, Agnès Duchamp, la fille du Chevalier, se distrayait avec Juliana en lisant des romans français, à l'insu de Tomás de Romeu qui n'aurait jamais consenti à de telles lectures. Elles s'affligeaient à qui mieux mieux des amours contrariés des personnages et soupiraient de soulagement aux fins heureuses. Le romantisme n'était pas encore à la mode en Espagne et, avant l'apparition d'Agnès dans sa vie, Juliana n'avait accès qu'à certains auteurs classiques de la bibliothè-que familiale, choisis par son père selon des critères didacti-

154

ques. Isabel et Nuria assistaient aux lectures. La première se moquait, mais elle n'en perdait pas une miette, et Nuria pleurait à chaudes larmes. Elles lui avaient bien expliqué que rien de cela n'arrivait dans la réalité, que ce n'étaient que menteries de l'auteur, mais elle n'en croyait rien. Les malheurs des personnages en vinrent à la perturber à tel point que les jeunes filles modifiaient l'argument des romans pour ne pas lui rendre l'existence trop amère. La duègne ne savait pas lire, mais elle avait un respect sacré pour tout ce qui était imprimé. Avec son salaire, elle achetait quelques feuillets illustrés sur la vie de martyrs, véritables précis d'atrocités que les jeunes filles devaient lui lire maintes et maintes fois. Elle était certaine que tous étaient de malheureux compatriotes suppliciés par les Maures à Grenade. Il était inutile de lui expliquer que le Colisée romain se trouvait là où son nom l'indiquait, à Rome. Elle était également convaincue, en bonne Espagnole, que le Christ était mort sur la croix pour l'humanité en général, mais pour l'Espagne en particulier. Ce qu'elle pardonnait le moins à Napoléon et aux Français, c'était leur condition d'athées, raison pour laquelle elle aspergeait d'eau bénite, après chacune de ses visites, le fauteuil qu'avait occupé le Chevalier. Que son maître ne crût pas non plus en Dieu se devait, pour elle, à la mort prématurée de son épouse, la mère des fillettes. L'athéisme de don Tomás était passager, elle en avait la certitude; sur son lit de mort il retrouverait la raison et enverrait chercher un confesseur qui lui pardonnerait ses péchés, comme tous le faisaient au bout du compte, aussi athées qu'ils se déclarent lorsqu'ils étaient en bonne santé.

Agnès était menue, souriante et vive, avec une peau diaphane, un regard malicieux, des fossettes sur les joues, aux jointures et aux coudes. Les romans l'avaient mûrie avant l'heure et, à un âge où les autres filles ne sortaient pas de chez elles, elle menait la vie d'une femme adulte. Elle portait la mode la plus osée de Paris pour accompagner son père dans les manifestations sociales. Elle se rendait aux bals avec sa robe mouillée, afin que le tissu colle à son corps et que personne n'ignore ses hanches rondes et ses mamelons de vierge audacieuse. Dès leur première rencontre elle remarqua Diego, qui cette année-là laissa derrière lui les désagréments de l'adolescence et grandit d'un coup, tel un jeune poulain; il était aussi grand que Tomás de Romeu et, grâce au régime catalan et aux gâteries de Nuria, il avait pris du poids, ce dont il avait grand besoin. Ses traits prirent leur forme définitive et, sur le conseil d'Isabel, il portait les cheveux longs pour couvrir ses oreilles. Agnès ne le trouvait pas mal du tout, il était exotique, elle pouvait l'imaginer dans les territoires sauvages des Amériques, entouré d'Indiens nus et soumis. Elle ne se lassait pas de le questionner sur la Californie, qu'elle confondait avec une île mystérieuse et chaude, comme celle où était née l'ineffable Joséphine Bonaparte, qu'elle tentait d'imiter avec ses vêtements transparents et ses parfums de violette. Elle l'avait connue à Paris, à la cour de Napoléon, alors qu'elle n'était qu'une gamine de dix ans. Tandis que l'Empereur s'était absenté pour une quelconque guerre, Joséphine avait distingué le Chevalier Duchamp, lui portant une amitié quasi amoureuse. Agnès avait gardé gravée dans sa mémoire l'image de cette femme qui, sans être jeune ni belle, le paraissait par la manière onduleuse dont elle se déplaçait, par sa voix somnolente et son parfum éphémère. Il y avait de cela plus de quatre ans. Joséphine n'était plus l'impératrice de France, Napoléon l'ayant remplacée par une insipide princesse autrichienne dont la seule grâce, d'après Agnès, était d'avoir eu un fils. Que la fertilité est ordinaire! Lorsqu'elle apprit que Diego était l'unique héritier d'Alejandro de La Vega, maître d'une hacienda de la taille d'un petit pays, elle n'eut pas de peine à s'imaginer la châtelaine de ce fabuleux territoire. Elle attendit le moment opportun et lui murmura, derrière son éventail, d'aller lui rendre visite, afin qu'ils puissent s'entretenir en tête à tête, car dans la maison de Tomás de Romeu ils étaient toujours surveillés par Nuria; à Paris, personne n'avait de duègne, cette coutume était le comble du démodé, ajouta-t-elle. Pour sceller son invitation, elle lui remit un mouchoir de fil et de dentelle avec son nom brodé par les religieuses et parfumé à la violette. Diego ne sut que lui répondre. Pendant une semaine il tenta d'éveiller la jalousie de Juliana en lui parlant d'Agnès et en agitant le mouchoir sous son nez, mais il obtint un résultat contraire à celui qu'il cherchait, car la belle lui proposa aimablement de l'aider dans ses amours. En plus, Isabel et Nuria se moquèrent impitoyablement de lui, si bien qu'il finit par jeter le mouchoir à la poubelle. Bernardo le ramassa et le garda, fidèle à sa théorie que tout peut être utile dans le futur.

Diego rencontrait souvent Agnès Duchamp, la jeune fille étant devenue une visiteuse assidue de la maison. Elle était plus jeune que Juliana, mais elle la dépassait en vivacité et en expérience. Si les circonstances avaient été différentes, Agnès ne se serait pas abaissée à cultiver une amitié avec une fille aussi simple que Juliana, mais la position de son père lui avait fermé bien des portes et l'avait privée d'amies. Juliana avait en outre en sa faveur la réputation de sa beauté et, bien qu'au début Agnès évitât ce genre de rivalité, elle se rendit bientôt compte que le seul nom de Juliana de Romeu attirait l'intérêt des messieurs et que, par ricochet, elle en bénéficiait. Pour échapper aux insinuations sentimentales d'Agnès Duchamp, qui allaient augmenter en intensité et en fréquence, Diego tenta de modifier l'image que la jeune fille s'était faite de lui. Il n'était plus question de riche et brave éleveur galopant l'épée à la ceinture dans les vallées de la Californie; à la place, il inventait des lettres de son père annonçant, entre autres calamités, l'imminente ruine économique de la famille. Il ignorait combien ces fables seraient un jour proches de la vérité. Pour parachever le tout, il imitait les manières amènes et les pantalons ajustés du professeur de danse de Juliana et Isabel. Aux œillades romanesques d'Agnès il répondait par des minauderies et de subits maux de tête, au point que s'insinua bientôt chez la jeune fille le soupçon qu'il était un peu efféminé. Ce jeu de dissimulations collait parfaitement avec sa personnalité cabotine. « Pourquoi fais-tu l'idiot? » lui demanda plus d'une fois Isabel, qui dès le début l'avait traité avec une franchise proche de la brutalité. Juliana, absorbée comme elle l'était toujours par son monde romanesque, ne s'aperçut jamais de la façon dont Diego changeait en présence d'Agnès. Comparée à Isabel, pour qui les actes théâtraux de Diego étaient transparents, Juliana se montrait d'une affligeante innocence.

Tomás de Romeu prit l'habitude d'inviter Diego à boire un digestif avec le Chevalier après le dîner lorsqu'il se rendit compte que celui-ci s'intéressait à son jeune hôte. Le Chevalier posait des questions sur les activités des étudiants du Collège d'Humanités, sur les tendances politiques de la jeunesse, sur les rumeurs qui couraient dans la rue et parmi les domestiques, mais Diego connaissait sa réputation et surveillait ses réponses. S'il avait dit la vérité, il aurait pu en mettre plus d'un dans de beaux draps, surtout ses compagnons et professeurs, ennemis acharnés des Français, même si la plupart d'entre eux étaient favorables aux réformes que ceux-ci imposaient. Par précaution, il feignit devant le Chevalier les mêmes manières affectées et la cervelle d'oiseau qu'il adoptait vis-à-vis d'Agnès Duchamp, avec tant de succès que celui-ci finit par le considérer comme un freluquet sans envergure. Le Français avait du mal à comprendre l'intérêt de sa fille pour de La Vega. Selon lui, l'hypothétique fortune du jeune homme ne compensait pas son accablante frivolité. Le Chevalier était un homme de fer, il n'aurait pu, sinon, étrangler la Catalogne comme il le faisait, aussi se lassa-t-il bientôt des trivialités de Diego. Il cessa de l'interroger et faisait parfois en sa présence des commentaires qu'il aurait sans doute évités s'il avait eu meilleure opinion de lui.

« Hier, en venant de Gérone, j'ai vu des corps coupés en

morceaux pendus aux arbres ou embrochés sur des piques par les guérilleros. Un festin pour les vautours. Je n'ai pas réussi à me débarrasser de la puanteur, commenta le Chevalier.

— Comment savez-vous que ce fut l'œuvre de guérilleros et non de soldats français ? demanda Tomás de Romeu.

— Je suis bien informé, mon ami. En Catalogne, la guérilla est féroce. Dans cette ville passent des milliers d'armes de contrebande, il y a des arsenaux jusque dans les confessionnaux des églises. Les guérilleros coupent les routes de ravitaillement et la population a faim, parce que n'arrivent ni légumes ni pain.

— Qu'ils mangent donc des brioches, sourit Diego, en reprenant la célèbre phrase de la reine Marie-Antoinette, tout en mettant dans sa bouche un bonbon aux amandes.

— La situation est sérieuse, jeune homme, elle ne prête pas à plaisanteries, répliqua le Chevalier agacé. Dès demain il sera interdit de porter des lanternes la nuit, car ils s'en servent pour faire des signaux, de même que la cape, parce que dessous ils cachent des escopettes et des poignards. Savez-vous, messieurs, qu'il existe des plans pour infecter de la vérole les prostituées qui servent aux troupes françaises !

— Je vous en prie, Chevalier Duchamp ! s'exclama Diego d'un air scandalisé.

— Femmes et curés cachent des armes sous leur robe et emploient les enfants pour porter des messages et mettre le feu aux poudrières. Nous devrons raser l'hôpital parce qu'ils cachent des armes sous les couvertures de femmes soi-disant en couches. »

Une heure plus tard, Diego de La Vega s'était arrangé pour avertir le directeur de l'hôpital que les Français allaient arriver d'un moment à l'autre. Grâce aux informations que lui fournissait le Chevalier, il réussit à sauver plus d'un compagnon du Collège d'Humanités ou voisin en danger. D'un autre côté, il fit parvenir une note anonyme au Chevalier lorsqu'il apprit qu'on avait empoisonné le pain destiné à une caserne. Son intervention déjoua l'attentat, sauvant trente soldats ennemis. Diego n'était pas sûr de ses raisons ; il détestait toute forme de trahison et de perfidie et, de plus, avait le goût du jeu et du risque. Il éprouvait autant de répugnance pour les méthodes des guérilleros que pour celles des troupes d'occupation.

« Il est inutile de chercher la justice dans ce cas, Bernardo, parce qu'il n'y en a nulle part. Nous ne pouvons qu'éviter plus de violence. J'en ai assez de tant d'horreur, de tant d'atrocités. Il n'y a rien de noble ou de glorieux dans la guerre », commenta-t-il à son frère.

La guérilla harcelait sans trêve les Français et excitait le peuple. Des paysans, des fourniers, des maçons, des artisans, des commerçants, gens ordinaires pendant la journée, se battaient la nuit. La population civile les protégeait, leur fournissait des provisions, des renseignements, le courrier, des hôpitaux et des cimetières clandestins. La tenace résistance populaire usait les troupes d'occupation, mais elle ruinait également le pays, parce qu'à la devise espagnole : « La guerre et le glaive », les Français répondaient par la même cruauté.

*

Pour Diego, les leçons d'escrime constituaient l'activité la plus importante et jamais il n'arriva en retard à un cours, car il savait que le maître le renverrait pour toujours. A huit heures moins le quart il se présentait à la porte de l'académie, cinq minutes plus tard un domestique lui ouvrait, à huit heures tapantes il était devant son maître, le fleuret à la main. A la fin de la leçon, celui-ci avait l'habitude de l'inviter à rester quelques minutes de plus et ils conversaient sur la noblesse de l'art de l'escrime, l'honneur de porter l'épée, les gloires militaires de l'Espagne, l'impérieuse nécessité qu'a tout hidalgo de mettre un point d'honneur à se battre en duel pour défendre son nom, bien que les duels fussent interdits.

De ces thèmes ils dérivèrent vers d'autres plus profonds, et ce petit homme hautain, ayant l'apparence amidonnée et pointilleuse d'un petit-maître, susceptible jusqu'à l'absurde lorsqu'il s'agissait de son honneur et de sa dignité, révéla peu à peu l'autre aspect de son caractère. Manuel Escalante était le fils d'un commerçant, mais il avait échappé à un destin modeste, comme celui de ses frères, parce qu'il était un génie à l'épée. L'escrime éleva son rang, elle lui permit de s'inventer une nouvelle personnalité et de parcourir l'Europe en côtoyant des nobles et les chevaliers. Son obsession, ce n'était ni les estocades historiques ni les titres de noblesse, comme il semblait à première vue, mais la justice. Il devina que Diego partageait ce même souci, bien qu'étant trop jeune il ne sût encore le nommer. Alors il sentit qu'enfin sa vie avait un but élevé : guider ce jeune homme afin qu'il marche sur ses pas, en faire un paladin de causes justes. Il avait enseigné l'escrime à des centaines de fils de la noblesse, mais aucun n'avait prouvé être digne de cette distinction. Il leur manquait cette flamme incandescente qu'il reconnut tout de suite chez Diego, parce qu'il la possédait lui aussi. Il ne voulut pas se laisser emporter par l'enthousiasme initial, aussi décida-t-il de mieux le connaître et de le mettre à l'épreuve avant de lui faire part de ses secrets. Au cours de ces brèves conversations à l'heure du café, il le sonda. Diego, toujours prêt à s'ouvrir, lui raconta entre autres choses son enfance en Californie, l'espièglerie de l'ours avec le chapeau, l'attaque des pirates, le mutisme de Bernardo et cette fois où les soldats avaient brûlé le village des Indiens. Sa voix tremblait en se rappelant la manière dont ils avaient pendu le vieux chef de la tribu, fouetté les hommes avant de les emmener travailler pour les Blancs.

*

Au cours de l'une de ses visites de courtoisie au petit palais d'Eulalia de Callís, Diego tomba sur Rafael Moncada. Il se rendait de temps à autre chez la dame, sur la recommandation de ses parents plus que de son propre chef. La résidence se trouvait dans la rue Santa Eulalia, et au début Diego crut qu'on avait nommé la rue à cause de cette dame. Un an passa avant qu'il apprenne qui était la mythique Eulalia, sainte de prédilection de Barcelone, vierge martyrisée à qui, d'après la légende, on avait coupé les seins et qu'on avait fait rouler dans un tonneau rempli de morceaux de verre avant de la crucifier. La propriété de l'épouse de l'ancien gouverneur de Californie était l'un des joyaux architecturaux de la ville et son intérieur décoré avec un luxe excessif, qui choquait les sobres Catalans, pour qui l'ostentation était le signe incontestable du mauvais goût. Eulalia avait longtemps vécu au Mexique et elle s'était mise à apprécier la surcharge baroque. Sa cour privée se composait de plusieurs centaines de personnes qui vivaient essentiellement du cacao. Avant de mourir d'un malaise au Mexique, le mari de doña Eulalia avait établi un négoce aux Antilles, pour approvisionner les chocolateries d'Espagne, ce qui avait augmenté la fortune de la famille. Les titres d'Eulalia n'étaient ni très anciens ni très impressionnants, mais son argent compensait largement les quartiers de noblesse qui lui manquaient. Tandis que l'aristocratie perdait ses rentes, ses privilèges, ses terres et ses prébendes, elle continuait à s'enrichir grâce à l'inépuisable fleuve aromatique du chocolat, qui coulait directement d'Amérique dans ses coffres. En d'autres temps, les nobles d'un lignage plus ancien – ceux qui pouvaient accréditer du sang bleu antérieur à 1400 – auraient méprisé Eulalia, qui appartenait à la *plèbe nobiliaire*, mais la situation ne se prêtait plus aux minauderies aristocratiques. De nos jours, l'argent comptait plus que le lignage, et elle en avait beaucoup. D'autres propriétaires terriens se plaignaient de ce que leurs paysans refusaient de payer les impôts et les rentes, mais elle ne souffrait pas de ce problème, car elle disposait d'un groupe choisi de fiers-à-bras chargés d'encaisser. De plus, la majeure partie de ses revenus provenait de l'étranger. Eulalia finit par être l'un des personnages les plus illustres de la ville. Elle se déplaçait toujours, même pour aller à l'église, avec une suite de domestiques et de chiens dans plusieurs voitures. Ses serviteurs portaient des livrées bleu pâle et des chapeaux à panache qu'elle-même avait dessinés en s'inspirant d'œuvres d'opéra. Avec les années elle avait pris du poids et perdu de son excentricité : c'était une matrone endeuillée, gloutonne, entourée de curés, de bigotes et de chiens chihuahua, des animaux qui ressemblaient à des rats pelés et qui urinaient sur les rideaux. Sa splendide jeunesse était loin. Tout ce qui l'intéressait à présent se résumait à défendre son lignage, vendre du chocolat, s'assurer une place au paradis après sa mort et favoriser par tous les moyens à sa portée le retour de Ferdinand VII sur le trône d'Espagne. Elle détestait les réformes libérales.

Sur l'ordre de son père et par reconnaissance pour la façon dont elle s'était comportée avec Regina, sa mère, Diego de La Vega décida d'aller lui rendre visite régulièrement, bien que cette obligation lui pesât autant qu'un sacrifice. Il n'avait rien à dire à la veuve, hormis quatre phrases courtoises de rigueur, et il ne savait jamais dans quel ordre il fallait utiliser les cuillers et fourchettes de sa table. Il savait qu'Eulalia de Callís détestait Tomás de Romeu pour deux raisons de poids : d'abord à cause de sa condition de francisé, et ensuite parce que c'était le père de Juliana, dont Rafael Moncada, son neveu préféré et principal héritier, s'était malheureusement entiché. Eulalia avait vu Juliana à la messe et il lui fallait admettre qu'elle n'était pas laide, mais elle avait des projets beaucoup plus ambitieux pour son neveu. Discrètement, elle négociait une alliance avec l'une des filles du duc de Medinaceli. Le désir d'éviter que Rafael Moncada épousât Juliana était tout ce que Diego avait en commun avec cette dame.

Lors de sa quatrième visite au petit palais de doña Eulalia, plusieurs mois après l'incident de la sérénade sous la fenêtre de Juliana, Diego eut l'occasion de mieux connaître Rafael

Moncada. Il lui était arrivé de le rencontrer dans des manifestations sociales et sportives, mais ils ne faisaient que se saluer. Moncada considérait Diego comme un jeune garçon sans intérêt, dont la seule grâce consistait à vivre sous le même toit que Juliana de Romeu. Il n'y avait pas d'autre raison de le distinguer sur le dessin du tapis. Ce soir-là, Diego fut surpris de voir que la demeure de doña Eulalia était tout illuminée et que des douzaines de carrosses s'alignaient dans les cours. Jusqu'alors, elle ne l'avait invité qu'à des réunions d'artistes et à un dîner intime, où elle l'avait interrogé sur Regina. Diego pensait qu'elle avait honte de lui, non parce qu'il venait des colonies, mais parce qu'il était métis. Eulalia avait très bien traité sa mère en Californie, bien que Regina tînt plus de l'Indienne que de la Blanche, mais depuis qu'elle vivait en Espagne, elle avait été gagnée par le mépris pour les gens du Nouveau Monde. On se disait que, à cause du climat et du mélange avec les indigènes, les créoles avaient une prédisposition naturelle pour la barbarie et la perversion. Avant de le présenter à ses amis triés sur le volet, Eulalia avait voulu avoir de lui une idée précise. Elle ne voulait pas aller vers une déception, c'est pourquoi elle s'assura qu'il était blanc de peau, bien vêtu, et qu'il avait de bonnes manières.

Cette fois, Diego fut conduit dans un salon splendide, où était réunie la fine fleur de la noblesse catalane présidée par la matrone toujours vêtue de velours noir, en deuil perpétuel de Pedro Fages et croulant sous les diamants, installée dans un fauteuil d'évêque surmonté d'un dais. D'autres veuves s'enterraient vivantes sous un voile obscur qui les couvrait depuis la coiffe jusqu'aux coudes, mais ce n'était pas son cas. Eulalia déployait ses bijoux sur une opulente poitrine de poule bien nourrie. Le décolleté laissait entrevoir la naissance de seins énormes et morbides, semblables à des melons de plein été, dont Diego n'arrivait pas à détacher les yeux, l'éclat des diamants et l'abondance de chair lui donnant la nausée. La dame lui tendit une main grassouillette qu'il baisa, comme il le devait; elle lui demanda des nouvelles de ses parents et, sans attendre la réponse, le renvoya d'un geste vague.

La plupart des chevaliers parlaient politique et affaires dans des salons à part, tandis que les jeunes couples dansaient au son de l'orchestre, surveillés par les mères des jeunes filles. Dans l'une des salles il y avait plusieurs tables de jeu, le divertissement le plus couru des cours européennes, où n'existaient pas d'autres façons de tuer l'ennui, avec l'intrigue, la chasse et les amours fugaces. On pariait des fortunes et les joueurs professionnels voyageaient de palais en palais pour rouler les nobles oisifs qui, s'ils ne trouvaient pas de membres de leur classe pour perdre de l'argent, le faisaient en compagnie de mauvais sujets dans des tripots et des galetas dont existaient des centaines à Barcelone. A l'une des tables, Diego vit Rafael Moncada jouer au vingt et un royal avec d'autres messieurs. L'un d'eux était le comte Orloff. Diego le reconnut immédiatement, à son port magnifique et ces yeux bleus qui avaient enflammé l'imagination de tant de femmes lors de sa visite à Los Angeles, mais il ne s'attendait pas à ce que le noble russe le reconnût. Il l'avait vu une seule fois, lorsqu'il était gamin. « De La Vega! » s'exclama Orloff et, se levant, il l'embrassa avec effusion. Surpris, Rafael Moncada leva les yeux de ses cartes et, pour la première fois, il prit pleinement conscience de l'existence de Diego. Il le toisa de haut en bas tandis que l'élégant comte racontait à voix haute comment ce jeune homme avait chassé plusieurs ours alors qu'il n'était qu'un petit vaurien de quelques années. Cette fois, Alejandro de La Vega n'était pas là pour corriger sa version épique. Les hommes applaudirent aimablement et retournèrent aussitôt à leurs cartes. Diego se plaça près de la table pour observer les détails de la partie, sans oser demander la permission d'y participer, bien qu'ils fussent des joueurs médiocres, parce qu'il ne disposait pas des sommes qui se jouaient là. Son père lui envoyait régulièrement de l'argent, mais il n'était pas généreux, considérant que les privations trempaient le caractère. Diego n'eut besoin que de cinq minutes pour se rendre compte que Rafael Moncada trichait, car lui-même savait parfaitement le faire, et cinq autres minutes pour décider que s'il ne pouvait le dénoncer sans soulever un scandale, que doña Eulalia ne lui pardonnerait pas, il pouvait au moins l'en empêcher. La tentation d'humilier son rival fut irrésistible. Il se plaça à côté de Moncada et l'observa avec une telle fixité que celui-ci finit par en être incommodé.

« Pourquoi n'allez-vous pas danser dans l'autre salon avec les belles jeunes filles? demanda Moncada, sans dissimuler son insolence.

— Votre manière très particulière de jouer m'intéresse au plus haut point, Excellence, sans doute apprendrai-je beau-coup de vous », répliqua Diego en souriant avec tout autant d'insolence.

Le comte Orloff capta immédiatement l'intention de ces mots et, fixant les yeux sur Moncada, il lui fit savoir, sur un ton aussi glacé que les steppes de son pays, que sa chance aux cartes était véritablement prodigieuse. Rafael Moncada ne répondit pas, mais à partir de ce moment il ne put continuer à tricher, parce que les autres joueurs l'observaient avec une attention évidente. Au cours de l'heure qui suivit, Diego ne le quitta pas, le surveillant jusqu'à ce que la partie fût terminée. Le comte Orloff salua en claquant des talons et se retira avec une petite fortune dans sa bourse, disposé à passer le reste de la nuit à danser. Il savait fort bien qu'il ne se trouvait pas une seule femme dans la fête qui n'eût remarqué son port altier, ses yeux de saphir et son spectaculaire uniforme impérial.

C'était l'une de ces nuits plombées de Barcelone, froides et humides. Bernardo attendait Diego dans la cour, partageant sa gourde de vin et son fromage sec avec Joanet, l'un des nombreux laquais qui surveillaient les voitures. Tous deux se réchauffaient en tapant leurs pieds sur les pavés. Joanet, incorrigible bavard, avait enfin trouvé quelqu'un qui l'écoutât sans l'interrompre. Il se présenta comme le domestique de

Rafael Moncada – ce que Bernardo savait déjà, raison pour laquelle il l'avait abordé – et se mit à raconter une histoire sans fin pleine de blagues, dont Bernardo classait et gardait les détails dans sa mémoire. Il avait constaté que toute information, même la plus triviale, peut servir à un moment ou un autre. Sur ce, Rafael Moncada sortit de très mauvaise humeur et demanda son carrosse.

« Je t'ai interdit de parler avec d'autres domestiques! criat-il à Joanet.

— Celui-ci n'est qu'un Indien des Amériques, Excellence, le domestique de Diego de La Vega. »

Dans un élan de revanche contre Diego, qui l'avait mis dans l'embarras à la table de jeu, Rafael Moncada revint sur ses pas, leva son bâton et en frappa le dos de Bernardo qui tomba à genoux, plus surpris qu'autre chose. Encore à terre, Bernardo l'entendit ordonner à Joanet d'aller chercher Pelayo. Moncada ne parvint pas à s'installer dans son carrosse, parce que Diego était apparu dans la cour juste à temps pour voir ce qui se passait. Il écarta le laquais, saisit la portière du carrosse et affronta Moncada.

« Que voulez-vous? demanda celui-ci, déconcerté.

— Vous avez frappé Bernardo! s'exclama Diego, livide.

— Qui donc? Vous voulez parler de cet Indien? Il m'a manqué de respect, il a élevé la voix contre moi.

— Bernardo ne peut élever la voix, pas même contre le diable, car il est muet. Vous lui devez des excuses, monsieur, exigea Diego.

— Vous avez perdu la raison! cria l'autre, incrédule.

— En frappant Bernardo, vous m'avez injurié. Vous devez vous rétracter ou vous recevrez la visite de mes parrains », répliqua Diego.

Rafael Moncada éclata d'un rire joyeux. Il ne pouvait croire que ce créole sans éducation ni classe fût prêt à se battre contre lui. Il ferma d'un coup la portière et ordonna au cocher de partir. Bernardo prit Diego par le bras et l'arrêta

167

net, le suppliant du regard de se calmer, ça ne valait pas la peine de faire tant de tapage, mais Diego était hors de lui, tremblant d'indignation. Il se libéra de son frère, enfourcha son cheval et se dirigea au galop vers la résidence de Manuel Escalante.

*

Malgré l'heure tardive, Diego frappa à la porte de Manuel Escalante avec son bâton jusqu'à ce que le vieux domestique qui servait le café après la leçon vînt lui ouvrir. Il le conduisit au premier étage, où il dut attendre une demi-heure avant que le maître fît son apparition. Escalante était au lit depuis un moment, mais il se présenta aussi soigné que d'habitude, portant une veste d'intérieur et la moustache gominée. Diego lui raconta précipitamment ce qui était arrivé et il le pria de lui servir de parrain. Il disposait de vingt-quatre heures pour formaliser le duel, et les démarches devaient être conduites avec discrétion, à l'insu des autorités, car on le punissait à l'instar de n'importe quel homicide. Seule l'aristocratie pouvait se battre sans conséquences, parce que ses crimes bénéficiaient d'une certaine impunité, qu'il n'avait pas.

« Le duel est une affaire sérieuse, qui concerne l'honneur des gentilshommes. Il a une étiquette et des normes très strictes. Un chevalier ne se bat pas en duel pour un domestique, dit Manuel Escalante.

— Bernardo est mon frère, maître, ce n'est pas mon domestique. Mais même s'il l'était, il n'est pas juste que Moncada maltraite une personne sans défense.

— Ce n'est pas juste dites-vous? Pensez-vous vraiment que la vie soit juste, monsieur de La Vega.

— Non, maître, mais j'ai l'intention de faire ce qui est en mon pouvoir pour qu'elle le soit », répliqua Diego.

La procédure fut plus complexe que Diego ne le supposait. D'abord, Manuel Escalante lui fit rédiger une lettre réclamant des explications, qu'il porta personnellement chez l'offenseur. A partir de ce moment, le maître s'entendit avec les parrains de Moncada, qui firent leur possible pour éviter le duel, comme il était de leur devoir, mais aucun des adversaires ne voulut se rétracter. En plus des parrains des deux côtés, il fallait un médecin discret et deux témoins impartiaux, de sang-froid et connaissant les règles, que Manuel Escalante se chargea de trouver.

« Quel âge avez-vous, don Diego? demanda le maître.

— Presque dix-sept ans.

— Dans ce cas, vous n'avez pas l'âge requis pour vous battre.

— Maître, je vous en supplie, ne faisons pas une montagne de ce petit grain de sable. Qu'importent quelques mois de plus ou de moins? Mon honneur est en jeu, et cela n'a pas d'âge.

— Bien, mais don Tomás de Romeu doit en être informé, sinon ce serait une offense, étant donné qu'il vous a accordé sa confiance et son hospitalité. »

C'est ainsi que Romeu fut désigné comme second parrain de Diego. Il fit son possible pour le dissuader, parce que si le dénouement était fatal pour le jeune homme il ne saurait comment l'expliquer à Alejandro de La Vega, mais il n'y parvint pas. Il avait assisté à deux ou trois cours d'escrime de Diego à l'académie d'Escalante et il avait confiance en l'habileté du garçon, mais il perdit sa tranquillité quand les parrains de Moncada leur notifièrent que celui-ci s'était récemment tordu la cheville et qu'il ne pourrait se battre à l'épée. Ce serait un duel au pistolet.

Ils se donnèrent rendez-vous dans la forêt de Montjuic à cinq heures du matin; le couvre-feu était alors levé, il y avait un peu de lumière et on pouvait circuler dans la ville. Une brume ténue se détachait de la terre et la délicate lumière de l'aube filtrait entre les arbres. Le paysage était si paisible que ce combat s'en trouvait encore plus grotesque, mais aucun de ceux qui étaient présents, sauf Bernardo, n'en prit conscience.

Dans sa condition de domestique, l'Indien se tenait à une certaine distance, sans participer au rituel strict. Selon le protocole, les adversaires se saluèrent, puis les témoins leur palpèrent le corps pour s'assurer qu'ils ne portaient pas de protection contre les balles. Ils tirèrent au sort pour savoir lequel aurait le soleil en face et Diego perdit, mais il pensa que son excellente vue suffirait à compenser ce désavantage. Etant l'offensé, Diego put choisir les pistolets et il opta pour ceux qu'Eulalia de Callís avait envoyés à son père en Californie bien des années auparavant, nettoyés et fraîchement graissés pour la circonstance. Il sourit devant l'ironie que ce fût justement le neveu d'Eulalia le premier à les utiliser. Les témoins et les parrains révisèrent les armes et ils les chargèrent. Ils étaient convenus que ce ne serait pas un duel au premier sang versé ; les deux combattants auraient le droit de tirer à tour de rôle, même s'ils étaient blessés, à condition que le médecin les y autorisât. Moncada choisit le premier son pistolet, parce que les armes ne lui appartenaient pas, puis on tira de nouveau au sort pour décider qui tirerait le premier – également Moncada – et on mesura les quinze pas de distance qui devaient séparer les adversaires.

Enfin, Rafael Moncada et Diego de La Vega se firent face. Ce n'étaient pas des lâches, mais ils étaient pâles, leurs chemises trempées d'une sueur glacée. Diego était arrivé à ce point par colère et Moncada par orgueil, il était trop tard pour envisager la possibilité de reculer. Ils comprirent à ce moment qu'ils allaient jouer leur vie sans être sûrs de la cause. Comme Bernardo l'avait montré à Diego, le motif du duel n'était pas le coup de bâton que Moncada lui avait administré, mais Juliana, et bien que Diego le niât avec emphase, il savait au fond qu'il avait raison. Une voiture fermée attendait à deux cents aunes, pour emporter avec le plus de discrétion possible le cadavre du perdant. Diego ne pensa ni à ses parents ni à Juliana. A l'instant où il se mettait en position, le corps de profil pour présenter le moins de surface à son adversaire, l'image de Chouette-Blanche vint à son esprit avec une telle netteté qu'il la vit au côté de Bernardo. Son étrange grand-mère était debout, dans la même attitude et vêtue de la même cape en peau de lapin avec lesquelles elle leur avait fait ses adieux lorsqu'ils avaient quitté la Californie. Chouette-Blanche leva son bâton de chamane d'un geste hautain, qu'il lui avait vu faire bien des fois, et elle le secoua en l'air avec fermeté. Alors il se sentit invulnérable, sa peur disparut comme par enchantement et il put regarder Moncada en face.

L'un des témoins, nommé directeur du combat, frappa une fois dans ses mains pour qu'ils se tiennent prêts. Diego respira profondément et affronta sans sourciller le pistolet de l'autre, qui se levait en position de tir. Les mains du directeur frappèrent deux fois pour viser. Diego sourit à Bernardo et à sa grand-mère, se préparant pour le coup de feu. Les mains frappèrent trois fois et Diego vit l'éclair, il entendit l'explosion de poudre et sentit simultanément une cuisante douleur au bras gauche.

Le jeune homme tituba et pendant un long moment il sembla qu'il allait s'écrouler, tandis que la manche de sa chemise était inondée de sang. Dans ce petit matin brumeux, une subtile aquarelle où s'estompaient les contours des arbres et des hommes, la tache rouge brillait comme de la laque. Le directeur indiqua à Diego qu'il ne disposait que d'une minute pour répondre au tir de son adversaire. Il acquiesça de la tête et se plaça en position pour tirer de la main droite, tandis que le sang s'égouttait de la gauche qui pendait, inerte. En face, Moncada, altéré, tremblant, se tourna de profil, les yeux fermés. Le directeur frappa une fois dans ses mains et Diego leva son arme; deux, il visa; trois. A quinze pas de distance Rafael Moncada entendit le coup de feu et son corps reçut l'impact d'un coup de canon. Il tomba à genoux par terre et plusieurs secondes s'écoulèrent avant qu'il se rende compte qu'il était indemne; Diego avait tiré au sol. Alors il vomit, tremblant comme s'il avait de la fièvre. Ses parrains, honteux,

171

s'approchèrent pour l'aider à se relever et lui enjoindre à voix basse de se ressaisir.

Pendant ce temps, Bernardo et Manuel Escalante aidaient le médecin à déchirer le tissu de la chemise de Diego, qui était toujours debout et apparemment calme. La balle avait effleuré la partie extérieure du bras sans toucher l'os et sans trop abîmer le muscle. Le médecin lui appliqua un pansement et le banda, pour étancher le sang en attendant de pouvoir le nettoyer et le recoudre commodément plus tard. Comme le requérait l'étiquette du duel, les adversaires se serrèrent la main. Ils avaient lavé leur honneur, il n'y avait plus d'offenses à venger.

« Je remercie le ciel que votre blessure soit légère, monsieur, dit Rafael Moncada, ayant retrouvé la parfaite maîtrise de ses nerfs. Et je vous prie d'accepter mes excuses pour avoir frappé votre domestique.

— Je les accepte, monsieur, et je vous rappelle que Bernardo est mon frère », répondit Diego.

Bernardo le soutint par le bras sain et le porta presque jusqu'à la voiture. Plus tard, Tomás de Romeu lui demanda pourquoi il avait défié Moncada s'il n'avait pas l'intention de lui tirer dessus. Diego lui répondit qu'il n'avait jamais voulu charger sa mémoire d'un mort, ce qui l'empêcherait de dormir, qu'il voulait seulement l'humilier.

*

Ils convinrent de ne rien dire du duel à Juliana et Isabel, c'était une affaire entre hommes et il ne fallait pas offenser la sensibilité féminine, mais aucune des deux jeunes filles ne crut la version selon laquelle Diego était tombé de cheval. Isabel asticota tellement Bernardo que celui-ci finit par lui raconter ce qui s'était passé à l'aide de quelques signes. « Je n'ai jamais compris cette histoire d'honneur masculin. Il faut être vraiment stupide pour risquer sa vie à cause d'une bagatelle », commenta la gamine, mais elle était impressionnée, d'après ce que put constater Bernardo, car elle se mit à loucher comme elle le faisait toujours sous le coup d'une émotion. A partir de ce moment, Juliana, Isabel et même Nuria se disputèrent le privilège de porter son repas à Diego. Le médecin lui avait ordonné quelques jours de repos pour éviter les complications. Ce furent les quatre jours les plus heureux de la vie du jeune homme ; il se serait battu de bon cœur en duel une fois par semaine pour retenir l'attention de Juliana. Sa chambre se remplissait d'une lumière surnaturelle dès qu'elle y entrait. Il l'attendait dans une élégante robe de chambre, appuyé dans un fauteuil, un livre de sonnets sur les genoux, feignant de lire, alors qu'en réalité il avait compté les minutes de son absence. Dans ces occasions, son bras le faisait tellement souffrir que Juliana devait lui donner la soupe à la cuiller, lui tamponner le front avec de l'eau de fleurs d'oranger et le distraire pendant des heures avec la harpe, des lectures et des parties de jeu de dames.

Distrait par la blessure de Diego, qui sans être grave devait être surveillée, Bernardo oublia qu'il avait entendu Rafael Moncada nommer Pelayo, jusqu'à ce qu'il apprenne quelques jours plus tard, de la bouche des domestiques, que le comte Orloff avait été attaqué la nuit même de la fête chez Eulalia de Callís. L'aristocrate russe était resté au petit palais jusqu'à fort tard, puis il avait pris son carrosse pour rentrer à la résidence qu'il avait louée pour son bref séjour dans la ville. Pendant le trajet, un groupe de bandits armés d'escopettes avait intercepté la voiture dans une ruelle, réduit sans problèmes les quatre laquais et, après avoir étourdi le comte d'un terrible coup, lui avait subtilisé sa bourse, les bijoux et la cape en peau de chinchilla qu'il portait. On attribua l'attaque à la guérilla, bien que cette manière d'opérer n'eût pas été la sienne jusqu'alors. Le commentaire général fut qu'il n'y avait plus le moindre soupçon d'ordre à Barcelone. A quoi servait-il d'avoir un sauf-conduit pour le couvre-feu si les honnêtes gens ne pouvaient circuler dans les rues? C'était un comble que les Français ne soient pas capables d'assurer un minimum de sécurité! Bernardo fit savoir à Diego que la bourse volée contenait l'or que le comte Orloff avait gagné à Rafael Moncada à la table de jeu.

« Tu es certain d'avoir entendu Moncada nommer Pelayo? Je sais ce que tu penses, Bernardo. Tu penses que Moncada est mêlé à l'attaque du comte. C'est une accusation trop sérieuse, ne crois-tu pas? Nous n'avons pas de preuves, mais je t'accorde que la coïncidence est troublante. Même si Moncada n'a rien à voir avec cette affaire, de toute façon c'est un tricheur. Je ne voudrais pas le voir auprès de Juliana, mais je ne sais comment l'empêcher », commenta Diego.

*

En mars 1812, dans la ville de Cadix, les Espagnols approuvèrent une constitution libérale fondée sur les principes de la Révolution française, à la différence qu'elle proclamait le catholicisme religion officielle du pays et interdisait l'exercice de toutes les autres. Comme le dit Tomás de Romeu, il n'y avait pas de raison de tant lutter contre Napoléon si, au bout du compte, ils étaient d'accord sur l'essentiel. « Elle restera lettre morte, car l'Espagne n'est pas prête pour des idées éclairées », fut l'opinion du Chevalier, et il ajouta d'un geste d'impatience qu'il manquait cinquante ans à l'Espagne pour entrer dans le dix-neuvième siècle.

Tandis que Diego passait de longues heures à étudier dans les salles vétustes du Collège d'Humanités, à pratiquer l'escrime et à inventer de nouveaux tours de magie pour séduire l'inébranlable Juliana, qui dès qu'il fut guéri de sa blessure se remit à le traiter comme un frère, Bernardo parcourait Barcelone en traînant les lourdes bottes du père Mendoza, auxquelles il ne parvint jamais à s'habituer. Il portait toujours, pendue à son cou, la bourse magique conte-

174

nant la tresse noire d'Eclair-dans-la-Nuit qui, ayant pris la chaleur et la couleur de sa peau, faisait partie de son propre corps, était un appendice de son cœur. Le mutisme qu'il s'était imposé avait affiné ses autres sens, il pouvait se guider par l'odorat et l'ouïe. Il était d'un naturel solitaire et sa qualité d'étranger le rendait encore plus seul, mais cela ne lui déplaisait pas. La foule ne l'oppressait pas, parce qu'il trouvait toujours, au milieu du tapage, un endroit tranquille pour son âme. Il regrettait les grands espaces où il avait vécu autrefois, mais il aimait aussi cette ville patinée par les siècles, avec ses rues étroites, ses édifices en pierre, ses églises obscures qui lui rappelaient la foi du père Mendoza. Il préférait le quartier du port, où il pouvait regarder la mer et entrer en communication avec les dauphins d'eaux lointaines. Il se promenait sans but, silencieux, invisible, mêlé aux gens, prenant le pouls de Barcelone et du pays. C'est au cours de l'une de ces excursions vagabondes qu'il revit Pelayo.

Une gitane s'était postée à l'entrée d'une taverne, sale et belle, proposant aux passants de leur révéler leur destin, qu'elle pouvait lire dans les cartes ou dans les lignes de leurs mains, comme elle le proclamait dans un castillan embrouillé. Quelques instants plus tôt, elle avait prédit à un marin ivre, pour le consoler, qu'un trésor l'attendait sur une plage lointaine, alors qu'en réalité elle avait vu la croix de la mort dans sa paume. Quelques mètres plus loin, l'homme s'aperçut que la bourse qui contenait son argent avait disparu et il en déduisit que la gitane la lui avait volée. Il retourna sur ses pas, prêt à récupérer son bien. Il avait le regard cendré et il écumait comme un chien enragé lorsqu'il saisit la voleuse supposée par les cheveux et se mit à la secouer. En entendant ses hurlements et ses malédictions, les clients de la taverne sortirent et se mirent à l'exciter par des sifflements endiablés, car si quelque chose unissait tout le monde, c'était la haine aveugle qu'ils portaient aux Bohémiens, et de plus, en ces années de guerre, le moindre prétexte suffisait à la populace pour commettre des actes de violence. On les accusait de tous les vices que connaît l'humanité, y compris celui de voler des enfants espagnols pour les vendre en Égypte. Les grands-parents se souvenaient des fêtes populaires animées au cours desquelles l'Inquisition brûlait pareillement hérétiques, sorcières et gitans. A l'instant où le marin ouvrait son couteau pour marquer le visage de la femme, Bernardo intervint et d'une poussée de mule le projeta au sol, où il resta à gigoter dans les tenaces vapeurs de l'alcool. Avant que l'assistance ne réagît, Bernardo prit la gitane par la main et tous deux couru-rent se perdre au bas de la rue. Ils ne s'arrêtèrent que dans le quartier de la Barceloneta, où ils étaient plus ou moins à l'abri de la foule enragée. Là, Bernardo la lâcha et fit mine de s'éloigner, mais elle insista pour qu'il la suive sur la distance de plusieurs pâtés de maisons, jusqu'à une roulotte peinturlu-rée d'arabesques et de signes du zodiaque, attelée à un triste percheron aux larges pattes, qui attendait dans une ruelle latérale. A l'intérieur, ce véhicule, rendu branlant par l'usage, était une caverne de Turc remplie d'objets étranges, de fichus de couleurs, de clochettes, et un musée d'almanachs et d'images religieuses collés jusqu'au plafond. Tout cela exhalait un mélange de patchouli et de chiffons sales. Un matelas couvert de prétentieux coussins de brocart déteint constituait le mobilier. D'une grimace elle fit signe à Bernardo de s'installer et aussitôt elle s'assit en face de lui, les jambes ramassées sous elle, l'observant de son regard dur. Elle sortit un flacon de liqueur, but une gorgée et le lui tendit, encore agitée par la course. Elle avait la peau brune, le corps musclé, les yeux sauvages et les cheveux teints au henné. Elle était nu-pieds et vêtue de deux ou trois longues jupes à volants, d'une chemisette défraîchie, d'un court gilet attaché devant par des lacets croisés, d'un châle avec des franges sur les épaules et d'un foulard noué sur la tête, signe des femmes mariées de sa tribu, bien qu'elle fût veuve. A ses poignets tintinnabulaient une douzaine de bracelets, à ses chevilles plusieurs clochettes d'argent et, sur le front, des pièces d'or cousues au foulard.

Chez les *gadje*, c'est-à-dire ceux qui n'étaient pas des gitans, elle utilisait le prénom d'Amalia. A sa naissance, elle avait reçu un autre nom de sa mère, qu'elle seule connaissait et dont le but était d'égarer les mauvais esprits, en gardant secrète la véritable identité de la fillette. Elle avait également un troisième nom, qu'utilisaient les membres de sa tribu. Ramón, l'homme de sa vie, avait été assassiné à coups de bâton par des paysans, sur le marché de Lérida, accusé d'avoir volé des poules. Elle l'avait aimé depuis sa plus tendre enfance. Leurs familles avaient décidé le mariage alors qu'elle n'avait que onze ans. Ses beaux-parents avaient payé un prix élevé pour elle, parce qu'elle était en bonne santé et avait du caractère, qu'elle était bien entraînée aux travaux domestiques et qu'en plus c'était une véritable *drabardi*, née avec le don naturel de deviner le sort et de soigner par des incantations et des plantes. A cet âge, on aurait dit un chat efflanqué, mais la beauté n'entrait pas en ligne de compte dans le choix d'une épouse. Son mari eut une agréable surprise lorsque ce tas d'os se transforma en une femme pleine de charme, mais quand il apprit qu'Amalia ne pourrait pas avoir d'enfants, ce fut une grave déception. Son peuple considérait les enfants comme une bénédiction, un ventre sec était motif de divorce, mais Ramón l'aimait trop. La mort de son mari l'avait plongée dans un long deuil, dont elle n'allait jamais se remettre. Elle ne devait pas mentionner le nom du défunt, pour ne pas le faire revenir de l'autre monde, mais en secret le pleurait chaque nuit.

Il y avait des siècles que son peuple vagabondait de par le monde, pourchassé et haï. Les ancêtres de sa tribu avaient quitté l'Inde mille ans auparavant, traversé l'Asie et toute l'Europe avant d'arriver en Espagne où on les traitait aussi mal qu'ailleurs, mais où le climat se prêtait un peu mieux à la vie errante. Ils s'étaient installés dans le Sud, où ne restaient que

177

peu de familles transhumantes comme celle d'Amalia. Ces gens avaient supporté tant de désillusions qu'ils ne faisaient même pas confiance à leur ombre, raison pour laquelle l'intervention inespérée de Bernardo avait ému la gitane jusqu'à l'âme. Elle ne pouvait avoir de relations avec un *gadje* qu'à des fins commerciales, sous peine de mettre en danger la pureté de sa race et ses traditions. Par prudence élémentaire, les Bohémiens se tenaient en marge, ils ne faisaient jamais confiance à des étrangers et ne réservaient leur loyauté qu'à leur clan, mais il lui sembla que ce garçon n'était pas vraiment un *gadje,* qu'il venait d'une autre planète, qu'il était partout étranger. Peut-être était-il un gitan d'une tribu perdue.

Il s'avéra qu'Amalia était la sœur de Pelayo, comme Bernardo allait le découvrir le jour même, lorsque celui-ci entra dans la roulotte. Pelayo ne reconnut pas l'Indien, parce que la nuit où il avait été surpris en train de chanter pour Juliana en italien à la demande de Moncada, il n'avait eu d'yeux que pour Diego, dont l'épée lui piquait le cou. Amalia expliqua à Pelayo ce qui était arrivé, en romani, sa langue aux sons cassants, dérivée du sanscrit. Elle lui demanda pardon pour avoir violé le tabou de ne pas fréquenter de *gadje*. C'était une faute grave qui pouvait la condamner à *marimé*, état d'impureté qui méritait le rejet de sa communauté, mais elle comptait sur le fait que les règles s'étaient relâchées depuis le début de la guerre. Le clan avait beaucoup souffert au cours de ces années, les familles s'étaient dispersées. Pelayo arriva à la même conclusion et au lieu de réprimander sa sœur, comme l'eût voulu la coutume, il remercia Bernardo sans démonstrations exagérées. Il était aussi surpris qu'elle de la bonté de l'Indien, car aucun étranger ne les avait jamais traités avec bonté. Le frère et la sœur se rendirent compte que Bernardo était muet, mais ils ne tombèrent pas dans l'erreur commune de le croire également sourd et attardé. Ils faisaient partie d'un groupe qui vivait comme il pouvait, presque toujours en vendant et domptant des chevaux, en les soignant aussi lorsqu'ils étaient malades ou blessés. Ils gagnaient leur vie en travaillant les métaux – le fer, l'or, l'argent – grâce à leurs petites forges. Ils fabriquaient aussi bien des fers à cheval que des épées et des bijoux. La guerre les obligeait à se déplacer souvent, mais cela leur convenait, car dans leur fureur de s'entre-tuer, Français et Espagnols les ignoraient. Les dimanches et autres jours de fête, ils montaient une tente en loques sur les places et faisaient des numéros de cirque. Très vite, Bernardo allait connaître les autres membres du clan, parmi lesquels se détachait Rodolfo, un géant couvert de tatouages qui s'enroulait un gros serpent autour du cou et soulevait un cheval dans ses bras. Il avait plus de soixante ans, c'était le plus vieux de la nombreuse famille et, par conséquent, celui qui avait le plus d'autorité. Petrina apportait sa contribution au numéro le plus spectaculaire du pathétique cirque dominical. C'était une minuscule fillette de neuf ans qui se pliait comme un mouchoir et s'introduisait entièrement dans une jarre à olives. Pelayo faisait des acrobaties au galop sur un cheval ou deux, et d'autres membres de la famille distrayaient le public en se lançant des poignards les yeux bandés. Amalia vendait des billets de loterie, lisait l'horoscope et devinait l'avenir dans une boule de cristal classique, avec une telle intuition qu'elle-même s'effrayait de la lucidité de ses réponses ; elle savait que le pouvoir de déchiffrer le futur est en général une malédiction, car si l'on ne peut changer ce qui doit arriver, mieux vaut l'ignorer.

*

Dès que Diego de La Vega sut que Bernardo était devenu l'ami des gitans, il insista pour les connaître, parce qu'il voulait vérifier les rapports de Pelayo avec Rafael Moncada. Il n'imaginait pas qu'il allait s'éprendre d'eux et se sentir si bien en leur compagnie. A cette époque, en Espagne, la plupart des tribus du peuple des Rom, comme s'appellent eux-mêmes les

179

Bohémiens, vivaient de manière sédentaire. Ils établissaient leurs campements aux abords de villes et de villages. Peu à peu, ils commençaient à faire partie du paysage, la population locale s'habituait à eux et cessait de les harceler, même si elle ne les acceptait jamais. En Catalogne, en revanche, il n'y avait pas de campements fixes, les Rom de la zone étaient nomades. La tribu de Pelayo et d'Amalia était la première qui s'installait dans l'intention de se fixer : cela faisait trois ans qu'elle était au même endroit. Diego se rendit compte dès le premier instant qu'il ne convenait pas de leur poser des questions sur Moncada ni sur n'importe quoi d'autre, car ces gens avaient d'excellentes raisons d'être méfiants et de garder leurs secrets. Une fois que sa blessure au bras fut complètement cicatrisée et qu'il eut demandé pardon à Pelayo de lui avoir mis la pointe de son épée sur le cou, Diego obtint de participer au cirque improvisé avec Bernardo. Ils firent une brève démonstration, qui ne fut pas aussi brillante qu'ils l'espéraient, parce que le bras de Diego était encore faible, mais elle fut suffisante pour qu'ils soient incorporés comme acrobates. Avec l'aide du reste de la troupe ils fabriquèrent un ingénieux enchevêtrement de poteaux, de cordes et de trapèzes, inspiré des cordages de la *Madre de Dios*. Les jeunes gens apparaissaient sur la piste enveloppés de capes noires, qu'ils enlevaient d'un geste olympien pour se retrouver en maillots de la même couleur. Dans cette tenue, ils volaient dans les airs sans plus de précautions, parce qu'ils l'avaient fait autrefois dans les voilures des bateaux, à une hauteur double et en se balançant sur les vagues. Diego faisait aussi disparaître une poule morte, qu'il sortait ensuite vivante du décolleté d'Amalia, et avec son fouet il éteignait une bougie posée sur la tête du gigantesque Rodolfo sans toucher ses cheveux. Ces activités n'étaient jamais commentées hors du milieu des gitans, car la tolérance de Tomás de Romeu avait des limites et il ne les aurait probablement pas approuvées. Les choses que ce monsieur ignorait sur son jeune hôte étaient fort nombreuses.

L'un de ces dimanches, Bernardo jeta un coup d'œil derrière le rideau des artistes et vit que Juliana et Isabel, accompagnées de leur duègne, se trouvaient au milieu du public. En revenant de la messe, où Nuria tenait absolument à les emmener bien que l'idée ne fût pas du goût de Tomás de Romeu, les jeunes filles avaient vu le cirque et insisté pour y entrer. La tente, confectionnée avec des morceaux de voiles jaunâtres trouvées dans le port, comportait une piste centrale couverte de paille, quelques banquettes faites de bouts de bois pour les spectateurs de qualité et un espace au fond pour la populace debout. Dans le cercle de paille le géant soulevait le cheval, Amalia introduisait Petrina dans la jarre aux olives et Diego et Bernardo grimpaient aux trapèzes. C'est là qu'avaient lieu, le soir, les combats de coqs qu'organisait Pelayo. Ce n'était pas un endroit où Tomás de Romeu eût aimé voir ses filles, mais Nuria était incapable de résister lorsque Juliana et Isabel s'alliaient pour faire plier sa volonté.

« Si don Tomás apprend que nous sommes occupés à ça, il nous renverra en Californie par le premier bateau en partance », murmura Diego à Bernardo en voyant les filles sous le chapiteau.

Alors Bernardo se souvint du masque qu'ils avaient utilisé pour faire peur aux marins de la *Madre de Dios*. Il découpa des trous pour les yeux dans deux foulards d'Amalia dont ils cachèrent leurs visages, priant pour que les filles de Romeu ne les reconnaissent pas. Diego décida de s'abstenir de ses démonstrations de magie, parce qu'il les avait faites bien des fois en leur présence. De toute façon, il eut l'impression qu'elles l'avaient reconnu, jusqu'à ce que, ce même après-midi, il entende Juliana commenter les détails du spectacle avec Agnès Duchamp. Elle lui parla en chuchotant, dans le dos de Nuria, des intrépides acrobates vêtus de noir qui risquaient leurs vies sur des trapèzes, et elle ajouta qu'elle leur donnerait un baiser à chacun pour seulement voir leurs visages.

Diego n'eut pas la même chance avec Isabel. Il célébrait la

181

plaisanterie avec Bernardo quand la petite entra dans sa chambre sans s'annoncer, comme elle avait l'habitude de le faire, malgré la stricte interdiction de son père de nouer une amitié avec Diego. Elle se planta devant eux les poings sur les hanches et leur annonça qu'elle connaissait l'identité des trapézistes et qu'elle était prête à la révéler, à moins que le dimanche suivant ils l'emmènent faire la connaissance de la troupe de Bohémiens. Elle voulait s'assurer de l'authenticité des tatouages du géant, qui avaient l'air de peintures, et de celle du serpent léthargique, qui pouvait bien être empaillé.

Dans les mois qui suivirent, Diego, dont le sang brûlait de l'ardeur de ses dix-sept ans, trouva du réconfort dans le giron d'Amalia. Ils se retrouvaient en cachette, prenant un risque énorme. En faisant l'amour avec un *gadje* elle violait un tabou essentiel, qu'elle pouvait payer très cher. Elle s'était mariée vierge, comme le voulait la coutume chez les femmes de son peuple, et elle avait été fidèle à son mari jusqu'à la mort de celui-ci. Le veuvage l'avait laissée dans un état suspendu : bien qu'elle fût jeune, on la traitait comme une grand-mère, en attendant que Pelayo, chargé de lui chercher un autre mari lorsqu'elle sécherait les dernières larmes du deuil, remplît sa mission. Dans le clan, la vie se déroulait à la vue des autres. Amalia ne disposait pas de temps ou d'espace pour être seule, mais elle parvenait parfois à donner rendez-vous à Diego dans quelque ruelle à l'écart, et alors elle le berçait dans ses bras, toujours avec l'anxiété insupportable d'être prise sur le fait. Elle ne l'embrouillait pas avec des exigences romantiques, parce que le grossier assassinat de son mari l'avait fait se résigner pour toujours à la solitude. Elle avait le double de l'âge de Diego et avait été mariée pendant plus de vingt ans, mais elle n'était pas experte en matière amoureuse. Avec Ramón, elle avait partagé une profonde et fidèle tendresse, sans les emportements brusques et violents de la passion. Ils s'étaient mariés avec un rite simple au cours duquel ils avaient partagé un morceau de pain taché de quelques gouttes de leur sang. On n'exigeait rien d'autre. Le simple fait de prendre la décision de vivre ensemble sanctifiait l'union, mais ils avaient offert un généreux banquet de noce, avec musique et danse, qui avait duré trois jours entiers. Ensuite, ils s'étaient installés dans un coin de la tente communale. A partir de cet instant ils ne s'étaient plus séparés, ils avaient parcouru les routes de l'Europe, connu la faim dans les périodes de grande pauvreté, fui de nombreuses agressions et fêté les bons moments. Comme Amalia le raconta à Diego, sa vie avait été bonne. Elle savait que Ramón l'attendait intact quelque part, miraculeusement guéri de son martyre. Depuis qu'elle avait vu son corps mis en pièces par les pics et les pelles des assassins, la flamme qui éclairait Amalia à l'intérieur s'était éteinte, et elle n'avait plus pensé aux plaisirs des sens ou à la consolation d'une étreinte. Elle décida d'inviter Diego dans sa roulotte par simple amitié. Elle le vit tourmenté par le manque de femme et l'idée lui vint de le soulager, voilà tout. Elle courait le risque que l'esprit de son mari arrive, changé en *muló*, pour la punir de cette infidélité posthume, mais elle espérait que Ramón comprendrait ses raisons : elle n'agissait pas par lascivité, uniquement par générosité. Elle se révéla une amante pudique, qui faisait l'amour dans l'obscurité, sans enlever ses vêtements. Parfois, elle pleurait en silence. Alors Diego séchait ses larmes avec de délicats baisers, ému jusqu'aux os, et ainsi apprit-il à déchiffrer quelques-uns des mystères secrets du cœur féminin. Malgré les sévères normes sexuelles de sa tradition, peut-être Amalia aurait-elle accordé la même faveur à Bernardo par sympathie désintéressée, s'il en avait manifesté le désir, mais il ne le fit jamais, parce qu'il vivait accompagné par le souvenir d'Eclair-dans-la-Nuit.

*

Manuel Escalante observa longtemps Diego de La Vega avant de se décider à lui parler de ce qui lui importait le plus dans la vie. Au début il se méfia de la sympathie exaltante du jeune homme. Pour lui, homme d'un sérieux funèbre, la légèreté de Diego constituait un manque de caractère, mais il se vit obligé de réviser ce jugement lorsqu'il assista au duel avec Moncada. Il savait que le but du duel n'est pas de vaincre, mais d'affronter la mort avec noblesse pour découvrir la qualité de son âme. Pour le maître, l'escrime – et à plus forte raison un duel – était une formule infaillible pour connaître les hommes. Dans la fièvre du combat étaient exposées les essences fondamentales de la personnalité; être un expert au maniement du fer servait peu si l'on n'avait pas de courage et de sérénité pour faire face au danger. Il prit conscience que pendant les vingt-cinq années au cours desquelles il avait enseigné son art il n'avait jamais eu un élève comme Diego. Certains avaient un talent et une vocation semblables, mais aucun n'avait le cœur aussi ferme que la main qui tenait le sabre. L'admiration qu'il éprouvait pour le jeune homme se transforma en affection, et l'escrime devint une excuse pour le voir chaque jour. Il l'attendait, prêt, bien avant huit heures, mais par discipline et orgueil il n'apparaissait pas dans la salle une seule minute avant cette heure. La leçon se déroulait toujours avec le plus grand sérieux et presque en silence; cependant, au cours des conversations qu'ils avaient ensuite, il partageait avec Diego ses idées et ses aspirations intimes. Le cours terminé, ils s'essuyaient avec une serviette humide, changeaient de vêtements et montaient au premier étage, où vivait le maître. Ils se réunissaient dans une pièce obscure et modeste, assis sur des chaises inconfortables en bois taillé, entourés de livres installés sur de vieilles étagères et d'armes polies exposées sur les murs. Le même vieux domestique, qui murmurait sans arrêt, comme en une éternelle prière, leur servait du café noir dans des petites tasses en porcelaine rococo. Bientôt, ils passèrent des thèmes relatifs à l'escrime à d'autres. La famille du maître, espagnole et catholique depuis quatre générations, ne pouvait cependant se valoir de la pureté *de sang*, parce qu'elle était d'origine juive. Ses arrière-grands-parents s'étaient convertis au catholicisme et avaient changé de nom pour échapper aux persécutions. Ils le firent si bien qu'ils réussirent à éviter l'impitoyable traque de l'Inquisition, mais ils y perdirent la fortune accumulée en plus de cent ans de bonnes affaires et de douceur de vivre. Lorsque Manuel était né, à peine existait-il le vague souvenir d'un passé de bien-être et de raffinement; il ne restait rien des propriétés, des œuvres d'art, des bijoux. Son père gagnait sa vie dans un petit magasin des Asturies, deux de ses frères étaient artisans et le troisième s'était perdu en Afrique du Nord. Le fait que ses proches parents se consacrent au commerce et à des métiers manuels lui faisait honte. Il considérait que les seules occupations dignes d'un gentilhomme sont improductives. Il n'était pas le seul. Dans l'Espagne de cette époque, seuls travaillaient les pauvres paysans, chacun d'eux nourrissant plus de trente oisifs. Diego apprit le passé du maître bien plus tard. Lorsque celui-ci lui parla de La Justice et lui montra son médaillon pour la première fois, il ne lui dit rien de ses origines juives. Ce jour-là ils étaient, comme tous les matins, dans la salle en train de prendre le café. Manuel Escalante retira de son cou une fine chaîne avec une clé, il se dirigea vers un coffre en bronze qui se trouvait sur son bureau, l'ouvrit solennellement et montra le contenu à son élève : un médaillon d'or et d'argent.

« J'ai déjà vu cela, maître..., murmura Diego, en le reconnaissant.

— Où ?

— Don Santiago de León le portait, le capitaine du bateau qui m'a amené en Espagne.

— Je connais le capitaine de León. Comme moi, il fait partie de La Justice. »

C'était l'une des nombreuses sociétés secrètes qui existaient en Europe à cette époque. Elle avait été fondée deux cents ans auparavant en réaction contre le pouvoir de l'Inquisition, redoutable bras de l'Eglise qui depuis 1478 défendait l'unité spirituelle des catholiques, poursuivant les juifs, les luthériens, les hérétiques, les sodomites, les blasphémateurs, les ensorceleurs, les devins, les invocateurs du démon, les sorciers, les astrologues et les alchimistes, ainsi que ceux qui lisaient des livres interdits. Les biens des condamnés passaient aux mains de leurs accusateurs, si bien que de nombreuses victimes brûlèrent sur un bûcher pour la seule raison qu'elles étaient riches. Pendant plus de trois cents ans la ferveur religieuse du peuple célébra les autodafés, orgies publiques de cruauté au cours desquelles les condamnés étaient exécutés, mais au XVIIIe siècle commença la décadence de l'Inquisition. Les procès continuèrent pendant un certain temps, mais à huis clos, jusqu'à ce qu'elle fût abolie. Le travail de La Justice avait consisté à sauver les accusés, à les sortir du pays et à les aider à commencer autre part une vie nouvelle. Ses membres distribuaient de la nourriture et des vêtements, ils obtenaient de faux papiers et, quand c'était possible, payaient la rançon. A l'époque où Manuel Escalante recruta Diego, l'orientation de La Justice avait changé, elle ne combattait plus seulement le fanatisme religieux, mais aussi les autres formes d'oppression comme celle des Français en Espagne et l'esclavage à l'étranger. Il s'agissait d'une organisation hiérarchique dotée d'une discipline militaire, où il n'y avait pas de place pour les femmes. Les grades d'initiation étaient indiqués par des couleurs et des symboles, les cérémonies avaient lieu dans des endroits secrets et la seule manière d'être admis, c'était par l'intermédiaire d'un autre membre, qui faisait office de parrain. Les participants juraient de mettre leur vie au service des nobles causes embrassées par La Justice, de n'accepter aucun paiement pour leurs services, de garder le secret à tout prix et d'obéir aux ordres de leurs supérieurs. Le serment était d'une élégante simplicité : « Chercher la justice, nourrir celui qui a faim, vêtir celui qui est nu, protéger les veuves et les orphelins, héberger l'étranger et ne pas verser le sang d'innocents. »

Manuel Escalante n'eut pas de difficulté à convaincre Diego de La Vega de postuler à La Justice. Le mystère et l'aventure étaient pour lui des tentations irrésistibles ; sa seule hésitation concernait l'obéissance aveugle, mais lorsqu'il fut convaincu que personne ne lui ordonnerait quelque chose qui allât à l'encontre de ses principes, il surmonta cet écueil. Il étudia les textes en code que lui donna son maître, et se soumit à l'entraînement d'une forme unique de combat, qui demandait de l'agilité mentale et une extraordinaire adresse physique. Elle consistait en une série précise de mouvements avec l'épée et la dague, qu'on menait à bien sur un espace marqué sur le sol, appelé Cercle du Maître. Le même dessin était reproduit sur les médaillons d'or et d'argent qui identifiaient les membres de l'organisation. Diego apprit d'abord la séquence et la technique du combat, puis il passa des mois à s'entraîner avec Bernardo, jusqu'à être capable de lutter sans réfléchir. Comme le lui indiqua Manuel Escalante, il ne serait prêt que lorsqu'il pourrait attraper une mouche en plein vol, avec la main, d'un seul geste fortuit. Il n'y avait pas d'autre manière de vaincre un ancien membre de La Justice, comme il devrait le faire pour être accepté.

*

Enfin arriva le jour où Diego fut prêt pour la cérémonie d'initiation. Le maître d'escrime le conduisit par des endroits ignorés même des architectes et des bâtisseurs, qui se vantaient de connaître la ville comme leurs poches. Barcelone avait grandi sur des couches successives de ruines : par elle étaient passés les Phéniciens et les Grecs, sans laisser beaucoup de traces ; puis étaient arrivés les Romains qui avaient imposé leur sceau avant d'être remplacés par les Goths ; et enfin l'avaient conquise les Sarrasins, qui y étaient restés plusieurs siècles. Chacun avait contribué à sa complexité ; du point de vue archéologique, Barcelone était un millefeuille. Les Hébreux avaient creusé des maisons, des couloirs et des tunnels pour se mettre à l'abri des agents de l'Inquisition. Abandonnés par les Juifs, ces passages mystérieux étaient devenus des cavernes de bandits, jusqu'à ce que La Justice et d'autres sectes secrètes s'emparent peu à peu des entrailles profondes de la ville. Diego et son maître parcoururent un labyrinthe de ruelles sinueuses, ils s'engagèrent dans le vieux quartier, franchirent des portiques cachés, descendirent des escaliers usés par le temps, s'enfoncèrent dans des replis souterrains, pénétrèrent dans des ruines caverneuses et traversèrent des canaux où ne coulait pas d'eau mais un liquide visqueux et sombre à l'odeur de fruits pourris. Enfin ils se trouvèrent devant une porte marquée de signes cabalistiques, qui s'ouvrit devant eux quand le maître prononça le mot de passe, et entrèrent dans une salle aux prétentions de temple égyptien. Diego se vit entouré d'une vingtaine d'hommes vêtus de superbes tuniques de couleur et décorés de signes divers. Tous portaient un médaillon semblable à ceux de maître Escalante et de Santiago de León. Il était dans le tabernacle de la secte, le cœur même de La Justice.

Le rite se prolongea toute la nuit, et pendant ces longues heures Diego réussit une à une les épreuves auxquelles il fut soumis. Dans une enceinte adjacente, peut-être les ruines d'un temple romain, le Cercle du Maître était gravé dans le sol. Un homme s'avança pour affronter Diego et les autres se placèrent autour, comme des juges. Il se présenta sous son nom de code, Jules César. Tous deux ôtèrent leur chemise et leurs souliers, ne gardant que leur pantalon. La lutte exigeait de la précision, de la rapidité et du sang-froid. Ils s'attaquaient avec des dagues affilées, comme si leur intention était de blesser à mort. Chaque botte était imparable, mais à la dernière fraction de seconde ils devaient arrêter le coup en l'air, la moindre égratignure sur le corps de l'autre valant d'être éliminé sur-le-champ. Ils ne pouvaient sortir du dessin tracé à terre. La victoire appartenait à celui qui parvenait à faire toucher le sol à l'autre des deux épaules, exactement au centre du cercle. Diego s'était entraîné pendant des mois et il avait une grande confiance en son agilité et sa résistance, mais dès que la lutte commença il se rendit compte qu'il n'avait aucun avantage sur son adversaire. Jules César avait une quarantaine d'années, il était mince et plus petit que Diego, mais très fort. Planté pieds et coudes écartés, le cou tendu, tous les muscles du torse et des bras visibles, les veines gonflées, la dague brillant dans sa main droite mais le visage parfaitement calme, c'était un redoutable combattant. Au signal, tous deux commencèrent à tourner à l'intérieur du Cercle, cherchant le meilleur angle d'attaque. Diego se rua le premier, de face, mais l'autre fit un bond, une pirouette en l'air, comme s'il volait, et il retomba derrière lui, lui laissant à peine le temps de se retourner et de se baisser pour éviter le fil de l'arme qui lui arrivait dessus. Trois ou quatre passes plus tard, Jules César prit la dague dans sa main gauche. Diego aussi était ambidextre, mais jamais jusqu'à présent il ne le lui avait été donné de combattre quelqu'un qui le fût, et cela le déconcerta l'espace d'un instant. Son adversaire en profita pour faire un saut et lui expédier un coup de pied dans la poitrine qui le jeta à terre, mais Diego rebondit immédiatement et, utilisant son élan, il lui asséna un coup de couteau directement à la gorge, qui s'il s'était agi d'un vrai combat l'aurait égorgé, mais sa main s'arrêta si près de son objectif qu'il crut l'avoir coupé. Comme les juges n'intervinrent pas, il supposa qu'il ne l'avait pas blessé, mais il ne put le vérifier, car son adversaire se précipitait déjà sur lui. Ils s'empoignèrent dans un combat corps à corps, tous deux se défendant de la main armée de la dague que l'autre tenait, tandis qu'avec les jambes et le bras libre ils essayaient de retourner l'ennemi pour le mettre sur le dos; Diego parvint à se libérer et ils se remirent à tourner, prêts pour une nouvelle collision. Diego était brûlant, rouge et couvert de sueur, mais son adversaire ne soufflait même pas et son visage était aussi calme qu'au début. Les paroles de

Manuel Escalante lui revinrent à l'esprit : ne jamais combattre avec colère. Il respira profondément à deux ou trois reprises, se donnant le temps de se calmer, sans perdre aucun des mouvements de Jules César. Plus lucide, il se rendit compte que s'il n'était pas préparé à affronter un lutteur ambidextre, le membre de La Justice ne l'était pas non plus. Il changea sa dague de main, avec la même rapidité requise pour les tours de magie de Galileo Tempesta, et il attaqua avant que l'autre se rende compte de ce qui se passait. Pris par surprise, celui-ci fit un pas en arrière, mais Diego lui envoya un pied entre les jambes, lui faisant perdre l'équilibre. Dès qu'il tomba, Diego se jeta sur lui et l'écrasa, appuyant son bras droit sur sa poitrine tout en se protégeant avec la main gauche de la dague ennemie. Pendant une longue minute ils luttèrent de toutes leurs forces, les muscles tendus comme des câbles d'acier, les yeux fixés dans ceux de l'autre, les dents serrées. Diego devait non seulement le maintenir au sol, mais aussi le traîner vers le centre du cercle, tâche difficile, car l'autre n'était pas disposé à se laisser faire. Du coin de l'œil il calcula la distance, qui lui parut immense : jamais une aune n'avait été aussi longue. Il n'y avait qu'une façon de le faire. Il roula sur lui-même et Jules César se retrouva sur lui. L'homme ne put éviter un cri de triomphe, il se voyait définitivement avantagé. Dans un effort surhumain, Diego roula de nouveau et son adversaire se retrouva exactement sur la marque qui indiquait au sol le centre du Cercle. La sérénité de Jules César s'altéra de façon à peine perceptible, mais assez pour que Diego prît conscience qu'il avait gagné. Dans une ultime poussée il réussit à lui plaquer les deux épaules au sol.

« Très bien », dit Jules César avec un sourire, en lâchant sa dague.

Ensuite, il dut en affronter deux autres à l'épée. On lui attacha une main dans le dos pour donner l'avantage à ses adversaires, car aucun de ces hommes ne connaissait aussi bien l'escrime que lui. Manuel Escalante l'avait très bien préparé et il put les vaincre en moins de dix minutes. Aux épreuves physiques succédèrent les épreuves intellectuelles. Lorsqu'il eut démontré qu'il connaissait bien l'histoire de La Justice, ils lui posèrent des problèmes compliqués, pour lesquels il devait proposer des solutions originales, qui exigeaient de l'astuce, du courage et des connaissances. Enfin, lorsqu'il eut surmonté tous les obstacles avec succès, ils le guidèrent vers un autel. Là se trouvaient exposés les symboles qu'il devrait vénérer : une miche de pain, une balance, une épée, un calice et une rose. Le pain signifiait le devoir d'aider les pauvres ; la balance représentait la détermination de lutter pour la justice ; l'épée exprimait le courage, le calice contenait l'élixir de la compassion ; la rose rappelait aux membres de la société secrète que la vie n'est pas faite uniquement de sacrifice et de travail, qu'elle est également belle et, pour cela même, doit être défendue. En concluant la cérémonie, maître Manuel Escalante, en sa qualité de parrain, mit un médaillon au cou de Diego.

« Quel sera votre nom de code ? demanda le Sublime Défenseur du Temple.

— *Zorro*, le Renard », répliqua Diego sans hésiter.

Il n'y avait pas pensé, mais à cet instant il se souvint avec une clarté absolue des yeux colorés du renard, qu'il avait vus dans un autre rite d'initiation, bien des années auparavant, dans les forêts de Californie.

« Bienvenue, Zorro », dit le Sublime Défenseur du Temple, et tous les membres répétèrent son nom à l'unisson.

Diego de La Vega était si heureux d'avoir réussi les épreuves, tellement médusé par la solennité des membres de la secte, étourdi par le déroulement compliqué de la cérémonie et les noms ronflants de la hiérarchie – Chevalier du Soleil, Templier du Nil, Maître de la Croix, Gardien du Serpent – qu'il ne pouvait penser clairement. Il était d'accord avec les postulats de la secte et honoré d'avoir été admis. Ce n'est que plus tard, en se rappelant les détails et en les racontant à

191

Bernardo, qu'il jugerait le rite un peu enfantin. Il tenta de se moquer de lui-même pour l'avoir pris tellement au sérieux, mais son frère ne rit pas : il lui fit remarquer combien les principes de La Justice et ceux de l'Okahué de sa tribu étaient semblables.

*

Un mois après avoir été accepté par le conseil de La Justice, Diego surprit son maître avec une idée complètement folle : il prétendait libérer un groupe d'otages. Chaque attaque des guérilleros déchaînait immédiatement les représailles des Français. Ils prenaient un certain nombre de prisonniers, équivalant à quatre fois celui de leurs propres victimes, et ils les pendaient ou les fusillaient en un lieu public. Cette méthode expéditive ne dissuadait pas les Espagnols, elle ne faisait qu'attiser la haine, mais elle blessait le cœur même des malheureuses familles prises dans le conflit.

« Cette fois, maître, ce sont cinq femmes, deux hommes et un enfant de huit ans, qui vont devoir payer pour la mort de deux soldats français. Le curé du quartier, ils l'ont déjà tué à la porte de son église. Ils les gardent dans le fort et les fusilleront dimanche à midi, expliqua Diego.

— Je le sais, don Diego, j'ai vu les avis placardés dans toute la ville, répondit Escalante.

— Il faut les sauver, maître.

— Le tenter serait une folie. La Citadelle est inexpugnable. Pour le reste, dans le cas hypothétique où l'on réussirait cette mission, les Français exécuteraient deux ou trois fois plus d'otages, je vous l'affirme.

— Que fait La Justice dans une situation comme celle-ci, maître ?

— Parfois, on ne peut que se résigner face à l'inévitable. Dans la guerre meurent de nombreux innocents.

— Je m'en souviendrai. »

Diego n'était pas disposé à se résigner parce que, entre autres raisons, Amalia faisait partie des condamnés et qu'il ne pouvait l'abandonner à son sort. Par l'une de ces erreurs du destin dont ses cartes avaient oublié de l'avertir, la gitane se trouvait dans la rue pendant la rafle des Français et elle avait été prise avec d'autres personnes aussi innocentes qu'elle. Quand Bernardo lui rapporta la mauvaise nouvelle, Diego ne soupesa pas les obstacles qu'il lui faudrait affronter, il ne pensa qu'à la nécessité d'intervenir et au plaisir irrésistible de l'aventure.

« Vu qu'il est impossible de s'introduire dans la Citadelle, Bernardo, je pénétrerai dans l'hôtel particulier du Chevalier Duchamp. Je veux avoir une conversation privée avec lui, qu'en penses-tu ? Je vois que l'idée ne te plaît pas, mais je n'en ai pas d'autre. Je sais ce que tu penses : que c'est une fanfaronnade comme celle de l'ours, quand nous étions enfants. Non, cette fois c'est sérieux, des vies humaines sont en jeu. Nous ne pouvons permettre qu'ils fusillent Amalia. C'est notre amie. Bon, dans mon cas c'est un peu plus qu'une amie, mais il ne s'agit pas de cela. Malheureusement, je ne peux compter sur La Justice, aussi, mon frère, je vais avoir besoin de ton aide. C'est dangereux, mais pas autant qu'il le paraît. Ecoute-moi... »

Bernardo leva les mains, faisant le geste de se rendre, et il se prépara à le seconder, comme il l'avait toujours fait. Parfois, dans les moments de grande fatigue et de solitude, il pensait que l'heure était venue de retourner en Californie et d'accepter que l'enfance soit terminée pour tous deux. Diego paraissait devoir être un éternel adolescent. Il se demandait comment ils pouvaient être aussi différents et pourtant s'aimer autant. Tandis que son destin lui pesait sur les épaules, son frère avait la légèreté d'une alouette. Amalia, qui savait déchiffrer les énigmes des astres, leur avait donné une explication sur leurs personnalités opposées. Elle avait dit qu'ils appartenaient à des signes zodiacaux différents, bien qu'ils soient nés au même endroit et la même semaine. Diego était Gémeaux, lui Taureau, et cela déterminait leurs tempéraments. Bernardo écouta le plan de Diego avec sa patience habituelle, sans exprimer les doutes qui l'assaillaient, parce que dans le fond il avait confiance en l'inconcevable chance de son frère. Il apporta ses propres idées, puis ils passèrent à l'action.

Bernardo s'arrangea pour se lier d'amitié, puis saouler un soldat français jusqu'à ce qu'il soit inconscient. Il lui enleva son uniforme et s'en vêtit, casaque bleu foncé à haut col incarnat, culotte et plastron blancs, guêtres noires et bonnet haut. Il s'introduisit ainsi dans les jardins de l'hôtel particulier en conduisant deux chevaux, sans attirer l'attention des gardiens de nuit. La vigilance n'était pas excessive dans la somptueuse résidence du Chevalier, car il ne serait venu à personne l'idée de l'attaquer. La nuit, des soldats montaient la garde avec des lanternes, mais au fil des heures leur attention se relâchait. Diego, vêtu de son costume noir d'acrobate, de sa cape et de son masque, tenue qu'il appelait son déguisement de Zorro, profita de l'ombre pour s'approcher de l'édifice. Dans une étincelle d'inspiration, il s'était collé une moustache dénichée dans le coffre des déguisements du cirque, un coup de pinceau noir au-dessus de la bouche. Le masque ne lui couvrait que la partie supérieure du visage et il craignait que le Chevalier pût le reconnaître : la fine moustache avait pour fonction de distraire et de confondre. Il se servit du fouet pour grimper au balcon du premier étage et, une fois à l'intérieur, il ne lui fut pas difficile de situer l'aile des appartements privés de la famille, car il avait plusieurs fois accompagné Juliana et Isabel en visite. Il était environ trois heures du matin, heure tardive à laquelle les domestiques ne circulaient plus et où les gardes dodelinaient de la tête à leurs postes respectifs. La demeure n'avait rien de la sobriété espagnole, elle était décorée à la mode française, avec tant de rideaux, de meubles, de plantes et de statues que Diego pouvait entièrement la traverser sans être vu. Il dut parcourir d'innombrables couloirs, ouvrir une vingtaine de portes avant de trouver l'appartement du Chevalier, qui était d'une simplicité inattendue pour quelqu'un de son pouvoir et de son rang.

Le représentant de Napoléon dormait sur un lit dur de soldat dans une pièce pratiquement nue, éclairée dans un coin par un candélabre à trois bougies. Diego savait, grâce à des commentaires indiscrets d'Agnès Duchamp, que son père souffrait d'insomnie et avait recours à l'opium pour se reposer. Une heure plus tôt son valet l'avait aidé à se dévêtir, il lui avait apporté un xérès et sa pipe d'opium, puis il s'était installé dans un fauteuil dans le corridor, comme il le faisait toujours, au cas où son maître aurait besoin de lui pendant la nuit. Il avait le sommeil léger, mais il ne sut jamais que quelqu'un était passé à côté de lui en le frôlant. Une fois dans la chambre du Chevalier, Diego essaya d'exercer le contrôle mental des membres de La Justice, parce que son cœur battait à tout rompre et qu'il avait le front trempé. S'il était surpris en ce lieu il pouvait se considérer comme mort. Dans les cachots de la Citadelle les prisonniers politiques disparaissaient pour toujours, mieux valait ne pas penser aux histoires de torture qui circulaient. Soudain, le souvenir de son père l'assaillit avec la force d'un coup de poignard. S'il mourait, Alejandro de La Vega ne saurait jamais pourquoi; tout ce qu'il saurait, c'est que son fils avait été surpris comme un vulgaire voleur dans une maison étrangère. Il attendit une minute, le temps de recouvrer son calme, et lorsqu'il fut certain que ni sa volonté, ni sa voix, ni sa main ne trembleraient, il s'approcha du lit où Duchamp se reposait dans la léthargie de l'opium. Malgré la drogue, le Français se réveilla immédiatement, mais avant qu'il pût crier Diego lui mit sa main gantée sur la bouche.

« Silence, ou vous mourrez comme un rat, Excellence », susurra-t-il.

Il lui posa la pointe de son épée sur la poitrine. Le Chevalier se redressa autant que le lui permettait l'épée et, d'une inclinaison de la tête, il fit signe qu'il avait compris. Diego lui exposa ce qu'il voulait dans un murmure.

« Vous m'attribuez trop de pouvoir. Si j'ordonne la libération de ces otages, demain le commandant de la place en prendra d'autres, répliqua le Chevalier sur le même ton.

— Il serait dommage que cela arrive. Votre fille Agnès est une belle enfant et nous ne voulons pas la faire souffrir, mais comme votre Excellence le sait, dans la guerre meurent de nombreux innocents », dit Diego.

Il porta la main à son gilet de soie, sortit le mouchoir de dentelle brodé du nom d'Agnès Duchamp, que Bernardo avait ramassé dans la poubelle, et il l'agita devant le Chevalier qui, malgré l'obscurité, le reconnut à son parfum de violette inimitable.

« Je vous suggère de ne pas appeler vos gardes, Excellence, car en ce moment mes hommes sont dans la chambre de votre fille. S'il m'arrive quelque chose, vous ne la reverrez pas en vie. Ils ne se retireront qu'à mon signal, dit Diego sur le ton le plus aimable du monde, reniflant le mouchoir et le remettant dans son gilet.

— Vous pourrez sortir en vie cette nuit, mais nous vous prendrons et alors vous regretterez d'être né. Nous savons où vous chercher, bredouilla le Chevalier.

— Je ne crois pas, Excellence, parce que je ne suis pas un guérillero et je n'ai pas non plus l'honneur d'être l'un de vos ennemis personnels, sourit Diego.

— Qui êtes-vous alors?

— Chut! N'élevez pas la voix, souvenez-vous qu'Agnès est en bonne compagnie... Mon nom est Zorro, pour vous servir », murmura Diego.

Contraint par son ravisseur, le Français se dirigea vers sa table et écrivit une brève note sur son papier personnel, ordonnant la remise en liberté des otages.

« Je vous saurais gré d'y apposer votre sceau officiel, Excellence », lui indiqua Diego.

En rechignant, l'autre fit ce qu'on exigeait de lui, puis il appela son valet, qui apparut sur le seuil. Derrière la porte, Diego le pointait de son épée, prêt à l'en transpercer au moindre soupçon.

« Envoie un gardien porter ceci à la Citadelle et dis-lui de me le rapporter immédiatement signé par le chef de la place, pour être certain que je serai obéi. Tu m'as compris ? ordonna le Chevalier.

— Oui, Excellence », répliqua l'homme, et il s'en fut rapidement.

Diego conseilla au Chevalier de regagner son lit, pour ne pas se refroidir ; la nuit était fraîche et l'attente pouvait être longue. Il regrettait de s'imposer de la sorte, ajouta-t-il, mais il devrait lui tenir compagnie jusqu'à ce que la lettre signée lui revînt. N'avait-il pas un jeu d'échecs ou de cartes pour passer le temps ? Le Français ne daigna pas répondre. Furieux, il se mit sous ses couvertures, surveillé par l'homme masqué qui s'installa au pied du lit, comme s'ils étaient entre amis intimes. Ensemble ils endurèrent un silence de plus de deux heures et, au moment où Diego commençait à craindre que quelque chose eût mal tourné, le valet frappa à la porte et remit à son maître le papier signé par un certain capitaine Fuget.

« Au revoir, Excellence. Je vous prie de saluer pour moi la belle Agnès », dit Zorro en se retirant.

Il espérait que le Chevalier croirait à sa menace et n'ameuterait pas tout le monde avant l'heure, mais par précaution il l'attacha et le bâillonna. Il avait tracé un grand Z sur le mur de la pointe de son épée, puis salué d'une révérence moqueuse et s'était laissé glisser du balcon. Il trouva le cheval, avec les sabots enveloppés de tissus pour étouffer le bruit, l'attendant là où Bernardo l'avait caché. Il disparut sans provoquer d'alarme, car à cette heure personne ne circulait dans les rues de Barcelone. Le lendemain, les soldats affichèrent des avis sur les murs des édifices publics, annonçant qu'en signe de bonne volonté des autorités, les otages avaient été pardonnés. En même temps se déchaîna une chasse secrète pour trouver l'insolent qui se faisait appeler Zorro. La dernière chose à laquelle s'attendaient les dirigeants de la guérilla était une remise de peine gratuite pour les prisonniers; leur confusion fut telle que pendant une semaine on n'enregistra pas de nouveaux attentats contre les Français en Catalogne.

Le Chevalier ne put empêcher la rumeur de se répandre, d'abord parmi les domestiques et les gardes de l'hôtel particulier, puis partout, qu'un insolent bandit était entré dans sa propre chambre. Les Catalans rirent aux éclats de ce qui était arrivé et le nom du mystérieux Zorro courut de bouche en bouche pendant plusieurs jours, jusqu'à ce que d'autres affaires occupent l'attention du peuple et qu'il fût oublié. Diego l'entendit au Collège d'Humanités, dans les tavernes et dans la maison de la famille de Romeu. Il se mordait la langue pour ne pas se vanter en public et ne pas avouer sa prouesse à Amalia. La gitane croyait avoir été sauvée grâce au pouvoir miraculeux des talismans et amulettes qu'elle portait toujours sur elle, et à l'intervention opportune de l'esprit de son mari.

TROISIÈME PARTIE

Barcelone, 1812-1814

Je ne peux vous donner plus de détails sur la relation de Diego et d'Amalia. L'amour charnel est un aspect de la légende de Zorro que lui-même ne m'a pas autorisée à divulguer, non par crainte d'être raillé ou démenti, mais par un minimum de galanterie. Nous savons bien qu'un homme aimé des femmes ne se vante pas de ses conquêtes. Ceux qui le font mentent. Par ailleurs, je n'aime pas fureter dans l'intimité d'autrui. Si vous attendiez de mes pages qu'elles montent en couleur, je vais vous décevoir. Tout ce que je peux dire, c'est qu'à l'époque où Diego folâtrait avec Amalia, son cœur appartenait tout entier à Juliana. Il ne vous reste qu'à imaginer ses étreintes avec la gitane veuve. Peut-être fermait-elle les yeux en pensant à son mari assassiné, tandis que lui, l'esprit vide, s'abandonnait à un plaisir fugace. Ces rencontres clandestines ne troublaient pas le sentiment limpide que la chaste Juliana inspirait à Diego ; c'étaient des compartiments séparés, des lignes parallèles qui jamais ne se croisaient. Je crains que cela n'ait souvent été le cas au long de la vie de Zorro. Je l'ai observé pendant trois décennies et je le connais presque aussi bien que Bernardo, c'est pour cette raison que je prends le risque d'avancer cette assertion. Grâce à son charme naturel – qui n'est pas mince – et à sa chance stupéfiante, il a été aimé, sans même le vouloir, par des dizaines de femmes. Une vague insinuation, un regard à la dérobée, l'un de ses sourires rayonnants suffisent en général pour que même celles qui ont réputation de vertueuses l'invitent à escalader leur balcon aux heures énigmatiques de la nuit. Pourtant, Zorro ne s'éprend pas d'elles, car il préfère les romances impossibles. Je jurerais que dès qu'il descend du balcon et pose le pied sur la terre ferme il oublie la dame qu'il tenait dans ses bras quelques instants plus tôt. Lui-même ne sait combien de fois il s'est battu en duel avec un mari dépité ou un père offensé; moi, j'en tiens le compte, non par envie ou par jalousie, mais par minutie de chroniqueur. Diego ne se souvient que des femmes qui l'ont martyrisé par leur indifférence, telle l'incomparable Juliana. Nombre de ses prouesses de ces années-là ne furent que de frénétiques tentatives pour attirer l'attention de la jeune fille. Devant elle, il s'abstenait de jouer le rôle de gringalet pusillanime grâce auquel il trompait Agnès Duchamp, le Chevalier et d'autres personnes; en sa présence au contraire, il gonflait toutes ses plumes de paon. Pour elle il aurait affronté un dragon, mais il n'y en avait pas à Barcelone et il dut se contenter de Rafael Moncada. Et puisque nous en parlons, il me semble juste de rendre hommage à ce personnage. Dans toute histoire le méchant est essentiel, car il n'y a pas de héros sans un ennemi à sa mesure. Zorro eut l'immense chance de se confronter à Rafael Moncada, sans qui je n'aurais pas grand-chose à raconter dans ces pages.

*

Juliana et Diego dormaient sous le même toit, mais ils menaient des existences séparées, et les occasions de se voir dans cette demeure qui comptait tant de pièces vides n'étaient pas fréquentes. Ils se retrouvaient rarement seuls, car Nuria surveillait Juliana et Isabel épiait Diego. Il attendait parfois des heures pour la surprendre seule dans un couloir et l'accompagner quelques pas sans témoins. Ils se rencontraient dans la salle à manger à l'heure du dîner, au salon pendant les concerts de harpe, à la messe le dimanche et au théâtre lorsqu'on jouait des pièces de Lope de Vega ou des comédies de Molière, qu'adorait Tomás de Romeu. Tant à l'église qu'au théâtre, hommes et femmes étaient assis séparément, aussi Diego devait-il se contenter d'observer de loin la nuque de sa bien-aimée. Il vécut dans la même maison que la jeune fille pendant plus de quatre ans, la poursuivant avec la patiente ténacité d'un chasseur, en vain ou presque, jusqu'à ce que la tragédie frappe la famille et que la balance penche en faveur de Diego. Avant cela, Juliana recevait ses attentions avec une telle impassibilité que c'était comme si elle ne le voyait pas, mais il avait besoin de bien peu pour alimenter ses illusions. Il voulait croire que son indifférence était un stratagème pour dissimuler ses sentiments véritables. Quelqu'un lui avait dit que les femmes sont coutumières de ce genre de ruses. Il faisait peine à voir, le pauvre homme, il eût mieux valu que Juliana le détestât. Le cœur est un organe capricieux et changeant, mais une affection fraternelle ne se changera pas en amour.

Les Romeu se rendaient parfois à Santa Fe, où ils avaient une propriété à demi abandonnée. La maison patriarcale était une construction carrée au sommet d'un rocher, où les grands-parents de la défunte épouse de Tomás de Romeu avaient régné sur leurs enfants et leurs sujets. La vue était magnifique. Autrefois ces collines avaient été plantées de vignes qui produisaient un vin capable de rivaliser avec les meilleurs crus de France, mais en ces années de guerre personne ne s'en était occupé, et c'étaient à présent des ceps complètement secs et vermoulus. La maison était envahie par les fameux rats de Santa Fe, des bêtes corpulentes au mauvais caractère, que les paysans cuisinaient en temps de disette. Avec de l'ail et des poireaux, ils sont délicieux. Deux semaines avant de partir là-bas, Tomás envoyait un escadron de domestiques pour fumiger les pièces, seule façon de faire temporairement reculer les rongeurs. Les chemins devenant de moins en moins sûrs, ces excursions se firent moins fréquentes. La haine du peuple se sentait dans l'air telle une haleine lourde, un halètement de mauvais augure qui hérissait le cuir chevelu. Comme de nombreux propriétaires terriens, Tomás de Romeu n'osait pas sortir de la ville et il essayait encore moins de se faire payer les loyers de ses locataires par peur de mourir égorgé. Là-bas, Juliana lisait, jouait de la musique et, telle une fée bienveillante, tentait d'approcher les paysans pour gagner leur affection, sans grands résultats. Nuria luttait contre les éléments et se plaignait de tout. Isabel passait son temps à peindre des aquarelles du paysage et des portraits de personnes. Ai-je signalé qu'elle dessinait bien ? Je crois l'avoir oublié, impardonnable omission – c'était là son seul talent. En général, cela lui gagnait plus de sympathie chez les humbles que toutes les œuvres de charité de Juliana. Elle obtenait la ressemblance de manière remarquable, mais elle embellissait ses modèles, leur mettait plus de dents, moins de rides, et une expression de dignité qu'ils possédaient rarement.

Mais revenons à Barcelone, où Diego était occupé par ses cours, La Justice, les tavernes où il retrouvait d'autres étudiants, et ses aventures « de cape et d'épée », comme il les appelait par penchant romantique. Pendant ce temps, Juliana menait la vie oisive des demoiselles de cette époque. Elle ne pouvait sortir sans chaperon, même pour aller à confesse, et Nuria était son ombre. Elle ne pouvait non plus être vue en train de parler en tête à tête avec des hommes de moins de soixante ans. Elle allait aux bals avec son père et Diego les accompagnait parfois ; ils le présentaient comme le cousin des Indes. Juliana ne manifestait pas la moindre hâte de se marier, en dépit du fait que les amoureux faisaient la queue. Son père avait le devoir de lui arranger un bon mariage, mais il ne savait comment choisir un gendre digne de sa merveilleuse fille. Il ne lui manquait que deux ans pour en avoir vingt, âge limite pour trouver un fiancé : si alors elle n'en avait point, l'éventualité de se marier diminuerait de mois en mois. Avec son invincible optimisme, Diego faisait les mêmes calculs et en concluait que le temps jouait en sa faveur, car lorsqu'elle verrait qu'elle se flétrissait, elle l'épouserait pour ne pas rester vieille fille. Avec ce curieux argument, il tentait de convaincre Bernardo, le seul à avoir assez de patience pour l'écouter divaguer à tout bout de champ sur son amour désespéré.

A la fin de l'année 1812, Napoléon Bonaparte fut vaincu en Russie. L'empereur avait envahi cet immense pays avec sa Grande Armée de près de deux cent mille hommes. Les invincibles troupes françaises avaient une discipline de fer et se déplaçaient à marche forcée, bien plus rapidement que leurs ennemis, parce qu'elles étaient peu chargées et vivaient de la terre conquise. A mesure qu'elles avançaient vers l'intérieur de la Russie, les villages se vidaient, leurs habitants se volatilisaient, les paysans brûlaient leurs récoltes. Sur le passage de Napoléon la terre restait dévastée. Les envahisseurs entrèrent triomphants à Moscou, où ils furent reçus par la grosse fumée d'un immense incendie et les coups de feu isolés des francs-tireurs cachés dans les ruines, prêts à mourir en tuant. Les Moscovites, imitant l'exemple des braves paysans, avaient brûlé leurs biens avant d'évacuer la ville. Personne ne resta en arrière pour donner les clés à Napoléon, il n'y eut même pas un seul soldat russe à humilier, juste quelques prostituées résignées à accueillir les vainqueurs, à défaut de leurs clients habituels. Napoléon se retrouva isolé au milieu d'un tas de cendres. Il attendit, sans savoir ce qu'il attendait, et l'été passa ainsi. Lorsqu'il décida de rentrer en France, les pluies avaient recommencé et bientôt le sol russe serait couvert d'une neige aussi dure que du granit. L'empereur n'avait jamais imaginé les terribles épreuves que ses hommes allaient devoir subir. Au harcèlement des cosaques et aux embuscades des paysans s'ajoutèrent la faim et un froid lunaire auquel aucun de ces soldats n'avait jamais été confronté. Des milliers de Français, changés en statues de glace éternelle, restèrent postés tout au long de l'ignominieuse route de la retraite. Ils durent manger leurs chevaux, leurs bottes, parfois même les cadavres de leurs compagnons. Seuls dix mille hommes, affaiblis par les pénuries et le découragement, rentrèrent dans leur patrie. Lorsqu'il vit son armée accablée, Napoléon sut que l'étoile qui l'avait guidé dans sa prodigieuse ascension au pouvoir commençait à pâlir. Il dut replier ses troupes, qui occupaient une bonne partie de l'Europe. Les deux tiers de celles qui stationnaient en Espagne furent rapatriées. Enfin, après deux ans de résistance sanglante, les Espagnols entrevoyaient une fin victorieuse, mais ce triomphe n'arriverait que seize mois plus tard.

Cette année-là, précisément à l'époque où Napoléon, de retour en France, léchait les blessures de sa défaite, Eulalia de Callís envoya son neveu, Rafael Moncada, aux Antilles avec la mission d'étendre le commerce du cacao. Elle avait le projet de vendre du chocolat, de la pâte d'amandes, des noix en conserve et du sucre aromatisé aux pâtissiers et confiseurs d'Europe et des Etats-Unis. Elle avait entendu dire que les Américains aimaient énormément les sucreries. La mission de son neveu consistait à tisser un réseau de contacts commerciaux dans les villes les plus importantes, de Washington à Paris. Moscou, en ruines, fut temporairement écarté, mais Eulalia espérait bien que les fumées de la guerre se dissiperaient bientôt et que la capitale russe serait reconstruite avec la même splendeur qu'autrefois. Rafael partit pour un voyage de onze mois, traversant les mers et se brisant les reins dans des chevauchées sans fin, pour mettre en place la confrérie aromatique du chocolat imaginée par Eulalia.

Sans dire un mot de ses intentions à sa tante, Rafael sollicita une entrevue avec Tomás de Romeu avant de partir pour les Antilles. Celui-ci ne le reçut pas chez lui, mais sur le terrain neutre de la *Société de géographie et de philosophie*, dont il était sociétaire et où il y avait un excellent restaurant, au premier étage. L'admiration de Tomás de Romeu pour la

France n'allait pas jusqu'à son exquise cuisine; pas question de langues de canaris, il préférait les robustes plats catalans : l'*escudella*, un plat à réveiller les morts, l'*estofat de toro*, une bombe à base de viande, et l'ineffable *butifarra del obispo*, un boudin de sang plus noir et plus gros que les autres. Rafael Moncada, assis à table en face de son amphitryon et d'une montagne de viande et de graisse, était un peu pâle. C'est à peine s'il goûta les mets, car il était fragile de l'estomac, et nerveux. Il exposa à grands traits sa situation personnelle au père de Juliana, de ses titres à sa solvabilité économique.

« Je regrette beaucoup, monsieur de Romeu, que nous ayons fait connaissance lors de la malheureuse affaire du duel qui m'avait opposé à Diego de la Vega. C'est un garçon impulsif et, je dois l'admettre, je le suis aussi. Nos paroles nous ont échappé et nous nous sommes retrouvés sur le champ d'honneur. Par chance, il n'y a pas eu de conséquences graves. J'espère que cela ne pèsera pas négativement sur le jugement que Votre Grâce a de moi..., dit le prétendant au titre de gendre.

— En aucune façon, monsieur. Le but d'un duel est de laver la tache. Une fois que deux gentilshommes se sont battus, il ne reste aucune place entre eux pour les rancœurs », répliqua l'autre aimablement, bien qu'il n'eût pas oublié les détails de la rencontre.

Au moment du dessert, le *menjar blanc*, qui dans ce restaurant contenait tant de sucre qu'il collait aux dents, Moncada exprima son désir d'obtenir la main de Juliana à son retour de voyage. Tomás avait longtemps observé, sans intervenir, l'étrange relation de sa fille avec ce prétendant obstiné. Il rechignait à parler de sentiments et jamais il n'avait fait l'effort de se rapprocher de ses filles; les affaires féminines le déconcertaient et il préférait les déléguer à Nuria. Il avait vu Juliana tituber dans les couloirs de pierre de sa maison glacée quand elle était petite, changer ses dents de lait, grandir d'un coup et naviguer dans les années sans grâce de la puberté. Un

207

jour, elle était apparue devant lui avec des tresses d'enfant et un corps de femme, dans une robe qui craquait aux entournures, alors il avait ordonné à Nuria de lui faire faire des vêtements à sa taille, d'engager un professeur de danse et de ne pas la perdre de vue un seul instant. Et voilà que l'abordait Rafael Moncada, entre autres messieurs d'un rang honorable, pour lui demander Juliana en mariage, et lui ne savait que répondre. Une alliance comme celle-ci était idéale, n'importe quel père dans sa situation aurait été satisfait, mais il n'avait pas de sympathie pour Rafael Moncada, non tant parce qu'ils différaient dans leurs positions idéologiques qu'en raison des ragots peu rassurants qu'il avait entendus sur le caractère de cet homme. L'opinion générale était que le mariage consiste en un arrangement social et économique, dans lequel les sentiments ne sont pas essentiels, car ils s'accommodent en chemin, mais lui n'était pas de cet avis. Il s'était marié par amour et il avait été très heureux, à tel point qu'il n'avait jamais pu remplacer son épouse. Juliana avait son caractère, et elle s'était en outre rempli la tête d'histoires romanesques. L'immense respect que lui inspirait sa fille le retenait. Il faudrait lui forcer la main pour qu'elle accepte de se marier sans amour, et lui ne se croyait pas capable de le faire; il voulait qu'elle fût heureuse et il doutait que Moncada pût contribuer à son bonheur. Il lui fallait exposer l'affaire à Juliana, mais il ne savait comment s'y prendre, car sa beauté et ses vertus l'intimidaient. Il se sentait plus à l'aise avec Isabel que ses notables imperfections rendaient beaucoup plus accessible. Il comprit que l'affaire ne pouvait être remise à plus tard et, le soir même, il lui fit part de la proposition de Moncada. Elle haussa les épaules et, sans perdre le rythme de l'aiguille dans son point de croix, elle commenta que beaucoup de gens mouraient de malaria aux Antilles, et qu'il n'y avait donc pas lieu de prendre une décision précipitée.

Diego était heureux. Le voyage de ce dangereux rival lui donnait une occasion unique de gagner du terrain dans la course pour la main de Juliana. La jeune fille ne fut pas troublée par l'absence de Moncada, mais ne sembla pas non plus s'apercevoir des avances de Diego. Elle continua à le traiter avec la même affection tolérante et distraite de toujours, sans montrer la moindre curiosité pour les mystérieuses activités du jeune homme. Elle ne fut pas impressionnée non plus par ses poèmes, ayant du mal à prendre au sérieux les dents de perles, les yeux d'émeraude et les lèvres de rubis. Cherchant des prétextes pour passer plus de temps avec elle, Diego décida de participer aux cours de danse ; il devint un danseur élégant et plein d'allant. Il parvint même à convaincre Nuria de secouer ses os au son d'un fandango, mais il n'obtint pas qu'elle intercédât pour lui auprès de Juliana : sur ce point, la bonne dame se montra toujours aussi insensible qu'Isabel. Afin de capter l'admiration des femmes de la maison, Diego coupait des bougies par moitié d'un coup de fleuret, avec une telle précision que la flamme ne vacillait pas et que la partie retranchée restait en place. Il pouvait également les éteindre de la pointe de son fouet. Il perfectionna la science que lui avait enseignée Galileo Tempesta et finit par réaliser des prodiges avec les cartes. Il jonglait aussi avec des torches allumées et sortait sans aide d'une malle fermée par un cadenas. Lorsqu'il eut épuisé tous ses tours, il essaya d'impressionner sa bien-aimée avec ses aventures, y compris celles qu'il avait promis à Bernardo ou à maître Manuel Escalante de ne jamais mentionner. En un moment de faiblesse, il laissa entendre qu'il existait une société secrète à laquelle seuls appartenaient certains hommes choisis. Elle l'en félicita, croyant qu'il faisait allusion à un orchestre d'étudiants comme ceux qui allaient dans les rues en jouant de la musique sentimentale. L'attitude de Juliana n'était pas du dédain, car elle l'estimait beaucoup, ni de la méchanceté, dont elle était incapable, mais de la distraction romanesque. Elle attendait le héros de ses livres, vaillant et tragique, qui la délivrerait de l'ennui quotidien, et il ne lui venait jamais à l'esprit que celui-ci pût être Diego de La Vega. Ce n'était pas davantage Rafael Moncada.

La situation politique commençait à changer en Espagne. Il était chaque jour plus évident que la fin de la guerre approchait. Eulalia de Callís s'y préparait avec impatience, tandis que son neveu consolidait les négoces à l'étranger. La malaria ne résolut pas le problème de Moncada pour Juliana ; il revint en novembre 1813, plus riche qu'avant, sa tante lui ayant accordé un pourcentage élevé sur le commerce des bonbons. Il avait connu le succès dans les meilleurs salons d'Europe et avait même, aux Etats-Unis, fait la connaissance de Thomas Jefferson, à qui il avait suggéré l'idée de planter du cacao en Virginie. Dès qu'il se fut débarrassé de la poussière du chemin, Moncada prit contact avec Tomás de Romeu pour lui réitérer son intention de courtiser Juliana. Cela faisait des années qu'il attendait qu'elle se prononçât et il n'était pas disposé à accepter une autre réponse évasive. Deux heures plus tard, Tomás de Romeu convoqua sa fille dans la bibliothèque, où il résolvait la plus grande partie de ses affaires et éclairait ses doutes existentiels à l'aide d'un verre de cognac, et il lui transmit le message de son amoureux.

« Tu es en âge de te marier, ma fille. Le temps passe pour tous, allégua-t-il. Rafael Moncada est un monsieur sérieux et à la mort de sa tante il deviendra l'un des hommes les plus riches de Catalogne. Comme tu sais, je ne juge pas les personnes sur leur situation pécuniaire, mais je dois considérer ta sécurité.

— Un mariage malheureux est pire que la mort pour une femme, monsieur. Il n'y a pas d'issue. L'idée d'obéir et de servir un homme est terrible s'il n'existe pas de confiance et d'affection.

— Cela se cultive après le mariage, Juliana.

— Pas toujours, monsieur. De plus, nous devons considérer vos besoins et mon devoir. Qui vous soignera lorsque vous serez un vieillard ? Isabel n'a pas le caractère pour cela.

— Par Dieu, Juliana! Je n'ai jamais suggéré que mes filles devraient me soigner dans ma vieillesse. Ce que je veux, ce sont des petits-enfants et vous voir toutes deux bien mariées. Je ne peux mourir tranquille sans vous laisser sous la protection d'un mari.

— Je ne sais si Rafael Moncada est l'homme qu'il me faut. Je ne peux imaginer aucune sorte d'intimité avec lui, murmura-t-elle en rougissant.

— En cela, ma fille, tu n'es pas différente des autres demoiselles. Quelle jeune fille vertueuse peut imaginer cela? » répliqua Tomás de Romeu, aussi gêné qu'elle.

C'était un thème qu'il espérait n'avoir jamais à aborder avec ses filles. Il supposait que, le moment venu, Nuria leur expliquerait ce qu'il fallait, bien que la duègne fût sans doute aussi ignorante à ce sujet que les jeunes filles. Il ne savait pas que Juliana parlait de cela avec Agnès Duchamp et qu'elle était informée des détails grâce à ses petits romans d'amour.

« J'ai besoin d'un peu plus de temps pour me décider, monsieur », supplia Juliana.

Tomás de Romeu pensa que sa défunte épouse ne lui avait jamais autant manqué, elle aurait résolu ces choses avec sagesse et d'une main ferme, comme les mères ont l'habitude de le faire. Il était las de tant de va-et-vient. Il parla avec Rafael Moncada pour lui demander un autre délai, et celui-ci n'eut d'autre solution que d'accepter. Puis il ordonna à Juliana d'y réfléchir à tête reposée et lui précisa que, s'il n'avait pas de réponse dans deux semaines, il accepterait la proposition de Moncada, point final. C'était son dernier mot, conclut-il, mais sa voix n'était pas très assurée. A ce moment, le long siège de Moncada avait atteint des niveaux héroïques, on commentait dans les salons de la haute société, aussi bien que dans les cours des domestiques, que cette jeune fille sans titres ni fortune humiliait le meilleur parti de Barcelone. Si sa fille continuait à se faire prier, Tomás de Romeu allait au-devant d'un sérieux conflit avec Moncada, mais il aurait certainement continué à faire traîner l'affaire en longueur si un étrange événement n'avait précipité le dénouement.

*

Ce jour-là, les deux filles de Romeu étaient parties avec Nuria distribuer des aumônes, comme elles le faisaient toujours le premier vendredi de chaque mois. Il y avait mille cinq cents mendiants reconnus dans la ville, et plusieurs milliers d'autres pauvres et indigents que personne ne se donnait la peine de comptabiliser. Depuis cinq ans, toujours le même jour et à la même heure, on pouvait voir Juliana, flanquée de la silhouette raide de sa duègne, aller rendre visite aux maisons de charité. Par respect, et pour éviter d'offenser par des signes d'ostentation, elles se couvraient de la tête aux pieds de mantilles et de manteaux sombres, et parcouraient le quartier à pied ; Jordi les attendait avec la carriole sur une place voisine, se consolant de l'ennui avec son flacon de liqueur. Ces excursions leur prenaient tout l'après-midi, car outre secourir les pauvres elles rendaient visite aux bonnes sœurs chargées des hospices. Cette année-là, Isabel avait commencé à les accompagner, car à quinze ans elle était en âge de pratiquer la compassion, au lieu de perdre son temps à espionner Diego et à se battre en duel avec elle-même devant un miroir, comme disait Nuria. Elles devaient passer par des ruelles étroites dans des quartiers d'une extrême pauvreté, où même les chats restaient sur le qui-vive, de peur d'être chassés pour être vendus en qualité de lièvres. Juliana se soumettait à cette pénitence héroïque avec une rigueur exemplaire, mais Isabel en était malade, non seulement parce que les plaies et les furoncles, les haillons et les béquilles, les bouches édentées et les nez rongés par la syphilis de cette foule de malheureux dont sa sœur s'occupait comme une missionnaire lui faisaient horreur, mais parce que cette forme de charité lui paraissait une plaisanterie. Elle estimait que les douros de la bourse de

Juliana ne servaient à rien face à l'immensité de la misère. « Rien, c'est pire », répliquait sa sœur.

Il y avait une demi-heure qu'elles avaient commencé leur tournée et n'avaient visité qu'un seul orphelinat lorsque, arrivées à un coin de rues, elles aperçurent trois hommes d'aspect patibulaire s'avancer à leur rencontre. A peine voyait-on leurs yeux, parce qu'ils portaient des chapeaux enfoncés jusqu'aux sourcils et des mouchoirs noués sur le visage. Malgré l'interdiction officielle d'utiliser la cape, le plus grand d'entre eux était enveloppé dans une couverture. C'était l'heure somnolente de la sieste, où peu de gens circulaient dans la ville. La ruelle était flanquée par les épais murs de pierre d'une église et d'un couvent, il n'y avait même pas une porte proche où se réfugier. Nuria se mit à hurler, terrorisée, mais une gifle en plein visage, administrée par l'un des individus, la projeta à terre et la laissa sans voix. Juliana essaya de cacher sous son manteau la bourse contenant l'argent des aumônes, tandis qu'Isabel jetait des regards sur le côté, cherchant de l'aide. L'un des bandits prit la bourse de Juliana et un autre s'apprêtait à lui arracher ses boucles d'oreille en perles quand, brusquement, le bruit de sabots d'un cheval les mit sur leur garde. Isabel cria à pleins poumons et un instant plus tard Rafael Moncada en personne fit une apparition providentielle. Dans une ville aussi densément peuplée que celle-ci, son arrivée tenait du miracle. Un coup d'œil suffit à Moncada pour évaluer la situation, dégainer prestement son épée et affronter ces diables de bas étage. Deux d'entre eux avaient déjà des poignards courbes à la main, mais deux coups d'épée et l'attitude décidée de Moncada les firent hésiter. Il avait l'air immense et noble sur son destrier, les bottes noires luisantes dans les étriers d'argent, les chausses blanches et ajustées, le gilet de velours vert foncé à revers d'astrakan, la longue lame à coquille ronde gravée d'or. De sa hauteur il aurait pu expédier plus d'un adversaire sans autre forme de procès, mais il semblait s'amuser à les intimider. Un sourire féroce sur les lèvres et son épée scintillant dans les airs, il aurait pu être le personnage central d'un tableau de bataille. Les autres s'essoufflaient, tandis qu'il les aiguillonnait d'en haut sans leur laisser de répit. Le cheval, cabré par la bagarre, se dressa sur ses pattes arrière, et l'espace d'un instant il sembla qu'il allait mettre à bas le cavalier, mais celui-ci s'agrippa à sa monture. On aurait dit une étrange et violente danse. Au centre du cercle de poignards, le coursier tournait sur lui-même, hennissant de terreur, tandis que Moncada le dominait d'une main et brandissait son arme de l'autre, entouré par les hors-la-loi qui cherchaient le moyen de le poignarder, mais n'osaient trop s'approcher de lui. Aux hurlements d'Isabel s'ajoutèrent ceux de Nuria et plusieurs personnes apparurent bientôt dans la rue, mais lorsqu'elles virent les lames qui resplendissaient dans la pâle lumière du jour, elles restèrent à distance. Un gamin partit en courant chercher les alguazils, mais il y avait peu d'espoir qu'il revînt à temps avec de l'aide. Profitant de la confusion, Isabel arracha d'un coup la bourse des mains de l'homme à la couverture, puis elle prit sa sœur par un bras et Nuria par un autre pour les obliger à fuir, mais elle ne put les faire bouger, elles restaient toutes deux clouées sur les pavés. L'affrontement ne dura que quelques minutes, qui s'écoulèrent avec la lenteur impossible des cauchemars ; enfin, Rafael Moncada réussit à faire sauter la dague de l'un des hommes, sur quoi les trois assaillants comprirent qu'il valait mieux battre en retraite. Le cavalier fit mine de les poursuivre, mais il y renonça lorsqu'il vit le malaise des femmes et sauta de sa monture pour leur porter secours. Une tache rouge se répandait sur le tissu blanc de son pantalon. Juliana courut se réfugier dans ses bras, tremblant comme un lapin.

« Vous êtes blessé ! s'exclama-t-elle en voyant le sang sur sa jambe.

— Ce n'est qu'une égratignure », répliqua-t-il.

C'était trop d'émotions pour la jeune fille. Sa vue se

brouilla et ses jambes se dérobèrent sous elle, mais avant qu'elle tombe à terre les bras prévenants de Moncada la soulevèrent. Isabel commenta avec impatience qu'il ne manquait plus que ça pour compléter le tableau : que sa sœur s'évanouisse. Moncada ignora le sarcasme et, boitant un peu, mais sans tituber, il emmena Juliana dans ses bras jusqu'à la place. Nuria et Isabel marchaient derrière, tenant le cheval par la bride, entourées par les curieux qui s'étaient attroupés, chacun ayant une opinion personnelle sur ce qui s'était passé et tous voulant avoir le dernier mot à ce sujet. En voyant cette procession, Jordi descendit de son siège et aida Moncada à installer Juliana dans la voiture. Des applaudissements nourris éclatèrent parmi les badauds. Il était rare qu'arrivât quelque chose d'aussi don-quichottesque et d'aussi romantique dans les rues de Barcelone ; il y avait là matière à jaser pour plusieurs jours. Vingt minutes plus tard, Jordi arrivait dans la cour de la maison de Romeu, suivi de Moncada à cheval. Juliana pleurait nerveusement, Nuria faisait avec sa langue le compte des dents qu'avait ébranlées la gifle ; quant à Isabel, furibonde, elle serrait la bourse à deux mains.

D'un naturel désintéressé, Tomás de Romeu n'était pas homme à se laisser impressionner par les noms de haut rang – car il aspirait à l'abolition de la noblesse – et par la fortune de Moncada, mais il fut ému aux larmes lorsqu'il apprit que ce chevalier, qui avait subi tant de vexations de la part de Juliana, avait risqué sa vie pour protéger ses filles d'un dommage irréparable. Bien que se disant athée, il fut pleinement d'accord avec Nuria : la Divine Providence avait opportunément envoyé Moncada les sauver. Il insista pour que le héros de l'épisode se reposât pendant que Jordi allait chercher un médecin qui s'occuperait de sa blessure, mais Moncada préféra se retirer discrètement. Hormis une certaine agitation dans sa respiration, rien ne trahissait sa souffrance. Tous commentèrent que son sang-froid face à la douleur était aussi admirable que son courage face au danger. Isabel fut la seule à ne montrer aucune reconnaissance. Au lieu de se joindre au débordement sentimental des autres membres de la famille, elle se permit quelques claquements de langue méprisants, qui furent très mal reçus. Son père l'envoya dans sa chambre, lui intimant de ne pas se montrer tant qu'elle ne se serait pas excusée de sa vulgarité.

*

Diego dut écouter avec une patience forcée, de la bouche de Juliana, le récit détaillé de l'attaque, outre les spéculations sur ce qui serait arrivé si le sauveur n'était pas intervenu à temps. La jeune fille n'avait jamais été confrontée à une situation aussi dangereuse, la personne de Rafael Moncada grandit à ses yeux, parée de vertus qu'elle n'avait pas perçues jusqu'alors : il était fort et beau, il avait des mains élégantes et des cheveux ondulés. Avoir de beaux cheveux est un atout incontestable dans la vie. Elle remarqua soudain qu'il ressemblait au torero le plus populaire d'Espagne, un Cordouan aux jambes longues et aux yeux de feu. Son prétendant n'était pas mal du tout, décida-t-elle. Malgré cela, la terrible rencontre lui donna de la fièvre et elle alla se coucher tôt. Ce soir-là, le médecin dut lui donner un sédatif, après avoir administré des pilules d'arnica à Nuria, dont le visage était aussi enflé qu'une calebasse.

Voyant que la belle n'apparaîtrait pas au dîner, Diego lui aussi se retira dans ses appartements, où Bernardo l'attendait. Par convenance, les filles ne pouvaient approcher l'aile de la maison où logeaient les garçons, la seule exception ayant été lorsque Diego se remettait de la blessure du duel, mais Isabel n'avait jamais fait grand cas de cette règle, de même qu'elle n'obéissait pas au pied de la lettre aux punitions imposées par son père. Ce soir-là elle ignora l'ordre de s'isoler dans sa chambre et apparut dans celle des garçons sans s'annoncer, comme elle le faisait souvent.

« Ne t'ai-je pas dit de frapper à la porte ? Un jour tu vas me trouver nu, lui reprocha Diego.

— Je doute que cela me fasse une impression mémorable », répliqua-t-elle.

Elle s'assit sur le lit de Diego avec l'expression sournoise de qui possède une information et n'a pas l'intention de la donner, attendant qu'on la supplie, mais par principe celui-ci essayait de ne pas céder à ses ruses, et Bernardo était occupé à faire des nœuds à une corde. Une longue minute s'écoula, au terme de laquelle elle succomba à l'envie de leur commenter, dans le langage fleuri qu'elle employait loin des oreilles de Nuria, que si sa sœur ne soupçonnait pas Moncada, c'est qu'elle devait être vraiment idiote. Elle ajouta que toute l'affaire sentait le poisson pourri, parce que l'un des trois assaillants était Rodolfo, le géant du cirque. Diego fit un bond de singe et Bernardo lâcha la corde à laquelle il faisait des nœuds.

« Tu en es sûr ? N'avez-vous pas dit que ces rufians avaient le visage couvert ? l'apostropha Diego.

— Oui, et en plus celui-là était enveloppé dans une couverture, mais il était énorme et quand je lui ai arraché la bourse, j'ai vu ses bras. Ils étaient tatoués.

— Ç'aurait pu être un marin. Beaucoup ont des tatouages, Isabel, allégua Diego.

— C'étaient les mêmes tatouages que le gitan du cirque, je n'ai aucun doute là-dessus, aussi tu ferais bien de me croire », répliqua-t-elle.

De là à en déduire que les tsiganes étaient impliqués, il n'y avait qu'un pas, que Diego et Bernardo franchirent sur-le-champ. Ils savaient depuis longtemps que Pelayo et ses amis faisaient de sales petits boulots pour Moncada, mais ils ne pouvaient le prouver. Jamais ils n'avaient osé aborder le sujet avec le gitan, qui de toute façon était hermétique et ne leur aurait rien avoué. Amalia ne cédait pas non plus devant les interrogatoires détournés de Diego ; même dans les moments de plus grande intimité elle veillait aux secrets de sa famille. Diego ne pouvait arriver avec un pareil soupçon chez Tomás de Romeu, sans preuves et sans se voir obligé d'admettre ses propres relations furtives avec la tribu des Bohémiens, mais il décida d'intervenir. Comme le dit Isabel, ils ne pouvaient permettre que la jeune fille se retrouve mariée à Moncada pour une gratitude sans fondement.

Le lendemain, ils réussirent à convaincre Juliana de quitter le lit, de maîtriser ses nerfs et de les accompagner dans le quartier où Amalia avait l'habitude de s'installer pour lire les lignes de la main aux passants. Nuria les accompagna, parce que c'était son devoir, bien que son visage fût plus mal en point que la veille. Elle avait une joue violacée et les paupières tellement enflées qu'on aurait dit un crapaud. Il leur fallut moins d'une demi-heure pour trouver Amalia. Tandis que les jeunes filles et leur duègne attendaient dans la voiture, Diego supplia la gitane, avec une éloquence que lui-même ne se connaissait pas, de sauver Juliana d'un destin fatal.

« Une parole de toi peut éviter la tragédie d'un mariage sans amour entre une demoiselle innocente et un scélérat. Tu dois lui dire la vérité, allégua-t-il sur un ton dramatique.

— Je ne sais pas de quoi tu parles, répliqua Amalia.

— Si, tu le sais. Les types qui les ont attaquées appartenaient à ta tribu. Je sais que l'un d'eux était Rodolfo. Je crois que Moncada a préparé la scène afin de passer pour un héros aux yeux des filles de Romeu. Tout était arrangé, n'est-ce pas? insista Diego.

— Tu es amoureux d'elle? » demanda Amalia sans malice.

Offusqué, Diego dut admettre qu'il l'était. Elle lui prit les mains, les examina avec un sourire énigmatique, puis mouilla son doigt de salive et traça le signe de la croix sur ses paumes.

« Que fais-tu? Est-ce là une malédiction? demanda Diego, effrayé.

— C'est un pronostic. Jamais tu ne te marieras avec elle.

— Tu veux dire que Juliana va épouser Moncada?

— Ça, je ne sais pas. Je ferai ce que tu me demandes, mais ne te fais pas d'illusions, parce que cette femme doit accomplir son destin, comme toi le tien, et rien de ce que je dirai ne pourra changer ce qui est écrit dans le ciel. »

Amalia grimpa dans la voiture, d'un geste elle salua Isabel qu'elle avait vue quelquefois, lorsqu'elle accompagnait Diego et Bernardo, et s'installa sur le siège face à Juliana. Terrifiée, Nuria retenait sa respiration, parce qu'elle était convaincue que les Bohémiens étaient des descendants de Caïn et des voleurs professionnels. Juliana renvoya sa duègne et Isabel, qui descendirent de la voiture à contrecœur. Lorsqu'elles furent seules, les deux femmes s'observèrent pendant une bonne minute. Amalia fit un inventaire rigoureux de Juliana : le visage classique encadré de boucles noires, les yeux verts de chatte, le cou fin, la capeline et le chapeau en cuir, les délicates bottines de chevreau. Pour sa part, Juliana examina la gitane avec curiosité, parce qu'elle n'en avait jamais vu d'aussi près. Si elle avait aimé Diego, son instinct l'aurait avertie qu'elle était sa rivale, mais cette idée ne l'effleura pas. Elle aima son odeur de fumée, son visage aux pommettes marquées, ses jupes amples, le tintement de ses bijoux d'argent. Elle lui parut très belle. Dans un élan affectueux, elle retira ses gants et lui prit les mains. « Merci de venir me parler », lui dit-elle simplement. Désarmée par la spontanéité du geste, Amalia décida de violer la règle fondamentale de son peuple : ne jamais faire confiance à un *gadje*, surtout si celui-ci mettait son clan en danger. En quelques mots elle décrivit le côté obscur de Moncada, elle lui révéla que l'attaque avait en effet été planifiée, sa sœur et elle n'avaient jamais été en danger ; la tache sur le pantalon de Moncada ne provenait pas d'une blessure, mais d'un morceau de boyau rempli de sang de poule. Elle ajouta que quelques hommes de la tribu réalisaient de temps à autre des commissions pour Moncada, en général des affaires de peu d'importance ; ils n'avaient commis de faute grave qu'en de rares occasions, telle l'attaque du comte

Orloff. « Nous ne sommes pas des criminels », expliqua Amalia, et elle ajouta qu'ils regrettaient d'avoir agressé le Russe et Nuria, car la violence était interdite dans leur tribu. Comme coup de grâce, elle l'informa que c'était Pelayo qui chantait les sérénades, parce que Moncada chantait aussi faux qu'un canard. Juliana écouta toute la confession sans poser de questions. Les deux femmes se dirent adieu d'un léger signe et Amalia descendit de la voiture. Alors Juliana éclata en sanglots.

L'après-midi même, Tomás de Romeu reçut formellement dans sa résidence Rafael Moncada, qui avait fait savoir, par une brève missive, qu'il s'était remis de sa perte de sang et avait le désir de présenter ses respects à Juliana. Le matin, un laquais avait apporté un bouquet de fleurs pour elle et une boîte de touron aux amandes pour Isabel, attentions délicates et sans ostentation, que Tomás nota en faveur du prétendant. Moncada arriva vêtu avec une élégance parfaite et appuyé sur une canne. Tomás le reçut dans le salon principal, dépoussiéré en l'honneur du futur gendre ; il lui offrit un xérès et, lorsqu'ils furent installés, le remercia une fois encore de son opportune intervention. Il fit ensuite appeler ses filles. Juliana se présenta émaciée et portant un vêtement monacal, peu approprié pour une occasion aussi importante. Isabel, sa sœur, les yeux ardents et un rictus moqueur, la soutenait par un bras avec une telle fermeté qu'elle semblait la traîner. Rafael Moncada attribua la mauvaise mine de Juliana à ses nerfs. « Ce n'est pas étonnant après la terrible agression que vous avez subie… », parvint-il à commenter, avant qu'elle l'interrompe pour lui annoncer d'une voix tremblante, mais empreinte d'une volonté de fer, qu'elle ne l'épouserait jamais, même morte.

*

Face au refus sans appel de Juliana, Rafael Moncada se retira, livide, mais sans se départir de sa maîtrise et de ses bonnes manières. En ses vingt-sept ans de vie, il s'était heurté à quelques obstacles, mais n'avait jamais connu d'échec. Il n'avait pas l'intention de s'avouer vaincu, il lui restait encore quelques ressources dans sa manche, grâce à sa position sociale, à sa fortune et à ses relations. Il s'abstint de demander ses raisons à Juliana, son intuition l'ayant averti que quelque chose avait mal tourné dans sa stratégie. Elle en savait trop et il ne pouvait courir le risque de se voir exposé. Si Juliana soupçonnait que l'attaque de la rue avait été un coup monté, il ne pouvait exister qu'une seule raison : Pelayo. Il ne pensait pas que l'homme eût pris le risque de le trahir, car il n'avait rien à y gagner, mais il pouvait avoir commis une indiscrétion. Ici, on ne pouvait garder un secret très longtemps ; les domestiques formaient un réseau d'information beaucoup plus efficace que celui des espions français dans la Citadelle. Il suffisait d'un commentaire hors de propos de n'importe lequel des impliqués pour qu'il parvînt aux oreilles de Juliana. Il avait employé les gitans à plusieurs reprises justement parce qu'ils étaient nomades, qu'ils allaient et venaient sans avoir de rapport avec personne en dehors de leur tribu, qu'ils n'avaient ni amis ni relations à Barcelone, qu'ils étaient discrets par nécessité. Pendant la période où il était parti en voyage, il avait perdu tout contact avec Pelayo, et d'une certaine façon il s'était senti soulagé. Sa relation avec ces gens l'incommodait. Au retour, il avait imaginé pouvoir faire table rase, oublier les peccadilles du passé et recommencer au propre, loin de ce monde souterrain de mauvais coups à la solde, mais son intention de s'amender n'avait duré que quelques jours. Lorsque Juliana exigea deux autres semaines de réflexion avant de répondre à sa demande en mariage, Moncada eut une réaction de panique, très bizarre chez lui qui se flattait de dominer jusqu'aux monstres de ses cauchemars. Pendant son absence il lui avait écrit plusieurs lettres, mais elle n'avait jamais répondu. Il avait attribué ce silence à la timidité, parce qu'à un âge où d'autres femmes étaient déjà des mères,

Juliana se comportait comme une novice. A ses yeux, cette innocence constituait la meilleure qualité de la jeune fille, car elle lui garantissait que lorsqu'elle s'abandonnerait à lui elle le ferait sans réserve. Mais son assurance flancha avec le nouvel ajournement qu'elle lui imposa, et il décida alors de faire pression sur elle. Une action romantique, comme celle des romans d'amour qu'elle appréciait tant, serait le plus efficace pour ce qu'il se proposait, mais il ne pouvait attendre que l'occasion se présentât seule, il devait la provoquer. Il obtiendrait ce qu'il désirait sans nuire à personne ; il ne s'agissait pas vraiment d'une tromperie, parce que s'il arrivait que Juliana – ou n'importe quelle autre honnête femme – fût attaquée par des bandits, il se précipiterait à son secours sans hésiter. Bien sûr, il ne lui parut pas nécessaire de fournir ces arguments à Pelayo, il se contenta de lui transmettre ses ordres, que celui-ci remplit sans anicroches. La scène que montèrent les Bohémiens se révéla finalement plus courte que ce qui avait été planifié, car très vite ils se mirent à courir, lorsqu'ils soupçonnèrent que les coups d'épée de Moncada étaient sérieux. Ils ne lui donnèrent pas l'occasion de se distinguer avec tout l'éclat dramatique qu'il aurait souhaité, raison pour laquelle, lorsque Pelayo vint se faire payer, il marchanda sur le prix accordé. Ils discutèrent et Pelayo finit par accepter le rabais, mais Rafael Moncada garda un goût âcre à la bouche ; l'homme en savait trop et il pouvait être tenté de le faire chanter. En définitive, conclut-il, il ne convenait pas qu'un sujet de cet acabit, sans loi ni morale, ait du pouvoir sur lui. Il devait se débarrasser au plus vite de lui et de toute sa tribu.

De son côté, Bernardo connaissait bien le tissu serré de tous les potins que les personnes de la classe de Moncada craignaient tant. Avec son silence de tombe, son air d'Indien empreint de dignité et sa bonne volonté lorsqu'il s'agissait de rendre service, il s'était attiré les bonnes grâces de beaucoup de gens, vendeurs du marché, déchargeurs du port, artisans des quartiers, cochers, laquais et domestiques des maisons cossues. Il emmagasinait les informations dans sa prodigieuse mémoire, divisée en compartiments telles d'immenses archives, où il conservait les données rangées et prêtes à l'emploi au moment utile. Il avait fait la connaissance de Joanet, l'un des domestiques de Moncada, dans la cour de la demeure d'Eulalia de Callís la nuit où Moncada lui avait donné du bâton. Dans ses archives, cette nuit ne figurait pas à cause de la bastonnade reçue, mais à cause de l'attaque sur le comte Orloff. Il avait gardé le contact avec Joanet, ce qui lui permettait de surveiller Moncada de loin. L'homme n'était pas très futé et il détestait quiconque n'était pas catalan, mais il tolérait Bernardo parce qu'il ne l'interrompait pas, et qu'en outre il était baptisé. Une fois qu'Amalia eut admis les relations de Moncada avec les gitans, Bernardo décida d'en savoir plus sur ce personnage. Il rendit visite à Joanet, lui apportant en cadeau le meilleur cognac de Tomás de Romeu, qu'Isabel lui avait fourni lorsqu'elle avait su que la bouteille serait employée à ces fins. L'homme n'avait pas besoin d'alcool pour délier sa langue, mais il le remercia tout de même et bientôt lui fit part des dernières nouvelles : lui-même avait porté une missive de son maître au chef militaire de La Citadelle, dans laquelle Moncada accusait la tribu des gitans d'introduire des armes de contrebande dans la ville et de conspirer contre le gouvernement.

« Les gitans sont maudits pour toujours, parce qu'ils ont fabriqué les clous de la croix du Christ. Ils méritent qu'on les brûle tous sur le bûcher, sans miséricorde, voilà ce que je dis », fut la conclusion de Joanet.

Bernardo savait où trouver Diego à cette heure. Sans hésiter, il se mit en route vers la rase campagne qui s'étendait à l'extérieur des murs de Barcelone, où les gitans avaient planté leurs tentes graisseuses et leurs roulottes disloquées. Depuis trois ans qu'ils étaient installés là, le campement avait pris l'aspect d'un village de toile. Diego de la Vega n'avait pas renoué ses amours avec Amalia, parce qu'elle craignait pour son propre sort. Elle avait été sauvée d'une exécution par les Français, preuve de reste que l'esprit de Ramón, son mari, la protégeait depuis l'Autre Côté. Elle n'avait pas intérêt à provoquer sa colère en couchant avec le jeune *gadje*. Le fait que Diego lui eût avoué son amour pour Juliana influençait également son âme, étant donné que dans ce cas tous deux étaient infidèles, elle à la mémoire du défunt et lui à la chaste demoiselle. Comme l'imaginait Bernardo, Diego était venu au campement pour aider ses amis à préparer la tente du cirque dominical, qui cette fois n'allait pas être dressée sur une place, comme d'habitude, mais au campement même. Ils disposaient de quelques heures devant eux, car le spectacle débutait à quatre heures de l'après-midi. Lorsque Bernardo arriva, il était en train de haler des cordes avec les autres hommes pour tendre les bâches, en chantant l'un des refrains que les marins de la *Madre de Dios* lui avaient appris. Il pouvait percevoir de loin sa pensée et il l'attendait. Il n'eut pas besoin de voir l'expression taciturne de son frère pour savoir que quelque chose allait mal. Son sourire, qui dansait toujours sur son visage, disparut lorsqu'il entendit ce que Bernardo avait appris de Joanet, et aussitôt il réunit la tribu.

« Si l'information est sûre, vous courez un grave danger. Je me demande pourquoi on ne vous a pas encore arrêtés, leur dit-il.

— Ils viendront certainement pendant la représentation, quand nous serons tous ici et qu'il y aura du public. Les Français aiment châtier pour l'exemple, cela entretient la peur parmi la population, et il n'y a rien de mieux que de le faire avec nous », répondit Rodolfo.

Ils rassemblèrent leurs enfants, leurs animaux et, en silence, avec la discrétion de siècles de persécution et de vie errante, ils empaquetèrent l'indispensable, montèrent sur leurs chevaux et, moins d'une demi-heure plus tard, ils avaient disparu en direction des montagnes. En leur faisant ses adieux, Diego leur recommanda de lui envoyer quelqu'un le lendemain à la cathédrale du vieux quartier. « J'aurai quelque chose pour vous », leur dit-il, et il ajouta qu'il allait essayer de distraire les soldats pour leur donner le temps de fuir. Les gitans perdaient tout. Derrière eux le campement resta désolé, avec la triste tente du cirque, les roulottes sans chevaux, les foyers encore fumants, les tentes abandonnées et un bric-à-brac d'ustensiles, de matelas et de chiffons. Pendant ce temps, Diego et Bernardo défilèrent dans les rues voisines avec des chapeaux de clowns et des roulements de tambour pour rameuter le public, qui se mit à les suivre vers le cirque. Bientôt, il y eut suffisamment de spectateurs attendant sous la tente. Des sifflements impatients accueillirent Diego, qui apparut dans l'arène habillé en Zorro, avec masque et moustaches, jetant en l'air trois torches enflammées qu'il rattrapait au vol, faisait passer entre ses jambes et derrière son dos avant de les lancer à nouveau. Le public ne parut pas très impressionné et les quolibets commencèrent à fuser. Bernardo emporta les torches et Diego demanda un volontaire pour un tour plein de suspense, comme il l'annonça. Un marin robuste et provocant s'avança et, suivant les instructions, il se plaça à cinq pas de distance avec un cigare aux lèvres. Diego fit claquer deux fois son fouet sur le sol avant de lui asséner un coup précis. En sentant le sifflement sur son visage, l'homme rougit de colère, mais quand le cigare vola en l'air sans que le fouet eût touché sa peau, il lâcha un éclat de rire repris en chœur par l'assistance. A ce moment quelqu'un se souvint de l'histoire qui avait circulé dans la ville sur un certain Zorro, vêtu de noir et portant un masque, qui avait osé sortir le Chevalier de son lit pour sauver des otages. Zorro... Le renard?... Quel renard?... Le mot courut en un clin d'œil et quelqu'un désigna Diego, qui salua par une profonde révérence et d'un bond grimpa par les cordes jusqu'au trapèze. A l'instant où Bernardo lui faisait un signe, il entendit des sabots de chevaux. Il les attendait. Il fit une pirouette sur la balançoire et resta suspendu par les pieds, se balançant en l'air au-dessus du public.

Un groupe de soldats français entra quelques minutes plus tard, baïonnettes au canon, derrière un officier qui bramait des menaces. La panique éclata tandis que les gens essayaient de sortir, moment que Diego mit à profit pour descendre à terre en se laissant glisser le long d'une corde. Plusieurs coups de feu résonnèrent et une pagaille monumentale s'empara des lieux, les spectateurs se poussant pour sortir, bousculant les soldats. Diego s'esquiva comme une belette avant qu'ils réussissent à l'atteindre et, aidé par Bernardo, il entreprit de couper les cordes qui soutenaient la tente de l'extérieur. La toile s'affala sur les têtes de l'assistance prisonnière, soldats et public confondus. La confusion donna le temps aux jeunes gens d'enfourcher leurs montures et de filer au galop vers la maison de Tomás de Romeu. Sur le cheval, Diego se dépouilla de la cape, du chapeau, du masque et de la moustache. Ils calculèrent qu'il faudrait un bon moment aux soldats pour se débarrasser de la tente qui leur était tombée dessus, se rendre compte que les gitans s'étaient enfuis et s'organiser pour les poursuivre. Diego savait que le lendemain le nom de Zorro serait à nouveau sur toutes les lèvres. De son cheval, Bernardo lui lança un regard de reproche éloquent, la vantardise pouvait lui coûter cher, car les Français remueraient ciel et terre pour retrouver le mystérieux personnage. Ils arrivèrent à destination sans attirer l'attention, entrèrent par une porte de service et, un peu plus tard, prenaient un chocolat avec des biscuits en compagnie de Juliana et d'Isabel. Ils ignoraient qu'au même moment le campement des gitans partait en fumée. Les soldats avaient mis le feu à la paille de la piste, qui brûla comme de l'amadou, atteignant rapidement les vieilles bâches.

Le lendemain à midi, Diego se posta dans une nef de la cathédrale. La rumeur de la seconde apparition de Zorro avait fait tout le tour de Barcelone et était déjà revenue à ses oreilles. En un seul jour le héros énigmatique parvint à ravir l'imagination populaire. La lettre Z apparut gravée au couteau sur plusieurs murs, œuvre de gamins exaltés et enthousiastes voulant imiter Zorro. « C'est ce qu'il nous faut, Bernardo : de nombreux renards pour distraire les chasseurs », opina Diego. A cette heure l'église était vide, hormis deux sacristains qui changeaient les fleurs sur le grand autel. Il y régnait la froide et calme pénombre d'un mausolée, la violente lumière du soleil ni le bruit de la rue n'arrivant jusque-là. Diego attendit assis sur un banc, entouré de saints massifs, respirant l'odeur métallique caractéristique de l'encens qui imprégnait les murs. De timides reflets colorés filtraient à travers les vieux vitraux, baignant le lieu d'une lumière irréelle. La tranquillité du moment lui apporta le souvenir de sa mère. Il ne savait rien d'elle, c'était comme si elle s'était volatilisée. Il lui paraissait étrange que ni son père ni le père Mendoza ne la mention-nent dans leurs lettres et qu'elle-même ne lui ait jamais envoyé quelques lignes, mais il n'était pas inquiet. Il pensait que si un malheur arrivait à sa mère il le sentirait dans ses os. Une heure plus tard, alors qu'il était sur le point de s'en aller, convaincu que personne ne viendrait plus au rendez-vous, surgit à côté de lui, tel un fantôme, la mince silhouette d'Amalia. Ils se saluèrent d'un regard, sans se toucher.

« Qu'allez-vous devenir maintenant ? murmura Diego.

— Nous allons partir jusqu'à ce que les choses se tassent, bientôt on nous aura oubliés, répliqua-t-elle.

— Ils ont brûlé le campement, vous n'avez plus rien.

— Ce n'est pas nouveau, Diego. Nous, les Rom, nous sommes habitués à tout perdre, ça nous est déjà arrivé et ça nous arrivera encore.

— Te reverrai-je, Amalia?

— Je ne sais pas, je n'ai pas ma boule de cristal », sourit-elle en haussant les épaules.

Diego lui donna ce qu'il avait pu réunir en ces quelques heures : la plus grande partie de l'argent qui lui restait du récent envoi de son père et celui rassemblé par les filles de Romeu lorsqu'elles apprirent ce qui était arrivé. A la demande de Juliana, il lui remit un paquet enveloppé dans un foulard.

« Juliana m'a demandé de te donner cela en souvenir », dit Diego.

Amalia dénoua le foulard et vit qu'il contenait un délicat diadème de perles, celui que Diego avait vu Juliana porter plusieurs fois, son bijou le plus précieux.

« Pourquoi ? demanda la femme, surprise.

— Je suppose que c'est parce que tu l'as sauvée du mariage avec Moncada.

— Ce n'est pas sûr. Peut-être son destin est-il de se marier avec lui de toute façon...

— Jamais ! Juliana sait maintenant quelle sorte de canaille il est, l'interrompit Diego.

— Le cœur est capricieux », répliqua-t-elle. Elle cacha le bijou dans un sac, entre les plis de ses amples jupes superposées, fit un geste d'adieu de la main à Diego et recula, disparaissant dans les ombres glacées de la cathédrale. Quelques instants plus tard elle courait dans les ruelles du quartier en direction des Rambles.

*

Peu après la fuite des gitans, et avant Noël, arriva une lettre du père Mendoza. Le missionnaire écrivait tous les six mois pour donner des nouvelles de la famille et de la mission. Il racontait, par exemple, que les dauphins étaient revenus sur la côte, que le vin des dernières vendanges était acide, que les soldats avaient arrêté Chouette-Blanche, parce qu'elle s'était jetée sur eux à coups de bâton pour défendre un Indien, mais qu'elle avait été relâchée grâce à l'intervention d'Alejandro de La Vega. Depuis, ajoutait-il, il n'avait pas vu la guérisseuse dans les parages. Avec son style concis et énergique il parvenait à émouvoir Diego bien plus qu'Alejandro de La Vega, dont les missives étaient des sermons émaillés de conseils moraux. Ils différaient peu du ton habituel établi par Alejandro dans sa relation avec son fils. Cette fois cependant, la brève missive du père Mendoza n'était pas adressée à Diego, mais à Bernardo, et elle était cachetée à la cire. Bernardo brisa le sceau à l'aide d'un couteau et s'installa près de la fenêtre pour la lire. Diego, qui l'observait à quelques pas de là, le vit changer de couleur à mesure que ses yeux parcouraient l'écriture anguleuse du missionnaire. Bernardo la lut deux fois, puis il la tendit à son frère.

Hier, deux août mille huit cent treize, est venue me rendre visite à la mission une jeune Indienne de la tribu de Chouette-Blanche. Elle amenait son fils, d'un peu plus de deux ans, qu'elle appelle simplement « Niño ». Je lui ai proposé de le baptiser, comme il se doit, et lui ai expliqué qu'autrement l'âme de cet innocent était en danger, car si Dieu décide de l'emporter, il ne pourra aller au ciel et restera échoué dans les limbes. L'Indienne a refusé le baptême. Elle m'a dit qu'elle attendra le retour du père afin qu'il choisisse le prénom. Elle a également refusé d'entendre la parole du Christ et de rester à la mission, où elle et son fils auraient une vie civilisée. Elle m'a donné le même argument : que lorsque le père de l'enfant reviendra, il prendra une décision à ce sujet. Je n'ai pas insisté, parce que j'ai appris à attendre avec patience que les Indiens viennent ici de leur plein gré, sinon leur conversion à la Véritable Foi n'est qu'un vernis. Le nom de cette femme est Eclair-dans-la-Nuit. Que Dieu te bénisse et guide toujours tes pas, mon fils.

Je t'embrasse dans le Christ Notre Seigneur,
Père Mendoza.

Diego rendit la lettre à Bernardo et tous deux gardèrent le silence, tandis qu'à la fenêtre la lumière du jour s'estompait. Bernardo, qui par nécessité de communiquer avait un visage très expressif, paraissait à cet instant sculpté dans le granit. Il se mit à jouer une triste mélodie sur sa flûte, se réfugiant dans la musique pour ne pas donner d'explications. Diego ne lui en demanda pas, parce qu'il sentait les battements du cœur de son frère dans sa propre poitrine. Le moment était venu de se séparer. Bernardo ne pouvait continuer à vivre comme un gamin, ses racines le réclamaient, il désirait rentrer en Californie et assumer ses nouvelles responsabilités. Il ne s'était jamais senti à l'aise loin de sa terre. Il avait passé plusieurs années à compter les jours et les heures, dans cette ville de pierre aux hivers glacés, en raison de sa loyauté indéfectible envers Diego, mais il n'en pouvait plus, le trou dans sa poitrine s'agrandissait comme une insondable caverne. L'amour absolu qu'il éprouvait pour Eclair-dans-la-Nuit prenait à présent une terrible urgence, car il avait l'absolue certitude que cet enfant était son fils. Diego accepta ses arguments silencieux le cœur serré et il répondit par un discours qui sortait à flots de son âme. « Tu devras partir seul, mon frère, car il me reste plusieurs mois d'étude au Collège d'Humanités avant d'obtenir mon diplôme, et pendant ce temps je veux convaincre Juliana de devenir ma femme, mais avant de me déclarer et de demander sa main à don Tomás, je dois attendre qu'elle se remette de la déception que lui a causée Rafael Moncada. Pardonne-moi, mon frère, je suis très égoïste, ce n'est pas le moment de t'ennuyer avec mes rêves d'amour, mais de parler de toi. Pendant ces années je me suis amusé comme un enfant gâté pendant que tu étais malade de nostalgie en pensant à Eclair-dans-la-Nuit, sans même savoir qu'elle t'avait donné un fils. Comment as-tu pu en supporter autant? Je ne veux pas que tu t'en ailles, mais ta place est en Californie, il n'y a aucun doute là-dessus. Maintenant je comprends ce que mon père et toi m'avez toujours dit, Bernardo, que nos destins sont différents, je suis né avec une fortune et des privilèges que tu n'as pas. Ce n'est pas juste, parce que nous sommes frères. Un jour je serai le maître de l'hacienda de La Vega, et je pourrai alors te donner la part qui te revient; en attendant, je vais écrire à mon père et lui demander de te donner suffisamment d'argent pour t'installer où tu voudras avec Eclair-dans-la-Nuit et ton fils, tu n'es pas obligé de vivre à la mission. Je te promets que tant que je le pourrai, ta famille ne manquera jamais de rien. Je ne sais pourquoi je pleure comme un enfant, ce doit être parce que je te regrette déjà. Que vais-je faire sans toi? Tu n'imagines pas combien j'ai besoin de ta force et de ta sagesse, Bernardo. »

Les deux jeunes gens s'étreignirent, d'abord émus puis avec un rire forcé, parce qu'ils se piquaient de ne pas être sentimentaux. Une étape de leur jeunesse prenait fin.

Bernardo ne put partir tout de suite, comme il le souhaitait. Il dut attendre janvier pour trouver une frégate marchande qui l'emmène en Amérique. Il avait très peu d'argent, mais on accepta qu'il paie son passage à bord en travaillant comme marin. Il laissa une lettre à Diego, en lui recommandant de se méfier de Zorro, non seulement à cause du risque d'être découvert, mais parce que ce personnage finirait par s'emparer de lui. « N'oublie pas que tu es Diego de La Vega, un homme de chair et d'os, alors que ce Zorro est un produit de ton imagination », lui disait-il dans la lettre. Il eut de la peine à se séparer d'Isabel, qu'il en était venu à aimer comme une petite sœur, car il craignait de ne pas la revoir, bien qu'elle lui eût cent fois promis qu'elle irait en Californie dès que son père lui en donnerait la permission.

« Nous nous reverrons, Bernardo, même si Diego n'épouse jamais Juliana. La terre est ronde, et si j'en fais le tour j'arriverai un jour chez toi », lui assura Isabel en se mouchant et en essuyant ses larmes avec ses mains.

*

L'année 1814 s'annonça pleine d'espoir pour les Espagnols. Napoléon était affaibli par ses défaites en Europe et par la situation intérieure en France. Le traité de Valençay rendit la couronne à Ferdinand VII, qui se préparait à retourner dans sa patrie. En janvier, le Chevalier ordonna à son majordome d'emballer tout ce que contenait son hôtel particulier, tâche qui n'était pas simple, car il se déplaçait avec une splendeur princière. Il se doutait que Napoléon n'était plus pour très longtemps au pouvoir et que dans ce cas lui-même était en danger, car en sa qualité d'homme de confiance de l'empereur il n'avait aucun avenir dans le gouvernement qui le remplacerait, quel qu'il soit. Pour ne pas perturber sa fille, il lui présenta le voyage comme une promotion dans sa carrière : enfin ils rentraient à Paris. Ravie, Agnès se jeta à son cou. Elle était fatiguée des sombres Espagnols, des clochers muets, des rues mortes à cause du couvre-feu et, surtout, des vexations et des ordures qu'on jetait sur son carrosse. Elle détestait la guerre, les privations, la frugalité catalane et l'Espagne en général. Elle se lança dans de frénétiques préparatifs de voyage. Pendant ses visites chez Juliana, elle parlait, excitée, de la vie sociale et des divertissements de la France : « Vous devez me rendre visite cet été, la plus belle saison à Paris. Papa et moi serons alors convenablement installés. Nous vivrons tout près du palais du Louvre. » Au passage, elle offrit également l'hospitalité à Diego, car selon elle celui-ci ne pouvait retourner en Californie sans avoir connu Paris. Tout ce qui était important avait lieu dans cette ville, la mode, l'art et les idées, dit-elle, les révolutionnaires américains eux-mêmes s'étaient formés en France. La Californie n'était-elle pas une colonie de l'Espagne ? Ah ! dans ce cas, il fallait lui accorder son indépendance. Peut-être, à Paris, Diego se guérirait-il de ses minauderies et de ses maux de tête, et deviendrait-il un militaire célèbre, comme celui d'Amérique du Sud qu'on appelait le Libertador. Simón Bolívar, ou quelque chose comme ça.

Pendant ce temps, dans la bibliothèque, le Chevalier Duchamp partageait le dernier cognac avec Tomás de Romeu, sans doute le seul ami qu'il ait eu pendant toutes les années passées dans cette ville hostile. Sans lui révéler aucun renseignement stratégique, il lui exposa la situation politique et lui suggéra de profiter de ce moment pour partir en voyage à l'étranger avec ses filles. Celles-ci avaient tout à fait l'âge de découvrir Florence et Venise, dit-il ; quelqu'un qui apprécie la culture se doit de connaître ces villes. Tomás répondit qu'il allait y penser, que ce n'était pas une mauvaise idée, peut-être même feraient-ils ce voyage l'été prochain.

« L'Empereur a autorisé le retour de Ferdinand VII en Espagne. Cela peut avoir lieu d'un moment à l'autre. Je pense qu'il serait bon que vous ne vous trouviez pas ici lorsqu'il rentrera, insinua le Chevalier.

— Pourquoi donc, Excellence ? Vous savez combien j'apprécie l'influence de la France en Espagne, mais je crois que le retour du Désiré mettra fin à la guérilla, qui dure depuis six ans déjà, et qu'il permettra à ce pays de se réorganiser. Ferdinand VII devra gouverner avec la Constitution libérale de 1812, répliqua Tomás de Romeu.

— Je l'espère, pour le bien de l'Espagne et le vôtre, mon ami », conclut l'autre.

Peu après, le Chevalier Duchamp rentra en France avec sa fille Agnès. Le convoi de ses carrosses fut intercepté aux pieds des Pyrénées par une bande de guérilleros excités, les derniers qui sévissaient encore. Les assaillants étaient bien informés, ils connaissaient l'identité de l'élégant voyageur, l'éminence grise de La Citadelle, le responsable d'innombrables tortures et exécutions. Ils ne parvinrent pas à se venger comme ils le voulaient, car le Chevalier voyageait sous la protection d'un contingent de gardes bien armés, qui les reçurent avec les mousquets chargés. La première salve laissa plusieurs Espagnols dans une flaque de sang et les autres tombèrent sous les sabres. La rencontre dura moins de dix minutes. Les guérilleros survivants se dispersèrent, abandonnant derrière eux plusieurs hommes blessés, qui furent embrochés sans pitié par les lames. Le Chevalier, qui ne bougea pas de son carrosse et semblait plus ennuyé qu'effrayé, aurait facilement oublié l'escarmouche si une balle perdue n'avait atteint Agnès. Frôlant son visage, elle lui déchira la joue et une partie du nez. L'horrible cicatrice allait changer la vie de la jeune fille. Elle s'enferma dans la maison de campagne de sa famille, à Saint-Maurice, pendant plusieurs années. Au début, la perte de sa beauté la plongea dans une profonde dépression, mais avec le temps elle cessa de pleurer et se mit à lire autre chose que les romans d'amour qu'elle partageait avec Juliana de Romeu. Un à un, elle lut peu à peu tous les livres de la bibliothèque de son père, puis lui en demanda d'autres. Pendant les après-midi solitaires de sa jeunesse, brisée par cette balle fatidique, elle étudia la philosophie, l'histoire et la politique. Puis elle se mit à écrire sous un pseudonyme masculin et aujourd'hui, bien des années plus tard, son œuvre est connue dans de nombreuses parties du monde; mais ce n'est pas là notre histoire. Revenons en Espagne et à l'époque qui nous intéresse.

Malgré les conseils de Bernardo, Diego de La Vega se vit impliqué cette année-là dans des événements qui allaient définitivement le changer en Zorro. Les troupes françaises abandonnèrent l'Espagne, certaines en bateaux, d'autres par voie de terre à marche forcée, comme une lourde bête, sous les insultes et les jets de pierres du peuple espagnol. En mars Ferdinand VII revint de son exil doré en France. Le cortège royal du Désiré franchit la frontière en avril et rentra au pays par la Catalogne. Enfin s'achevait la longue lutte du peuple pour expulser les envahisseurs. Au début, l'allégresse nationale fut débordante et inconditionnelle. De la noblesse au dernier paysan, y compris la majorité des éclairés comme Tomás de Romeu, tous virent avec joie le retour du roi et oublièrent les terribles défauts de son caractère, évidents dès son jeune âge. Ils supposaient que l'exil aurait mûri ce prince peu intelligent et qu'il reviendrait guéri de ses jalousies, de ses mesquineries et de sa passion pour les intrigues de cour. Ils se trompèrent.

Ferdinand VII était resté le même homme pusillanime, qui voyait des ennemis partout et s'entourait d'adulateurs.

Un mois plus tard, Napoléon Bonaparte fut obligé d'abdiquer le trône de France. Le monarque le plus puissant d'Europe succomba vaincu par une imposante conjonction de forces politiques et militaires. Au soulèvement des pays soumis, comme l'Espagne, s'ajouta pour le détruire l'alliance de la Prusse, de l'Autriche, de la Grande-Bretagne et de la Russie. Il fut déporté sur l'île d'Elbe, mais on lui permit de garder le titre d'empereur, à présent ironique. Le lendemain, Napoléon tenta, sans succès, de se suicider.

En Espagne, l'allégresse générale provoquée par le retour du Désiré bascula en quelques semaines dans la violence. Isolé par le clergé catholique et les forces les plus conservatrices de la noblesse, de l'armée et de l'administration publique, le roi flambant neuf révoqua la Constitution de 1812 et les réformes libérales, faisant reculer le pays à l'époque féodale en quelques mois. L'Inquisition fut restaurée, de même que les privilèges de la noblesse, du clergé et des militaires, et une persécution impitoyable des dissidents et des opposants, des libéraux francisés et des anciens collaborateurs du gouvernement de José Bonaparte se déchaîna. Régents, ministres et députés furent arrêtés, douze mille familles durent franchir les frontières pour chercher refuge à l'étranger ; la répression prit une telle ampleur que personne n'était en sécurité, la moindre suspicion ou une accusation sans fondement suffisait pour être arrêté et exécuté sans formalités.

Eulalia de Callís était au comble du bonheur. Elle avait longtemps attendu le retour du roi pour retrouver sa situation d'autrefois. Elle n'aimait ni l'insolence de la plèbe ni le désordre, préférant l'absolutisme d'un monarque, fût-il un médiocre. Sa devise était : « Chacun à sa place, une place pour chacun. » Et la sienne, bien sûr, était au sommet. A la différence des autres nobles, qui avaient perdu leurs fortunes en ces années révolutionnaires parce qu'ils étaient restés accrochés à leurs traditions, elle n'avait eu aucun scrupule à recourir aux méthodes bourgeoises pour s'enrichir. Elle avait du flair pour les affaires. Elle était plus riche que jamais, plus puissante, et avait des amis à la cour de Ferdinand VII ; elle était disposée à voir l'extermination systématique des idées libérales, qui avaient mis en péril une bonne partie de ce qui soutenait son existence. Cependant, un peu de la générosité du passé restait encore caché dans les plis de sa corpulente humanité : en voyant tant de souffrance autour d'elle, elle ouvrit ses coffres pour secourir les affamés, sans leur demander à quel bord politique ils appartenaient. Ainsi finit-elle par cacher dans sa maison de campagne, ou chercher le moyen d'envoyer en France, plus d'une famille de réfugiés.

Bien qu'il n'eût pas besoin de le faire, car sa situation était de toute façon florissante, Rafael Moncada entra immédiatement dans le corps des officiers de l'armée, où les titres et les relations de sa tante lui garantissaient une rapide ascension. Annoncer aux quatre vents qu'enfin il pouvait servir l'Espagne dans une armée monarchique, catholique et traditionnelle lui donnait encore plus de prestige. Sa tante n'y vit aucun inconvénient, car elle était d'avis que l'uniforme sied même au plus idiot.

Tomás de Romeu comprit alors combien son ami le Chevalier Duchamp avait eu raison de lui conseiller de partir à l'étranger avec ses filles. Il convoqua ses comptables afin d'évaluer l'état de ses biens, et découvrit que sa rente ne lui suffisait pas pour vivre décemment dans un autre pays. Il craignait en outre, s'il s'éloignait, que le gouvernement de Ferdinand VII lui confisquât les propriétés qui lui restaient encore. Après toute une vie passée à manifester son mépris pour les questions matérielles, il devait maintenant s'agripper à ses possessions. La pauvreté lui faisait horreur. Il s'était peu inquiété de la diminution systématique de la fortune héritée de sa femme, parce qu'il supposait qu'il en aurait toujours assez pour continuer à vivre comme il l'avait fait jusque-là.

Jamais il ne s'était sérieusement imaginé qu'il pouvait perdre sa position sociale. Il ne voulait pas imaginer ses filles privées du confort qu'elles avaient toujours connu. Il décida que le mieux serait de partir loin et d'attendre que passe la vague de violence et de persécution. A son âge, ayant vu tant de choses, il savait que tôt ou tard le pendule politique oscille en sens contraire; il suffisait de se rendre invisible jusqu'à ce que la situation s'améliore. Il ne pouvait même pas aller dans la maison patriarcale de Santa Fe, où il était trop connu et détesté, mais il se souvint de terres que sa femme possédait sur la route de Lérida et qu'il n'avait jamais visitées. Cette propriété, qui ne lui avait rapporté que des ennuis, aucune rente, pouvait être maintenant son salut. C'étaient des collines plantées de vieux oliviers, où vivaient quelques familles de paysans très pauvres et attardées, qui n'avaient pas vu de patron depuis si longtemps qu'elles pensaient ne pas en avoir. La propriété était constituée d'une grande bâtisse horrible et pratiquement en ruine, construite aux alentours de l'an 1500, un cube massif, fermé comme une tombe pour préserver ses habitants des dangers des Sarrasins, soldats et bandits, qui dévastèrent la région pendant des siècles, mais Tomás décida qu'elle serait toujours préférable à une prison. Il pourrait y séjourner pendant quelques mois avec ses filles. Il remercia la plupart de ses domestiques, ferma la moitié de sa demeure de Barcelone, laissa le reste à la charge de son majordome et se mit en route avec plusieurs voitures, car il devait transporter les meubles indispensables.

Diego assista à l'exode de la famille avec un mauvais pressentiment, mais Tomás de Romeu le rassura en lui expliquant qu'il n'avait exercé aucune charge dans l'administration napoléonienne et que peu de gens étaient au courant de l'amitié qui le liait au Chevalier, aussi n'y avait-il rien à craindre. « Pour une fois, je me réjouis de ne pas être une personne importante », sourit-il en lui faisant ses adieux. Juliana et Isabel n'avaient pas la moindre idée de la situation dans laquelle elles se trouvaient, et elles partirent comme qui part pour d'étranges vacances. Elles ne comprenaient pas les raisons qu'avait leur père de les emmener là-bas, si loin de la civilisation, mais elles avaient l'habitude d'obéir et ne posèrent pas de questions. Diego embrassa Juliana sur les deux joues et lui murmura à l'oreille de ne pas désespérer, car la séparation serait brève. Elle répondit par un regard perplexe. Comme toutes les insinuations de Diego, celle-ci lui parut incompréhensible.

*

Diego n'aurait rien tant aimé qu'accompagner la famille à la campagne, comme le lui avait proposé Tomás de Romeu. L'idée de passer quelque temps loin du monde et en compagnie de Juliana était très tentante, mais il ne pouvait s'éloigner de Barcelone à ce moment. Les membres de La Justice étaient très occupés, ils devaient multiplier leurs ressources pour aider la masse des réfugiés qui tentaient de quitter l'Espagne. Il fallait les cacher, trouver des moyens de transport, les faire passer en France par les Pyrénées ou les envoyer vers d'autres pays d'Europe. L'Angleterre, qui avait combattu Napoléon avec acharnement jusqu'à sa défaite, appuyait maintenant le roi Ferdinand VII et, sauf exception, n'accordait pas de protection aux ennemis de son gouvernement. Comme le lui expliqua maître Escalante, jamais auparavant La Justice n'avait été aussi près d'être découverte. L'Inquisition était revenue en force : elle avait les pleins pouvoirs pour défendre la foi, et comme la ligne de séparation entre hérétiques et opposants au gouvernement était floue, n'importe qui était à sa merci. Au cours des années où elle avait été abolie, les membres de La Justice avaient négligé les mesures de sécurité, convaincus qu'il n'y avait pas de place pour le fanatisme religieux dans le monde moderne. Ils pensaient que les temps où l'on brûlait des gens sur le bûcher étaient à jamais révolus.

Ils payaient à présent les conséquences de leur optimisme excessif. Diego était si absorbé par les missions de La Justice qu'il cessa d'aller au Collège d'Humanités, où l'éducation, comme dans le reste du pays, était censurée. Nombre de ses professeurs et compagnons avaient été arrêtés pour avoir exprimé leur opinion. A cette époque, le recteur ventru de l'université de Cervera prononça devant le roi la phrase qui définissait la vie académique de l'Espagne : « Loin de nous la funeste manie de penser. »

Début septembre fut arrêté un membre de La Justice, qui pendant plusieurs semaines s'était caché dans la maison de maître Escalante. En tant que bras de l'Eglise, l'Inquisition préférait ne pas faire couler le sang. Ses méthodes d'interrogatoire les plus fréquentes consistaient à désarticuler les victimes sur le chevalet de torture, ou à les brûler au fer rouge. Le malheureux prisonnier confessa les noms de ceux qui l'avaient secouru, et le maître d'escrime fut arrêté peu après. Avant d'être traîné jusqu'à la sinistre voiture des alguazils, il eut juste le temps de prévenir son domestique, qui porta la mauvaise nouvelle à Diego. Le lendemain à l'aube, celui-ci put vérifier qu'Escalante n'avait pas été conduit à la Citadelle, comme c'était l'habitude dans le cas des prisonniers politiques, mais dans une caserne du quartier du port, parce qu'ils avaient l'intention de le conduire dans les prochains jours à Tolède, où était centralisée la sinistre bureaucratie de l'Inquisition. Diego se mit aussitôt en contact avec Jules César, l'homme avec lequel il avait lutté dans le tabernacle de la société secrète au cours de son initiation.

« C'est très grave. Ils peuvent tous nous arrêter, dit celui-ci.

— Jamais ils n'obtiendront que maître Escalante nous dénonce, opina Diego.

— Ils ont des méthodes infaillibles, développées pendant des siècles. Ils ont arrêté plusieurs des nôtres, et ils ont déjà beaucoup de renseignements. Le cercle se referme sur nous. Nous allons devoir dissoudre la société de manière temporaire.

« — Et don Manuel Escalante?

— J'espère, pour le bien de tous, qu'il parviendra à mettre fin à ses jours avant d'être soumis au supplice, soupira Jules César.

— Ils gardent le maître dans une caserne de quartier, pas à La Citadelle, nous devons essayer de le délivrer..., proposa Diego.

— Le délivrer! Impossible!

— Difficile, mais pas impossible. J'aurai besoin de l'aide de La Justice. Nous le ferons cette nuit même, répliqua Diego, et il entreprit d'exposer son plan.

— Ça me paraît une folie, mais ça vaut la peine d'essayer. Nous vous aiderons, décida son compagnon.

— Il faut immédiatement sortir le maître de la ville.

— Bien sûr. Une chaloupe avec un rameur de toute confiance l'attendra dans le port. Je crois que nous pourrons éluder la surveillance. Le rameur conduira le maître à un bateau qui lève l'ancre demain à l'aube pour Naples. Là-bas il sera à l'abri. »

Diego soupira en pensant que Bernardo lui avait rarement autant manqué. Cette épreuve était plus sérieuse que s'introduire dans l'hôtel particulier du Chevalier Duchamp. Ce n'était pas une mince affaire que d'attaquer une caserne, de réduire les gardes – il ne savait pas combien –, de libérer le prisonnier et de le conduire sain et sauf jusqu'à une embarcation avant que le coup de griffe de la loi ne lui tombe dessus.

Il partit à cheval vers la demeure d'Eulalia de Callís, dont il avait pris la peine d'étudier attentivement le plan chaque fois qu'il lui avait rendu visite. Il laissa son cheval dans la rue et, sans être vu, s'approcha en se baissant à travers les jardins, s'acheminant vers la cour de service où pullulaient les animaux domestiques entre les grandes tables où l'on tuait les cochons et les volailles, les auges de lavage, les marmites pour faire bouillir les draps et les fils de fer portant les vêtements étendus pour sécher. Au fond se trouvaient les hangars des carrosses et les écuries des chevaux. On voyait partout des cuisiniers, des laquais et des servantes, chacun occupé à sa tâche. Personne ne lui jeta un regard. Il s'introduisit dans les hangars en se cachant entre les carrosses, choisit celui qui lui convenait et attendit blotti à l'intérieur, croisant les doigts pour qu'aucun valet d'écurie ne le découvre. Il savait qu'à cinq heures de l'après-midi une cloche sonnait pour appeler les domestiques à la cuisine, Eulalia de Callís elle-même le lui avait raconté. C'était l'heure où la matrone offrait une collation à son armée d'employés de maison : de grandes tasses de chocolat mousseux et du pain pour tremper dedans. Une demi-heure plus tard, Diego entendit la cloche et en moins de deux la cour se vida de ses gens. La brise lui apporta le délicat parfum du chocolat et le fit saliver. Depuis que la famille était partie à la campagne, on mangeait fort mal dans la maison de Romeu. Diego, conscient qu'il ne disposait que de dix ou quinze minutes, détacha en hâte le blason des armes de la portière d'un carrosse et s'empara de deux vestes de l'élégant uniforme des laquais, qui pendaient à leurs perches. C'étaient des livrées de velours bleu ciel, au col et à la doublure cramoisis, aux boutons et aux épaulettes dorés. Des cols de dentelle, des culottes blanches, des chaussures vernies noires à boucle d'argent et une ceinture de brocart rouge complétaient la tenue. Comme disait Tomás de Romeu, même Napoléon Bonaparte n'était pas vêtu avec autant de luxe que les domestiques d'Eulalia. S'étant assuré que la cour était déserte, il sortit avec son paquet en se dissimulant entre les arbustes, et chercha son cheval. Peu après il descendait la rue au trot.

Chez Tomás de Romeu se trouvait le carrosse déglingué de la famille, trop fragile et trop vieux pour le transporter à la campagne. Comparé à n'importe lequel de ceux de doña Eulalia, c'était une ruine, mais Diego espérait que de nuit, et en se hâtant, personne ne remarquerait son aspect décrépit. Il lui fallait attendre le coucher du soleil et mesurer son temps avec soin, le succès de sa mission en dépendait. Après avoir cloué le blason sur le carrosse, il se dirigea vers la cave où l'on gardait les alcools, que le majordome tenait toujours sous clé, insignifiant obstacle pour Diego, qui avait appris à violer toutes sortes de verrous. Il ouvrit la cave, en sortit un tonneau de vin et l'emporta en le roulant à la vue des domestiques, qui ne lui posèrent pas de questions, imaginant que don Tomás de Romeu lui avait donné les clés avant de partir.

Pendant plus de quatre ans, Diego avait gardé comme un trésor le flacon de sirop de barbiturique que sa grand-mère, Chouette-Blanche, lui avait donné en cadeau d'adieu, avec la promesse qu'il ne l'emploierait que pour sauver des vies. Telle était justement son intention. Bien des années plus tôt, grâce à cette potion, le père Mendoza avait amputé une jambe et lui-même avait assommé un ours. Il ignorait si cette drogue serait puissante une fois diluée dans cette quantité de vin, peut-être n'aurait-elle pas l'effet qu'il en attendait, mais il devait le tenter. Il versa le contenu du flacon dans le tonneau et le fit rouler pour le mélanger. Peu après arrivèrent deux complices de La Justice ; ils coiffèrent des perruques blanches de laquais, enfilèrent les livrées de l'uniforme de la maison de Callís et l'accompagnèrent. Diego s'était vêtu comme un prince, avec sa plus belle tenue : veste de velours café à passementerie d'or et d'argent, col en peau, cravate à plastron fixée par une broche de perles, pantalon de couleur crème, chaussures de petit-maître à boucles dorées et chapeau haut de forme. Ainsi vêtu, ses camarades le conduisirent dans le carrosse jusqu'à la caserne. Il faisait nuit noire lorsqu'il se présenta devant la porte, mal éclairée par des lanternes. Diego ordonna aux deux sentinelles, de la voix pompeuse de celui qui a l'habitude de commander, d'appeler leur supérieur. Celui-ci s'avéra être un jeune sous-lieutenant ayant un fort accent andalou, qui fut impressionné par l'écrasante élégance de Diego et par le blason du carrosse.

« Son Excellence doña Eulalia de Callís vous envoie un tonneau du meilleur vin de sa cave afin que vous et vos hommes buviez à sa santé cette nuit même. C'est son anniver-saire, annonça Diego avec un air de supériorité.

— Ça me paraît étrange... parvint à balbutier l'homme, surpris.

— Etrange? Vous devez être nouveau à Barcelone! l'interrompit Diego. Son Excellence a toujours envoyé du vin à la caserne pour son anniversaire, et elle le fait avec plus de raison aujourd'hui que la patrie est libérée du despote athée. »

Déconcerté, le sous-lieutenant ordonna à ses subalternes de rentrer le tonneau et il invita même Diego à boire avec eux, mais celui-ci s'excusa, alléguant qu'il devait distribuer d'autres présents semblables à La Citadelle.

« Dans un moment, son Excellence vous enverra son plat préféré, des pieds de cochon aux navets. Combien de bouches y a-t-il ici? demanda Diego.

— Dix-neuf.

— Bien. Bonne nuit.

— Votre nom, monsieur, je vous prie...

— Je suis don Rafael Moncada, neveu de son Excellence doña Eulalia de Callís », répliqua Diego et, frappant de sa canne la portière du carrosse, il ordonna au faux cocher de prendre le chemin du départ.

*

A trois heures du matin, alors que la ville dormait et que les rues étaient désertes, Diego se prépara à mener à bien la seconde partie de son plan. A cette heure, jugeait-il, les hommes de la caserne devaient avoir bu son vin, et s'ils n'étaient pas endormis, du moins seraient-ils abrutis. Ce serait son seul avantage. Il avait changé de vêtements et s'était habillé en Zorro. Il portait le fouet, le pistolet et son épée affilée comme un poignard. Pour ne pas attirer l'attention avec les sabots d'un cheval sur les pavés, il partit à pied. Rasant les murs, il arriva jusqu'à l'une des ruelles proches de la caserne, où il constata que les mêmes sentinelles, bâillant de fatigue, étaient toujours sous les lanternes. Apparemment, elles n'avaient pas eu l'occasion de goûter au vin. Dans l'ombre d'une entrée l'attendaient Jules César et un autre membre de La Justice déguisés en marins, comme ils en étaient convenus. Diego leur donna ses instructions, qui incluaient l'ordre précis de ne pas intervenir pour l'aider, quoi qu'il arrive. Chacun devait veiller sur lui-même. Ils se souhaitèrent bonne chance au nom de Dieu et se séparèrent.

Les marins simulèrent une rixe d'ivrognes près de la caserne, tandis que Diego attendait le bon moment, dissimulé dans l'obscurité. La bagarre attira l'attention des sentinelles, qui abandonnèrent brièvement leur poste pour s'enquérir de la cause du raffut. Ils s'approchèrent des supposés ivrognes pour leur dire de s'éloigner s'ils ne voulaient pas être arrêtés, mais ceux-ci continuèrent à se donner des coups maladroits, comme s'ils ne l'entendaient pas. Ils titubaient tellement et marmonnaient tant de bêtises que les sentinelles se mirent à rire de bon cœur, mais lorsqu'ils se préparèrent à les disperser avec des coups, les ivrognes retrouvèrent miraculeusement l'équilibre et se jetèrent sur eux. Pris par surprise, les gardiens ne purent se défendre; en un instant ils furent étourdis, attrapés par les chevilles et traînés sans ménagement dans une ruelle adjacente, où il y avait une porte de nains dissimulée sous un porche. Ils frappèrent trois fois, un judas s'ouvrit, ils donnèrent le mot de passe et une femme d'une soixantaine d'années, vêtue de noir, leur ouvrit. Ils entrèrent en se baissant, pour éviter de se cogner la tête au linteau très bas, et jetèrent leurs prisonniers inertes dans une cave à charbon. Ils les laissèrent là mains liées et encapuchonnés, après les avoir déshabillés. Ils mirent leurs uniformes et revinrent à la porte de la caserne se poster sous les lanternes. Pendant les quelques minutes qu'avait duré l'opération consistant à remplacer les sentinelles, Diego s'était introduit dans le bâtiment, l'épée et le pistolet à la main.

Le lieu semblait désert, il y régnait un silence de mort. La moitié des lampes n'avait plus d'huile et il y avait peu de lumière. Invisible comme un spectre – seul l'éclat de sa lame trahissait sa présence –, Zorro traversa le vestibule. Il poussa prudemment une porte et se retrouva dans la salle d'armes, où le contenu du tonneau avait sans doute été distribué, car une demi-douzaine d'hommes ronflaient par terre, y compris le sous-lieutenant. Il s'assura qu'aucun n'était éveillé, puis il examina le tonneau. Il avait été vidé jusqu'à la dernière goutte.

« Salut, messieurs ! » s'exclama-t-il satisfait, et dans une impulsion joueuse il traça sur le mur la lettre Z de trois traits d'épée. Il pensa à l'avertissement de Bernardo selon lequel Zorro finirait par s'emparer de lui, mais il était trop tard.

Rapidement il confisqua les armes à feu et les sabres, il les entassa dans les coffres du vestibule, puis continua son exploration du bâtiment, éteignant les lanternes et les bougies au fur et à mesure de sa progression. L'ombre avait toujours été sa meilleure alliée. Il rencontra trois autres hommes abattus par le sirop de Chouette-Blanche et calcula que, si on ne lui avait pas menti, il devait en rester huit. Il espérait découvrir les cellules sans avoir à les affronter, mais des voix proches lui parvinrent et il comprit qu'il devait rapidement se cacher. Il se trouvait dans une grande pièce pratiquement nue. Il n'y avait nulle part où s'abriter et il ne pouvait pas non plus éteindre les deux torches sur le mur opposé, à quinze pas de distance. Il jeta un coup d'œil autour de lui et vit que la seule chose qui pouvait lui servir, c'étaient les grosses poutres de la toiture, trop hautes pour les atteindre d'un bond. Il rengaina son épée, mit le pistolet dans son ceinturon, déroula le fouet et d'un geste du poignet enroula le bout à l'une des poutres, tira pour le tendre et grimpa en deux brassées, comme il l'avait fait tant de fois dans les cordages des mâts et dans le cirque des gitans. Une fois en haut il ramena le fouet et s'aplatit sur la poutre, calme, car la lumière des torches n'arrivait pas jusque-là. A ce moment entrèrent deux hommes qui bavardaient et qui, à en juger par leur vivacité, n'avaient pas reçu leur ration de vin.

Diego décida de les intercepter avant qu'ils ne parviennent à la salle d'armes, où leurs compagnons gisaient les quatre fers en l'air dans un profond sommeil. Il attendit qu'ils passent sous la poutre et se laissa tomber d'en haut tel un immense oiseau noir, la cape ouverte en éventail et le fouet à la main. Paralysés, les hommes tardèrent à dégainer leurs sabres, lui donnant le temps de leur faire plier les jambes de deux coups de fouet précis.

« Très bonne nuit, messieurs! – d'une petite révérence moqueuse il salua ses victimes à genoux. Je vous prie de poser vos sabres à terre avec le plus grand soin. »

En guise d'avertissement, il fit claquer le fouet tout en sortant le pistolet qu'il portait à la ceinture. Les hommes lui obéirent sans un mot, et d'un coup de pied il expédia les sabres dans un coin.

« Voyons si vous m'aidez, vos seigneuries. Je suppose que vous ne voulez pas mourir, et moi, ça m'ennuierait de vous tuer. Où puis-je vous enfermer pour que vous ne me causiez pas d'ennuis? » leur demanda-t-il ironiquement.

Les soldats le regardèrent, perplexes, sans comprendre à quoi il faisait allusion. C'étaient de rudes paysans recrutés par l'armée, deux garçons qui malgré leur jeune âge avaient vu des horreurs, survécu à la tuerie de la guerre et eu faim bien des fois. Ils n'avaient pas la tête aux devinettes. Zorro simplifia la question, ponctuant chaque mot d'un coup de fouet. L'un d'eux, trop effrayé pour prononcer un mot, montra la porte par où ils étaient entrés. L'homme masqué leur suggéra de dire leurs prières, parce que s'ils le trompaient ils allaient mourir. La porte donnait sur un long couloir vide, qu'ils parcoururent en file indienne, les captifs en avant et lui derrière. Au bout, le couloir bifurquait, sur la droite se trouvait une porte ébréchée et sur la gauche une autre en meilleur état et pourvue d'une serrure, qui s'actionnait de l'autre côté.

Zorro fit signe à ses prisonniers d'ouvrir celle de droite. A sa vue apparurent des latrines nauséabondes, composées de quatre trous dans le sol couvert d'excréments, des seaux d'eau et une lanterne immonde couverte de mouches. Il n'y avait d'autre lien avec l'extérieur qu'une petite ouverture avec des barreaux de fer.

« Parfait! Je regrette que le parfum ne soit pas celui de gardénias. Voyons si vous nettoierez avec plus de soin à l'avenir », commenta-t-il, et d'un geste de son pistolet il fit signe aux hommes terrifiés d'entrer.

Zorro ferma les toilettes de l'extérieur et se dirigea vers l'autre porte, dont la serrure était très simple; il put la forcer en quelques secondes à l'aide de l'aiguille d'acier qu'il portait toujours dans la couture d'une botte, pour ses tours de magie. Il ouvrit avec prudence et descendit sans bruit un escalier de plusieurs marches. Il calcula qu'il conduisait au souterrain, où se trouvaient certainement les cellules. Au bout de l'escalier, collé au mur, il jeta un coup d'œil. Une seule torche éclairait un vestibule sans ventilation, surveillé par un garde qui à l'évidence n'avait pas non plus goûté au vin soporifique, car il faisait une réussite avec un jeu de cartes moult fois tripotées, assis par terre jambes croisées. Il avait un fusil à portée de main, mais n'eut pas l'occasion de l'empoigner, car Zorro apparut brusquement devant lui et lui expédia un coup de pied au menton qui le fit tomber sur le dos, puis il jeta l'arme au loin d'un autre coup de pied. La puanteur du lieu était si atroce qu'il eut la tentation de reculer, mais ce n'était pas le moment de faire des manières. Il saisit la torche et avança vers les petites cellules, des trous insalubres, humides, infestés de vermine, où les prisonniers étaient entassés dans l'obscurité. Il y en avait trois ou quatre dans chaque cellule et ils devaient rester debout ou s'asseoir à tour de rôle. On aurait dit des squelettes avec des yeux de fous. L'air fétide vibrait sous la respiration haletante de ces malheureux. Le jeune masqué appela Manuel Escalante et une voix lui répondit depuis l'un des cachots. Il leva la torche et vit un homme accroché aux barreaux, tellement battu que son visage n'était plus qu'une masse informe et tuméfiée, dont on ne distinguait plus les traits.

« Si vous êtes le bourreau, soyez le bienvenu, dit le prisonnier, et alors il le reconnut à la dignité de son port et à la fermeté de sa voix.

— Je viens vous libérer, maître, je suis Zorro.

— Très bonne idée! Les clés sont pendues près de la porte. En passant, vous devriez vous occuper du garde, qui commence à se réveiller... », répliqua tranquillement Manuel Escalante.

Son disciple prit le trousseau de clés et lui ouvrit la grille. Les trois prisonniers qui partageaient sa cellule sortirent précipitamment, se poussant et trébuchant, comme des animaux, rendus fous par un mélange de terreur et d'espoir. Zorro pointa son pistolet sur eux.

« Pas si vite, messieurs, vous devez d'abord secourir vos camarades », ordonna-t-il.

L'aspect menaçant du pistolet leur rendit un peu de leur humanité. Tandis qu'ils se débattaient avec les clés et les serrures, Diego enferma le garde dans la cellule libérée et Escalante s'empara du fusil. Une fois que toutes les cellules furent ouvertes, tous deux guidèrent vers la sortie ces pathétiques spectres en haillons, échevelés, couverts de sang séché, de crasse et de vomi. Ils montèrent les escaliers, suivirent le couloir, traversèrent la pièce vide où Diego avait grimpé sur la poutre et finirent par arriver près de la salle d'armes, lorsqu'un groupe de gardes surgit devant eux, alertés par le bruit qui venait des cachots. Ils étaient prêts, l'épée à la main. Zorro tira son seul coup de feu, atteignant l'un des gardes qui s'écroula, mais Escalante se rendit compte que son fusil était déchargé et qu'il n'avait pas le temps de le recharger. Il l'empoigna par le canon et se lança en avant comme une trombe, distribuant des coups dans toutes les directions.

Zorro dégaina sa lame et lui aussi se jeta à l'attaque. Il parvint à arrêter leurs adversaires pendant quelques secondes, permettant à Escalante de mettre la main sur l'une des épées que Diego avait subtilisées aux hommes qu'il avait enfermés dans les latrines. A eux deux, ils faisaient plus de bruit et de dégâts qu'un bataillon entier. Diego avait utilisé le fleuret chaque jour depuis qu'il était enfant, mais il n'avait jamais eu à se battre pour de vrai. Son seul duel à mort avait eu lieu avec des pistolets et il avait été beaucoup plus propre. Il constata qu'il n'y avait rien d'honorable dans un combat réel, où les règles ne comptent pas. La seule règle est de vaincre, quoi qu'il en coûte. Les armes ne s'entrechoquaient pas dans une élégante chorégraphie, comme dans les cours d'escrime, elles visaient directement l'ennemi pour le transpercer. L'esprit chevaleresque n'existait pas, les coups étaient féroces et on ne faisait pas de quartier. La sensation que transmettait l'acier des lames en entrant dans la chair d'un homme était indescriptible. Un mélange d'impitoyable exaltation, de répugnance et de triomphe s'empara de lui, il perdit la notion de la réalité et devint une bête. Les cris de douleur et les vêtements tachés de sang de ses adversaires lui firent apprécier la technique de combat des membres de La Justice, aussi infaillible dans le Cercle du Maître que dans un aveugle corps à corps. Après, lorsqu'il put penser, il remercia les mois de pratique avec Bernardo, quand il terminait tellement épuisé que ses jambes le soutenaient à peine. Ce faisant, il avait développé des réflexes rapides et une vision circulaire, il devinait par instinct ce qui se passait dans son dos. En une fraction de seconde il pouvait prévenir les mouvements simultanés de plusieurs ennemis, évaluer les distances, calculer la rapidité et la direction de chaque botte, se couvrir, attaquer.

Maître Escalante s'avéra aussi efficace que son disciple, malgré son âge et la terrible raclée reçue aux mains de ses bourreaux. Il n'avait pas l'agilité et la force de Zorro, mais son expérience et son calme compensaient largement ces faiblesses. Dans le fracas de la bataille, le jeune homme se couvrait de sueur et perdait son souffle, tandis que le maître brandissait le sabre avec une égale détermination, mais bien plus d'élégance. En quelques minutes tous deux parvinrent à réduire leurs adversaires. Ce n'est que lorsque le champ de bataille fut libre que les prisonniers libérés osèrent s'approcher. Aucun n'avait eu le courage d'aider leurs sauveurs, mais à présent ils étaient plus que disposés à traîner les gardes vaincus vers les cellules qu'eux-mêmes occupaient quelques minutes plus tôt, où ils les enfermèrent avec des insultes et des coups. C'est alors que Zorro retrouva la raison et jeta un regard autour de lui. Flaques de sang sur le sol, murs éclaboussés de sang, sang sur les corps des blessés qui étaient transportés dans les cellules, sang sur son épée, sang de tous côtés.

« Sainte Mère de Dieu! s'exclama-t-il terrifié.

— Allons, ce n'est pas le moment d'y penser », lui signifia maître Escalante.

Ils sortirent de la caserne sans rencontrer de résistance. Les autres fugitifs s'échappèrent par les ruelles dans les ténèbres de la ville. Certains parviendraient à se sauver en fuyant à l'étranger ou en restant cachés pendant des années, mais d'autres seraient repris et soumis à la torture pour qu'ils avouent comment ils s'étaient enfuis, avant d'être exécutés. Ces hommes ne purent jamais dire qui était l'audacieux masqué qui les avaient mis en liberté, parce qu'ils l'ignoraient. Ils n'avaient entendu que son nom : Zorro, qui correspondait au Z marqué sur le mur de la salle d'armes.

Quarante minutes en tout s'étaient écoulées entre le moment où deux supposés ivrognes avaient distrait les sentinelles de la caserne et celui où Zorro avait délivré son maître. Dans la rue attendaient les membres de La Justice, toujours vêtus des uniformes des gardes, qui conduisirent le fugitif vers l'exil. En se disant adieu, Diego et Manuel Escalante s'embrassèrent pour la première et la dernière fois.

Au petit matin, une fois que les hommes de la caserne se

furent remis des effets de la drogue et qu'ils eurent réussi à s'organiser et à s'occuper des blessés, l'infortuné sous-lieutenant dut rendre compte à ses supérieurs de ce qui s'était passé. La seule chose en sa faveur fut que malgré ce qui était arrivé, aucun de ses subalternes n'était mort dans le combat. Il précisa que, à sa connaissance, Eulalia de Callís et Rafael Moncada étaient impliqués dans l'événement, car d'eux provenait le fatidique tonneau de vin qui avait intoxiqué la troupe.

Cet après-midi-là, un capitaine se présenta devant les suspects, escorté par quatre gardes armés; mais il avait une attitude servile et débitait un chapelet de flatteries. Eulalia et Rafael le reçurent comme un vassal, exigeant qu'ils s'excusent de les déranger avec des bêtises. La dame l'envoya aux écuries vérifier que son blason avait été arraché de l'un de ses carrosses, preuve qui parut insuffisante au capitaine, mais il n'osa pas le dire. Rafael Moncada, vêtu de l'uniforme des officiers du roi, avait l'air si intimidant qu'il ne lui demanda aucune explication. Moncada n'avait pas d'alibi, mais avec sa position sociale il n'en avait nul besoin. En un clin d'œil ces deux personnages haut placés furent lavés de tout soupçon.

« L'officier qui s'est laissé berner de cette façon est un fieffé imbécile et il doit recevoir une punition exemplaire. Je veux savoir ce que signifie ce Z marqué sur le mur de la caserne et l'identité du bandit qui ose utiliser mon nom et celui de mon neveu pour ses crimes. Vous m'avez compris, officier? décocha Eulalia au militaire.

— Soyez certaine que nous allons faire tout notre possible pour éclaircir ce malheureux incident, Excellence », lui assura le capitaine en reculant vers la sortie avec de profondes génuflexions.

*

En octobre, Rafael Moncada décida que le moment était venu de faire sentir son autorité à Juliana, puisque la diplomatie et la patience n'avaient donné aucun résultat. Peut-être se doutait-elle que l'attaque qui avait eu lieu dans la rue avait été son œuvre, mais elle n'avait pas de preuves; les seuls à pouvoir lui en fournir, les gitans, étaient loin et ils n'oseraient pas revenir à Barcelone. Entre-temps, il avait découvert la situation économique catastrophique de Tomás de Romeu. Les temps avaient changé, cette famille n'était plus en condition de se faire prier. Sa propre position était resplendissante, il ne lui manquait que Juliana pour tenir dans son poing les rênes de son destin. Certes, il n'avait pas l'approbation d'Eulalia de Callís pour courtiser la jeune fille, mais il décida qu'il n'avait plus l'âge de se laisser mener par une tante dominatrice. Cependant, lorsqu'il voulut annoncer sa visite à Tomás de Romeu pour lui faire part de ses projets, sa missive lui fut renvoyée, parce que celui-ci s'était absenté de la ville avec ses filles. On ne sut lui dire où il se trouvait, mais il avait les moyens de le savoir. Par coïncidence, le même jour Eulalia le convoqua pour fixer la date des présentations avec la fille du duc de Medinaceli.

« Je regrette, ma tante. Aussi opportune que soit cette union, je ne peux l'accepter. Comme vous le savez, j'aime Juliana de Romeu, lui annonça Rafael avec toute la fermeté dont il put se prévaloir.

— Sors-toi cette fille de la tête, Rafael, l'avertit Eulalia. Elle n'a jamais été un bon parti, mais à présent ce serait un suicide social. Crois-tu qu'elle sera reçue à la cour lorsqu'on saura que son père est un francisé?

— Je suis prêt à courir ce risque. Elle est la seule femme qui m'ait intéressé dans la vie.

— Ta vie commence à peine. Tu la désires uniquement parce qu'elle t'a éconduit. Si tu l'avais obtenue, tu serais déjà fatigué d'elle. Tu as besoin d'une épouse à ta hauteur, Rafael, quelqu'un qui t'aide dans ta carrière. Cette Romeu sert à peine comme maîtresse.

— Ne parlez pas ainsi de Juliana! s'exclama Rafael.

« — Pourquoi pas ? Je parle comme il me plaît, en particulier lorsque j'ai raison, répliqua la matrone sur un ton sans appel. Avec les titres de la Medinaceli et ma fortune tu peux aller très loin. Depuis la mort de mon pauvre fils, tu es ma seule famille, c'est pourquoi je te traite avec la considération d'une mère, mais ma patience a des limites, Rafael.

— Que je sache, ma tante, votre défunt mari, Pedro Fages, Dieu l'ait en sa sainte garde, ne possédait non plus ni titres ni deniers lorsque vous l'avez connu, allégua le neveu.

— La différence, c'est que Pedro était courageux, il avait des états de service irréprochables dans l'armée et il était prêt à manger des lézards dans le Nouveau Monde pour faire fortune. En revanche, Juliana est une enfant gâtée et son père, un don personnel. Si tu veux gâcher ta vie avec elle, ne compte sur moi pour rien, c'est clair ?

— Très clair, ma tante. Bon après-midi. »

Claquant des talons, Moncada s'inclina et quitta la salle. Il était splendide dans son uniforme d'officier, les bottes luisantes et son épée ornée de glands à la ceinture. Doña Eulalia ne se troubla pas. Elle connaissait la nature humaine et était convaincue que l'ambition triomphait de n'importe quelle folie amoureuse. Il n'y avait aucune raison pour que son neveu fît exception à la règle.

Quelques jours plus tard, Juliana, Isabel et Nuria rentrèrent à Barcelone à bride abattue dans la voiture familiale, sans autre escorte que Jordi et deux laquais. Le bruit des sabots et le vacarme dans la cour alertèrent Diego, qui à ce moment s'apprêtait à sortir. Les trois femmes apparurent, livides et couvertes de poussière, apportant la nouvelle que Tomás de Romeu avait été arrêté. Un détachement de soldats s'était présenté à la bâtisse campagnarde, ils étaient résolument entrés et l'avaient emmené sans lui donner le temps de prendre un manteau. Les jeunes filles savaient seulement qu'il avait été accusé de trahison et allait être conduit à la redoutable Citadelle.

*

Lorsque Tomás de Romeu fut arrêté, Isabel assuma la direction de la famille, car Juliana, de quatre ans son aînée, perdit la tête. Avec une maturité qu'elle n'avait jusqu'alors jamais montrée en aucune chose, Isabel donna l'ordre d'empaqueter l'indispensable et de fermer la maison. Moins de trois heures plus tard, elle rentrait au triple galop avec Nuria et sa sœur à Barcelone. En chemin, elle eut le temps de prendre conscience qu'elles n'avaient pas un seul allié dans cette situation. Son père, qui selon elle n'avait jamais fait de mal à personne, n'avait maintenant que des adversaires. Personne n'était disposé à se compromettre pour tendre la main aux victimes de la persécution de l'Etat. La seule personne à qui elles pouvaient faire appel n'était pas un ami, c'était un ennemi, mais elle n'hésita pas un instant : Juliana devrait se prosterner aux pieds de Rafael Moncada si nécessaire ; aucune humiliation n'était intolérable lorsqu'il s'agissait de sauver leur père, comme elle le dit. Mélodrame ou non, elle avait raison. Juliana elle-même l'admit, et Diego dut ensuite accepter la décision, parce que même une douzaine de Zorro ne pourraient sauver quelqu'un de la Citadelle. Le fort était inexpugnable. S'introduire dans une caserne de quartier commandée par un sous-lieutenant imberbe pour délivrer Escalante avait été une chose, affronter le gros des troupes du roi à Barcelone en serait une autre. Pourtant, l'idée que Juliana dût aller implorer Moncada le révulsait. Il insista pour s'y rendre à sa place.

« Ne sois pas naïf, Diego, la seule qui puisse obtenir quelque chose de cet homme, c'est Juliana. Tu n'as rien à lui offrir », répliqua fermement Isabel.

Elle-même écrivit une missive annonçant la visite de sa sœur et elle l'envoya par un domestique chez l'obstiné chevalier servant, puis elle envoya sa sœur se laver et se vêtir de ses plus beaux atours. Juliana exigea que seule Nuria l'accom-

254

pagnât, parce qu'Isabel sortait facilement de ses gonds et que Diego n'était pas de la famille. De plus, lui et Moncada se haïssaient. Quelques heures plus tard, les yeux encore cernés par la fatigue du voyage, Juliana frappa à la porte de la demeure de l'homme qu'elle détestait, défiant les règles de discrétion établies depuis plusieurs siècles. Seule une femme à la réputation plus que douteuse osait rendre visite à un célibataire, même si elle se présentait accompagnée d'une sévère duègne. Sous le manteau noir, elle était vêtue comme en été bien que soufflât déjà un vent d'automne, d'une robe vaporeuse couleur maïs, d'un boléro court brodé de petites perles et d'une capote du même ton que la robe, nouée par un ruban de soie verte et couronnée de plumes blanches d'autruche. De loin, on aurait dit un oiseau exotique, et de près elle était plus belle que jamais. Nuria attendit dans le vestibule tandis qu'un domestique conduisait Juliana au salon, où l'attendait son amoureux.

Rafael la vit entrer, flottant telle une naïade dans l'air paisible de l'après-midi; il y avait quatre ans qu'il attendait ce moment. Le désir de lui faire payer les humiliations passées faillit s'emparer de lui, mais il supposa qu'il ne devait pas trop tirer sur la corde; cette fragile colombe devait être à la limite de sa résistance. La dernière chose qu'il avait imaginée, c'était que la fragile colombe serait aussi habile à marchander qu'un Turc du marché. Personne ne sut exactement de quelle façon ils avaient négocié, car Juliana n'expliqua ensuite que les points essentiels de l'accord auquel ils étaient parvenus : il obtiendrait la liberté de Tomás de Romeu et en échange elle l'épouserait. Pas un geste, pas un mot de plus ne trahirent les sentiments de Juliana. Une demi-heure plus tard elle ressortit du salon parfaitement calme, accompagnée de Moncada qui la soutenait légèrement par le bras. Elle fit un geste pressant à Nuria et se dirigea vers sa voiture, où Jordi dormait, épuisé, sur le siège du cocher. Elle partit sans jeter un seul regard à l'homme à qui elle avait promis sa main.

Pendant plus de trois semaines les filles de Romeu attendirent les résultats de la gestion de Moncada. Les seules sorties, pendant tout ce temps, furent pour se rendre à l'église prier Eulalia, la sainte de la ville, de leur venir en aide. « Comme Bernardo nous manque ! » commenta plus d'une fois Isabel au cours de ces journées, car elle était convaincue qu'il aurait réussi à se renseigner sur les conditions de détention de leur père, et même à lui faire parvenir un message. Ce qu'on ne pouvait d'en haut, Bernardo l'obtenait fréquemment grâce à ses connexions.

« Oui, ce serait bon de l'avoir ici, mais je suis heureux qu'il soit parti. Enfin il est avec Eclair-dans-la-Nuit, là où il a toujours voulu être, l'assura Diego.

— Tu as reçu de ses nouvelles ? Une lettre ?

— Non, pas encore, cela prend du temps.

— Et alors, comment le sais-tu ? »

Diego haussa les épaules. Il ne pouvait lui expliquer en quoi consistait ce que les Blancs, en Californie, appelaient le courrier des Indiens. Il fonctionnait sans obstacles entre Bernardo et lui ; depuis leur enfance ils pouvaient communiquer sans se parler, et il n'y avait pas de raison qu'ils ne puissent le faire maintenant. Seule la mer les séparait, mais ils étaient en contact permanent, comme ils l'avaient toujours été.

Nuria acheta une pièce de toile grossière en laine, de couleur marron, et elle entreprit de coudre des vêtements de pèlerin. Pour renforcer l'influence de sainte Eulalia à la cour céleste, elle avait également fait appel à saint Jacques de Compostelle, lui promettant que s'il libérait son maître elle se rendrait à pied à son sanctuaire avec les filles. Elle n'avait pas la moindre idée du nombre de lieues qu'elles devraient parcourir, mais elle supposa que s'il y avait des gens qui y allaient depuis la France, il ne devait pas y en avoir tant que ça.

La situation de la famille était des plus dramatiques. Le majordome partit sans explications dès qu'il sut qu'on avait arrêté son patron. Les quelques domestiques qui restaient dans la maison faisaient des mines de cent pieds de long et répondaient à n'importe quel ordre avec insolence, car ils avaient perdu tout espoir de toucher leurs salaires en retard. S'ils ne s'en allaient pas, c'était qu'ils n'avaient nulle part où aller. Les comptables et les avocats chargés des biens de don Tomás refusèrent de recevoir ses filles lorsqu'elles vinrent demander de l'argent pour les dépenses quotidiennes. Diego ne pouvait les aider, car il avait donné pratiquement tout ce qu'il possédait aux gitans; il attendait un envoi de son père, mais ne voyait rien venir. Pendant ce temps, il avait recours à des contacts plus terrestres que ceux de Nuria pour obtenir des renseignements sur les conditions dans lesquelles se trouvait le prisonnier. La Justice ne pouvait plus l'aider, car ses membres s'étaient dispersés. C'était la première fois depuis deux siècles que la société secrète suspendait ses activités, car elle avait fonctionné même aux pires moments de son histoire. Quelques-uns de ses membres avaient fui le pays, d'autres étaient cachés et les moins chanceux se trouvaient entre les griffes de l'Inquisition, qui ne brûlait plus les détenus, préférant les faire disparaître discrètement.

A la fin du mois d'octobre, Rafael Moncada vint parler à Juliana. Il avait l'air défait. Au cours de ces trois semaines, il avait découvert que son pouvoir était plus limité qu'il ne le supposait, expliqua-t-il. A l'heure de vérité, il n'avait pu faire grand-chose contre la lourde bureaucratie de l'Etat. Il avait fait un voyage à bride abattue à Madrid pour intercéder devant le roi en personne, mais celui-ci l'avait envoyé parler avec son secrétaire, l'un des hommes les plus puissants de la cour, en l'avertissant de ne pas le déranger pour des bêtises. Il n'avait rien obtenu du secrétaire en le berçant de belles paroles, et il n'avait pas osé le suborner, parce que s'il se trompait cela pouvait lui coûter très cher. On lui avait fait savoir que Tomás de Romeu serait fusillé, avec une poignée de traîtres. Le secrétaire lui avait conseillé de ne pas gâcher son influence à défendre un vautour, car il pourrait le regretter. La menace ne pouvait être plus claire. De retour à Barcelone, il prit à peine le temps de faire sa toilette et il se présenta pour raconter tout cela aux filles, qui le reçurent pâles, mais entières. Pour les consoler, il leur affirma qu'il n'avait pas l'intention de se donner pour vaincu, qu'il continuerait à faire son possible pour que la sentence soit commuée.

« En tout cas, Vos Grâces ne resteront pas seules en ce monde. Vous pourrez toujours compter sur mon estime et ma protection, ajouta-t-il, affligé.

— Nous verrons », répliqua Juliana sans une larme.

Lorsque Diego fut informé des tragiques nouvelles, il décida que si Eulalia, la sainte, n'avait pas été capable de faire quoi que ce soit pour eux, il devait faire appel à son homonyme.

« Cette dame a beaucoup de pouvoir. Elle connaît les secrets de la moitié du monde. Ils en ont peur. De plus, dans cette ville, l'argent compte plus que tout. Nous irons lui parler tous les trois, dit Diego.

— Eulalia de Callís ne connaît pas mon père et, d'après ce qu'on dit, elle déteste ma sœur », l'avertit Isabel, mais il ne pouvait pas ne pas le tenter.

*

Le contraste entre cet hôtel particulier surchargé d'ornements – à l'instar des plus luxueux de l'époque dorée de Mexico – et la sobriété de Barcelone en général, et en particulier de la maison de Romeu, était saisissant. Diego, Juliana et Isabel traversèrent d'immenses salons aux murs peints de fresques ou couverts de tapisseries des Flandres, de portraits de nobles ancêtres et de tableaux de batailles épiques. A chaque porte étaient postés des domestiques en livrée, et des femmes de chambre parées de dentelles hollandaises, chargées de s'occuper des horribles chihuahua, fixaient le sol au passage de toute personne de condition sociale supérieure. Je veux parler des servantes, bien sûr, pas des petits chiens. Doña Eulalia reçut ses visiteurs sur le trône à baldaquin du salon principal, vêtue comme pour un bal, bien que portant toujours un deuil rigoureux. On aurait dit un énorme lion de mer enveloppé dans des couches de graisse successives, avec sa petite tête et ses beaux yeux aux longs cils, aussi brillants que des olives. Si la vieille dame voulait les intimider, elle y réussit parfaitement. Les jeunes gens étouffaient de honte dans l'air cotonneux de ce petit palais ; jamais ils ne s'étaient trouvés dans une situation semblable, car ils étaient nés pour donner, non pour quémander.

Eulalia n'avait vu Juliana que de loin et elle était curieuse de l'examiner de près. Elle ne put nier que la jeune fille était charmante, mais son aspect ne justifiait en rien la bêtise que son neveu s'apprêtait à commettre. Elle se souvint de ses années de jeunesse et décida qu'elle avait été aussi belle que la jeune de Romeu. Outre sa chevelure de feu, elle avait eu un corps d'amazone. Sous la graisse qui l'empêchait à présent de marcher, le souvenir de la femme qu'elle avait été, sensuelle, imaginative, pleine d'énergie, demeurait intact. Ce n'était pas pour rien que Pedro Fages l'avait aimée d'une passion inépuisable et que tant d'hommes l'avaient enviée. Juliana, en revanche, avait une attitude de gazelle blessée. Que voyait Rafael dans cette pâle et délicate demoiselle, qui au lit se comporterait sûrement comme une nonne ? Les hommes sont très bêtes, conclut-elle. L'autre petite de Romeu, comment s'appelait-elle déjà ?, lui parut plus intéressante, parce qu'elle n'avait pas l'air timide, mais son apparence laissait beaucoup à désirer, en particulier si on la comparait à Juliana. Cette gamine n'avait pas de chance d'avoir pour sœur une beauté célèbre, pensa-t-elle. Dans des conditions normales, elle aurait au moins offert un xérès et des entremets à ses visiteurs, personne ne pouvait l'accuser d'être avare en ce qui concernait la nourriture, sa maison était réputée pour sa bonne chère ; mais elle ne voulut pas qu'ils se sentent à l'aise, elle devait garder l'avantage pour le marchandage qui l'attendait sans doute.

Diego prit la parole pour exposer la situation du père des jeunes filles, sans omettre que Rafael Moncada avait fait le voyage à Madrid dans l'intention d'intercéder en sa faveur. Eulalia écouta en silence, observant chacun des jeunes gens de ses yeux pénétrants et tirant ses propres conclusions. Elle devina l'accord qu'avait dû établir Juliana avec son neveu, sinon il ne se serait pas donné la peine de risquer sa réputation pour défendre un libéral accusé de trahison. Cette maladresse pouvait lui coûter la faveur du roi. Pendant un moment elle se réjouit que Rafael n'eût pas atteint son but, puis elle vit des larmes dans les yeux des jeunes filles et, une fois de plus, son vieux cœur la trahit. Son excellent jugement en affaires et son sens commun se heurtaient souvent à ses sentiments. Cela avait son prix, mais elle dépensait l'argent avec grâce, parce que ses mouvements spontanés de compassion étaient les derniers vices qui lui restaient de sa jeunesse perdue. Une longue pause suivit la plaidoirie de Diego de La Vega. Enfin la matrone, émue malgré elle, les informa qu'ils avaient une idée très exagérée de son pouvoir. Il n'était pas à sa portée de sauver Tomás de Romeu. Elle ne pouvait rien faire que n'eût déjà fait son neveu, dit-elle, sauf soudoyer les geôliers pour qu'il fût traité avec des égards particuliers jusqu'au moment de son exécution. Ils devaient comprendre qu'il n'y avait pas d'avenir en Espagne pour Juliana et Isabel. Elles étaient les filles d'un traître, et lorsque leur père mourrait elles deviendraient les filles d'un criminel et leur nom serait déshonoré. La couronne confisquerait leurs biens, elles se retrouveraient à la rue, sans moyens pour vivre dans ce pays ou n'importe quel autre pays d'Europe. Qu'allaient-elles devenir? Elles devraient gagner leur vie en brodant des draps pour des fiancées ou comme institutrices d'enfants étrangers. Bien sûr, Juliana pourrait essayer de se faire épouser par un naïf, y compris Rafael Moncada lui-même, mais elle était certaine qu'à l'heure de prendre une si grave décision son neveu, qui n'était pas un idiot, mettrait dans la balance sa carrière et sa position sociale. Juliana n'était pas au même rang que Rafael. De plus, il n'y avait pire embarras qu'une femme trop belle, dit-elle. Il ne convenait à aucun homme d'en épouser une, elles attiraient toutes sortes d'ennuis. Elle ajouta qu'en Espagne, comme on savait, les beautés sans fortune étaient destinées au théâtre ou à être entretenues par un bienfaiteur. Elle souhaitait de tout son cœur que Juliana échappe à ce sort. A mesure que la matrone exposait le cas, Juliana perdait peu à peu son sang-froid, qu'elle avait réussi à conserver pendant cette terrible entrevue, et un fleuve de larmes mouilla ses joues et son décolleté. Diego considéra qu'ils en avaient assez entendu et il regretta que doña Eulalia ne fût pas un homme, parce qu'il se serait battu sur-le-champ. Il prit Juliana et Isabel par le bras, et sans saluer les poussa vers la sortie. Ils n'atteignirent pas la porte, la voix d'Eulalia les arrêta.

« Comme je vous l'ai dit, je ne peux rien faire pour don Tomás de Romeu, mais je peux faire quelque chose pour vous. »

Elle leur offrit d'acheter les propriétés de la famille, depuis la maison en ruine de Barcelone jusqu'aux lointaines fermes abandonnées des provinces, pour un bon prix et payé tout de suite, ainsi les jeunes filles disposeraient du capital nécessaire pour commencer une nouvelle vie au loin, où personne ne les connaîtrait. Dès le lendemain, elle pouvait leur envoyer son notaire afin qu'il évalue les titres et rédige les documents nécessaires. Elle obtiendrait du chef militaire de Barcelone qu'il leur permît de rendre une dernière visite à leur père, pour lui faire leurs adieux et lui donner à signer les papiers de la vente, opération qui devait être réalisée avant que les autorités ne confisquent leurs biens.

« Ce que veut Votre Excellence, c'est se débarrasser de ma sœur pour qu'elle n'épouse pas Rafael Moncada! » l'accusa Isabel, tremblante de fureur.

Eulalia reçut l'insulte comme une gifle. Elle n'avait pas l'habitude qu'on élève la voix devant elle, personne ne l'avait fait depuis que son mari était décédé. Pendant quelques instants elle en eut le souffle coupé, mais avec les années elle avait appris à dominer son tempérament explosif et à apprécier la vérité lorsqu'elle l'avait devant le nez. Elle compta en silence jusqu'à trente avant de répondre.

« Vous n'êtes pas en position de refuser mon offre. Le marché est simple et clair : dès que vous recevrez l'argent vous partirez, répliqua-t-elle.

— Votre neveu a porté préjudice à ma sœur pour l'épouser et vous lui portez à présent préjudice pour l'empêcher de le faire !

— Assez, je t'en prie, Isabel, murmura Juliana en essuyant ses larmes. J'ai pris une décision. J'accepte votre offre et je vous remercie de votre générosité, Excellence. Quand pourrons-nous voir notre père ?

— Bientôt, jeunes filles. Je vous aviserai lorsque j'obtiendrai l'entrevue, dit Eulalia, satisfaite.

— Demain à onze heures nous recevrons votre comptable. Adieu, madame. »

Eulalia tint sa promesse au pied de la lettre. A onze heures tapantes, le lendemain, trois avocats se présentèrent à la résidence de Tomás de Romeu et se mirent en devoir de fouiller ses papiers, de retourner le contenu de son bureau, de réviser sa comptabilité en désordre et de faire une évaluation approximative de ses biens. Ils arrivèrent à la conclusion que non seulement il était beaucoup moins riche qu'en apparence, mais qu'en outre il croulait sous les dettes. Les rentes des jeunes filles ne leur permettraient pas de mener le même train de vie qu'auparavant. Mais le notaire avait des instructions précises de sa patronne. En faisant son offre, Eulalia ne regardait pas la valeur de ce qu'elle pensait acquérir, mais ce dont les jeunes filles avaient besoin pour vivre. C'est ce qu'il leur offrit. Ça ne leur parut ni peu ni prou, car elles n'avaient aucune idée de ce que coûtait une miche de pain. Elles étaient incapable d'imaginer la somme que la matrone était prête à leur verser. Diego n'avait pas non plus d'expérience en matière de finances et il n'avait rien à ce moment qui pût aider Juliana et Isabel. Les sœurs acceptèrent la quantité stipulée sans savoir que c'était le double de la valeur réelle des biens de leur père. Dès que les avocats eurent rédigé les documents, Eulalia leur obtint une entrevue à la prison.

*

La Citadelle était un monstrueux pentagone en pierre, bois et ciment, dessiné en 1715 par un ingénieur hollandais. Elle avait été le cœur du pouvoir militaire des Bourbons en Catalogne. D'épaisses murailles, couronnées d'un bastion à chacun de ses cinq angles, enfermaient sa vaste étendue. De là on dominait toute la ville. Pour construire l'inexpugnable forteresse, les armées du roi Philippe V avaient démoli des quartiers entiers, des hôpitaux, des couvents, mille deux cents maisons, et abattu les forêts voisines. Le lourd édifice et sa lugubre légende pesaient sur Barcelone tel un nuage noir. C'était l'équivalent de la Bastille en France : un symbole d'oppression. Entre ses murs avaient vécu diverses armées d'occupation, et dans ses cachots étaient morts des milliers et des milliers de prisonniers. A ses bastions pendaient les corps des pendus pour servir d'exemple à la population. D'après le dicton populaire, il était plus facile de sortir de l'enfer que de La Citadelle.

Jordi conduisit Diego, Juliana et Isabel au porche d'entrée, où ils présentèrent le sauf-conduit obtenu par Eulalia de Callís. Le cocher dut attendre dehors et les jeunes gens entrèrent à pied, accompagnés par quatre soldats armés de fusils avec la baïonnette au canon. Le chemin leur parut abominable. Dehors, il faisait froid, mais avec un splendide ciel dégagé et un air pur. L'eau de la mer était un miroir d'argent et la lumière du soleil peignait des reflets de fête sur les murs blancs de la ville. Pourtant, à l'intérieur de la forteresse, le temps s'était arrêté un siècle plus tôt et il régnait un éternel crépuscule d'hiver. Le trajet était long du porche d'entrée au bâtiment central, et ils l'effectuèrent en silence. Ils entrèrent dans ce lieu sinistre par une épaisse porte latérale en chêne cloutée de fer et furent guidés le long de couloirs interminables, où l'écho renvoyait le bruit de leurs pas. Des courants d'air sifflaient et il flottait cette odeur particulière des garnisons militaires. L'humidité coulait du plafond, traçant des cartes verdâtres sur les murs. Ils franchirent plusieurs seuils, et chaque fois une lourde porte se refermait derrière eux. A chaque claquement de porte, ils avaient la sensation de s'éloigner un peu plus du monde des gens libres et de la réalité connue pour s'aventurer dans les entrailles d'une bête gigantesque. Les deux jeunes filles tremblaient et Diego ne pouvait que se demander s'ils sortiraient vivants de ce lieu funeste. Ils arrivèrent à un vestibule, où ils durent attendre debout pendant un long moment, surveillés par les soldats. Enfin un officier les reçut dans une petite salle, où une table grossière et plusieurs chaises constituaient le seul mobilier. Le militaire jeta un rapide coup d'œil au sauf-conduit pour identifier le sceau et la signature, mais il ne savait sûrement pas lire. Il le rendit sans commentaires. C'était un homme d'une quarantaine d'années, au visage lisse, aux cheveux couleur acier et aux yeux d'un étrange bleu ciel, presque violet. Il s'adressa à eux en catalan, les avertissant qu'ils ne disposeraient que de quinze minutes pour s'entretenir avec le prisonnier à trois pas de distance, ils ne pouvaient s'approcher de lui. Diego lui expliqua que monsieur de Romeu devait signer des papiers et qu'il aurait besoin de temps pour les lire.

« S'il vous plaît, monsieur l'officier. Ce sera la dernière fois que nous verrons notre père. Je vous en prie, permettez-nous de l'embrasser », supplia Juliana la poitrine secouée de sanglots, en tombant à genoux devant l'officier.

L'homme en uniforme recula avec un mélange de contrariété et de fascination, tandis que Diego et Isabel essayaient d'obliger Juliana à se lever, mais elle était clouée au sol.

« Par Dieu! Levez-vous, mademoiselle! – s'exclama le militaire sur un ton péremptoire, mais aussitôt il s'adoucit et, prenant Juliana par les mains, il la fit doucement se lever. – Je ne suis pas un sans-cœur, petite. Moi aussi je suis père de famille, j'ai plusieurs enfants et je comprends combien cette situation est douloureuse. C'est bien, vous disposerez d'une demi-heure pour être en tête à tête avec lui et lui montrer ces documents. »

Il ordonna à un garde d'aller chercher le prisonnier. Au cours des minutes qui suivirent, Juliana eut le temps de contrôler son émotion et de se préparer à la rencontre. Peu après, Tomás de Romeu entra, escorté par deux gardes. Il était barbu, sale, émacié, mais on lui avait ôté les fers. Il n'avait pu se raser ou se laver au cours de ces semaines, il avait l'odeur d'un mendiant et le regard égaré d'un dément. Le régime maigre du cachot avait réduit sa panse de bon vivant, ses traits s'étaient affinés, son nez aquilin paraissait énorme dans son visage verdâtre et la peau de ses joues, autrefois rubicondes, pendait, couverte d'une barbe grise et clairsemée. Ses filles mirent quelques secondes à le reconnaître avant de se jeter en pleurant dans ses bras. L'officier se retira avec ses gardes. La douleur de cette famille était si crue, si intime, que Diego aurait voulu être invisible. Il s'aplatit contre le mur, le regard fixé au sol, bouleversé par la scène.

« Allons, allons, petites, calmez-vous, ne pleurez pas, je vous en prie. Nous n'avons que peu de temps et il y a beaucoup à faire, dit Tomás de Romeu en essuyant ses larmes du dos de la main. On m'a dit que je dois signer des papiers... »

Diego lui expliqua succinctement l'offre d'Eulalia, puis il lui donna les documents de vente, en le priant de les signer pour sauver le peu de patrimoine de ses filles.

« Cela confirme ce que je sais déjà. Je ne sortirai pas vivant d'ici », soupira le prisonnier.

Diego lui fit voir que même si le roi le graciait à temps, la famille devrait de toute façon partir à l'étranger ; elle ne pourrait le faire qu'à condition de disposer d'espèces sonnantes et trébuchantes. Tomás de Romeu prit la plume et l'encrier que Diego lui avait apportés, et il signa la cession de toutes ses possessions terrestres au nom d'Eulalia de Callís. Ensuite, il demanda sereinement à Diego de prendre soin de ses filles, de les emmener au loin, où personne ne saurait que leur père avait été exécuté comme un criminel.

« Depuis que je te connais, Diego, j'ai appris à te faire confiance comme au fils que je n'ai pas eu. Si mes filles sont sous ta protection, je pourrai mourir en paix. Emmène-les chez toi, en Californie, et prie mon ami Alejandro de La Vega de veiller sur elles comme sur ses propres filles, supplia-t-il.

— Vous ne devez pas désespérer, père, je vous en prie. Rafael Moncada nous a assuré qu'il emploierait toute son influence pour obtenir votre liberté, gémit Juliana.

— L'exécution a été fixée pour dans deux jours, Juliana. Moncada ne fera rien pour m'aider, parce que c'est lui qui m'a dénoncé.

— Père ! Vous en êtes sûr ? s'exclama la jeune fille.

— Je n'ai pas de preuves, mais je l'ai entendu dire par ceux qui m'ont arrêté, expliqua Tomás.

— Mais Rafael est allé demander votre grâce au roi !

— Je ne le crois pas, petite. Il se peut qu'il soit allé à Madrid, mais pour d'autres raisons.

— Alors c'est de ma faute !

— Tu n'es en rien coupable de la méchanceté d'autrui, ma fille. Tu n'es pas responsable de ma mort. Courage ! Je ne veux pas voir d'autres larmes. »

Romeu pensait que Moncada l'avait dénoncé non tant pour des raisons politiques, ou pour se venger des humiliations de Juliana, que par calcul. A sa mort, ses filles seraient désemparées et elles devraient accepter la protection du premier qui la leur offrirait. Alors il serait là, attendant que Juliana tombe comme une tourterelle dans ses mains, c'est pourquoi le rôle de Diego était si important à ce moment, ajouta-t-il. Le jeune homme faillit lui dire que Juliana ne tomberait jamais entre les mains de Moncada, qu'il l'adorait et qu'à genoux il la lui demandait en mariage, mais il ravala ses paroles. Juliana ne lui avait jamais donné de motifs de supposer qu'elle partageait son amour. Ce n'était pas le moment. De plus, il se sentait comme un freluquet, il ne pouvait offrir à ces jeunes filles un minimum de sécurité. Son courage, son épée, son amour ne lui servaient pas à grand-chose dans ce cas. Il se rendit compte que sans l'appui de la fortune de son père, il ne pouvait rien faire pour elles.

« Vous pouvez être tranquille, don Tomás. Je donnerais ma vie pour vos filles. Je veillerai toujours sur elles », dit-il simplement.

*

Deux jours plus tard, à l'aube, alors que la brume maritime couvrait la ville d'un manteau d'intimité et de mystère, onze prisonniers politiques accusés d'avoir collaboré avec les Français furent exécutés dans l'une des cours de La Citadelle. Une demi-heure avant, un prêtre leur avait donné l'extrême-onction, afin qu'ils partent dans l'autre monde lavés de leurs péchés, tels des nouveau-nés, comme il l'expliqua. Tomás de Romeu, qui pendant cinquante ans avait déblatéré contre le clergé et les dogmes de l'Eglise, reçut le sacrement avec les autres condamnés et accepta même la communion. « Au cas où, mon père, il n'y a rien à perdre... », dit-il en plaisantant. Il avait été malade de peur dès l'instant où il avait entendu les soldats arriver à sa maison de campagne, mais à présent il était tranquille. Son angoisse avait disparu depuis qu'il avait pu faire ses adieux à ses filles. Il dormit les deux nuits suivantes sans rêves, et passa les journées plein d'entrain. Il s'abandonna à la mort proche avec une placidité qu'il n'avait pas connue durant sa vie. L'idée commença à lui plaire de finir ses jours d'un coup de fusil plutôt que lentement, soumis à l'inévitable processus de la décrépitude. Sans doute pensa-t-il à ses filles, livrées à leur sort, en souhaitant que Diego de La Vega tînt sa promesse. Il les sentit plus distantes que jamais. Au cours de ces semaines de captivité, il s'était peu à peu détaché des souvenirs et des sentiments ; ainsi avait-il acquis une nouvelle liberté : il n'avait plus rien à perdre. Pensant à ses filles, il ne parvenait pas à visualiser leurs visages et à différencier leurs voix, c'étaient deux petites qui n'avaient pas de mère et jouaient à la poupée dans les sombres salons de sa maison. Deux jours plus tôt, lorsqu'elles lui avaient rendu visite dans la prison, il s'était émerveillé devant ces femmes qui avaient remplacé les fillettes de ses réminiscences, portant bottines, tabliers et rubans dans les cheveux. Bon Dieu, comme le temps passe, murmura-t-il en les voyant. Il leur fit ses adieux sans regret, surpris de sa propre indifférence. Juliana et Isabel feraient leur vie sans lui, il ne pouvait plus les protéger. A partir de cet instant, il put savourer ses dernières heures et observer avec curiosité le rituel de son exécution.

Le matin de sa mort, Tomás de Romeu reçut dans sa cellule le dernier présent d'Eulalia de Callís : un panier contenant une abondante collation, une bouteille du meilleur vin et une assiette des plus délicates friandises au chocolat de sa collection. Il fut autorisé à se laver et se raser, surveillé par un garde, et on lui remit le linge propre que lui avait envoyé ses filles. Il marcha, vaillant et impavide, vers le lieu de l'exécution, se plaça devant le poteau ensanglanté, où on l'attacha, et ne permit pas qu'on lui bandât les yeux. L'officier à la tête du peloton était celui-là même, aux yeux bleu ciel, qui avait reçu Juliana et Isabel à La Citadelle. C'est à lui que revint de donner le coup de grâce dans la tempe au condamné lorsqu'il constata qu'il avait la moitié du corps déchiquetée par les balles, mais qu'il était toujours vivant. La dernière chose que vit Tomás de Romeu avant que le coup de grâce ne fît éclater sa cervelle, ce fut la lumière dorée du jour naissant dans la brume.

Le militaire, qui ne se laissait pas facilement attendrir, car il avait subi la guerre et était habitué aux brutalités de la caserne et des geôles, n'avait pu oublier le visage baigné de larmes de la virginale Juliana agenouillée devant lui. Enfreignant la règle qu'il s'était fixée de tenir ses émotions à l'écart de l'accomplissement de son devoir, il alla lui-même porter la nouvelle. Il ne voulut pas que les filles de son prisonnier l'apprennent par d'autres voies.

« Il n'a pas souffert, mesdemoiselles », leur mentit-il.

*

Rafael Moncada apprit en même temps la mort de Tomás de Romeu et le stratagème d'Eulalia pour faire quitter l'Espagne à Juliana. La première chose faisait partie de son plan, mais la seconde le mit hors de lui. Cependant, il prit soin de ne pas l'affronter, car il n'avait pas renoncé à l'idée d'obtenir Juliana sans perdre son héritage. Il regrettait que sa tante ait une aussi bonne santé; dans sa famille, on vivait vieux et il y avait peu d'espoir qu'elle mourût bientôt, le laissant riche et libre de décider de son sort. Il lui faudrait obtenir que la matrone accepte Juliana de bon gré, c'était la seule solution. Ce n'était pas la peine de penser à lui présenter le mariage comme un fait accompli, car jamais elle ne le lui pardonnerait, mais il échafauda un plan, fondé sur la légende qu'en Californie, lorsqu'elle était la femme du gouverneur, Eulalia avait transformé un dangereux guerrier indien en une demoiselle chrétienne civilisée et espagnole. Il n'imaginait pas que ce personnage était la mère de Diego de La Vega, mais il avait plusieurs fois entendu raconter l'histoire de la bouche même d'Eulalia, qui avait le vice de vouloir contrôler les vies d'autrui, et de plus s'en vantait. Il pensait la supplier de recevoir les filles de Romeu à sa cour en qualité de protégées, étant donné qu'elles avaient perdu leur père et n'avaient pas de famille. Les sauver du déshonneur et obtenir qu'elles soient de nouveau acceptées dans la société serait un défi intéressant pour Eulalia, comme l'avait été cette Indienne en Californie, vingt ans auparavant. Quand la maman gâteau ouvrirait son cœur à Juliana et Isabel, comme elle finissait par le faire avec presque tout le monde, il reviendrait lui poser la question du mariage. Toutefois, si ce plan élaboré ne donnait pas de résultats, il y avait toujours l'alternative suggérée par Eulalia elle-même. Les paroles de sa tante lui avaient fait une impression ineffaçable : Juliana de Romeu pourrait être sa maîtresse. Sans un père pour veiller sur elle, la jeune fille finirait entretenue par un protecteur quelconque. Personne n'était mieux placé que lui pour tenir ce rôle. Cela lui permettrait d'obtenir une épouse de haut rang, peut-être même la Medinaceli, sans renoncer à Juliana. On peut tout faire avec discrétion, pensa-t-il. Ayant cela à l'esprit, il se présenta à la résidence de Tomás de Romeu.

La maison, qui lui avait toujours paru délabrée, donnait maintenant l'impression d'être en ruine. En quelques mois, à partir du jour où la situation politique avait changé en Espagne et où Tomás de Romeu s'était abîmé dans ses préoccupations et ses dettes, le bâtiment avait pris le même aspect vaincu et suppliant que son propriétaire. Les mauvaises herbes avaient envahi le jardin, les palmiers nains et les fougères séchaient dans leurs pots, le crottin de cheval et les ordures jonchaient la noble cour devenue le domaine des poules et des chiens. A l'intérieur de la demeure régnaient la poussière et la pénombre, les rideaux n'avaient pas été ouverts ni les cheminées allumées depuis des mois. Le souffle froid de l'automne semblait pris au piège dans les salles inhospitalières. Aucun majordome ne vint le recevoir ; à sa place apparut Nuria, aussi déplaisante et sèche qu'à l'accoutumée, qui le conduisit à la bibliothèque.

La duègne avait essayé de remplacer le majordome et faisait

son possible pour maintenir à flot ce voilier sur le point de faire naufrage, mais elle n'avait pas assez d'autorité sur le personnel. L'argent liquide manquait aussi, car il fallait garder jusqu'au dernier maravédi pour l'avenir, unique dot qu'auraient Juliana et Isabel. Diego avait porté les billets à ordre d'Eulalia de Callís chez un banquier qu'elle-même avait recommandé, homme d'une scrupuleuse honnêteté qui lui remit l'équivalent en pierres précieuses et quelques doublons d'or, avec le conseil de coudre ce trésor dans des jupons. Il leur expliqua que c'était ainsi que les Hébreux avaient sauvé leurs biens pendant des siècles de persécution, parce qu'on pouvait facilement les transporter et qu'ils avaient partout la même valeur. Juliana et Isabel avaient du mal à croire que cette poignée de petits cristaux de couleur représentait tout ce que leur famille possédait autrefois.

Tandis que Rafael Moncada attendait dans la bibliothèque, au milieu des livres reliés de cuir qui avaient été le monde privé de Tomás de Romeu, Nuria alla appeler Juliana. La jeune fille était dans sa chambre, lasse de pleurer et de prier pour l'âme de son père.

« Tu n'es pas obligée de parler à ce scélérat, fillette, dit la duègne. Si tu veux, je peux lui dire d'aller en enfer.

— Passe-moi la robe cerise et aide-moi à me peigner, Nuria. Je ne veux pas qu'il me voie en deuil ou vaincue », décida la jeune fille.

Quelques instants plus tard elle apparaissait dans la bibliothèque, aussi éblouissante que dans ses meilleurs jours. A la lumière vacillante des bougies, Rafael ne put voir ses yeux rougis par les pleurs ni la pâleur du deuil. D'un bond il se leva, son cœur battant la chamade, constatant une fois de plus l'invraisemblable effet que cette jeune fille avait sur ses sens. Il s'attendait à la voir défaite par la souffrance et elle était là devant lui, aussi belle, hautaine et émouvante que toujours. Lorsqu'il parvint à parler sans que sa voix s'éraille, il dit combien il regrettait l'horrible tragédie qui affectait sa famille

271

et lui réitéra qu'il avait remué ciel et terre à la recherche d'aide pour don Tomás, mais que tout avait été inutile. Il savait, ajouta-t-il, que sa tante Eulalia lui avait conseillé de quitter l'Espagne avec sa sœur, mais lui ne considérait pas la chose nécessaire. Il était convaincu que bientôt s'assouplirait la poigne de fer par laquelle Ferdinand VII étranglait ses opposants. Le pays était en ruine, le peuple avait souffert de trop d'années de violence et il réclamait maintenant du pain, du travail et la paix. Il suggéra que Juliana et Isabel n'utilisent plus désormais que le nom de leur mère, celui de leur père étant irrévocablement souillé, et que par prudence elles s'enferment pendant quelque temps, jusqu'à ce que se taisent les rumeurs entourant Tomás de Romeu. Peut-être alors pourraient-elles réapparaître en société. Entre-temps, elles seraient sous sa protection.

« Que suggérez-vous exactement, monsieur ? » demanda Juliana, sur la défensive.

Moncada lui répéta que rien ne le rendrait plus heureux que de la prendre pour épouse et que son offre antérieure tenait toujours, mais qu'étant donné les circonstances il serait nécessaire de sauver les apparences pendant quelques mois. Ils devaient aussi déjouer l'opposition d'Eulalia de Callís, mais cela ne constituait pas un problème insurmontable. Lorsque sa tante aurait l'occasion de la mieux connaître, sans doute changerait-elle d'avis. Il voulait espérer qu'après de si graves événements Juliana aurait réfléchi à son avenir. Bien qu'il ne la méritât pas – aucun homme ne la méritait pleinement –, il mettait sa vie et sa fortune à ses pieds. A ses côtés, jamais elle ne manquerait de rien. Bien que le mariage dût être reporté, il pouvait leur offrir, à elle et sa sœur, le bien-être et la sécurité. Son offre n'avait rien de futile, il la priait de la considérer sérieusement.

« Je ne demande pas une réponse immédiate. Je comprends parfaitement que vous êtes en deuil et que ce n'est probablement pas le moment de parler d'amour...

— Jamais nous ne parlerons d'amour, monsieur Moncada, mais nous pouvons parler affaires, l'interrompit Juliana. C'est parce que vous l'avez dénoncé que j'ai perdu mon père. »

Rafael Moncada sentit le sang lui monter à la tête et il en perdit le souffle.

« Vous ne pouvez m'accuser de pareille vilenie! Votre père a creusé sa propre tombe sans l'aide de personne. Je ne vous pardonne cette insulte que parce que vous êtes hors de vos sens, égarée par la douleur.

— Comment songez-vous nous récompenser, ma sœur et moi, pour la mort de notre père? », insista-t-elle, dans une colère lucide.

Son ton était si dédaigneux que Moncada perdit complètement la tête et décida sur-le-champ que ce n'était pas la peine de continuer à feindre une inutile générosité. Apparemment, elle était l'une de ces femmes davantage sensibles à l'autorité masculine. Il la prit par les bras et, la secouant violemment, il lui jeta à la figure qu'elle n'était pas en position de négocier, mais de remercier, ne se rendait-elle pas compte qu'elle pouvait finir dans la rue ou en prison avec sa sœur, comme c'était arrivé à son traître de père? La police était avertie et seule son intervention opportune avait empêché qu'elles soient arrêtées, mais cela pouvait se produire à tout moment, lui seul pouvait les sauver de la misère et de la geôle. Juliana tenta de se libérer, mais dans la lutte la manche de sa robe se déchira, mettant son épaule à nu, et les épingles à cheveux qui retenaient son chignon se défirent. Sa chevelure noire tomba sur les mains de Moncada. Incapable de se contrôler, l'homme saisit la masse de cheveux parfumée, tira la tête de la jeune fille en arrière et l'embrassa sur la bouche.

*

Diego avait épié la scène depuis la porte entrouverte, répétant en silence, comme une litanie, le conseil de maître

Escalante lors de sa première leçon d'escrime : ne jamais combattre avec colère. Cependant, lorsque Moncada se jeta sur Juliana pour l'embrasser de force, il ne put se contenir et fit irruption dans la bibliothèque l'épée à la main, respirant bruyamment sous le coup de l'indignation.

Moncada lâcha la jeune fille, la poussa contre le mur et dégaina sa lame. Les deux hommes s'affrontèrent, les genoux fléchis, l'épée dans la main droite faisant un angle de quatre-vingt-dix degrés avec le corps, le bras gauche levé au-dessus de l'épaule pour garder l'équilibre. Dès qu'il adopta cette position, la fureur de Diego s'évapora et fut remplacée par un calme absolu. Il respira profondément, vida l'air de ses poumons et sourit, satisfait. Enfin il contrôlait sa fougue, comme le lui avait répété maître Escalante depuis le début. Pas question de perdre son souffle. Tranquillité d'esprit, pensée claire, fermeté du bras. Cette sensation de froideur, qui lui parcourait le dos comme un vent d'hiver, devait précéder l'euphorie du combat. Dans cet état, l'esprit cessait de penser et le corps répondait par réflexe. La finalité du sévère entraînement au combat de La Justice était que l'instinct et l'adresse dirigent les mouvements. Ils croisèrent deux fois le fer, se mesurant, et aussitôt Moncada porta une botte, que Diego stoppa net. Dès les premières feintes, il put jauger son adversaire. Moncada était un excellent bretteur, mais lui avait plus d'agilité et de pratique ; il n'avait pas en vain fait de l'escrime sa principale occupation. Au lieu de retourner rapidement la botte, il feignit la maladresse, reculant jusqu'à se trouver dos au mur, sur la défensive. Il semblait parer les coups avec efforts, au désespoir, mais en réalité l'autre ne pouvait l'atteindre nulle part.

Plus tard, lorsqu'il prit le temps d'évaluer ce qui s'était passé, Diego se rendit compte que, sans le faire exprès, il représentait deux personnages différents selon les circonstances et les vêtements qu'il portait. Ainsi relâchait-il les défenses de l'ennemi. Il savait que Rafael Moncada le méprisait, lui-même s'en était chargé en feignant des minauderies de dandy

274

en sa présence. Il le faisait pour la même raison qu'il l'avait fait avec le Chevalier et sa fille Agnès : par précaution. Lorsqu'il s'était battu au pistolet avec Moncada, celui-ci avait pu mesurer son courage, mais par orgueil blessé il s'était efforcé de l'oublier. Ensuite, ils s'étaient rencontrés en plusieurs occasions, et à chacune d'elles Diego avait conforté la piètre opinion que son rival avait de lui, parce qu'il devinait que c'était un ennemi sans scrupules. Il décida de l'affronter avec astuce, plus qu'avec des bravades. Dans l'hacienda de son père, les renards avaient l'habitude de danser pour attirer les agneaux qui s'approchaient, curieux, pour les observer, et à la première inattention ceux-ci finissaient dévorés. Avec sa tactique consistant à faire le bouffon, il déroutait et confondait Moncada. Il n'avait pas eu clairement conscience jusqu'à cet instant de sa double personnalité : d'un côté Diego de La Vega, élégant, minaudier, hypocondriaque, de l'autre Zorro, audacieux, insolent, joueur. Il supposait que son véritable caractère se situait quelque part entre ces deux extrêmes, mais il ne savait ce qu'il était : aucun des deux ou la somme des deux. Il se demanda comment le voyaient, par exemple, Juliana et Isabel, et en conclut qu'il n'en avait pas la moindre idée, peut-être était-il allé trop loin dans sa comédie et leur avait-il donné l'impression d'être un farceur. Mais il n'avait pas le temps de réfléchir à ces questions, car sa vie s'était compliquée et exigeait une action immédiate. Il assuma le fait d'être deux personnes et décida d'en tirer parti.

Diego courait en tous sens entre les meubles de la bibliothèque, faisant semblant de fuir les attaques de Moncada tout en le provoquant par des commentaires ironiques, tandis que pleuvaient les coups et que les lames produisaient des étincelles. Il réussit à le rendre furieux. Moncada perdit son sang-froid, dont il tirait tant de vanité, et il commença à s'essouffler. La transpiration coulait sur son front, l'aveuglant. Alors Diego jugea qu'il le tenait en son pouvoir. Comme les taureaux de combat, il fallait d'abord le fatiguer.

« Attention, Excellence, vous pouvez blesser quelqu'un avec cette épée! » s'exclama Diego.

A ce moment, Juliana s'était un peu remise et exigeait de vive voix qu'ils déposent les armes, pour l'amour de Dieu et par respect pour la mémoire de son père. Diego poussa deux bottes de plus, puis lâcha son arme et leva les mains au-dessus de sa tête, demandant quartier. C'était un risque, mais il estima que Moncada se garderait de tuer un homme désarmé devant Juliana; or son adversaire se jeta sur lui avec un cri de victoire et l'élan de tout son corps. Diego esquiva la lame qui lui frôla la hanche, et en deux bonds atteignit la fenêtre pour se réfugier derrière le lourd rideau de velours qui pendait jusqu'au sol. L'épée de Moncada traversa la toile, soulevant un nuage de poussière, mais elle y resta empêtrée et l'homme dut se démener pour la dégager. Cela donna à Diego quelques instants d'avantage pour lui jeter le rideau à la face et bondir sur la table d'acajou. Il prit un gros livre relié de cuir et le lui lança, l'atteignant à la poitrine. Moncada faillit perdre pied, mais il se redressa rapidement et attaqua de nouveau. Diego esquiva deux passes, lui lança encore plusieurs livres, puis se jeta à terre et se traîna jusque sous la table.

« Quartier, quartier! Je ne veux pas mourir comme un poulet! » pleurnichait-il d'un ton de franche moquerie, accroupi sous la table, un autre livre dans les mains en guise de bouclier, pour se protéger des attaques aveugles de son adversaire.

Près de la chaise se trouvait la canne à manche d'ivoire sur laquelle Tomás de Romeu s'appuyait pendant ses crises de goutte. Diego l'utilisa pour accrocher la cheville de Moncada. Il tira avec force et celui-ci tomba assis par terre, mais il était en excellente condition physique et se releva d'un bond, chargeant de nouveau. A ce moment, Isabel et Nuria étaient accourues aux cris de Juliana. Un coup d'œil suffit à Isabel pour se rendre compte de la situation et, ne donnant pas cher de la vie de Diego, elle ramassa son épée, qui avait volé à l'autre extrémité de la pièce, et sans hésiter elle fit face à Moncada. C'était sa première occasion de mettre en pratique l'habileté qu'elle avait acquise au cours de quatre années passées à s'entraîner à l'escrime devant un miroir.

« *En garde* », le défia-t-elle, folle de joie.

Instinctivement, Rafael Moncada lui allongea une botte, sûr de la désarmer au premier coup, mais il rencontra une résistance déterminée. Alors il réagit, prenant conscience, malgré la rage qui l'aveuglait, de la folie de se battre contre une gamine, et plus encore contre la sœur de la femme qu'il prétendait conquérir. Il lâcha son arme, qui tomba sans bruit sur le tapis.

« Pensez-vous m'assassiner de sang-froid, Isabel, lui demanda-t-il, ironique.

— Prenez votre épée, lâche ! »

Pour toute réponse il croisa les bras sur sa poitrine, souriant d'un air méprisant.

« Isabel ! Que fais-tu ! » intervint Juliana, terrifiée.

Sa sœur l'ignora. Elle posa la pointe d'acier sous le menton de Rafael Moncada, mais ensuite elle ne sut que faire. Le ridicule de la scène se révéla à elle dans toute son ampleur.

« Transpercer la gorge de ce monsieur, comme il le mérite sans doute, entraînera quelques problèmes légaux, Isabel. On ne peut aller de par le monde en tuant des gens. Mais nous devons faire quelque chose de lui... », intervint Diego en sortant son mouchoir de sa manche et en l'agitant en l'air avant de s'essuyer le front d'un geste affecté.

Ces quelques secondes de distraction suffirent à Moncada pour saisir le bras d'Isabel et le tordre, l'obligeant à lâcher la lame. Il la poussa avec une telle force que la jeune fille fut précipitée au loin et alla se cogner la tête contre la table. Elle tomba au sol un peu étourdie, tandis que Moncada ramassait son arme pour affronter Diego, qui recula en toute hâte et esquiva plusieurs bottes de son ennemi, cherchant la manière de le désarmer pour l'entraîner dans une lutte au corps à corps. Reprenant rapidement ses esprits, Isabel attrapa l'épée de Moncada et avec un cri d'avertissement la jeta à Diego, qui parvint à l'attraper au vol. Armé, il se sentit sûr de lui et retrouva son air moqueur, qui avait si bien fait perdre son sang-froid à son adversaire quelques instants plus tôt. D'une passe rapide il le blessa légèrement au bras gauche, à peine une égratignure, mais exactement à l'endroit où lui-même avait été blessé lors du duel. Moncada lâcha une exclamation de surprise et de douleur.

« Nous voilà à égalité à présent », dit Diego, et il le désarma d'une botte de revers.

Son ennemi se trouvait à sa merci. De la main droite il tenait son bras blessé sur la déchirure de sa veste, déjà tachée d'un filet de sang. Il était altéré par la fureur plus que par la crainte. Diego lui posa l'épée sur la poitrine, comme s'il allait le transpercer, au lieu de quoi il sourit, aimable.

« Pour la deuxième fois j'ai le plaisir de vous faire grâce de la vie, señor Moncada. La première fois, ce fut au cours de notre mémorable duel. J'espère que cela ne deviendra pas une habitude », dit-il, baissant sa lame.

*

Ils n'eurent pas besoin de beaucoup discuter. Diego savait aussi bien que les filles de Romeu que la menace de Moncada était sérieuse et que les sbires du roi pouvaient apparaître d'un instant à l'autre dans cette maison. L'heure était venue de partir. Ils s'étaient préparés à cette éventualité depuis qu'Eulalia avait acheté les biens de la famille et que Tomás de Romeu avait été exécuté, mais ils pensaient qu'ils pourraient partir par la grande porte, au lieu de s'enfuir comme des malfaiteurs. Ils se donnèrent une demi-heure pour partir avec ce qu'ils avaient sur le dos, outre l'or et les pierres précieuses que, comme le leur avait indiqué le banquier, ils avaient cousus dans des cotillons qu'ils s'attachèrent à la taille, sous les vêtements. Nuria proposa d'enfermer Moncada dans la chambre cachée de la bibliothèque. Elle tira un livre de sa place, fit jouer une manette et le panneau tourna lentement sur lui-même, laissant apparaître l'entrée d'une pièce contiguë, dont Juliana et Isabel ignoraient totalement l'existence.

« Votre père avait quelques secrets, mais aucun que je ne connaisse », dit Nuria en guise d'explication.

Il s'agissait d'une petite pièce, sans fenêtres et sans autre sortie vers l'extérieur que cette porte dissimulée dans les rayonnages. En allumant une lampe, ils découvrirent à l'intérieur des caisses de cognac et les cigares préférés du maître de maison, des étagères contenant d'autres livres et d'étranges tableaux accrochés aux murs. En s'approchant, ils s'aperçurent qu'il s'agissait d'une collection de six dessins à l'encre noire représentant les plus cruels épisodes de la guerre, écartèlements, viols, et même cannibalisme, que Tomás de Romeu ne voulait pas que ses filles voient un jour.

« Quelle horreur ! s'exclama Juliana.

— Ils sont de maître Goya ! Cela vaut très cher, nous pouvons les vendre, dit Isabel.

— Ils ne nous appartiennent pas. Tout ce que cette maison contient appartient désormais à doña Eulalia de Callís », lui rappela sa sœur.

Les livres, en plusieurs langues, étaient tous interdits, ils figuraient sur la liste noire de l'Eglise ou celle du gouvernement. Diego prit un volume au hasard qui s'avéra être une histoire illustrée de l'Inquisition, avec des dessins très réalistes sur ses méthodes de torture. Il le referma d'un coup sec, avant qu'Isabel le voie, car elle pointait déjà son nez au-dessus de son épaule. Il y avait aussi une section consacrée à l'érotisme, mais il n'eut pas le temps de l'examiner. La pièce cachée était l'endroit parfait pour garder Rafael Moncada prisonnier.

« Vous avez perdu la raison ? Ici je mourrai d'inanition ou suffoqué par manque d'air ! s'exclama celui-ci lorsqu'il comprit les intentions retorses des autres.

— Son Excellence a raison, Nuria. Un chevalier aussi distingué que lui ne peut subsister uniquement avec de l'alcool et des cigares. Je vous en prie, apportez-lui un jambon de la cuisine, afin qu'il ne meure pas de faim, et une serviette pour son bras, dit Diego en poussant son rival dans la chambre.

— Comment vais-je sortir d'ici? gémit le captif, terrorisé.

— Il existe sûrement un mécanisme secret dans la pièce pour ouvrir la porte de l'intérieur. Vous aurez tout le temps de le découvrir. Avec de l'astuce et de la chance vous serez en liberté en moins de deux, sourit Diego.

— Nous vous laisserons une lampe, Moncada, mais je ne vous conseille pas de l'allumer, elle brûlerait tout l'air de la pièce. Voyons, Diego, combien de temps penses-tu qu'une personne puisse vivre ici? ajouta Isabel, que le plan enthousiasmait.

— Plusieurs jours. Assez pour examiner en profondeur le sage proverbe qui dit que la fin ne justifie pas les moyens », répliqua Diego.

Ils abandonnèrent Rafael Moncada avec une réserve d'eau, du pain et du jambon, après que Nuria eut nettoyé et bandé sa blessure au bras. Malheureusement, il ne perdrait pas tout son sang par cette égratignure insignifiante, opina Isabel. Ils lui recommandèrent de ne pas gaspiller son souffle et ses forces en criant, car personne ne l'entendrait, les rares domestiques qu'il restait n'approchaient pas ces parages. Les derniers mots du prisonnier avant que ne pivote l'étagère pour fermer l'entrée de la chambre, le plongeant dans le silence et l'obscurité, furent qu'ils allaient apprendre qui était Rafael Moncada, qu'ils se repentiraient de ne pas l'avoir tué, qu'il sortirait de ce trou et retrouverait tôt ou tard Juliana, même s'il devait la poursuivre jusqu'en enfer.

« Il ne sera pas nécessaire d'aller si loin, nous partons en Californie », dit Diego en guise d'adieu.

*

280

J'ai le regret de vous dire que je ne peux continuer, car les plumes d'oie que j'ai l'habitude d'utiliser sont épuisées, mais j'en ai commandé d'autres et je pourrai bientôt conclure cette histoire. Je n'aime pas les plumes d'oiseaux vulgaires, parce qu'elles tachent le papier et ôtent de l'élégance au texte. J'ai entendu dire que des inventeurs rêvent de créer un appareil mécanique pour écrire, mais je suis sûre qu'une invention aussi prétentieuse n'aurait aucun succès. Certains processus ne peuvent être mécanisés car ils requièrent de la tendresse, et l'écriture est l'un d'eux.

Je crains, malgré tout ce que j'ai omis, de m'être beaucoup attardée sur cette narration. Dans la vie de Zorro, comme dans toutes les vies, il y a des moments brillants et d'autres sombres, mais entre ces extrêmes existent de nombreuses zones neutres. Vous aurez noté, par exemple, qu'au cours de l'année 1813 très peu de choses dignes d'être mentionnées sont arrivées à notre protagoniste. Il s'est occupé de ses affaires sans peine ni gloire, et n'a pas progressé d'un pouce dans sa conquête de Juliana. Il a fallu que Rafael Moncada revienne de son odyssée chocolatière pour que cette histoire retrouve une certaine vigueur. Comme je l'ai déjà dit, les méchants, si antipathiques dans la vie réelle, s'avèrent indispensables dans un roman, ce que sont ces pages. Au début je me suis proposé d'écrire une chronique ou une biographie, mais je ne parviens pas à raconter la légende de Zorro sans tomber dans le genre décrié du roman. Entre deux de ses aventures s'écoulaient de longues périodes sans intérêt, que j'ai supprimées pour ne pas tuer d'ennui mes lecteurs éventuels. Pour la même raison, j'ai embelli les épisodes mémorables, en faisant un usage généreux des adjectifs et en ajoutant du suspense à ses prouesses, mais je n'ai point trop exagéré ses louables vertus. C'est ce qu'on appelle la licence littéraire et, si j'ai bien compris, elle est plus légitime que le mensonge tout court.

Quoi qu'il en soit, mes amis, mon encrier contient encore

nombre d'anecdotes. Dans les prochaines pages, que j'évalue à une bonne centaine, je raconterai le voyage de Zorro avec les filles de Romeu et Nuria à travers la moitié du monde et les dangers qu'ils affrontèrent dans l'accomplissement de leur destin. Je peux vous annoncer, sans crainte de gâcher la fin, qu'ils survivent indemnes et qu'au moins certains d'entre eux arrivent en Haute-Californie, où tout ne sera malheureusement pas sucre sur macaron. En réalité, c'est en ce lieu que commence la véritable épopée de Zorro, celle qui l'a rendu célèbre dans le monde entier. Aussi je vous demande encore un peu de patience.

QUATRIÈME PARTIE

Espagne, fin 1814 - début 1815

J'ai reçu de nouvelles plumes d'oie et vais pouvoir continuer à vous raconter la jeunesse de Zorro. Ces plumes ont mis un mois à me parvenir du Mexique et, entre-temps, j'ai perdu le rythme du récit. Voyons si je le retrouve. Nous avons laissé Diego de La Vega fuyant Rafael Moncada avec les filles de Romeu et Nuria dans une Espagne secouée par la répression politique, la misère et la violence. Nos personnages se trouvaient à une croisée des chemins fort pénible; cependant, ce n'étaient pas les dangers extérieurs qui perturbaient le sommeil du galant Zorro, c'étaient les sursauts de son cœur follement épris. La passion est un état qui le plus souvent trouble la raison des hommes, mais qui n'a rien de grave, il suffit en général que le patient soit aimé en retour pour qu'il retrouve son bon sens et commence à humer l'air à la recherche d'autres proies. En tant que chroniqueur de cette histoire, je vais avoir quelques problèmes avec la fin classique : « Ils se marièrent et eurent beaucoup d'enfants ». Enfin, reprenons plutôt notre écriture avant d'avoir le moral à zéro.

*

Lorsque la porte dissimulée dans les rayonnages de la bibliothèque se referma, Rafael Moncada resta isolé dans la chambre secrète. Ses appels au secours n'arrivaient pas à l'extérieur, car les murs épais, les livres, les tentures et les tapis amortissaient les sons.

« Nous sortirons d'ici dès qu'il fera nuit, dit Diego de La Vega à Juliana, Isabel et Nuria. Nous emporterons le minimum indispensable pour le voyage, comme nous en sommes convenus.

— Es-tu sûr qu'il existe un mécanisme pour ouvrir la porte de la chambre de l'intérieur? demanda Juliana.

— Non.

— Cette plaisanterie est allée trop loin, Diego. Nous ne pouvons nous rendre responsables de la mort de Rafael Moncada, encore moins d'une mort lente et atroce dans une tombe hermétique.

— Mais vois le mal qu'il nous a fait! s'exclama Isabel.

— Nous n'allons pas lui rendre la monnaie de sa pièce, parce que nous sommes de meilleures personnes que lui, répliqua sa sœur d'un ton cassant.

— Ne t'inquiète pas, Juliana, ton amoureux ne périra pas asphyxié cette fois-ci, rit Diego.

— Pourquoi pas? » interrompit Isabel, déçue.

Lui ayant donné un coup de coude, Diego se mit en devoir de leur expliquer qu'avant de partir ils laisseraient une missive à Jordi, que celui-ci remettrait deux jours plus tard à Eulalia de Callís en personne. Cette missive contiendrait les clés de la maison ainsi que les instructions permettant de trouver et d'ouvrir la chambre secrète. Au cas où Rafael n'aurait pas réussi à forcer la porte, sa tante le délivrerait. La demeure, tout comme le reste des biens de la famille de Romeu, appartenait désormais à cette dame, qui se chargerait de secourir son neveu préféré avant que celui-ci ait bu tout le cognac. Pour s'assurer que Jordi accomplirait sa mission, ils lui donneraient quelques maravédis, en espérant que doña Eulalia le récompenserait elle aussi lorsqu'elle recevrait le message.

Ils partirent de nuit dans l'une des voitures de la famille, conduite par Diego. Juliana, Isabel et Nuria jetèrent un dernier regard d'adieu à la grande maison où elles avaient toujours vécu. Elles laissaient derrière elles les souvenirs d'une époque sûre et heureuse, et les objets qui attestaient le passage de Tomás de Romeu en ce monde. Ses filles n'avaient pu l'enterrer décemment, ses restes étaient allés finir dans une fosse commune, auprès de ceux des autres prisonniers fusillés dans La Citadelle. La seule chose qu'elles conservaient, c'était un portrait de lui en miniature, peint par un artiste catalan, sur lequel il apparaissait jeune, mince, méconnaissable. Les trois femmes pressentaient qu'à cet instant elles franchissaient un seuil définitif et qu'une autre étape de leur vie commençait. Elles gardaient le silence, pleines de craintes et de tristesse. Nuria se mit à dire son chapelet à mi-voix et la douce cadence des prières les accompagna un bout de chemin, jusqu'à ce qu'elles s'endorment. Sur le siège du cocher, Diego excitait les chevaux et pensait à Bernardo, comme il le faisait presque chaque jour. Il lui manquait à tel point qu'il se surprenait souvent à parler seul, comme il l'avait toujours fait avec lui. La présence muette de son frère, la fermeté avec laquelle il protégeait ses arrières et le défendait de tout danger étaient justement ce dont il avait besoin. Il se demanda s'il serait capable d'aider les filles de Romeu ou si, au contraire, il les conduisait à leur perte. Son idée de traverser l'Espagne pouvait bien être une autre de ses folies, ce doute le taraudait. Comme ses passagères, il avait peur. Ce n'était pas la peur délicieuse qui précédait le danger d'un combat, ce poing serré au creux de l'estomac, ce froid glacial sur la nuque, mais le poids oppressant d'une responsabilité à laquelle il n'était pas préparé. Si quelque chose arrivait à ces femmes, surtout à Juliana... Non, il préférait ne pas penser à cette éventualité. Il cria, appelant Bernardo et sa grand-mère Chouette-Blanche à la rescousse, et sa voix se perdit dans la nuit, avalée par le bruit du vent et les sabots des chevaux. Il savait que Rafael Moncada les chercherait à Madrid et dans d'autres grandes villes, qu'il ferait surveiller la frontière avec la France et inspecter chaque bateau qui sortirait de Barcelone ou de n'importe quel autre port de la Méditerranée, mais il supposait qu'il n'aurait pas l'idée de les poursuivre jusqu'à l'autre côte. Il pensait le tromper en s'embarquant vers l'Amérique dans le port atlantique de La Corogne, parce qu'une personne ayant tout son bon sens et partant de Barcelone ne choisirait certainement pas d'aller prendre un bateau là-bas. Il allait être bien difficile de trouver un capitaine de navire qui accepte de courir le risque de protéger des fugitifs recherchés par la justice, comme le lui fit voir Juliana, mais il n'entrevit aucune autre solution. Il verrait en temps voulu comment résoudre le problème de la traversée de l'océan ; avant cela il lui fallait vaincre les obstacles de la terre ferme. Comme quelqu'un pouvait les avoir vus sortir de Barcelone, il décida d'avancer le plus loin possible au cours des heures suivantes, et ensuite de se débarrasser de la voiture.

Passé minuit, les chevaux montrèrent des signes de fatigue et Diego considéra qu'ils s'étaient suffisamment éloignés de la ville pour prendre un moment de repos. Mettant la lumière de la lune à profit, il quitta le chemin et conduisit le véhicule vers un bois, où il détacha les animaux et les laissa brouter. La nuit était claire et froide. Tous quatre dormirent dans la voiture, enveloppés dans des couvertures ; Diego les réveilla deux heures plus tard, alors qu'il faisait encore nuit, pour partager une collation de pain et de saucisson. Nuria leur distribua ensuite les vêtements de pèlerins qu'elle-même avait cousus au cas où saint Jacques de Compostelle sauverait la vie de Tomás de Romeu, et qu'ils utiliseraient pendant le reste du voyage : une tunique descendant jusqu'à mi-mollet, un chapeau à large bord, un bourdon ou longue perche en bois à pointe courbe à laquelle pendait une calebasse destinée à puiser l'eau. Pour se prémunir contre le froid, ils portaient des jupons et se protégeaient avec des bas et des gants de grosse laine. De plus, Nuria transportait deux bouteilles d'une liqueur forte, très utile pour oublier ses peines. La duègne n'avait jamais imaginé que ces habits amples et grossiers serviraient à fuir avec ce qu'il restait de la famille, et moins encore qu'elle finirait par tenir la promesse qu'elle avait faite au saint, sans que celui-ci eût accompli sa part du contrat. Cela lui paraissait une plaisanterie indigne d'une personne aussi sérieuse que l'apôtre Jacques, mais elle supposa qu'un dessein caché lui serait révélé en temps voulu. Au début, l'idée de Diego lui parut astucieuse, mais après avoir jeté un coup d'œil sur la carte elle se rendit compte de ce que signifiait traverser l'Espagne à pied, dans sa partie la plus large. Ce n'était pas une promenade, c'était une épopée. Au moins deux mois de marche dans les intempéries les attendaient, au cours desquels ils devraient se nourrir de ce qu'ils obtiendraient de la charité et dormir à la belle étoile. De plus on était en novembre, il pleuvait à chaque instant et bientôt les jours se lèveraient sur des sols couverts de gel. Aucun d'eux n'avait l'habitude de marcher sur de longues distances, et encore moins avec des sandales de paysan. Nuria se permit d'insulter saint Jacques entre ses dents et, au passage, de dire à Diego ce qu'elle pensait de ce pèlerinage sans queue ni tête.

Lorsqu'ils eurent revêtu leurs habits de pèlerins et déjeuné, Diego décida d'abandonner la voiture. Chacun prit ses affaires, les enveloppa dans une couverture et attacha le balluchon dans son dos ; le reste, ils le chargèrent sur les deux chevaux. Isabel avait le pistolet de son père caché dans ses vêtements. Diego portait dans son paquet le déguisement de Zorro dont il n'avait pas eu le courage de se débarrasser et, sous sa grosse veste, deux dagues basques à double tranchant longues d'un empan. Comme toujours, le fouet pendait à sa ceinture. Il dut laisser l'épée que son père lui avait offerte en Californie et dont il ne s'était jamais séparé jusqu'alors, car il était impossible de la dissimuler. Les pèlerins n'étaient pas armés. Les coquins de la pire espèce proliféraient sur les chemins, mais en général ils ne s'intéressaient pas aux voyageurs en route pour Compostelle, parce que ceux-ci faisaient vœu de pauvreté pour la durée du trajet. Personne ne se douterait que ces modestes voyageurs avaient une petite fortune en pierres précieuses cousue dans leurs vêtements. Ils ne se différenciaient en rien des pénitents habituels qui allaient se prosterner devant le célèbre saint Jacques, à qui l'on attribuait le miracle d'avoir sauvé l'Espagne des envahisseurs musulmans. Pendant des siècles, grâce à l'invincible bras de Mahomet qui les guidait, les Arabes étaient sortis vainqueurs des batailles, jusqu'au jour où un berger avait opportunément trouvé les os de saint Jacques abandonnés dans un champ de Galice. La manière dont ils étaient arrivés jusque-là depuis la Terre Sainte relevait du miracle. La relique réussit à unifier les petits royaumes chrétiens de la région, et elle se révéla si efficace dans la conduite des braves d'Espagne que ceux-ci chassèrent les Maures et récupérèrent leur terre au nom de la chrétienté. Saint-Jacques-de-Compostelle devint le lieu de pèlerinage le plus important d'Europe. C'est du moins ainsi que le racontait Nuria, avec quelques fioritures en plus. La duègne croyait que la tête de l'apôtre était toujours intacte, et que tous les vendredis saints elle versait de vraies larmes. Les restes supposés avaient été mis dans un cercueil d'argent sous l'autel de la cathédrale, mais dans le souci de les protéger des expéditions du pirate Francis Drake, un évêque les avait si bien cachés qu'on ne les avait plus retrouvés pendant long-temps. Pour cette raison, à cause aussi de la guerre et du manque de foi, le nombre des pèlerins, qui autrefois atteignait des centaines de mille, avait diminué. Ceux qui venaient au sanctuaire depuis la France prenaient la route du nord; elle traversait le Pays basque, et c'est celle-ci que choisirent nos amis. Depuis des siècles, églises, couvents, hôpitaux et même les plus pauvres paysans offraient le toit et le couvert aux voyageurs. Cette tradition d'hospitalité convenait au petit groupe guidé par Diego, car elle lui permettait de voyager sans le poids de victuailles. Bien que les pèlerins soient rares en cette saison – ils préféraient voyager au printemps et en été

– nos amis espéraient ne pas attirer l'attention, car la ferveur religieuse avait augmenté depuis que les Français s'étaient retirés du pays et que beaucoup d'Espagnols avaient promis de rendre visite au saint s'ils gagnaient la guerre.

Le jour se levait lorsqu'ils regagnèrent la route et se mirent en chemin. Ce premier jour ils marchèrent plus de cinq lieues, jusqu'à ce que Juliana et Nuria s'avouent vaincues : leurs pieds saignaient et elles défaillaient de faim. Vers quatre heures de l'après-midi ils s'arrêtèrent dans une cabane de campagne, dont la propriétaire s'avéra être une pauvre femme qui avait perdu son mari à la guerre. Comme elle le leur apprit, il n'était pas mort entre les mains des Français, mais massacré par des Espagnols qui l'avaient accusé de cacher de la nourriture au lieu de la remettre à la guérilla. Elle savait qui étaient les assassins, elle avait bien vu leurs visages, des paysans comme elle, qui profitaient des troubles pour s'adonner à la violence. Ce n'étaient pas des guérilleros, mais des délinquants ; ils avaient violé sa pauvre fille, folle de naissance, qui ne faisait de mal à personne, et avaient emmené ses animaux. Une chèvre s'était sauvée, qui gambadait dans les montagnes, dit-elle. L'un de ces hommes avait le nez rongé par la syphilis et l'autre une longue cicatrice sur le visage, elle s'en souvenait fort bien et il ne se passait pas un jour sans qu'elle les maudît et réclamât vengeance, ajouta-t-elle. Sa seule compagnie était sa fille, qu'elle gardait attachée à une chaise pour qu'elle ne se griffe pas. Dans la maison – un cube de pierre et de terre, plat, malodorant et sans fenêtres –, la mère et la fille cohabitaient avec une meute de chiens. La paysanne avait très peu à donner et elle était lasse de recevoir des mendiants, mais elle ne voulut pas les laisser aux intempéries. Parce qu'on avait refusé l'hospitalité à saint Joseph et à la Vierge Marie, l'Enfant Dieu était né dans une crèche, dit-elle. Elle croyait que refuser à un pèlerin se payait par de nombreux siècles de souffrance au purgatoire. Les voyageurs s'assirent sur le sol de terre, entourés de chiens couverts de puces, pour se remettre un peu

291

de leur fatigue tandis qu'elle faisait cuire quelques pommes de terre dans la braise et déterrait deux oignons de son misérable jardin potager.

« C'est tout ce qu'il y a. Ma fille et moi n'avons pas mangé autre chose depuis des mois, mais peut-être que demain je pourrai traire la chèvre, dit-elle.

— Que Dieu vous le rende, madame », murmura Diego.

L'unique lumière de la maison pénétrait par le trou de la porte, qu'on fermait la nuit avec une peau de cheval toute raide, et venait maintenant du petit brasero où les pommes de terre avaient rôti. Tandis qu'ils consommaient le frugal repas, la paysanne les observait à la dérobée de ses petits yeux chassieux. Elle vit des mains blanches et douces, des visages nobles, des ports sveltes, elle se souvint qu'ils étaient accompagnés de deux chevaux et tira ses conclusions. Elle ne voulut pas vérifier les détails, pensant que moins elle en saurait, moins elle aurait de problèmes ; par les temps qui couraient, mieux valait ne pas poser trop de questions. Quand ses hôtes eurent fini de manger, elle leur prêta des peaux de mouton mal tannées et les conduisit à un abri où elle gardait son bois et des épis secs de maïs. Ils s'y installèrent. Nuria fut d'avis que c'était plutôt plus accueillant que l'intérieur de la bicoque, avec l'odeur des chiens et les hurlements de la folle. Ils se partagèrent l'espace, les peaux, et se préparèrent pour une longue nuit. Ils étaient en train de s'installer de leur mieux quand la paysanne réapparut, apportant un pot qui contenait de la graisse, qu'elle leur remit en leur recommandant de l'utiliser pour les contusions. Elle resta à regarder le groupe en piteux état avec un mélange de méfiance et de curiosité.

« Vous, des pèlerins ? Sûrement pas ! On voit bien que vous êtes des personnes raffinées. Je ne veux pas savoir ce que vous fuyez, mais voici un conseil gratuit. Il y a beaucoup de fripons sur ces chemins. Il faut se méfier. Mieux vaut qu'ils ne voient pas les jeunes filles. Qu'elles se couvrent le visage, au moins », ajouta-t-elle avant de faire demi-tour et de disparaître.

Diego ne savait comment alléger l'inconfort de ses compagnes, en particulier de celle qui lui importait le plus, Juliana. Tomás de Romeu lui avait confié ses filles et il fallait voir dans quel état étaient les malheureuses. Habituées à un matelas de plumes et à des draps brodés, elles reposaient maintenant leurs os sur un tas d'épis de maïs et se grattaient les puces à deux mains. Juliana était admirable, elle ne s'était pas plainte une seule fois au cours de cette journée difficile, elle avait même mangé l'oignon cru du dîner sans un commentaire. En toute justice, il devait admettre que Nuria non plus n'avait pas fait mauvaise figure ; quant à Isabel, eh bien elle paraissait enchantée de l'aventure. L'affection que Diego leur portait avait augmenté en les voyant si vulnérables et si courageuses. Il ressentit une infinie tendresse pour ces corps maltraités et un immense désir d'adoucir leur fatigue, de les abriter du froid, de les sauver de tout danger. Il ne s'inquiétait pas tellement pour Isabel, qui avait la résistance d'une jeune pouliche, ni pour Nuria, qui se soutenait avec des gorgées de liqueur, mais pour Juliana. Les sandales de paysan lui avaient couvert les pieds d'ampoules, malgré les bas de laine, et le frottement du vêtement lui avait irrité la peau. Et Juliana, à quoi pensait-elle pendant ce temps ? Je ne sais pas, mais j'imagine que dans la lumière moribonde de l'après-midi, Diego lui parut beau. Il ne s'était pas rasé depuis deux jours et l'ombre brune de la barbe lui donnait un air rustique et viril. Ce n'était plus le garçon maladroit, nerveux, maigre, tout en sourires et oreilles, qui était apparu dans sa maison quatre ans plus tôt. C'était un homme. Dans quelques mois, il aurait vingt ans bien remplis, il avait forci et pris de l'aplomb. Il n'était pas mal du tout et de plus il l'aimait avec une loyauté de chiot vraiment touchante. Juliana aurait été de pierre si elle ne s'était pas attendrie. Le prétexte de la graisse curative permit à Diego de caresser les pieds de sa bien-aimée pendant un bon moment et, au passage, de se distraire de ses pensées funestes. Bientôt sa nature optimiste reprit le dessus et il lui

293

proposa d'étendre le massage jusqu'aux mollets. « Ne sois pas dépravé, Diego », le réprimanda sévèrement Isabel, rompant le charme en un clin d'œil.

Les sœurs s'endormirent, tandis qu'il se remettait à ruminer ses inquiétudes. Il conclut que la seule chose heureuse de ce voyage serait Juliana, le reste n'étant qu'effort et épuisement. Rafael Moncada et d'autres prétendants éventuels étaient maintenant sortis de scène, enfin il avait une belle occasion de conquérir la belle : des semaines et des semaines d'étroite cohabitation. Elle était là, à moins d'une aune de distance, épuisée, sale, endolorie et fragile. Il pouvait tendre la main et toucher sa joue rougie par le sommeil, mais il n'osait pas. Il dormirait chaque nuit auprès d'elle, comme un chaste époux, et partagerait avec elle chaque moment de la journée. Juliana n'avait d'autre protection que lui en ce monde, situation qui le favorisait énormément. Jamais, bien sûr, il ne profiterait de cet avantage – c'était un *caballero*, un chevalier –, mais il ne pouvait éviter de remarquer qu'en une seule journée un changement s'était opéré en elle. Juliana le regardait avec d'autres yeux. Elle s'était couchée pelotonnée sur elle-même, grelottant sous les peaux de mouton dans un coin de l'abri, mais bientôt elle se réchauffa et sortit à moitié la tête, cherchant une place confortable sur les épis de maïs. Par les fentes des planches entrait l'éclat bleu de la lune et il éclairait son visage parfait, abandonné au sommeil. Diego aurait voulu que ce pèlerinage ne finisse jamais. Il s'approcha si près d'elle qu'il pouvait deviner la tiédeur de son souffle et le parfum de ses boucles brunes. La bonne paysanne avait raison, il fallait cacher sa beauté pour ne pas attirer le malheur. S'ils étaient attaqués par une bande, il ne pourrait la défendre seul – il n'avait même pas une épée. Il y avait bien des raisons de s'angoisser, mais rien de mal à laisser libre cours à son imagination ; il s'amusa donc à imaginer la demoiselle exposée à de terribles dangers et sauvée à maintes reprises par l'invincible Zorro. « Si je ne réussis pas à la rendre amoureuse maintenant, c'est que je suis un irrémédiable nigaud », marmonna-t-il.

*

Juliana et Isabel furent réveillées au chant du coq par Nuria qui les secoua, leur apportant un bol de lait de chèvre fraîchement trait. Elle et Diego ne s'étaient pas reposés avec la même tranquillité que les filles. Nuria avait prié pendant des heures, terrifiée par l'avenir, et Diego s'était à moitié reposé, attentif à la proximité de Juliana, un œil ouvert et une main sur sa dague pour la défendre, jusqu'à ce que la timide aube d'hiver mît fin à cette nuit éternelle. Les voyageurs se préparèrent à commencer une nouvelle journée, mais les jambes de Juliana et de Nuria leur obéissaient à peine, dès les premiers pas elles durent s'appuyer pour ne pas s'effondrer. Isabel, en revanche, fit plusieurs flexions pour montrer sa forme physique, se vantant des heures interminables qu'elle avait passées à faire de l'escrime devant un miroir. Diego leur conseilla de se mettre à marcher, pour que les muscles se réchauffent et que passe la contraction, mais il n'en fut rien, la douleur ne fit qu'empirer ; Juliana et Nuria durent finalement monter sur les chevaux, tandis que Diego et Isabel se chargeaient des paquets. Une semaine entière allait passer avant qu'ils puissent atteindre l'objectif de six lieues quotidiennes qu'ils s'étaient fixé au début. Avant de partir ils avaient remercié la paysanne pour son hospitalité et lui avaient laissé quelques maravédis, qu'elle avait regardés ébahie, comme si elle n'avait jamais vu de pièces de monnaie.

En certains endroits, la route était un sentier de mules, en d'autres juste une mince piste qui serpentait au milieu de la nature. Une transformation inattendue se produisit chez les quatre faux pèlerins. La paix et le silence les obligèrent à écouter, à regarder les arbres et les montagnes avec d'autres yeux, à ouvrir leur cœur à l'expérience unique de marcher sur les traces des milliers de voyageurs qui avaient emprunté ce chemin depuis neuf siècles. Des moines leur apprirent à se guider d'après les étoiles, comme le faisaient les voyageurs au Moyen Age, et d'après les pierres et les bornes marquées du sceau de saint Jacques – une coquille Saint-Jacques –, laissées par d'anciens pèlerins. En certains endroits ils rencontrèrent des phrases sculptées sur des morceaux de bois ou écrites sur des bouts de parchemins déteints, messages d'espoir et souhaits de bonne chance. Ce voyage vers la tombe de l'apôtre devint pour chacun une exploration de son âme. Ils marchaient en silence, endoloris et fatigués, mais contents. La peur du début disparut et bientôt ils oublièrent qu'ils fuyaient. La nuit ils entendaient des loups, et s'attendaient à tomber nez à nez avec des brigands à tous les tournants du chemin, mais ils avançaient, confiants, comme si une force supérieure les protégeait. Nuria se réconcilia peu à peu avec saint Jacques, qu'elle avait honni quand Tomás de Romeu avait été exécuté. Ils traversèrent des forêts, de vastes plaines, des montagnes solitaires, dans un paysage changeant mais toujours magnifique. Jamais le logement ne leur fit défaut. Parfois ils dormaient dans des maisons de paysans, d'autres fois dans des monastères ou des couvents. Ils ne manquèrent pas non plus de pain ou de soupe, que des inconnus partageaient avec eux. Une nuit ils dormirent dans une église et furent réveillés par des chants grégoriens, enveloppés dans un brouillard dense et bleu, comme d'un autre monde. Une autre fois ils se reposèrent dans les ruines d'une petite chapelle, où nichaient des milliers de colombes blanches, envoyées, d'après Nuria, par l'Esprit Saint. Suivant le conseil de la paysanne qui les avait accueillis la première nuit, les jeunes filles cachaient leur visage à l'approche des lieux habités. Dans les hameaux et les hôtels, les deux sœurs restaient en arrière tandis que Nuria et Diego s'avançaient pour solliciter de l'aide, se faisant passer pour la mère et le fils. Ils faisaient toujours allusion à Juliana et Isabel comme s'il s'agissait de garçons, et précisaient qu'ils ne montraient pas leur visage parce qu'ils étaient défigurés par la peste ; ainsi, ils n'éveillaient pas l'intérêt des bandits, rustres et déserteurs de l'armée qui erraient dans ces campagnes, en friche depuis le début de la guerre.

Diego calculait la distance et le temps qui les séparaient du port de La Corogne et il ajoutait à cette opération mathématique ses progrès auprès de Juliana, qui n'avaient rien de spectaculaire, mais du moins la jeune fille semblait-elle se sentir en sécurité en sa compagnie et le traitait-elle avec moins de légèreté et plus de coquetterie ; elle s'appuyait à son bras, lui permettant de lui caresser les pieds, de préparer sa couche et même de lui faire manger sa soupe à la cuiller lorsqu'elle était trop fatiguée. La nuit, Diego attendait que le reste du groupe fût endormi pour s'installer aussi près d'elle que l'autorisait la décence. Il rêvait d'elle et se réveillait au paradis, un bras sur sa taille. Elle feignait de ne pas se rendre compte de cette intimité croissante et, pendant la journée, agissait comme s'ils ne s'étaient jamais touchés, mais dans l'obscurité de la nuit elle facilitait le contact, tandis qu'il se demandait si elle le faisait parce qu'elle avait froid, parce qu'elle avait peur, ou pour les raisons passionnées qui l'y poussaient lui-même. Il attendait ces moments avec une folle anxiété et en tirait le plus de profit possible. Isabel était au courant de ces tergiversations nocturnes et elle ne se gênait pas pour faire des plaisanteries à ce sujet. La façon dont cette gamine le savait était une énigme, car elle était la première à s'endormir et la dernière à se réveiller.

Ce jour-là ils avaient marché plusieurs heures et à la fatigue s'ajoutait le retard causé par une lésion au pied de l'un des chevaux, qui l'obligeait à boiter. Le soleil s'était couché et il leur restait un bon bout de chemin avant d'atteindre le couvent où ils pensaient passer la nuit. Ils virent s'élever de la fumée d'une maison proche et décidèrent qu'il valait la peine de s'en approcher. Diego alla devant, persuadé qu'il serait bien reçu, car cet endroit paraissait plutôt prospère, du moins comparé à d'autres. Avant de frapper à la porte il avertit les filles de se couvrir, malgré la pénombre. Elles enveloppèrent leurs visages de chiffons pourvus de trous pour les yeux, qui étaient déjà gris de poussière et leur donnaient l'aspect de lépreuses. Un homme leur ouvrit, qui à contre-jour paraissait carré, comme un orang-outang. Ils ne pouvaient distinguer ses traits, mais à en juger par son attitude et son ton impoli, il ne semblait pas heureux de les voir. Dès le départ il refusa de les recevoir sous prétexte qu'il n'était pas obligé de secourir les pèlerins, que c'était le devoir des moines et des bonnes sœurs, qui étaient bien assez riches pour cela. Il ajouta que s'ils voyageaient avec deux chevaux ils ne devaient pas avoir fait vœu de pauvreté et pouvaient payer leurs frais. Diego discuta un moment et le paysan accepta finalement de leur donner le gîte et le couvert en échange de quelques pièces, qu'ils durent donner d'avance. Il les conduisit dans une étable, où se trouvaient une vache et deux percherons de labour; il leur indiqua un tas de paille où s'installer et leur annonça qu'il reviendrait leur apporter un peu de nourriture. Une demi-heure plus tard, alors qu'ils commençaient à perdre l'espoir de se mettre quelque chose dans l'estomac, l'homme réapparut accompagné d'un autre. L'étable était aussi sombre qu'une cave, mais ils apportaient une lanterne. Ils posèrent sur le sol quelques écuelles contenant une épaisse soupe paysanne, une miche de pain noir et une demi-douzaine d'œufs. Alors Diego et les femmes purent voir, à la lumière de la lanterne, que l'un d'eux avait le visage défiguré par une cicatrice, qui lui traversait un œil et la joue, et que l'autre n'avait pas de nez. Ils étaient petits, forts, sans cou, avec des bras épais comme des bûches et un aspect si patibulaire que Diego palpa ses dagues et Isabel son pistolet. Les sinistres personnages ne bougèrent pas de là, tandis que leurs hôtes touillaient la soupe avec leur cuiller et partageaient le pain, observant avec une curiosité malveillante Juliana et Isabel, qui tentaient de manger sous les mouchoirs, sans découvrir leur visage.

« Qu'est-ce qu'elles ont? demanda l'un d'eux en montrant les filles.

— La fièvre jaune, dit Nuria, qui avait entendu Diego mentionner cette maladie, mais ignorait en quoi elle consistait.

— C'est une fièvre des tropiques qui ronge la peau, comme l'acide, pourrit la langue et les yeux. Elles devraient être mortes, mais l'apôtre les a sauvées. C'est pourquoi nous allons en pèlerinage au sanctuaire, pour rendre grâces, ajouta Diego, inventant à l'improviste.

— Ça s'attrape? voulut savoir l'amphitryon.

— De loin, non, seulement par le contact. Il ne faut pas les toucher », expliqua Diego.

Les hommes ne semblaient pas très convaincus, car ils avaient vu les mains saines et les jeunes corps des filles, que leurs tuniques ne parvenaient pas à dissimuler. Ils se doutaient en outre que ces pèlerins portaient sur eux plus d'argent que ce qui était habituel dans ces cas et ils jetèrent un œil sur les chevaux. Bien que l'un d'eux boitât un peu, c'étaient des animaux de bonne race, qui devaient valoir quelque chose. Enfin ils se retirèrent en emportant la lanterne, les laissant plongés dans l'ombre.

« Il faut partir d'ici, ces gens sont terrifiants, murmura Isabel.

— Nous ne pouvons pas voyager de nuit et nous devons nous reposer, je monterai la garde, répondit Diego sur le même ton.

— Je vais dormir deux heures et ensuite je te remplacerai pour la surveillance », proposa Isabel.

Ils avaient encore les œufs crus : Nuria fit un trou dans la coquille de quatre d'entre eux, pour les gober, et elle garda les deux autres. « Dommage que j'aie peur des vaches, sinon nous pourrions avoir un peu de lait », soupira la duègne. Puis elle demanda à Diego de sortir un moment, pour que les filles puissent faire leur toilette avec un chiffon mouillé.

Enfin elles s'installèrent avec les couvertures sur la paille et s'endormirent. Trois ou quatre heures s'écoulèrent, tandis que Diego dodelinait de la tête, assis, les dagues à portée de main, mort de fatigue, faisant des efforts pour garder les yeux ouverts. Soudain l'aboiement d'un chien l'ébranla et il se rendit compte qu'il s'était endormi. Combien de temps? Il n'en avait pas la moindre idée, mais le sommeil était un plaisir interdit dans de telles circonstances. Pour se réveiller il sortit de l'étable, respirant à pleins poumons l'air glacé de la nuit. Dans la maison, de la fumée sortait encore de la cheminée et une lumière brillait à l'unique petite fenêtre dans le solide mur de pierre, ce qui lui permit de calculer qu'il n'avait peut-être pas dormi aussi longtemps qu'il le craignait. Il décida de s'éloigner un peu pour faire ses besoins.

En revenant, un moment plus tard, il vit des silhouettes en mouvement et devina que c'étaient les deux paysans qui se dirigeaient vers l'étable avec des précautions suspectes. Ils portaient quelque chose de contondant dans les mains, des fusils ou peut-être des gourdins. Il comprit que contre ces brutes armées, ses dagues de faible portée seraient peu efficaces. Il déroula le fouet de sa ceinture et sentit aussitôt le froid à la nuque qui le préparait toujours à une bagarre. Il savait qu'Isabel tenait le pistolet prêt, mais il l'avait laissée endormie et, de plus, l'adolescente n'avait jamais tiré avec une arme. Il comptait sur l'avantage de la surprise, mais ne pouvait agir dans cette obscurité. Priant le ciel de ne pas être trahi par les chiens, il suivit les hommes jusqu'à l'étable. Pendant quelques minutes régna un silence absolu, le temps pour les malfaiteurs de s'assurer que leurs malheureux hôtes étaient plongés dans le sommeil. Une fois rassurés, ils allumèrent une lampe à huile et virent les silhouettes couchées sur la paille. Ils ne se rendirent pas compte qu'il en manquait un, car ils prirent la couverture de Diego pour un autre corps. A cet instant l'un des chevaux hennit et Isabel s'assit en sursaut. Elle mit quelques secondes à se rappeler où elle était, voir les hommes, se rendre compte de la situation et tenter d'empoigner le pistolet qu'elle avait laissé chargé sous sa couverture. Elle ne parvint pas à aller au bout de son geste, car deux rugissements des personnages, qui brandissaient de grosses bûches, la glacèrent sur place. A ce moment Juliana et Nuria s'étaient réveillées.

« Que voulez-vous! cria Juliana.

— Vous, catins, et l'argent que vous avez! » répliqua l'un des hommes en s'approchant, le bâton en l'air.

Alors, à la lumière vacillante de la flamme, les scélérats virent les visages de leurs victimes. Poussant une exclamation de terreur absolue ils reculèrent en hâte et se retrouvèrent face à Diego qui avait déjà le bras levé. Avant qu'ils puissent se remettre de leur frayeur, le fouet s'était abattu avec un claquement sec sur le plus proche, lui arrachant le bâton et un cri de douleur. L'autre se jeta sur Diego, qui esquiva le gourdin et lui envoya un coup de pied dans le ventre qui le plia en deux. Mais déjà le premier s'était remis du coup de fouet et sautait sur le jeune homme avec une agilité inattendue pour quelqu'un d'aussi lourd, lui tombant dessus comme un sac de pierres. Le fouet était inutile dans une lutte au corps à corps et le paysan serrait Diego par le poignet qui tenait la dague. Il l'écrasa contre le sol, cherchant sa gorge d'une main tandis que de l'autre il secouait le bras armé. Il avait une serre puissante et une force peu commune. Son haleine fétide et sa salive écœurante atteignirent le jeune homme au visage, tandis qu'il se défendait désespérément, sans comprendre comment cette bête avait réussi en un instant ce qui avait été impossible à Jules César, lutteur expérimenté, lors de l'épreuve de courage de La Justice. Du coin de l'œil il parvint à se rendre compte que l'autre type s'était redressé et attrapait le gourdin. Il y avait plus de lumière, car la lampe à huile avait roulé à terre et la paille commençait à brûler. A cet instant éclata un coup de feu et l'homme qui était debout tomba en rugissant comme un lion. Cela détourna pendant quelques secondes l'attention de celui qui était sur Diego, temps qui permit à celui-ci de s'en débarrasser d'un féroce coup de genou dans l'aine.

Le recul de l'arme à feu jeta Isabel assise sur le sol. Elle avait tiré presque à l'aveuglette, en tenant l'arme à deux mains, et par un heureux hasard avait pulvérisé un genou de son attaquant. Elle ne pouvait en croire ses yeux. L'idée qu'un léger mouvement de son doigt sur la détente eût de telles conséquences lui entrait à peine dans la tête. Un ordre péremptoire de Diego, qui maintenait l'autre individu immobilisé avec son fouet, la sortit de sa stupeur. « Partons! L'étable brûle! il faut sortir les bêtes! » Les trois femmes se mirent au travail pour sauver la vache et les chevaux, qui hennissaient de terreur, tandis que Diego traînait dehors les deux bandits, dont l'un continuait à hurler de douleur, la jambe en charpie et couverte de sang.

L'étable brûla comme un immense bûcher, éclairant la nuit. Dans cette clarté, Diego vit les visages de Juliana et d'Isabel, qui avaient tellement effrayé leurs assaillants, et poussa lui aussi une exclamation d'horreur. La peau, jaunâtre et fendillée comme du cuir de crocodile, brillait, purulente à certains endroits, en d'autres elle avait séché comme une croûte, tirant leurs traits. Les yeux étaient déformés, les lèvres avaient disparu, les filles étaient deux monstres.

« Que s'est-il passé! cria Diego.

— Fièvre jaune », dit Isabel en riant.

C'est Nuria qui avait eu l'idée. La duègne se doutait que leurs hôtes retors pouvaient les attaquer pendant la nuit. Elle connaissait la méchanceté de ces types grâce à la description qu'en avait fait la paysanne dont ils avaient assassiné le mari. Elle se souvint d'une vieille recette de beauté pour éclaircir la peau, à base de jaunes d'œuf, que les Espagnoles avaient apprise des femmes musulmanes, et elle avait utilisé les deux œufs qui restaient du repas pour peindre les visages des filles. En séchant, ils s'étaient transformés en masques crevassés d'une couleur répugnante. « Ça s'enlève avec de l'eau et ça fait beaucoup de bien à la peau », expliqua Nuria, toute fière.

Ils bandèrent la blessure du rustre à la cicatrice, qui criait tant et plus, comme sous la torture, pour empêcher au moins qu'il se vidât de son sang, bien qu'il y eût peu d'espoir de sauver sa jambe amochée par le coup de pistolet. Ils laissèrent l'autre bien attaché à une chaise, mais ils ne le bâillonnèrent pas afin qu'il pût appeler à l'aide. La maison n'était pas éloignée du chemin et plus d'un passant pourrait l'entendre. « Œil pour œil, dent pour dent, tout se paie en cette vie ou en enfer », furent les paroles d'adieu de Nuria. Ils emportèrent un jambon qui pendait à une poutre de la maison ainsi que les deux percherons, lents et lourds. Ce n'étaient pas de bonnes montures, mais ce serait toujours mieux que de marcher ; de plus, ils ne voulaient pas laisser de moyens de transport à ces deux bandits, afin qu'ils ne puissent les rattraper.

*

L'incident avec l'homme sans nez et son complice à la face tailladée incita les voyageurs à plus de prévoyance. Dès lors, ils décidèrent de ne plus loger que dans des lieux destinés aux pèlerins depuis des temps immémoriaux. Après plusieurs semaines de marche sur les chemins du nord, tous quatre avaient perdu du poids, leur corps et leur âme s'étaient aguerris. La lumière leur bronza la peau, l'air sec et les gelées la leur gercèrent. Nuria vieillit brusquement. Cette femme autrefois raide, apparemment sans âge, traînait maintenant les pieds et son dos s'était un peu voûté, mais loin de l'enlaidir, cela l'embellissait. Son expression sévère se détendit et chez elle commença à affleurer une humeur narquoise de grand-mère excentrique qu'elle n'avait jamais manifestée auparavant. De plus, la simple robe de pèlerin lui allait bien mieux que le strict uniforme noir et la coiffe qu'elle avait portés toute sa vie. Les courbes de Juliana disparurent, elle paraissait plus petite et plus jeune, avec ses yeux immenses, ses joues rouges et fendillées. Elle prenait la précaution de se mettre de la lanoline sur la peau, pour se protéger du soleil, mais elle ne put échapper aux effets de la vie en plein air. Isabel, résistante et mince, fut celle qui souffrit le moins du voyage. Ses traits s'affinèrent et elle acquit une démarche longue et sûre qui lui donnait un aspect viril. Jamais elle n'avait été plus heureuse, elle était faite pour la liberté. « Malédiction! Pourquoi ne suis-je pas née garçon? » s'exclama-t-elle une fois. Nuria la pinça en l'avertissant que pareil blasphème pouvait la conduire directement dans les marmites de Satan, mais ensuite elle se mit à rire de bon cœur et commenta que, si elle était née garçon, Isabel aurait été comme Napoléon, à cause de tout le fil à retordre qu'elle donnait. Ils s'adaptèrent aux routines imposées par la marche. Diego assuma tout naturellement le commandement, prenant les décisions et faisant front devant les étrangers. Il s'arrangeait pour que les femmes disposent d'une certaine intimité pour leurs besoins les plus personnels, mais ne les perdait jamais de vue plus de quelques minutes. Ils buvaient et se lavaient dans les rivières, c'est à cela que servaient les calebasses, symbole des pèlerins. Chaque lieue parcourue leur fit oublier un peu plus leur confort passé, un morceau de pain avait goût de paradis, une gorgée de vin était une bénédiction. Dans un monastère, on leur servit de grands bols d'un épais chocolat sucré qu'ils savourèrent lentement, assis sur un banc, dehors. Pendant plusieurs jours ils ne pensèrent pas à autre chose, ils ne se rappelaient pas avoir jamais éprouvé un plaisir aussi intense que cette boisson chaude et parfumée bue sous les étoiles. Pendant le jour, ils s'alimentaient des restes de la nourriture reçue dans les gîtes : pain, fromage sec, un oignon, un morceau de saucisson. Diego gardait un peu d'argent à portée de la main en cas de besoin, mais ils essayaient de ne pas l'utiliser; les pèlerins survivaient grâce à la charité. S'il n'y avait pas d'autre solution que de payer pour quelque chose, il marchandait longuement, jusqu'à l'obtenir presque gratuitement, et ainsi n'éveillait pas de soupçons.

Ils avaient traversé la moitié du Pays basque quand un hiver impitoyable les surprit. De subites averses les transperçaient jusqu'aux os, les gelées les faisaient grelotter sous les couvertures mouillées. Les chevaux allaient au pas, épuisés eux aussi par le climat. Les nuits étaient plus longues, la brume plus dense, la marche plus lente, la gelée blanche plus épaisse et le voyage plus difficile, mais le paysage était d'une beauté saisissante. Du vert et encore du vert, des collines de velours vert, des forêts immenses de tous les tons de vert, des rivières et des cascades aux eaux cristallines d'un vert émeraude. Sur de longs passages la trace du chemin se perdait dans l'humidité du sol, réapparaissant plus loin sous la forme d'un délicat sentier entre les arbres, ou les dalles usées d'une antique voie romaine. Nuria convainquit Diego qu'il valait la peine de dépenser un peu d'argent pour de l'alcool, la seule chose qui parvenait à les réchauffer pendant la nuit et à leur faire oublier les pénuries de la journée. Parfois ils devaient rester deux jours dans une auberge, parce qu'il pleuvait trop et qu'ils avaient besoin de reprendre des forces, alors ils en profitaient pour écouter les histoires d'autres voyageurs et des religieux qui avaient vu passer tant de pêcheurs sur le chemin de saint Jacques.

Un jour, à la mi-décembre, alors qu'ils se trouvaient encore loin du prochain village et n'avaient pas vu de maisons depuis un bon moment, ils devinèrent entre les arbres plusieurs lumières vacillantes, comme de grands feux indécis. Ils décidèrent de s'approcher avec prudence, parce que ce pouvait être des déserteurs de l'armée, plus dangereux que n'importe quel félon. Ils erraient d'habitude en groupe, déguenillés, armés jusqu'aux dents et prêts à tout. Dans le meilleur des cas, ces vétérans de guerre sans emploi se louaient comme mercenaires pour se battre en échange d'une solde, fomenter

305

des rixes, accomplir des vengeances, et autres occupations peu honorables, mais préférables à celle de bandit. Ils vivaient de leurs combats d'épée et l'idée d'un travail manuel leur était impensable. En Espagne, seuls travaillaient les paysans, qui à la sueur de leur front soutenaient le poids immense de l'empire, depuis le roi jusqu'au dernier sbire, avocaillon, moine, tricheur, page, racoleuse ou mendiant.

Diego laissa les femmes sous des arbustes, protégées par le pistolet dont Isabel avait finalement appris à se servir, tandis qu'il vérifiait la source de ces lueurs lointaines. Bientôt il se trouva à proximité et put constater, comme il l'avait imaginé, qu'il s'agissait de plusieurs feux. Cependant il ne crut pas que c'était une bande de brigands ou de déserteurs, car la faible mélodie d'une guitare arriva jusqu'à lui. Son cœur fit un bond dans sa poitrine lorsqu'il reconnut cette musique, un chant passionné de dépit et de lamentation qu'Amalia dansait souvent en faisant virevolter ses jupes et en jouant des casta- gnettes, tandis que le reste de la tribu marquait le rythme en jouant du tambourin et en frappant dans les mains. Ce n'était pas original, tous les gitans jouaient des chansons semblables. Il s'approcha au pas sur son cheval et distingua plusieurs tentes et des feux dans une clairière. « Dieu me garde ! » marmonna-t-il, sur le point de crier de soulagement, car ses amis étaient là. Sans aucun doute, c'était la famille d'Amalia et de Pelayo. Plusieurs hommes de la tribu s'avancèrent pour vérifier qui était l'intrus ; dans la lumière grise de la nuit tombante ils virent un moine en haillons et barbu, qui avan- çait vers eux sur un lourd cheval de labour. Ils ne le reconnu- rent que lorsqu'il sauta à terre et courut vers eux, car la dernière chose à laquelle ils s'attendaient, c'était de revoir Diego de La Vega, et encore moins en habit de pèlerin.

« Que diable t'est-il arrivé, mon vieux ! » s'exclama Pelayo en lui donnant une tape affectueuse dans le dos, et Diego ne sut si c'étaient des larmes qui coulaient sur son visage, ou des gouttes de pluie.

Le gitan l'accompagna pour aller chercher Nuria et les demoiselles. Une fois assis autour du feu, les voyageurs racontèrent à grands traits les récentes péripéties qu'ils avaient vécues, depuis l'exécution de Tomás de Romeu jusqu'à ce qui s'était passé avec Rafael Moncada, en omettant les légers hauts et bas de la fortune qui n'apportaient rien à l'histoire.

« Comme vous le voyez, nous sommes des fugitifs et non des pèlerins. Nous devons atteindre La Corogne et voir si nous pouvons nous embarquer pour l'Amérique, mais nous ne sommes qu'à la moitié du chemin et l'hiver nous rattrape. Pourrions-nous poursuivre le voyage avec vous? » leur demanda Diego.

Les Rom n'avaient jamais reçu une requête de ce genre de la part d'un *gadje*. Par tradition ils se méfiaient des étrangers, surtout lorsque ceux-ci semblaient pleins de bonnes intentions, le plus probable étant qu'ils aient une vipère cachée dans leur manche, mais ils avaient eu l'occasion de bien connaître Diego et ils l'estimaient. Ils s'écartèrent pour se consulter. Ils laissèrent le groupe des *gadje* sécher ses vêtements près du feu et se retirèrent dans l'une des tentes, faite de morceaux de diverses toiles, en loques et pleine de trous, qui malgré son aspect lamentable offrait un bon abri contre les caprices du temps. L'assemblée de la tribu, appelée *kris*, dura une bonne partie de la nuit. Rodolfo la dirigeait : c'était le *Rom baro*, l'homme le plus âgé, le patriarche, le conseiller, le juge, et il connaissait les lois des Rom. Ces lois n'avaient pas été écrites ou codifiées, elles se transmettaient d'une génération à l'autre dans la mémoire des *Rom baro*, qui les interprétaient en fonction du contexte de chaque époque et de chaque lieu. Seuls les hommes pouvaient participer aux décisions, mais les coutumes s'étaient relâchées pendant ces années de misère et les femmes ne restèrent pas muettes, en particulier Amalia, qui leur rappela qu'à Barcelone ils avaient sauvé leur peau grâce à Diego, et qu'en plus celui-ci leur avait donné l'argent qui leur avait permis de prendre la fuite et de survivre. Malgré tout, quelques membres du clan votèrent contre, considérant que l'interdiction de cohabiter avec des *gadje* était plus forte que toute forme de gratitude. Toute association non commerciale avec les *gadje* apportait *marimé*, la malchance, dirent-ils. Enfin ils parvinrent à se mettre d'accord et Rodolfo trancha la question par un verdict sans appel. Ils avaient vu beaucoup de trahison et de méchanceté dans leurs vies, dit-il, et ils devaient apprécier quand quelqu'un leur tendait la main, afin que personne ne puisse dire que les Rom étaient ingrats. Pelayo alla en informer Diego. Il le trouva endormi par terre, serré contre les femmes, tous transis de froid, car le feu s'était éteint. On aurait dit une pathétique portée de chiots.

« L'assemblée a accepté que vous voyagiez avec nous jusqu'à la mer, à condition que vous puissiez vivre comme les Rom et que vous ne transgressiez aucun de nos tabous », leur notifia-t-il.

*

Les gitans étaient plus pauvres que jamais. Ils n'avaient plus leurs roulottes, brûlées par les soldats français l'année précédente, et leurs tentes avaient été remplacées par d'autres plus loqueteuses, mais ils avaient trouvé des chevaux et possédaient des forges, des casseroles ainsi que deux carrioles pour transporter leurs biens. Ils avaient mangé de la vache enragée, mais ils étaient toujours là, il ne manquait pas un seul enfant. Le seul qui paraissait mal en point était Rodolfo, le géant, qui autrefois soulevait un cheval dans ses bras et portait maintenant les stigmates de la tuberculose. Amalia n'avait pas changé, mais Petrina était devenue une splendide adolescente, qui n'entrait plus dans la jarre à olives même en se pliant en quatre. Elle était promise en mariage à un lointain cousin d'une autre tribu qu'elle n'avait jamais vu. L'union aurait lieu l'été prochain, quand la famille du fiancé aurait payé le *darro,* la somme qui dédommagerait la tribu de la perte de Petrina.

Juliana, Isabel et Nuria furent installées dans la tente des femmes. Au début, la duègne était terrorisée, persuadée que les gitans projetaient d'enlever les filles de Romeu pour les vendre aux Maures, en Afrique du Nord, comme concubines. Une semaine passerait avant qu'elle ose quitter les filles des yeux, et une de plus avant qu'elle adresse la parole à Amalia, qui était chargée de leur apprendre les coutumes, pour leur éviter d'outrageantes fautes d'étiquette. Elle leur donna des jupes amples, des chemisettes décolletées et des châles à franges, qui constituaient la tenue ordinaire des femmes, tout cela vieux et sale, mais de couleurs voyantes et, en tout cas, plus commode et plus couvrant que les robes de pèlerins. Les Rom croyaient que les femmes étaient impures de la taille jusqu'aux pieds, aussi montrer ses jambes était-il une offense très grave; elles devaient se laver en aval, loin des hommes, surtout les jours où elles avaient leurs règles. Elles étaient considérées comme inférieures aux hommes, à qui elles devaient soumission. Les plaidoyers furibonds d'Isabel ne servirent à rien, elle devait tout de même passer derrière les hommes, jamais devant, et ne pouvait les toucher, car cela les contaminerait. Amalia leur expliqua qu'ils étaient toujours entourés d'esprits, qu'ils se devaient d'apaiser par des sortilèges. La mort était un événement antinaturel, qui courrouçait la victime, raison pour laquelle il fallait se protéger de la vengeance des défunts. Rodolfo semblait malade, ce qui préoccupait beaucoup le clan, surtout parce qu'ils avaient récemment entendu le chant des chouettes, augure de mort. Ils avaient envoyé des messages à des parents lointains, afin qu'ils viennent lui faire leurs adieux avec tout le respect qui lui était dû avant son départ vers le monde des esprits. Si Rodolfo s'en allait plein de rancœur ou de mauvaise humeur, il pouvait revenir changé en *muló.* Par précaution, ils avaient fait les préparatifs pour la cérémonie des obsèques, mais

Rodolfo lui-même s'en moquait, convaincu qu'il vivrait encore plusieurs années. Amalia leur apprit à lire le destin dans les lignes de la main, dans les feuilles de thé et dans les boules de cristal, mais aucune des trois *gadje* ne montra les dons d'une véritable *drabardi*. En revanche, elles apprirent l'usage de certaines plantes médicinales et à préparer la cuisine rom. Nuria incorpora aux recettes de base de la tribu – végétaux, lapin, chevreuil, sanglier, porc-épic cuits à l'étouffée – ses connaissances de cuisine catalane, avec d'excellents résultats. Les Rom réprouvaient la cruauté envers les animaux, ils ne pouvaient les tuer que par nécessité. Il y avait quelques chiens dans le campement, mais aucun chat, ceux-ci étant réputés impurs.

Entre-temps, Diego dut se résigner à observer Juliana de loin, car il était très mal élevé de s'approcher des femmes sans raison précise. Le temps qu'il n'employait plus à la contemplation de sa bien-aimée, il le mit à profit pour apprendre à monter à cheval comme un véritable Rom. Il avait passé son enfance à galoper dans les vastes plaines de la Haute-Californie et il s'enorgueillissait d'être un bon cavalier, jusqu'à ce qu'il eût admiré les acrobaties de Pelayo et des autres hommes du clan. En comparaison, c'était un apprenti. Personne au monde ne connaissait mieux les chevaux que ces gens-là. Non seulement ils les élevaient, les entraînaient et les soignaient lorsqu'ils étaient malades, mais ils pouvaient aussi communiquer avec eux en leur parlant, comme le faisait Bernardo. Aucun gitan n'utilisait la cravache, car frapper un animal était considéré comme la pire des lâchetés. Une semaine plus tard, Diego pouvait se laisser glisser au sol en pleine course, faire une pirouette en l'air et retomber assis à l'envers sur le dos de son coursier ; il était capable de sauter d'une monture sur une autre et aussi de galoper debout entre deux chevaux, un pied posé sur chacun d'eux, en ne se tenant que par la bride. Il s'entraînait à faire ces acrobaties devant les femmes ou, plutôt, là où Juliana pouvait le voir, ainsi compensait-il un peu la frustration d'en être séparé. Il s'habillait avec les vêtements de Pelayo, culottes jusqu'aux genoux, hautes bottes, blouse à amples manches, gilet de cuir, foulard sur la tête – lequel mettait malheureusement ses oreilles en évidence – et un mousquet à l'épaule. Il paraissait si viril, avec ses superbes favoris, sa peau dorée et ses yeux caramel, que Juliana elle-même prenait plaisir à l'admirer de loin.

La tribu campait plusieurs jours près d'un village, où les hommes proposaient leurs services pour le domptage des chevaux ou le travail du métal, tandis que les femmes disaient la bonne aventure, vendaient leurs potions et leurs plantes médicinales. Lorsqu'ils n'avaient plus de clients, ils continuaient leur voyage jusqu'au village suivant. Le soir ils mangeaient autour du feu, et ensuite ils se racontaient toujours des histoires, et il y avait de la musique et des danses. Pendant les moments de repos, Pelayo allumait sa forge et travaillait à la fabrication d'une épée qu'il avait promise à Diego, une arme très spéciale, meilleure que n'importe quel sabre de Tolède, comme il le dit, faite d'un alliage de métaux dont le secret avait mille cinq cents ans d'histoire et venait de l'Inde.

« Autrefois, on trempait les armes des héros en transperçant le corps d'un prisonnier ou d'un esclave avec la lame rougie, juste sortie de la forge, expliqua Pelayo.

— Il me suffira que nous trempions la mienne dans la rivière, répliqua Diego. C'est le cadeau le plus précieux que j'aie reçu. Je l'appellerai Justine, parce qu'elle sera toujours au service de causes justes. »

*

Diego et ses amies vécurent et voyagèrent en compagnie des Rom jusqu'en février. Ils eurent deux brèves rencontres avec des gardes, qui ne perdaient pas une occasion de faire valoir leur autorité et d'ennuyer les gitans, mais ils ne s'aperçurent pas qu'il y avait des étrangers parmi les gens de la tribu. Diego en déduisit que personne ne les cherchait si loin de Barcelone et que son idée de fuir en direction de l'Atlantique n'avait pas été aussi absurde qu'elle le paraissait au début. Ils passèrent la plus dure partie de l'hiver à l'abri des intempéries et des dangers du chemin dans le sein tiède de la tribu, qui les reçut comme jamais auparavant elle ne l'avait fait pour aucun *gadje*. Diego n'eut pas à défendre les filles des hommes, car la possibilité d'épouser une étrangère ne leur traversait pas l'esprit. Ils ne paraissaient pas non plus impressionnés par la beauté de Juliana, en revanche le fait qu'Isabel pratiquât l'escrime et s'appliquât à monter à cheval comme les hommes attirait leur attention. Au cours de ces semaines, nos amis parcoururent ce qui leur manquait du Pays basque, la Cantabrique et la Galice, et ils se retrouvèrent enfin aux portes de La Corogne. Poussée par un désir sentimental, Nuria demanda qu'on lui permît d'aller à Compostelle voir la cathédrale et se prosterner devant la tombe de saint Jacques. Elle avait fini par se réconcilier avec l'apôtre, une fois qu'elle eut compris son bizarre sens de l'humour. La tribu tout entière l'accompagna.

La ville, avec ses étroites ruelles et ses passages, ses vieilles maisons, ses boutiques d'artisanat, ses hôtels, ses auberges, ses tavernes, ses places et ses paroisses, s'étendait en capes concentriques autour du sépulcre, l'un des axes spirituels de la chrétienté. C'était un jour lumineux, au ciel dégagé, au froid revigorant. La cathédrale apparut devant eux dans toute sa splendeur millénaire, éblouissante et superbe, avec ses arcs et ses tours élancées.

Les Rom troublèrent la paix du lieu en annonçant à vive voix leur camelote, leurs méthodes de divination, leurs potions pour soigner les maux et ressusciter les morts. Pendant ce temps Diego et ses amies, comme tous les voyageurs qui arrivaient à Compostelle, s'agenouillèrent devant le porche central de la basilique et posèrent leurs mains sur la base de pierre. Ils avaient accompli leur pèlerinage, c'était la fin d'un long chemin. Ils rendirent grâces à l'apôtre pour les avoir protégés et lui demandèrent de ne pas les abandonner encore, de les aider à traverser la mer sains et saufs. Ils n'avaient pas fini de formuler leurs vœux que Diego aperçut à quelques pas de là un homme agenouillé, qui priait avec une ferveur exagérée. Il était de profil, à peine éclairé par les reflets multicolores des vitraux, mais il le reconnut sur-le-champ, bien qu'il ne l'eût pas vu depuis cinq ans. C'était Galileo Tempesta. Il attendit que le marin eût fini de se frapper la poitrine et se fût signé pour l'approcher. Tempesta fut étonné de se voir abordé par un gitan aux grands favoris et portant la moustache.

« C'est moi, señor Tempesta, Diego de La Vega...

— *¡Porca miseria!* Diego! s'exclama le cuisinier, et de ses muscles de pierre il le souleva à un empan du sol dans une accolade pleine d'effusion.

— Chut! Plus de respect, vous êtes dans la cathédrale », les réprimanda un moine.

Ils sortirent à l'air libre, fous de joie, se donnant des tapes dans le dos, sans croire à la chance de s'être rencontrés, bien que ce hasard fût parfaitement explicable. Galileo Tempesta travaillait toujours comme cuisinier sur la *Madre de Dios* et le bateau était ancré à La Corogne, chargeant des armes pour les transporter au Mexique. Tempesta avait profité de ces journées de permission à terre pour rendre visite au saint et le prier de le guérir d'un mal inavouable. Dans un murmure il avoua qu'il avait contracté une maladie honteuse dans les Caraïbes, châtiment divin pour ses péchés, surtout le coup de hache qu'il avait asséné des années plus tôt à sa malheureuse épouse, un lamentable emportement, c'est certain, bien qu'elle l'eût mérité. Seul un miracle pouvait le guérir, ajouta-t-il.

« Je ne sais si l'apôtre s'occupe de ce genre de miracle, señor Tempesta, mais j'ai dans l'idée qu'Amalia pourrait vous aider.

— Qui est Amalia?

— Une *drabardi*. Elle est née avec le don de lire le destin

313

d'autrui et de soigner des maladies. Ses remèdes sont très efficaces.

— Béni soit saint Jacques, qui l'a mise sur mon chemin! Vous voyez comment s'opèrent les miracles, jeune de La Vega?

— A propos de saint Jacques, qu'est devenu le capitaine Santiago de León? demanda Diego.

— Il commande toujours la *Madre de Dios* et il est plus excentrique que jamais, mais il sera très heureux d'avoir de vos nouvelles.

— Peut-être pas, car aujourd'hui je suis un hors-la-loi...

— Raison de plus, alors. A quoi servent les amis si ce n'est pour tendre la main quand la chance fait défaut? », l'interrompit le cuisinier.

Diego le conduisit vers un coin de la place où plusieurs gitanes vendaient des prophéties, et il le présenta à Amalia qui écouta sa confession et accepta de traiter son mal pour un prix assez élevé. Deux jours plus tard, Galileo Tempesta avait arrangé un rendez-vous entre Diego et Santiago de León dans une taverne de La Corogne. Dès que le capitaine fut convaincu que ce gitan était le jeune garçon qu'il avait transporté dans son bateau en 1810, il se prépara à écouter toute son histoire. Diego lui fit un résumé de ses années à Barcelone et lui raconta l'histoire de Juliana et d'Isabel de Romeu.

« Il existe un ordre d'arrêt contre ces pauvres filles. Si elles sont prises elles finiront en prison ou déportées aux colonies.

— Quel forfait peuvent avoir commis ces créatures?

— Aucun. Elles sont les victimes d'un méchant dépité. Avant de mourir, le père des jeunes filles, don Tomás de Romeu, m'a demandé de les emmener en Californie et de les mettre sous la protection de mon père, don Alejandro de La Vega. Pouvez-vous nous aider à aller en Amérique, capitaine?

— Je travaille pour le gouvernement d'Espagne, jeune de La Vega. Je ne peux transporter des fugitifs.

— Je sais que vous l'avez déjà fait, capitaine...

— Qu'insinuez-vous, monsieur ? »

Pour toute réponse Diego ouvrit sa chemise et lui montra le médaillon de La Justice qu'il portait toujours à son cou. Santiago de León observa le bijou pendant quelques secondes et, pour la première fois, Diego le vit sourire. Son visage d'oiseau taciturne changea complètement et le ton de sa voix s'adoucit en reconnaissant un compagnon. Bien que la société secrète fût temporairement inactive, ils étaient tous deux aussi liés qu'autrefois par le serment qu'ils avaient fait de protéger les persécutés. De León expliqua que son navire devait lever l'ancre dans quelques jours. L'hiver n'était pas la meilleure saison pour traverser l'océan, mais l'été était pire, quand se déchaînaient les ouragans. Il devait rapidement transporter son chargement d'armes pour combattre l'insurrection au Mexique, trente canons désarmés, mille mousquets, un million de munitions en plomb et en poudre. De León regrettait que sa profession et les nécessités économiques l'y obligent, car il trouvait légitime la lutte de tous les peuples pour leur indépendance. L'Espagne, décidée à récupérer ses colonies, avait envoyé dix mille hommes en Amérique. Les forces royalistes avaient reconquis le Venezuela et le Chili dans une lutte sanglante, avec de nombreuses atrocités. L'insurrection mexicaine avait elle aussi été étouffée. « Si ce n'était pour mon loyal équipage, qui est avec moi depuis tant d'années et qui a besoin de ce travail, j'abandonnerais la mer pour me consacrer exclusivement à mes cartes », expliqua le capitaine. Ils convinrent que Diego et ses compagnes monteraient à bord à la faveur de l'obscurité et qu'ils resteraient cachés dans le navire jusqu'à ce qu'ils soient en haute mer. Personne, sauf le capitaine et Galileo Tempesta, ne connaîtrait l'identité des passagers. Diego le remercia, ému, mais le capitaine répliqua qu'il ne faisait que son devoir. A sa place, n'importe quel membre de La Justice ferait de même.

La semaine s'écoula à préparer le voyage. Ils durent découdre les jupons pour en sortir les doublons d'or, car ils voulaient laisser quelque chose aux Rom qui les avaient si bien accueillis, et avaient besoin d'acheter des vêtements convenables et autres articles indispensables pour le voyage. La poignée de pierres précieuses fut de nouveau cousue dans les doublures des sous-vêtements. Comme le leur avait indiqué le banquier, il n'y avait pas de meilleure façon de transporter l'argent en des temps difficiles. Les jeunes filles choisirent des vêtements pratiques et simples, appropriés à la vie qui les attendait, uniquement noirs, car elles pouvaient enfin porter le deuil de leur père. Il n'y avait que peu de choix dans les modestes boutiques des environs, mais elles trouvèrent quelques robes et accessoires sur un navire anglais ancré dans le port. De son côté, Nuria avait pris goût aux tissus de couleur pendant son séjour avec les gitans, mais elle devait aussi porter du noir au moins pendant une année, en mémoire de son défunt maître.

Diego et ses amies firent avec regret leurs adieux à la tribu des Rom, mais sans expressions sentimentales, qui auraient été mal perçues par ces gens endurcis et habitués à souffrir. Pelayo remit à Diego l'épée qu'il avait forgée pour lui, une arme parfaite, forte, souple et légère, si bien équilibrée qu'on pouvait la lancer en l'air avec une pirouette et la rattraper par la poignée sans le moindre effort. Au dernier moment, Amalia tenta de rendre à Juliana la tiare de perles, mais celle-ci refusa de la recevoir, prétextant qu'elle voulait lui laisser un souvenir. « Je n'ai pas besoin de cela pour me souvenir de vous », répliqua la gitane avec une moue presque méprisante, mais elle la garda.

*

Ils s'embarquèrent par une nuit du début du mois de mars, quelques heures après que les gardes du port furent montés à bord pour inspecter la charge et autoriser le capitaine à lever l'ancre. Galileo Tempesta et Santiago de León conduisirent leurs protégés dans les cabines qu'ils leur avaient assignées. Le navire avait été rénové deux ans auparavant et il était en meilleur état que lors du premier voyage de Diego ; il comptait à présent un espace pour quatre passagers dans des cabines individuelles disposées de chaque côté du carré des officiers, à la poupe. Chacune comprenait un lit en bois suspendu par des câbles, une table, une chaise, un coffre et une petite armoire pour les vêtements. Ces cellules n'étaient pas confortables, mais elles offraient l'intimité, le plus grand luxe sur un bateau. Les trois femmes s'enfermèrent dans leurs cabines pendant les vingt-quatre premières heures de navigation, sans rien manger, souffrant du mal de mer, convaincues qu'elles ne survivraient pas à l'horreur du tangage sur l'eau pendant des semaines. Dès qu'ils eurent laissé la côte espagnole derrière eux, le capitaine autorisa les passagers à sortir, mais il ordonna aux jeunes filles de se tenir à une distance discrète des marins, pour éviter les problèmes. Il ne donna pas d'explications aux membres de l'équipage et ceux-ci n'osèrent pas en demander, mais ils murmuraient dans son dos que ce n'était pas une bonne idée d'avoir des femmes à bord.

Le deuxième jour, les filles de Romeu et Nuria ressuscitèrent, légères et sans nausées, avec le bruit sourd des pieds nus des marins changeant de tour et l'arôme du café. A ce moment, elles s'étaient déjà habituées à la cloche qui sonnait toutes les demi-heures. Elles firent leur toilette avec de l'eau de mer et s'enlevèrent le sel avec un tissu mouillé dans l'eau douce, puis elles se vêtirent et sortirent en titubant de leurs cabines. Dans le carré des officiers il y avait une table rectangulaire et huit chaises, où Galileo Tempesta avait disposé le petit déjeuner. Le café sucré à la mélasse et renforcé d'un filet de rhum leur rendit l'âme. L'avoine, aromatisée à la cannelle et au clou de girofle, fut servie avec un miel américain exotique, aimable attention du capitaine. Par la porte entrouverte elles virent Santiago de León et ses deux jeunes officiers à la table de travail, examinant la liste des quarts et le rapport des provisions, bois et eau, qu'il fallait distribuer avec prudence jusqu'au prochain port d'approvisionnement. Sur le mur se trouvait un compas indiquant la direction du navire et un baromètre au mercure. Sur la table, dans une belle boîte d'acajou, était rangé le chronomètre dont Santiago de León prenait soin comme d'une relique. Il salua d'un laconique bonjour, sans manifester de surprise devant la pâleur mortelle de ses hôtesses. Isabel demanda où était Diego et il lui montra le pont d'un geste vague.

« Si le jeune de La Vega n'a pas changé au cours de ces dernières années, il devrait être perché sur le grand mât ou installé sur la figure de proue. Je ne crois pas qu'il va s'ennuyer, mais pour vous cette traversée sera bien longue », dit-il.

Cependant, il n'en fut rien, car chacune trouva bientôt une occupation. Juliana s'occupa à broder et à lire un à un les livres du capitaine. Au début ils lui parurent ennuyeux, mais ensuite elle y introduisit des héros et des héroïnes, et ainsi les guerres, les révolutions et les traités philosophiques acquirent-ils le caractère romantique qui leur faisait défaut. Elle était libre d'inventer des amours ardentes et contrariées, et pouvait en outre décider du dénouement. Elle préférait les fins tragiques, parce qu'elle pleurait davantage. Isabel s'institua l'assistante du capitaine pour le tracé des cartes fantastiques, une fois qu'elle eut prouvé son habileté pour le dessin, puis elle demanda la permission de faire le portrait des membres de l'équipage. Le capitaine finit par lui accorder son autorisation, et elle s'attira ainsi le respect des marins. Elle étudia les mystères de la navigation, depuis l'usage du sextant jusqu'à la manière d'identifier les courants sous-marins par les changements de couleurs de l'eau ou le comportement des poissons. Elle passa le temps à dessiner les travaux à bord, qui étaient nombreux : calfater les fissures du bois avec de la fibre de chêne et du goudron, pomper l'eau qui s'accumulait dans la cale, réparer les voiles, assembler les cordages cassés, lubrifier

318

les mâts avec la graisse rance de la cuisine, peindre, frotter et laver les ponts. Les hommes d'équipage travaillaient sans arrêt, la routine ne se relâchait que le dimanche et ils en profitaient pour pêcher, sculpter des figurines dans des morceaux de bois, se couper les cheveux, raccommoder leurs vêtements, se faire des tatouages ou s'épouiller mutuellement. Ils sentaient le fauve, car il était rare qu'ils changent de vêtements, et considéraient que le bain était dangereux pour la santé. Ils ne pouvaient comprendre que le capitaine se lave une fois par semaine et comprenaient encore moins cette manie qu'avaient les quatre passagers de faire leur toilette chaque jour. Sur la *Madre de Dios* ne régnait pas la cruelle discipline des bateaux de guerre ; Santiago de León se faisait respecter sans recourir aux châtiments brutaux. Il permettait les jeux de cartes et de dés, interdits sur les autres bateaux, à condition qu'on ne joue pas d'argent, il doublait la ration de rhum le dimanche, jamais il ne payait les hommes avec retard et, lorsqu'ils accostaient dans un port, il organisait les tours de garde de façon que tous puissent descendre se divertir à terre. Bien qu'il y eût un fouet à neuf lanières dans un sac rouge accroché en un lieu visible, jamais il n'avait été utilisé. Tout au plus condamnait-il les coupables d'infractions à être privés d'alcool pendant quelques jours.

Nuria imposa sa présence à la cuisine, parce que selon elle les plats de Galileo Tempesta laissaient plutôt à désirer. Ses innovations culinaires, préparées avec les ingrédients habituels, très limités, furent célébrées par tous, du capitaine jusqu'au dernier mousse. La duègne apprit à cuisiner avec de l'eau trouble et s'habitua rapidement à l'odeur nauséabonde des provisions, surtout celle des fromages et de la viande salée, sans parler des poissons que Galileo Tempesta mettait sur les sacs de galettes pour les débarrasser des charançons. Lorsqu'ils se couvraient de vers, il les remplaçait par d'autres, ainsi gardait-il les galettes plus ou moins propres. Elle apprit à traire les chèvres qu'on avait à bord. Ce n'étaient pas les seuls animaux, il y avait également des poules, des canards et des oies dans des cages, une truie et ses petits dans un enclos, outre les mascottes des marins – des singes et des perroquets – et les indispensables chats, sans lesquels les rats seraient devenus les maîtres et seigneurs du navire. Nuria découvrit le moyen de multiplier les possibilités du lait et des œufs, si bien qu'il y avait du dessert chaque jour. Galileo Tempesta avait mauvais caractère et l'invasion de Nuria dans son territoire l'irrita, mais elle trouva le moyen le plus simple de résoudre le problème. La première fois que Tempesta éleva la voix contre elle, elle lui administra un coup sec de sa louche sur le front et continua à remuer sa préparation sans s'émouvoir. Six heures plus tard, le Génois lui proposait le mariage. Il lui avoua que les remèdes d'Amalia commençaient à donner de bons résultats et qu'il avait économisé neuf cents dollars américains, ce qui était suffisant pour installer un restaurant à Cuba et vivre comme des rois. Cela faisait onze ans qu'il attendait la femme idéale, dit-il, et peu lui importait qu'elle eût quelques années de plus que lui. Nuria ne daigna pas lui répondre.

Plusieurs marins qui se trouvaient sur le bateau lors du premier voyage de Diego ne le reconnurent que lorsqu'il leur gagna des poignées de pois chiches aux cartes. Le temps des navigateurs a ses propres lois, les années passent sans marquer la surface lisse du ciel et de la mer, raison pour laquelle ils s'étonnèrent que le garçon imberbe qui hier à peine les effrayait avec des histoires de morts-vivants fût aujourd'hui un homme. Où étaient passées ces cinq années ? Cela les réconfortait de voir que bien qu'il eût changé et grandi il appréciait toujours autant leur compagnie. Diego passait une bonne partie de la journée à travailler avec eux aux manœuvres du bateau, surtout des voiles, qui le fascinaient. Il ne disparaissait brièvement dans sa cabine qu'en fin d'après-midi, pour faire sa toilette et se vêtir en *caballero* avant de se présenter devant Juliana. Les marins se rendirent compte dès le premier jour qu'il était amoureux de la jeune fille, et même si parfois ils lui faisaient des plaisanteries, ils observaient cette dévotion avec un mélange de nostalgie pour ce qu'ils ne connaîtraient jamais et de curiosité pour le dénouement. Juliana leur paraissait aussi irréelle que les sirènes de la mythologie. Cette peau immaculée, ces yeux translucides, cette grâce éthérée ne pouvaient être de ce monde.

Poussée par les courants océaniques et voguant au gré du vent, la *Madre de Dios* se dirigea vers le sud en longeant l'Afrique, elle passa face aux îles Canaries sans s'arrêter et atteignit le Cap-Vert pour s'approvisionner en eau et aliments frais avant d'entreprendre la traversée de l'Atlantique, qui pouvait durer plus de trois semaines, selon les vents. Là, ils apprirent que Napoléon Bonaparte s'était enfui de son exil dans l'île d'Elbe et était rentré triomphant en France, où les troupes envoyées pour lui barrer la route de Paris étaient passées de son côté. Il avait récupéré le pouvoir sans un seul coup de feu, tandis que la cour du roi Louis XVIII se réfugiait à Gand, et il se préparait à réentreprendre la conquête de l'Europe. Au Cap-Vert, les voyageurs furent reçus par les autorités, qui offrirent un bal en l'honneur des filles du capitaine, comme furent présentées les jeunes de Romeu. Santiago de León pensa qu'ainsi ils écartaient les soupçons, au cas où l'ordre de les arrêter serait arrivé jusque-là. De nombreux fonctionnaires de l'administration avaient épousé de belles Africaines, grandes et fières, qui se présentèrent à la fête vêtues avec un luxe extraordinaire. Par comparaison, Isabel avait l'air d'un caniche et Juliana elle-même était pratiquement insignifiante. Cette première impression changea du tout au tout lorsque Juliana, poussée par Diego, accepta de jouer de la harpe. Il y avait un orchestre complet, mais à peine eut-elle touché les cordes que le silence se fit dans le grand salon. Deux ou trois vieilles ballades lui suffirent pour séduire toute l'assistance. Pendant le reste de la soirée, Diego dut faire la queue avec les autres messieurs pour danser avec elle.

Peu après, la *Madre de Dios* déploya ses voiles, laissant l'île derrière elle, alors les marins apparurent avec un paquet enveloppé dans une bâche et le déposèrent dans le carré des officiers, cadeau du capitaine Santiago de León pour Juliana. « Afin que vous apaisiez le vent et les vagues », dit-il en enlevant la toile d'un geste galant. C'était une harpe italienne taillée en forme de cygne. A partir de ce moment, chaque après-midi ils transportaient la harpe sur le pont et elle faisait pleurer les hommes avec ses mélodies. Elle avait une excellente oreille et pouvait interpréter n'importe quelle chanson qu'ils fredonnaient. Bientôt apparurent des guitares, des harmonicas, des flûtes et des tambours improvisés pour l'accompagner. Le capitaine, qui cachait un violon dans sa cabine pour se consoler en secret pendant les longues nuits où le laudanum ne parvenait pas à atténuer la douleur de sa mauvaise jambe, s'unit au groupe et le bateau s'emplit de musique.

Ils étaient au milieu de l'un de ces concerts lorsque la brise de mer leur apporta une puanteur tellement nauséabonde qu'il était impossible de l'ignorer. Quelques instants plus tard ils aperçurent au loin la silhouette d'un voilier. Le capitaine eut recours à la longue-vue pour confirmer ce qu'il savait déjà : c'était un bateau d'esclaves. Chez les trafiquants il y avait deux tendances : *paquets serrés* et *paquets lâches*. Les premiers entassaient leurs prisonniers comme des bûches, dans la plus grande promiscuité, les uns sur les autres, attachés par des chaînes, dans leurs propres excréments et leur vomi, les hommes sains mêlés aux malades, aux moribonds et aux cadavres. La moitié mourait en haute mer ; on « engraissait » les survivants dans le port de débarquement et leur vente compensait les pertes ; seuls les plus forts arrivaient à destination et on en obtenait un bon prix. Les négriers de *paquets lâches* chargeaient moins d'esclaves dans des conditions un peu plus supportables, pour ne pas trop en perdre pendant la traversée.

« Ce bateau doit être de *paquets serrés*, c'est pourquoi on peut le sentir à plusieurs lieues, dit le capitaine.

« — Nous devons aider ces pauvres gens, capitaine! s'exclama Diego, horrifié.

— Je crains que dans ce cas La Justice ne puisse rien faire, mon ami.

— Nous sommes armés, nous avons quarante hommes d'équipage, nous pouvons attaquer ce navire et les libérer.

— Le trafic est illégal, ce chargement est de contrebande. Si nous nous approchons ils jetteront les esclaves enchaînés à la mer, pour qu'ils se noient immédiatement. Et même si nous pouvions les libérer, ils ne sauraient où aller. Ils ont été faits prisonniers dans leur propre pays par des trafiquants africains. Les nègres vendent d'autres nègres, vous ne le saviez pas? »

*

Au cours de ces semaines de navigation, Diego regagna du terrain dans la conquête de Juliana, perdu pendant le séjour avec les gitans, où ils avaient dû rester séparés sans jamais jouir d'intimité. C'était également le cas sur le bateau, mais les prétextes ne manquaient pas pour contempler la mer, à commencer par les couchers de soleil, comme l'ont fait les amoureux depuis des temps immémoriaux. Alors Diego osait poser un bras sur les épaules ou la taille de la belle, avec beaucoup de délicatesse, pour ne pas l'effaroucher. Il avait pris l'habitude de lui lire à voix haute des poèmes d'amour d'autres auteurs, car les siens étaient si médiocres que lui-même en avait honte. Avant de s'embarquer, à La Corogne, il avait pris la précaution d'acheter quelques livres qui se révélèrent d'une grande utilité. Les douces métaphores attendrissaient Juliana, la préparant pour le moment où il lui prenait la main et la gardait dans les siennes. Rien de plus, malheureusement. De baisers, pas question d'y penser, non par manque d'initiative de notre héros, mais parce qu'Isabel, Nuria, le capitaine et quarante marins ne les quittaient pas des yeux.

De plus, elle ne favorisait aucune rencontre derrière une porte entrebâillée, en partie parce qu'il n'y avait que peu de portes à bord, mais aussi parce qu'elle n'était pas sûre de ses sentiments, bien qu'elle eût vécu avec Diego pendant des mois et qu'il n'y eût aucun autre prétendant à l'horizon. Elle l'avait expliqué à sa sœur au cours des conversations confidentielles qu'elles avaient souvent la nuit. Isabel gardait son opinion pour elle, car quoi qu'elle dise cela pouvait faire pencher la balance de l'amour en faveur de Diego. Cela ne l'arrangeait pas. A sa façon, Isabel aimait le jeune homme depuis qu'elle avait onze ans, mais là n'est pas le propos, puisqu'il n'en eut jamais le soupçon. Diego continuait à considérer Isabel comme une gamine dotée de quatre coudes et de cheveux pour deux têtes, bien que son aspect se fût amélioré au fil des ans ; elle en avait quinze et était beaucoup plus jolie qu'à onze.

A plusieurs reprises ils virent au loin d'autres navires, que le capitaine eut la prudence d'éviter : des corsaires aux rapides brigantins américains prêts à s'emparer du chargement d'armes, il y avait beaucoup d'ennemis en haute mer. Les Américains avaient besoin de tous les fusils sur lesquels ils pouvaient mettre la main pour leur guerre contre l'Angleterre. Santiago de León ne prêtait pas trop attention au pavillon flottant en haut du mât, car ils avaient l'habitude d'en changer pour tromper les imprudents, mais il vérifiait la provenance par d'autres signes ; il se vantait de connaître tous les navires qui empruntaient cette route.

Plusieurs tempêtes hivernales secouèrent la *Madre de Dios* au cours de ces semaines, mais elles n'arrivèrent jamais par surprise, car le capitaine pouvait les capter dans l'air avant qu'elles fussent annoncées par son baromètre. Il donnait l'ordre de réduire la voilure, d'amarrer tout ce qui pouvait tomber et d'enfermer les animaux. En quelques minutes l'équipage était prêt, et quand le vent commençait à souffler et la mer à moutonner tout était bien arrimé à bord. Les femmes avaient ordre de s'enfermer dans leurs cabines pour ne pas se mouiller et pour éviter les accidents. Les vagues passaient par-dessus les ponts, emportant ce qui se trouvait sur leur passage; il était facile de perdre pied et de finir au fond de l'Atlantique. Après l'averse, le bateau était propre, frais, exhalant l'odeur du bois, le ciel et la mer se dégageaient, l'horizon semblait de pur argent. Divers poissons montaient à la surface et plus d'un finissait en friture dans les poêles de Galileo et de Nuria. Le capitaine prenait ses mesures pour corriger le cap, tandis que l'équipage réparait les rares dommages et reprenait ses occupations quotidiennes. La pluie, recueillie dans des bâches étalées et versée dans des tonneaux, leur offrait le luxe de se baigner avec du savon, ce qui était impossible avec de l'eau salée.

Enfin ils arrivèrent dans les eaux des Caraïbes. Ils virent de grandes tortues, des poissons-épées, des méduses translucides aux longs tentacules et des pieuvres géantes. Le climat semblait doux, mais le capitaine était nerveux. Il sentait le changement de pression dans sa jambe. Les brefs orages précédents n'avaient pas préparé Diego et ses amies à une véritable tempête. Ils s'apprêtaient à filer en direction de Porto Rico, et de là vers la Jamaïque, quand le capitaine leur annonça qu'un défi majeur les attendait. Le ciel était clair et la mer calme, mais en moins d'une demi-heure cela changea; de gros et épais nuages obscurcirent la lumière du soleil, l'air devint poisseux et la pluie se mit à tomber à seaux. Bientôt les premiers éclairs zébrèrent le firmament et d'énormes vagues se levèrent, couronnées d'écume. Les bois craquaient et les mâts semblaient sur le point d'être arrachés à leur base. Les hommes eurent à peine de temps de plier les voiles. Le capitaine et les timoniers essayaient de maîtriser le bateau à plusieurs mains. Parmi eux se trouvait un robuste nègre de Saint-Domingue, rompu à la navigation par vingt ans de métier, qui luttait avec le gouvernail sans cesser de mâchonner son tabac, indifférent aux torrents d'eau qui l'aveuglaient. Le navire se balançait au sommet de vagues impressionnantes, et quelques minutes plus tard se précipitait au fond d'un abîme liquide. Un coup de roulis fit s'ouvrir un enclos, une chèvre sortit en volant dans les airs comme une fusée et se perdit dans le ciel. Les marins se tenaient comme ils pouvaient pour manœuvrer l'embarcation, une glissade signifiant une mort certaine. Les trois femmes tremblaient dans leurs cabines, malades de peur et de nausées. Même Diego vomit, lui qui se vantait d'avoir un estomac de fer ; mais il n'était pas le seul, plusieurs membres de l'équipage firent de même. Il pensa que seule l'arrogance humaine ose défier les éléments ; la *Madre de Dios* était une coquille de noix et pouvait se briser à tout instant.

Le capitaine donna l'ordre d'arrimer la charge dont la perte impliquerait la ruine économique. Ils subirent la tempête pendant deux jours entiers, et lorsqu'il semblait qu'elle commençait enfin à se calmer un éclair frappa le grand mât. Le choc fut ressenti dans le bateau comme un coup de fouet. Le long et lourd mât, blessé en sa moitié, oscilla pendant quelques minutes, interminables pour l'équipage terrorisé, jusqu'à ce qu'il finisse par se briser, tombant à la mer avec ses voiles et ses cordages emmêlés, entraînant avec lui deux marins qui n'avaient pas réussi à se mettre à l'abri. Le navire s'inclina sous la secousse et donna de la gîte, sur le point de chavirer. Le capitaine courut en criant des ordres. Aussitôt plusieurs hommes se précipitèrent avec des haches pour couper les câbles qui unissaient le mât cassé au bateau, tâche extrêmement difficile, car le sol était incliné et glissant, le vent les frappait, la pluie les aveuglait et les vagues balayaient le pont. Au bout d'un bon moment ils parvinrent à détacher le mât, qui s'éloigna en flottant, tandis que le bateau se redressait en tanguant. Il n'y avait aucun espoir de porter secours aux hommes tombés à la mer, qui disparurent avalés par l'océan noir.

Enfin le vent et les vagues se calmèrent un peu, mais la pluie et les éclairs continuèrent pendant le reste de la nuit. A l'aube, lorsque la lumière revint, on put faire l'inventaire des dégâts. A part les marins noyés, d'autres souffraient de contusions et d'entailles. Galileo Tempesta s'était cassé un bras en glissant, mais comme l'os n'était pas apparent le capitaine ne considéra pas nécessaire de l'amputer. Il lui donna une double ration de rhum et, avec l'aide de Nuria, remit les os en place et éclissa son bras. L'équipage s'occupa de pomper l'eau qui s'était accumulée dans la cale et de répartir la cargaison, tandis que le capitaine parcourait l'embarcation d'un bout à l'autre pour évaluer la situation. Le navire avait tant d'avaries qu'il était impossible de le réparer en pleine mer. Comme la tempête les avait déviés de leur route, les éloignant de Porto Rico vers le nord, le capitaine décida qu'ils pouvaient atteindre Cuba avec les deux mâts et les voiles qui restaient.

Les jours suivants s'écoulèrent dans une lente navigation, sans le grand mât et en prenant l'eau par plusieurs brèches. Ces braves marins avaient connu des situations semblables sans perdre courage, mais lorsque la rumeur courut que les femmes avaient apporté le malheur, ils commencèrent à murmurer. Le capitaine les harangua et parvint à empêcher une mutinerie, mais le mécontentement ne diminua pas. Aucun d'eux ne repensa aux concerts de harpe, ils refusaient de goûter la cuisine de Nuria et détournaient les yeux lorsque les passagères apparaissaient sur le pont pour prendre l'air. La nuit, le bateau avançait à peine en direction de Cuba dans des eaux dangereuses. Bientôt ils virent des requins, des dauphins bleus et de grandes tortues, mais aussi des mouettes, des pélicans et des poissons volants, qui tombaient comme des pierres sur le pont, prêts à être cuisinés par Tempesta. La brise tiède et un lointain parfum de fruits mûrs leur annoncèrent la proximité de la terre.

*

Au lever du jour Diego sortit de sa cabine pour prendre l'air. Le ciel commençait à s'éclaircir en prenant des tons orangés et une brume ténue comme un voile nuançait le contour des choses. Les lumières des lanternes allumées paraissaient floues dans le brouillard. Ils naviguaient entre des îlots couverts de mangroves. Le bateau se balançait douce- ment dans la houle et à part les éternels craquements des bois, le silence régnait. Diego étira les bras, respira profondément pour se réveiller et adressa un salut de la main au timonier qui se dirigeait vers son poste, puis il se mit à courir, comme il le faisait tous les matins, pour dénouer ses muscles engourdis. La couchette était courte pour lui et il dormait recroquevillé ; plusieurs tours au trot sur le pont lui permettaient de dégager son esprit et de mettre son corps en mouvement. En arrivant à la proue il se pencha pour tapoter la tête de la figure de proue, bref rite quotidien qu'il observait avec une supersti- tieuse ponctualité. C'est alors qu'il vit une forme dans la brume. Il lui sembla que ce pouvait être un voilier, bien qu'il n'en fût pas certain. En tout cas, comme il se trouvait tout près, il préféra avertir le capitaine. Quelques instants plus tard Santiago de León sortait de sa cabine en boutonnant son pantalon, la longue-vue à la main. Il lui suffit d'un coup d'œil pour pousser le cri d'alarme et faire sonner la cloche appelant l'équipage, mais il était trop tard, les pirates escaladaient déjà les flancs de la *Madre de Dios.*

Diego vit les grappins de fer qu'ils utilisaient pour l'assaut, mais il n'était plus temps d'essayer de couper les cordages. Il s'élança vers les cabines de poupe pour avertir à grands cris Juliana, Isabel et Nuria de ne sortir sous aucun prétexte, il empoigna l'épée que Pelayo lui avait forgée et s'apprêta à les défendre. Les premiers assaillants atteignirent le pont, les poignards entre les dents. Les hommes d'équipage de la *Madre de Dios* sortirent comme des rats de toutes parts, armés de ce qu'ils avaient trouvé, tandis que le capitaine aboyait des ordres inutiles, parce qu'en un instant explosa un raffut de tous les diables et que personne ne l'entendait. Diego et le capitaine se battaient côte à côte contre une demi-douzaine d'attaquants, des êtres patibulaires marqués d'horribles cicatrices, chevelus, armés de dagues jusque dans leurs bottes, de deux ou trois pistolets à la ceinture et de sabres courts. Ils rugissaient comme des tigres, mais se battaient avec plus de bruit et de courage que de technique. Aucun ne pouvait seul faire face à Diego, mais à plusieurs ils l'acculèrent. Le jeune homme parvint à rompre le cercle et à blesser deux d'entre eux, puis d'un bond il s'accrocha à la voile de misaine, grimpa le long de l'enfléchure et empoigna un câble qui lui permit de se retrouver de l'autre côté du pont, tout cela sans perdre de vue les cabines des passagères. Les portes étaient légères, on pouvait les ouvrir d'un coup de pied. Il ne restait qu'à espérer qu'aucune n'aurait l'idée de mettre le nez dehors. Se balançant sur le câble, il s'élança et dans un bond formidable tomba juste devant un homme qui l'attendait tranquillement, le sabre à la main. A la différence des autres, une bande de bandits en guenilles, celui-ci était vêtu comme un prince, tout en noir, avec une ceinture de soie jaune, un col et des poignets de dentelle, des bottes fines et hautes à boucles d'or, une chaîne du même métal au cou et des bagues aux doigts. Il avait bel aspect, les cheveux longs et brillants, le visage rasé, des yeux noirs expressifs et un sourire moqueur qui dansait sur ses lèvres minces, les dents blanches. Diego put le jauger d'un rapide coup d'œil, mais il ne s'arrêta pas à vérifier son identité, supposant à sa tenue et son attitude qu'il devait être le chef des pirates. L'individu à la mise soignée salua en français et poussa sa première botte, que Diego esquiva d'un cheveu. Leurs fers se croisèrent et trois ou quatre minutes leur suffirent pour comprendre qu'ils étaient coulés dans le même moule, faits l'un pour l'autre. Tous deux étaient d'excellents escrimeurs. Malgré les circonstances, ils éprouvèrent le secret plaisir de se battre contre un rival à leur mesure et, sans se mettre d'accord, décidèrent que l'adversaire méritait une lutte propre, même si elle était à mort. Le duel ressemblait presque à une démonstration artistique; il aurait comblé d'orgueil maître Manuel Escalante.

A bord de la *Madre de Dios*, chacun luttait pour soi. Santiago de León jeta un regard autour de lui et évalua la situation en un instant. Les pirates étaient deux ou trois fois plus nombreux, bien armés, ils savaient se battre et les avaient pris par surprise. Ses hommes étaient de paisibles marins marchands, plusieurs d'entre eux avaient déjà des cheveux blancs et rêvaient d'abandonner la mer pour fonder une famille, il n'était pas juste qu'ils laissent leurs vies pour défendre une cargaison étrangère. Dans un effort brutal il parvint à se dégager de ses attaquants et en deux bonds il atteignit la cloche pour appeler à la reddition. L'équipage obéit et déposa les armes, au milieu des cris de victoire des assaillants. Seuls Diego et son élégant adversaire ignorèrent la cloche et continuèrent à se battre pendant quelques minutes, jusqu'à ce que le premier désarme le second d'un revers. La victoire de Diego fut de courte durée, car aussitôt il se retrouva au centre d'un cercle de sabres qui lui égratignaient la peau.

« Laissez-le, mais ne le perdez pas de vue ! Je le veux vivant », ordonna son rival, puis il salua Santiago de León dans un castillan parfait. « Jean Lafitte, à vos ordres, capitaine.

— Je le craignais, monsieur. Vous ne pouviez être personne d'autre que le pirate Lafitte, répliqua de León en essuyant la sueur de son front.

— Pirate, non, capitaine. J'ai une patente de corsaire de Carthagène de Colombie.

— Dans ce cas, c'est la même chose. Que pouvons-nous attendre de vous ?

— Vous pouvez attendre un traitement juste. Nous ne tuons pas, à moins que ce soit inévitable, parce qu'à tous nous convient davantage un arrangement commercial. Je propose que nous nous entendions comme des chevaliers. Votre nom, je vous prie.

— Santiago de León, marin marchand.

— Seule m'intéresse votre cargaison, capitaine de León, et si je suis bien informé, ce sont des armes et des munitions.

330

— Que va-t-il se passer avec mon équipage?

— Vous pourrez disposer de vos canots. Avec un bon vent, vous arriverez aux Bahamas ou à Cuba dans deux jours, tout est affaire de chance. A part les armes, y a-t-il à bord quelque chose qui puisse m'intéresser?

— Des livres et des cartes... », répliqua Santiago de León.

Ce fut le moment que choisit Isabel pour sortir de sa cabine en chemise de nuit, pieds nus et le pistolet de son père à la main. Obéissant aux ordres de Diego, elle était restée enfermée jusqu'à ce qu'aient cessé le fracas de la bagarre et le bruit des coups de canons, alors elle ne supporta plus l'anxiété et sortit pour voir comment la bataille s'était terminée.

« *Pardieu!* Une belle dame... », s'exclama Lafitte en la voyant.

Isabel sursauta de surprise et baissa son arme, c'était la première fois que quelqu'un utilisait cet adjectif pour la décrire. Lafitte s'approcha à un pas d'elle, il la salua d'une révérence, tendit la main, et elle lui remit le pistolet sans un mot.

« Voilà qui complique un peu les choses... Combien de passagers y a-t-il à bord? demanda Lafitte au capitaine.

— Deux demoiselles et leur duègne, elles voyagent avec don Diego de La Vega.

— Très intéressant. »

Les deux capitaines s'enfermèrent pour discuter de la reddition, tandis que sur le pont deux pirates tenaient Diego en joue avec leurs pistolets, et que les autres prenaient possession du bateau. Ils ordonnèrent aux vaincus de s'allonger à plat ventre, les mains sur la nuque, inspectèrent le bateau à la recherche du butin, consolèrent les blessés avec du rhum, puis jetèrent les morts à la mer. Ils ne faisaient pas de prisonniers, car c'était très délicat. Leurs propres blessés furent transportés avec grand soin dans leurs chaloupes d'abordage, et de là au navire corsaire. Pendant ce temps, Diego réfléchissait à la manière de se libérer et de sauver les filles de Romeu. Au cas où il parviendrait jusqu'à elles, il n'imaginait pas comment ils pourraient s'échapper. Leurs ennemis étaient une meute de brutes, l'idée que n'importe lequel de ces hommes pose ses pattes sur les jeunes filles le rendait fou. Il devait penser froidement, car pour sortir de cette situation il fallait de l'habileté et de la chance, ses connaissances de l'escrime ne lui serviraient pas à grand-chose.

Santiago de León, ses deux officiers et les survivants de l'équipage achetèrent leur liberté contre un quart de leur salaire annuel, l'usage dans ces cas-là. On offrit aux marins la possibilité de se joindre à la bande de Lafitte et certains acceptèrent. Le corsaire savait que la dette du capitaine et de ses hommes serait payée, comme l'imposait l'honneur ; ceux qui ne le faisaient pas étaient méprisés, y compris par leurs meilleurs amis. Il s'agissait d'une transaction propre et simple. Santiago de León dut remettre ses quatre passagers à Jean Lafitte, qui avait l'intention de les échanger contre rançon. Il lui expliqua que les deux filles étaient orphelines et sans fortune, mais le corsaire décida de les emmener tout de même, parce qu'il y avait une grande demande de femmes blanches dans les maisons de joie de La Nouvelle-Orléans. De León le supplia de respecter ces deux jeunes filles vertueuses, qui avaient déjà tant souffert et ne méritaient pas ce terrible destin, mais ce genre de considération interférait dans les affaires, chose que Lafitte ne pouvait se permettre, et de plus, comme il l'expliqua, être courtisane était un métier que la plupart des femmes trouvaient fort agréable. Le capitaine sortit de la réunion décomposé. Il lui importait peu de perdre les armes, au contraire ; l'une des raisons pour lesquelles il s'était rendu avec tant de promptitude avait été le désir de se défaire de ce chargement, mais l'idée que les filles de Romeu, pour lesquelles il s'était pris d'une réelle affection, aillent échouer dans un bordel l'horrifiait. Il dut informer ses passagers du sort qui les attendait, précisant que le seul qui pouvait espérer s'en sortir sain et sauf était Diego de La Vega, car son père ferait certainement le nécessaire pour le sauver.

« Mon père paiera également une rançon pour Juliana, Isabel et Nuria, à condition que personne ne pose un seul doigt sur elles. Nous allons immédiatement lui envoyer une lettre en Californie, assura Diego à Lafitte. Mais à ces mots, son cœur se serra, comme assailli d'un mauvais pressentiment.

— Le courrier tarde en général, aussi serez-vous mes hôtes pendant quelques semaines, peut-être des mois, jusqu'à ce que nous recevions la rançon. Pendant ce temps, les jeunes filles seront respectées. Pour le bien de tous, j'espère que votre père ne se fera pas prier pour la réponse », répliqua le corsaire, sans quitter Juliana des yeux.

Les trois femmes, qui eurent à peine le temps de se vêtir, défaillirent en voyant sur le pont cette bande de brigands redoutables, le sang, les blessés. Juliana, cependant, ne frémissait pas seulement d'horreur, comme on pouvait le supposer, mais du choc que le regard de Jean Lafitte avait produit sur elle.

Les pirates amarrèrent leur brigantin, ils mirent des planches entre les deux ponts et formèrent une chaîne humaine pour transporter la cargaison légère d'un bateau à l'autre, y compris les animaux, les tonneaux de bière et les jambons. Mais ils ne traînaient pas, car la *Madre de Dios* coulait à vue d'œil. Le capitaine de León assista impassible à la manœuvre, mais son cœur battait la chamade, car il aimait son bateau comme une femme. Sur le mât ennemi flottait, à côté d'un pavillon colombien, un drapeau rouge, appelée *jolie rouge*, qui indiquait l'intention de laisser leur liberté aux vaincus en échange d'un prix. Cela le rassura un peu, il savait qu'après tout le corsaire lui permettrait de sauver son équipage. Une bannière noire, qui portait parfois une tête de mort et deux tibias croisés, aurait indiqué la décision de se battre jusqu'au dernier homme et de massacrer les adversaires. Lorsqu'ils en terminèrent avec la cargaison, Lafitte tint sa promesse et autorisa Santiago de León à mettre de l'eau douce et des provisions dans les chaloupes, à emporter ses instruments de navigation, sans lesquels il ne pourrait se situer, et à embarquer avec ses hommes. C'est à ce moment qu'apparut Galileo Tempesta, qui s'était arrangé pour rester caché pendant la bataille, sous le prétexte de son bras cassé, et qui s'installa parmi les premiers dans l'un des canots. Le capitaine fit ses adieux à Diego et à ses compagnes avec une ferme poignée de main et la promesse qu'ils se reverraient. Il leur souhaita bonne chance et descendit dans l'un des canots sans un regard en arrière. Il ne voulait pas voir la *Madre de Dios*, qui avait été sa seule demeure pendant trois décennies, aux mains des pirates.

*

Dans le navire pirate, chargé à ras bord, il était difficile de bouger. Lafitte n'était jamais en mer plus de deux ou trois jours, c'est pourquoi il pouvait entasser cent cinquante hommes d'équipage dans un espace où n'en tiendraient normalement pas plus de trente. Il avait ses quartiers dans Grande Isle, près de La Nouvelle-Orléans, un îlot dans la région marécageuse de Barataria. Il y attendait que ses espions lui annoncent la proximité d'une possible prise pour se lancer à l'attaque. Il profitait de la brume ou des ombres de la nuit, quand les bateaux réduisaient leur vitesse ou s'arrêtaient, pour les attaquer silencieusement et rapidement. La surprise était toujours son meilleur atout. Il utilisait ses canons pour intimider plus que pour couler le bateau ennemi, ainsi pouvait-il s'en emparer et l'incorporer à sa flotte, composée de treize brigantins, de goélettes, de polacres et de felouques.

Jean et son frère Pierre étaient les corsaires les plus redoutés sur mer en ces années, mais sur la terre ferme ils pouvaient se faire passer pour des hommes d'affaires. Le gouverneur de La Nouvelle-Orléans, las de la contrebande, du trafic d'esclaves et des autres activités illicites des Lafitte, avait mis leur tête à prix pour cinq cents dollars. Jean avait répondu en en offrant mille cinq cents pour celle du gouverneur. Ce fut le point culminant de bien des hostilités. Jean parvint à s'échapper, mais Pierre resta prisonnier pendant des mois, Grande Isle fut attaquée et toute la marchandise réquisitionnée. Cependant, la situation changea quand les Lafitte s'allièrent aux troupes américaines. Le général Jackson arriva à La Nouvelle-Orléans à la tête d'un contingent d'hommes très pauvres et atteints de malaria, avec la mission de défendre l'immense territoire de la Louisiane contre les Anglais. Il ne pouvait s'offrir le luxe de rejeter l'aide que lui proposaient les pirates. Ces bandits – un brassage de nègres, de métis et de blancs – se révélèrent indispensables dans la bataille. Jackson affronta l'ennemi le 8 janvier 1815, c'est-à-dire trois mois avant que nos amis arrivent contre leur gré dans la région. La guerre entre l'Angleterre et son ancienne colonie avait pris fin deux semaines plus tôt, mais aucune des deux troupes ne le savait. Avec une poignée d'hommes d'origines diverses, qui ne partageaient même pas une langue commune, Jackson vainquit une armée organisée et bien armée de vingt mille Anglais. Tandis que les hommes s'entre-tuaient à Chalmette, à quelques lieues de La Nouvelle-Orléans, femmes et enfants priaient dans le couvent des Ursulines. A la fin de la bataille, lorsqu'on entreprit de compter les cadavres, on constata que l'Angleterre avait perdu deux mille hommes, alors que Jackson n'avait laissé que treize soldats sur le champ de bataille. Les plus courageux et les plus féroces avaient été les créoles – gens de couleur, mais libres – et les pirates. Quelques jours plus tard on fêta la victoire avec des arches de fleurs et des demoiselles vêtues de blanc, représentant chacun des Etats de l'Union, qui couronnèrent de lauriers le général Jackson. Dans l'assistance se trouvaient les frères Lafitte et leurs pirates, qui de proscrits devinrent des héros.

Pendant les quarante heures que le bateau de Lafitte mit à atteindre Grande Isle, ils gardèrent Diego de La Vega attaché sur le pont et les trois femmes enfermées dans une petite cabine à côté de celle du capitaine. Pierre Lafitte, qui n'avait pas pris part à l'assaut de la *Madre de Dios* pour rester aux commandes du navire pirate, s'avéra être un homme très différent de son frère, plus grossier, plus robuste, plus brutal, avec des cheveux clairs et la moitié du visage paralysé par une attaque d'apoplexie. Il aimait boire et manger avec excès et ne pouvait résister à une femme jeune, mais il s'abstint d'ennuyer Juliana et Isabel, car son frère lui rappela que les affaires passaient avant le plaisir. Ces jeunes femmes pourraient leur rapporter une forte somme d'argent.

Jean gardait le mystère sur ses origines, personne ne savait d'où il venait, mais il avouait ses trente-cinq ans. Il était d'un commerce agréable et avait des manières exquises, parlait plusieurs langues, parmi lesquelles le français, l'espagnol et l'anglais, aimait la musique et donnait de grosses sommes d'argent à l'opéra de La Nouvelle-Orléans. Malgré son succès auprès des femmes, il ne les convoitait pas comme son frère, préférant les courtiser avec patience; il était galant, jovial, excellent danseur et conteur d'anecdotes, la plupart d'entre elles inventées sur le vif. Sa sympathie pour la cause américaine était légendaire, ses capitaines savaient que « celui qui attaque un navire américain est mort ». Les trois mille hommes sous ses ordres l'appelaient *boss*, le chef. Il brassait des millions en marchandises, utilisant des barcasses et des pirogues dans l'entrelacs des canaux du delta du Mississippi. Personne ne connaissait cette région mieux que lui et ses hommes, les autorités ne pouvaient les contrôler ni leur donner la chasse. Il vendait le produit de sa piraterie à quelques lieues de La Nouvelle-Orléans, dans un ancien lieu sacré des Indiens appelé Le Temple. Propriétaires de plantations, créoles riches ou moins riches, et même les proches du gouverneur venaient y faire leurs achats à leur guise sans payer d'impôts, à un prix raisonnable et dans une joyeuse ambiance de fête. Là aussi se tenaient les ventes aux enchères d'esclaves, qu'il achetait à bas prix à Cuba et revendait cher dans les Etats américains, où le trafic des nègres était interdit, mais pas l'esclavage. Lafitte annonçait ses ventes par des affiches apposées dans tous les coins de la ville : « Venez tous au marché et à la vente aux enchères d'esclaves de Jean Lafitte, au Temple! Vêtements, bijoux, meubles et autres articles des sept mers. »

Jean invita ses trois otages féminines à partager une collation à bord, mais elles refusèrent de sortir de leur cabine. Il leur fit porter un plateau avec des fromages, de la viande froide, une bonne bouteille de vin espagnol récupérée sur la *Madre de Dios*, et ses salutations respectueuses. Juliana ne pouvait se le sortir de la tête et mourait de curiosité de le connaître, mais elle considéra plus prudent de rester enfermée.

Diego passa ces quarante heures sous les intempéries, ficelé comme un saucisson, sans nourriture. Ils lui enlevèrent le médaillon de *La Justice* et les quelques pièces qu'il avait dans sa poche, lui donnèrent un peu d'eau de temps en temps et des coups de pied quand il remuait trop. Jean Lafitte s'approcha deux ou trois fois pour l'assurer qu'en arrivant sur son île il serait plus à l'aise, et le prier de pardonner le peu d'éducation de ses hommes. Ceux-ci n'avaient pas l'habitude d'avoir affaire à des personnes raffinées, dit-il. Diego dut avaler l'ironie, marmonnant à part lui que tôt ou tard il rabattrait son caquet à ce scélérat. L'important était de rester en vie. Sans lui, les deux filles de Romeu seraient perdues. Il avait entendu parler des orgies d'alcool, de sexe et de sang auxquelles se livraient les pirates dans leurs repaires lorsqu'ils revenaient victorieux de leurs forfaits, de la manière dont les malheureuses prisonnières subissaient les pires outrages, des corps violés et mutilés qu'ils enterraient dans le sable au cours de ces bacchanales. Il essayait de ne pas penser à cela, seulement à la manière de s'échapper, mais ces images le torturaient. De plus, le désagréable pressentiment qui l'avait assailli un peu plus tôt ne le quittait pas. Cela avait quelque chose à voir avec son père, il en était sûr. Il y avait des semaines qu'il ne parvenait pas entrer en communication avec Bernardo, aussi décida-t-il de mettre ces heures d'ennui à profit pour le tenter. Il se concentra pour appeler son frère, mais entre eux la télépathie ne fonctionnait pas au moyen de la volonté, les messages allaient et venaient sans dessin précis et sans contrôle de leur part. Ce long silence, si étrange entre Bernardo et lui, lui semblait de très mauvais augure. Il se demanda ce qui se passait en Haute-Californie, et ce qu'avaient pu devenir Bernardo et ses parents.

Grande Isle, à Barataria, où les Lafitte avaient leur empire, était vaste, humide, plate et, comme le reste du paysage de la région, baignée d'une aura de mystère et de décadence. Cette nature capricieuse et chaude, qui passait du calme bucolique à des ouragans dévastateurs, invitait aux grandes passions. Tout s'y corrompait très vite, depuis la végétation jusqu'à l'âme humaine. Dans les périodes de beau temps, comme celle que Diego et ses amis connurent en arrivant, une chaude brise apportait l'odeur douceâtre des fleurs d'oranger, mais dès que la brise cessait, une chaleur de plomb s'abattait sur elle. Les pirates débarquèrent les prisonniers et les escortèrent jusqu'à la demeure de Jean Lafitte, installée sur un promontoire et entourée d'une forêt de palmiers et de chênes tordus, au feuillage brûlé par les embruns. Le village des pirates, protégé du vent par un enchevêtrement d'arbustes, se distinguait à peine entre les feuilles. Les fleurs de laurier-rose y posaient des touches de couleur. De style espagnol, la maison de Lafitte avait un étage, avec des jalousies aux fenêtres et une large terrasse tournée vers la mer, construite en briques recouvertes d'un mélange de plâtre et de coquilles d'huîtres pilées. Loin d'être une caverne comme celle que les prisonniers avaient imaginée, elle s'avéra propre, organisée et même luxueuse. Les pièces étaient spacieuses et fraîches, depuis les balcons la vue était spectaculaire, les planchers en bois blond brillaient, les murs venaient d'être peints et sur chaque table il y avait des vases de fleurs, des coupes de fruits et des pichets de vin.

Deux esclaves noires emmenèrent les femmes dans les chambres qui leur avaient été assignées. Diego eut droit à une cuvette d'eau pour se laver, on lui donna du café et on le conduisit à une terrasse, où Jean Lafitte se reposait dans un hamac rouge, jouant d'un instrument à cordes, le regard perdu à l'horizon, accompagné de deux perroquets aux couleurs brillantes. Diego pensa que le contraste entre la mauvaise réputation de cet homme et son aspect raffiné ne pouvait être plus surprenant.

« Vous pouvez choisir entre être mon prisonnier ou être mon hôte, monsieur de La Vega. En tant que prisonnier, vous avez le droit d'essayer de vous échapper et j'ai le droit de vous en empêcher à n'importe quel prix. En tant que mon hôte, vous serez bien traité jusqu'à ce que nous recevions la rançon de votre père, mais les lois de l'hospitalité vous feront obligation de respecter ma maison et mes instructions. Nous nous comprenons ?

— Avant de vous répondre, monsieur, je dois connaître vos intentions en ce qui concerne les sœurs de Romeu, qui sont sous ma protection, répliqua Diego.

— Qui étaient, monsieur, elles ne le sont plus. Elles sont à présent sous la mienne. Leur sort dépend de la réponse de votre père.

— Si j'accepte d'être votre hôte, comment saurez-vous que je n'essaierai pas de m'enfuir de toute façon ?

— Parce que vous ne le feriez pas sans les demoiselles de Romeu et parce que vous me donnerez votre parole d'honneur, répliqua le corsaire.

— Vous l'avez, capitaine Lafitte, dit Diego, résigné.

— Très bien. Je vous en prie, accompagnez-moi pour dîner avec vos amies dans une heure. Je crois que mon cuisinier ne vous décevra pas. »

Pendant ce temps Juliana, Isabel et Nuria vivaient des moments déconcertants. Plusieurs hommes apportèrent des baquets dans leur chambre et ils les remplirent d'eau ; ensuite apparurent trois jeunes esclaves avec du savon et des brosses, sous les ordres d'une femme grande et belle, aux traits ciselés et au long cou, la tête ornée d'un grand turban qui lui donnait un autre empan de hauteur. Elle se présenta en français comme Madame Odilia et précisa qu'elle dirigeait la maison de Lafitte. Elle fit signe aux prisonnières de se dépouiller de leurs vêtements, car on allait leur faire prendre un bain. Aucune des trois, de sa vie, ne s'était dénudée : d'une grande pudeur, elles se lavaient sous une légère tunique de coton. Les simagrées de Nuria provoquèrent une crise de fou rire chez les esclaves, et la dame au turban expliqua que personne ne meurt de prendre un bain. Isabel trouva cela raisonnable et retira ce qu'elle avait sur elle. Juliana l'imita, en cachant ses parties intimes de ses deux mains. Cela provoqua de nouveau les éclats de rire des Africaines, qui comparaient leur propre peau couleur bois à celle de cette fille aussi blanche que la vaisselle de la salle à manger. Elles durent tenir Nuria à plusieurs pour la déshabiller, et ses cris faisaient trembler les murs. Elles les firent entrer dans les baquets et les savonnèrent des pieds à la tête. Passé la première frayeur, l'expérience ne fut finalement pas aussi terrible qu'elle le paraissait au début, et bientôt Juliana et Isabel commencèrent à y prendre plaisir. Les esclaves emportèrent leurs vêtements sans donner d'explications, et en échange leur apportèrent de riches robes de brocart, peu appropriées sous un climat chaud. Elles étaient en bon état, bien qu'il fût évident qu'elles avaient déjà été portées; l'une d'elles avait du sang sur le bord. Quel destin avait été celui de sa propriétaire précédente? Était-elle aussi une prisonnière? Mieux valait ne pas imaginer son sort ou celui qui les attendait. Isabel en déduisit que la hâte de les déshabiller obéissait à des instructions précises de Lafitte, qui voulait s'assurer qu'elles ne cachaient rien sous leurs jupes. Elles s'étaient préparées à cette éventualité.

*

Diego décida de profiter de la liberté conditionnelle que lui accordait le corsaire et, en attendant l'heure du dîner, il sortit visiter les environs. La population des pirates était constituée d'âmes vagabondes de tous les coins de la planète. Certains étaient installés avec leurs femmes et leurs enfants dans des cases de palmes, les célibataires déambulaient, sans toit fixe. Il y avait des endroits où manger de bons plats français et créoles, des bars et des bordels, outre des ateliers et des boutiques d'artisans. Ces hommes de différentes races, langues, croyances et coutumes avaient en commun un sens farouche de la liberté, mais ils acceptaient les lois de Barataria parce qu'elles leur semblaient raisonnables et que le système était démocratique. Tout se décidait au vote, ils avaient même le droit de choisir et de destituer leurs capitaines. Les règles étaient claires : celui qui ennuyait la femme d'un autre était abandonné sur un îlot désert avec une carafe d'eau et un pistolet chargé ; le vol était puni par des coups de fouet, et l'assassinat par la pendaison. La soumission aveugle à un chef n'avait pas cours, sauf en mer pendant une action belliqueuse, mais il fallait obéir aux règles ou en payer les conséquences. En d'autres temps ils avaient été criminels, aventuriers ou déserteurs de navires de guerre, toujours marginaux ; ils étaient fiers à présent d'appartenir à une communauté. Seuls les plus aptes s'embarquaient, les autres travaillaient dans les forges, cuisinaient, élevaient des bêtes, réparaient bateaux et canots, construisaient des maisons, pêchaient. Diego vit des femmes et des enfants, mais aussi des hommes malades ou amputés, et il apprit que les vétérans de batailles, les orphelins et les veuves recevaient une protection. Si un marin perdait une jambe ou un bras en mer, il recevait de l'or en récompense. Le butin était équitablement réparti entre les hommes et on donnait quelque chose aux veuves, mais les autres femmes comptaient peu. C'étaient des prostituées, des esclaves, des captives prises lors d'attaques et quelques courageuses femmes libres, rares, arrivées là de leur plein gré.

Sur la plage, Diego tomba sur une vingtaine d'hommes ivres qui se battaient par plaisir et couraient derrière les femmes à la lumière des feux. Il reconnut plusieurs hommes d'équipage du navire qui avait abordé la *Madre de Dios* et il décida que c'était l'occasion de récupérer le médaillon de La Justice que l'un d'eux lui avait arraché.

« Messieurs! Ecoutez-moi! » cria-t-il.

Il parvint à capter l'attention des moins intoxiqués et il se forma un cercle autour de lui, tandis que les femmes profitaient de la distraction pour ramasser leurs vêtements et s'éloigner en hâte. Diego se vit entouré de visages bouffis par l'alcool, d'yeux injectés de sang, de bouches édentées qui l'insultaient, de mains qui déjà se portaient sur les couteaux. Il ne leur laissa pas le temps de s'organiser.

« J'ai envie de m'amuser un peu. L'un de vous ose-t-il se battre avec moi? » demanda-t-il.

Un chœur enthousiaste lui répondit affirmativement et le cercle se ferma autour de Diego, qui pouvait renifler la sueur et l'haleine des hommes empestant l'alcool, le tabac et l'ail.

« Un à la fois, je vous prie. Je commencerai par le brave qui porte mon médaillon, ensuite, à tour de rôle, je vous donnerai à tous une raclée. Qu'en pensez-vous? »

Plusieurs corsaires se jetèrent sur la plage les quatre fers en l'air, se tordant de rire. Les autres se consultèrent et à la fin l'un d'eux ouvrit sa chemise immonde et montra le médaillon, bien disposé à se battre avec ce gringalet aux mains de femme qui sentait encore le lait maternel, comme il le dit. Diego voulut s'assurer que c'était bien son bijou. L'homme l'ôta de son cou et le lui agita sous le nez.

« Ne perds pas de vue mon médaillon, l'ami, car je te l'enlèverai à la première distraction », le défia Diego.

Aussitôt le pirate tira une dague courbe de sa ceinture et secoua la torpeur de l'alcool, tandis que les autres s'écartaient pour leur ouvrir un espace. Il se jeta sur Diego qui l'attendait, les pieds bien plantés dans le sable. Celui-ci n'avait pas appris en vain la méthode secrète de combat de La Justice. Il reçut son adversaire en trois mouvements simultanés : il dévia sa main armée, se mit sur le côté et se baissa, utilisant l'élan de l'ennemi à son avantage. Le pirate perdit l'équilibre et Diego le souleva avec son épaule, le projetant en l'air en lui faisant effectuer une culbute complète. Dès qu'il eut atterri sur le dos, il posa le pied sur sa main et lui arracha la dague. Puis il se tourna vers les spectateurs en faisant une brève révérence.

« Où est mon médaillon ? » demanda-t-il en regardant les pirates un à un.

Il s'approcha du plus grand, qui se trouvait à plusieurs pas de distance, et l'accusa de l'avoir caché. L'homme dégaina son poignard, mais il l'arrêta d'un geste et lui fit signe d'enlever son bonnet, car c'est là qu'il se trouvait. Désorienté, le type obéit, alors Diego mit la main dans son bonnet et en sortit adroitement le bijou. La surprise paralysa les autres, qui ne savaient s'ils devaient rire ou lui tomber dessus, jusqu'à ce qu'ils optent pour l'idée la plus conforme à leur tempérament : donner une bonne leçon à ce freluquet insolent.

« Tous contre un ? Ça ne vous paraît pas un peu lâche ? les défia Diego en tournant le poignard dans sa main, prêt à bondir.

— Ce monsieur a raison, ce serait une lâcheté peu digne de vous », dit une voix.

C'était Jean Lafitte, aimable et souriant, dans l'attitude de celui qui prend l'air en faisant une promenade, mais la main sur le pistolet. Il prit Diego par un bras et l'entraîna calmement sans que personne ne tente de les arrêter.

« Ce médaillon doit avoir beaucoup de valeur pour vous faire risquer votre vie, commenta Lafitte.

— Ma grand-mère me l'a donné sur son lit de mort, se moqua Diego. Avec cela, je pourrai acheter ma liberté et celle de mes amies, capitaine.

— Je crains qu'il ne vaille pas autant.

« — Aussi bien, notre rançon n'arrivera jamais. La Californie est très loin d'ici, un malheur peut arriver en chemin. Si vous me le permettez, j'irai jouer à La Nouvelle-Orléans. Je parierai le médaillon et gagnerai suffisamment d'argent pour payer notre rançon.

— Et si vous perdez ?

— Dans ce cas, vous devrez attendre l'argent de mon père, mais je ne perds jamais aux cartes.

— Vous êtes un jeune original, je crois que nous avons un certain nombre de choses en commun », dit le pirate en riant.

*

Ce soir-là on rendit Justine à Diego, la belle épée que lui avait forgée Pelayo, et le coffre contenant ses vêtements, sauvé du naufrage par la cupidité d'un pirate qui n'avait pu l'ouvrir et l'avait emporté en pensant qu'il contenait des objets de valeur. Les trois otages soupèrent dans la salle à manger de Lafitte, qui était très élégant, tout de noir vêtu, rasé, les cheveux frisés de frais. Diego pensa qu'en comparaison sa tenue de Zorro était lamentable ; il devait copier quelques-unes des idées du corsaire, telle que la large ceinture à la taille et les amples manches de la chemise. Le repas consista en un défilé de plats d'influence africaine, caribéenne et cajun, comme on appelait les immigrants arrivés du Canada : *gumbo* de crabe, haricots rouges accompagnés de riz, huîtres en friture, dinde rôtie avec des noix et des raisins secs, poisson aux épices et les meilleurs vins volés dans des galions français, que l'amphitryon goûta à peine. Un ventilateur en toile, destiné à donner de l'air et chasser les mouches, pendait au-dessus de la table, actionné par un enfant noir qui tirait sur un cordon, tandis que sur un balcon trois musiciens jouaient un mélange irrésistible de rythme caribéen et de chansons d'esclaves. Silencieuse, telle une ombre, Madame Odilia dirigeait du regard, depuis la porte, les esclaves du service.

Pour la première fois, Juliana put voir Jean Lafitte de près. Quand le corsaire s'inclina pour lui baiser la main, elle sut que le long périple des derniers mois qui l'avait menée jusque-là s'achevait enfin. Elle découvrit pourquoi elle n'avait voulu épouser aucun de ses prétendants, repoussé Rafael Moncada jusqu'à le rendre fou et n'avait pas répondu aux avances de Diego pendant cinq ans. Toute sa vie elle s'était préparée à ce que, dans ses nouvelles romanesques, on appelait « la flèche de Cupidon ». De quelle autre façon pouvait-on décrire cet amour subit? C'était comme une flèche dans la poitrine, une douleur aiguë, une blessure. (Pardonnez-moi, chers lecteurs, pour cet euphémisme ridicule, mais les clichés enferment de grandes vérités.) Le regard sombre de Lafitte plongea dans l'eau verte de ses yeux et la main aux longs doigts de cet homme prit la sienne. Juliana tituba, comme si elle allait tomber; rien de neuf, elle avait accoutumé de perdre l'équilibre sous le coup d'une émotion. Isabel et Nuria crurent à une réaction de frayeur devant le corsaire, car les symptômes y ressemblaient fort, mais Diego comprit sur-le-champ que quelque chose d'irrémédiable avait bouleversé son destin. Comparé à Lafitte, Rafael Moncada et tous les autres amoureux de Juliana étaient insignifiants. Madame Odilia remarqua également l'effet du corsaire sur la jeune fille et, comme Diego, elle pressentit la gravité de la chose.

Lafitte les conduisit à table et s'installa à la place d'honneur, conversant aimablement. Juliana le regardait, hypnotisée, mais il l'ignorait délibérément, au point qu'Isabel se demanda si quelque chose ne manquait pas au corsaire. Peut-être avait-il perdu sa virilité dans une bataille, ce genre d'accident arrivait constamment, il suffisait d'une balle perdue ou d'un coup donné en toute impunité et la partie la plus intéressante d'un homme se trouvait réduite à une figue sèche. Il n'y avait pas d'autre explication à cette indifférence vis-à-vis de sa sœur.

« Nous vous remercions de votre hospitalité, monsieur

Lafitte, encore qu'elle soit imposée par la force ; il ne me semble pas, néanmoins, que cette communauté de pirates soit l'endroit approprié pour les demoiselles de Romeu, dit Diego, calculant qu'il devait très vite sortir Juliana de là.

— Quelle autre solution proposez-vous, monsieur de La Vega ?

— J'ai entendu parler du couvent des Ursulines à La Nouvelle-Orléans. Les demoiselles pourraient attendre là jusqu'à ce qu'arrivent les nouvelles de mon père...

— Plutôt morte qu'avec ces religieuses ! Personne ne me fera partir d'ici ! » l'interrompit Juliana avec une véhémence qu'ils ne lui avaient jamais vue.

Tous les yeux se tournèrent vers elle. Elle était rouge, fiévreuse, en sueur sous la robe de lourd brocart. L'expression de son visage ne laissait place à aucun doute : elle était prête à assassiner quiconque tenterait de la séparer de son pirate. Diego ouvrit la bouche, mais il ne sut que dire et se tut, vaincu. Jean Lafitte reçut la sortie intempestive de Juliana comme un message désiré et craint, presque une caresse. Il avait essayé d'éviter la jeune fille, se répétant ce qu'il disait toujours à son frère Pierre, que les affaires passent avant le plaisir, mais à l'évidence elle était aussi éprise que lui. Cette attirance dévastatrice le troublait, car il se flattait de garder la tête froide. Ce n'était pas un homme impulsif et il était habitué à la compagnie de belles femmes. Il préférait les quarteronnes, mulâtresses réputées pour leur grâce et leur beauté, entraînées à satisfaire les caprices les plus secrets d'un homme. Il trouvait les femmes blanches arrogantes et compliquées, elles se plaignaient souvent d'être souffrantes, ne savaient pas danser et servaient peu à l'heure de faire l'amour, car il leur déplaisait être dépeignées. Pourtant, cette jeune Espagnole aux yeux de chat était différente. Elle pouvait rivaliser en beauté avec les plus célèbres créoles de La Nouvelle-Orléans et, visiblement, sa pureté et son innocence n'avaient pas d'incidences sur son cœur passionné. Il dissimula un soupir, essayant de ne pas se laisser prendre aux pièges de son imagination.

Pendant le reste de la soirée, on les aurait tous crus assis sur des clous. La conversation traînait péniblement en longueur. Diego observait Juliana, qui observait Lafitte, tandis que les autres convives fixaient obstinément leur assiette. La chaleur était suffocante à l'intérieur de la maison et, à la fin du repas, le corsaire les invita à prendre un rafraîchissement sur la terrasse. Du plafond pendait un éventail de palmes qu'un esclave remuait avec parcimonie. Lafitte prit sa guitare et se mit à chanter d'une voix juste et agréable, jusqu'à ce que Diego annonçât qu'ils étaient fatigués et souhaitaient se retirer. Juliana le foudroya d'un regard mortel, mais elle n'osa pas refuser.

Personne ne dormit dans cette maison. La nuit, avec son concert de grenouilles et le bruit lointain des tambours, s'étira avec une lenteur atroce. Ne pouvant se contenir davantage, Juliana confessa son secret à Nuria et à Isabel, en catalan pour que l'esclave qui s'occupait d'elles ne la comprenne pas.

« Maintenant, je sais ce qu'est l'amour. Je veux épouser Jean Lafitte, dit-elle.

— Sainte Marie, épargnez-nous ce malheur, murmura Nuria en se signant.

— Tu es sa prisonnière, pas sa fiancée. Comment penses-tu résoudre ce petit dilemme ? voulut savoir Isabel, plutôt jalouse car, sur elle aussi, le corsaire avait fait forte impression.

— Je suis prête à tout, je ne peux vivre sans lui, répliqua sa sœur avec des yeux de folle.

— Ça ne va pas plaire à Diego.

— Que m'importe Diego ! Mon père doit se retourner dans sa tombe, mais ça m'est égal », s'exclama Juliana.

*

Impuissant, Diego assista à la transformation de sa bien-aimée. Le deuxième jour de captivité à Barataria, Juliana apparut parfumée au savon, les cheveux lâchés sur les épaules et vêtue d'une robe légère prêtée par les esclaves, qui révélait ses charmes. C'est ainsi qu'elle se présenta à table le lendemain à midi, une table sur laquelle Madame Odilia avait disposé une abondante collation. Jean Lafitte l'attendait et, à l'éclat de ses yeux, il ne fit pas de doute qu'il préférait ce style informel à la mode européenne, insupportable sous ce climat. De nouveau il la salua d'un baiser sur la main, mais bien plus appuyé que celui de la veille. Les servantes servirent des jus de fruits avec de la glace, transportée des montagnes lointaines par le fleuve, dans des caisses contenant de la sciure, luxe que les riches pouvaient seuls s'offrir. Juliana, qui d'ordinaire avait peu d'appétit, prit deux verres du breuvage glacé et mangea avec voracité de tous les mets qui se trouvaient sur la table, excitée et volubile. Diego et Isabel avaient le cœur lourd, tandis qu'elle et le corsaire bavardaient presque en chuchotant. Ils purent saisir quelques bribes de la conversation et se rendirent compte que Juliana explorait le terrain, éprouvant les armes de la séduction qu'elle n'avait jamais eu besoin d'utiliser jusque-là. A ce moment elle lui expliquait, entre rires et battements de cils, que sa sœur et elle apprécieraient grandement quelques commodités. Pour commencer, une harpe, un piano et des partitions de musique, ainsi que des livres, de préférence des romans et de la poésie, et puis des vêtements légers. Elle avait perdu tout ce qu'elle possédait, « et par la faute de qui ? » minauda-t-elle. De plus, elles souhaitaient être libres de se promener dans les environs et jouir d'une certaine intimité, car la surveillance constante des esclaves les gênait. « Et à propos, monsieur Lafitte, je dois vous dire que j'ai l'esclavage en horreur, c'est une pratique inhumaine. » Il répondit que si elles se promenaient seules dans l'île elles rencontreraient des gens vulgaires qui ne savaient pas se comporter avec des demoiselles aussi délicates qu'elle et sa sœur. Il ajouta que la fonction des esclaves n'était pas de les surveiller, mais de les servir et de chasser les moustiques, souris et vipères qui s'introduisaient dans les chambres.

« Donnez-moi un balai et je me chargerai moi-même de ce problème, répliqua-t-elle avec un sourire irrésistible, que Diego ne lui connaissait pas.

— Quant aux autres choses que vous sollicitez, mademoiselle, peut-être les trouverons-nous dans mon bazar. Après la sieste, quand il fera plus frais, nous nous rendrons tous au Temple.

— Nous n'avons pas d'argent, mais je suppose que vous paierez, puisque vous nous avez amenés ici par la force, répliqua-t-elle, coquette.

— Ce sera un honneur, mademoiselle.

— Vous pouvez m'appeler Juliana. »

Depuis un coin de la salle, Madame Odilia suivait cet échange de galanteries avec la même attention que Diego et Isabel. Sa présence rappela à Jean qu'il ne pouvait continuer sur ce terrain périlleux, il avait des obligations auxquelles il ne pouvait se soustraire. Tirant des forces d'où il put, il décida d'être clair vis-à-vis de Juliana. D'un geste il appela la belle femme au turban et lui murmura quelque chose à l'oreille. Elle disparut quelques minutes et revint avec un paquet dans les bras.

« Madame Odilia est ma belle-mère et voici mon fils Pierre », expliqua Jean Lafitte, pâle.

Diego poussa une exclamation de joie et Juliana une interjection d'horreur. Isabel se leva et Madame Odilia lui montra le paquet. A la différence des femmes normales, qui ont coutume de s'attendrir à la vue d'un nourrisson, Isabel n'aimait pas les enfants, elle préférait les chiens, mais elle dut admettre que le marmot était sympathique. Il avait le nez retroussé et les mêmes yeux que son père.

« Je ne savais pas que vous étiez marié, monsieur le pirate... commenta Isabel.

— Corsaire, corrigea Lafitte.

349

— Corsaire, donc. Pourrions-nous connaître votre épouse?

— Je crains que non. Moi-même, je n'ai pu lui rendre visite depuis plusieurs semaines, elle est faible et ne peut voir personne.

— Comment s'appelle-t-elle?

— Catherine Villars.

— Excusez-moi, je me sens très lasse... », bredouilla Juliana, défaillante.

Diego lui retira la chaise et l'accompagna d'un air contrit, bien qu'il fût enchanté de la tournure que prenaient les événements. Quelle chance extraordinaire! Il ne restait d'autre solution à Juliana que de réévaluer ses sentiments. Il ne s'agissait plus seulement que Lafitte fût un vieux de trente-cinq ans, coureur de jupons, criminel, contrebandier et trafiquant d'esclaves, tout ce qu'une jeune fille comme Juliana pouvait facilement excuser, mais qu'il eût femme et bébé. Merci, mon Dieu! On ne pouvait en demander davantage.

*

L'après-midi, Nuria passa son temps à appliquer des compresses froides sur le front fiévreux de Juliana, tandis que Diego et Isabel accompagnaient Lafitte au Temple. Ils y allèrent dans un canot propulsé par quatre rameurs, qui pénétra dans un labyrinthe de marécages malodorants, sur les rives desquels reposaient des douzaines de caïmans, tandis que les serpents zigzaguaient dans l'eau. Avec l'humidité, les cheveux d'Isabel partirent dans tous les sens, bouclés et aussi denses qu'un matelas. Les canaux paraissaient tous identiques, le paysage plat ne présentait aucune élévation qui pût servir de point de repère dans cette végétation d'herbes hautes. Les arbres plongeaient leurs racines dans l'eau et des perruques de mousse pendaient à leurs branches. Les pirates connaissaient chaque coude, chaque arbre, chaque rocher de ce territoire de cauchemar, et ils avançaient sans hésiter. En arrivant à l'emplacement où se trouvait le Temple, ils virent les grandes barques plates dans lesquelles les pirates transportaient la marchandise, outre les pirogues et canots de certains clients, bien que la majorité vînt par voie de terre, à cheval et dans de luxueux attelages. La crème de la société s'était donné rendez-vous, des aristocrates aux courtisanes de couleur. Les esclaves avaient mis des vélums afin que leurs maîtres se reposent, et ils servaient de la nourriture et du vin tandis que les dames parcouraient le bazar en examinant les produits. Les pirates vantaient publiquement la marchandise : tissus de Chine, pichets d'argent péruvien, meubles de Vienne, joyaux de toutes provenances, gourmandises, articles de toilette, rien ne manquait dans cette foire où marchander faisait partie du divertissement. Pierre Lafitte était déjà là, une lampe de larmes de verre à la main, annonçant à la cantonade qu'on liquidait tout, qu'on cassait les prix, achetez *messieurs et mesdames*[1], car une occasion pareille ne se représentera pas. A l'arrivée de Jean et de ses compagnons, des murmures de curiosité se firent entendre. Plusieurs femmes s'approchèrent du séduisant corsaire, mystérieuses sous leurs joyeuses ombrelles, parmi elles l'épouse du gouverneur. Les messieurs remarquèrent Isabel, amusés par sa chevelure indomptée semblable à la mousse des arbres. Dans la communauté des Blancs, on comptait deux hommes pour une femme, aussi tout nouveau visage était-il le bienvenu, y compris un aussi peu ordinaire que celui d'Isabel. Jean fit les présentations, sans allusion aucune à la manière dont il avait déniché ces nouveaux « amis », puis il chercha les objets mentionnés par Juliana, bien qu'il sût qu'aucun cadeau ne pourrait la consoler du coup qu'il lui avait porté en parlant de Catherine de façon aussi brutale. Il n'y avait pas d'autre moyen, il lui fallait couper à la racine cette attraction mutuelle, avant qu'elle ne les détruisît tous les deux.

---

1 En français dans le texte. *(N.d.T.)*

A Barataria, Juliana gisait sur le lit, noyée dans un cloaque d'humiliation et d'amour fou. Lafitte avait allumé en elle une flamme diabolique, et elle devait à présent lutter de toute sa volonté contre la tentation de l'arracher à Catherine Villars. La seule solution qui lui venait à l'esprit était d'entrer comme novice au couvent des Ursulines et de finir ses jours à soigner les malades atteints de vérole à La Nouvelle-Orléans, ainsi au moins respirerait-elle le même air que cet homme. Elle ne pourrait plus regarder personne en face. Elle se sentait confondue, honteuse, aussi agitée que si des milliers de fourmis s'étaient promenées sous sa peau, elle s'asseyait, se promenait, s'allongeait sur le lit, se tournait et retournait entre les draps. Elle pensait à l'enfant, au petit Pierre, et pleurait encore plus. « Il n'y a pas de maux qui durent cent ans, ma petite fille, cette folie va te passer, aucune femme sensée ne tombe amoureuse d'un pirate », la consolait Nuria. Sur ces entrefaites, Madame Odilia arriva pour demander comment allait la demoiselle. Elle apportait un plateau sur lequel étaient posés un verre de xérès et des biscuits. Juliana décida que c'était sa seule chance de vérifier certains détails et, ravalant son orgueil et ses larmes, elle engagea la conversation avec elle.

« Pouvez-vous me dire, madame, si Catherine est une esclave?

— Ma fille est libre, comme moi. Ma mère était une reine du Sénégal, et là-bas je serais reine moi aussi. Mon père et le père de mes filles étaient des Blancs, propriétaires de plantations de canne à sucre à Saint-Domingue. Nous avons dû nous enfuir au moment de la révolte des esclaves, répliqua fièrement Madame Odilia.

— Je comprends que les Blancs ne peuvent épouser des personnes de couleur, insista Juliana.

— Les Blancs épousent des Blanches, mais nous sommes leurs véritables femmes. Nous n'avons nul besoin de la bénédiction d'un curé, l'amour nous suffit. Jean et Catherine s'aiment. »

Juliana se remit à pleurer. Nuria la pinça pour l'obliger à se dominer, mais cela ne fit qu'accroître le chagrin de la jeune fille. Elle demanda à Madame Odilia de lui permettre de voir Catherine, pensant qu'ainsi elle aurait des arguments pour résister à l'assaut de l'amour.

« C'est impossible. Buvez le xérès, mademoiselle, cela vous fera du bien. » Après quoi elle fit demi-tour et se retira.

Juliana, embrasée par la soif, avala le contenu du verre en quatre gorgées. Un moment plus tard, elle tomba épuisée et dormit trente-six heures d'affilée sans bouger. Le xérès drogué ne la guérit pas de sa passion, mais, comme Madame Odilia le supposait, il lui donna le courage d'affronter l'avenir. Elle se réveilla les os endoloris, mais l'esprit lucide, résolue à renoncer à Lafitte.

*

Le corsaire avait lui aussi décidé de sortir Juliana de son cœur et de chercher un endroit où l'installer loin de sa maison, où sa proximité ne le torturerait pas. La jeune fille l'évitait, elle n'apparaissait plus à l'heure des repas, mais il la devinait à travers les murs. Il croyait voir sa silhouette dans un couloir, entendre sa voix sur la terrasse, sentir son parfum, mais ce n'était qu'une ombre, un oiseau, le parfum de la mer apporté par la brise. Telle une bête de proie, les sens toujours en alerte, il la cherchait. Le couvent des Ursulines, comme l'avait suggéré Diego, n'était pas une bonne idée, cela reviendrait à la condamner à la prison. Il connaissait plusieurs créoles à La Nouvelle-Orléans, qui pourraient héberger la jeune fille, mais il courait le risque qu'on apprît sa condition d'otage. Si cela arrivait aux oreilles des autorités américaines, il aurait de sérieux ennuis. Il pouvait suborner le juge, mais pas le gouverneur ; un faux pas de sa part et sa tête serait de nouveau mise à prix. Il envisageait la possibilité d'oublier la rançon et d'envoyer au plus vite ses captifs en Californie, ainsi sortirait-il de l'imbroglio dans lequel il s'était fourré, mais pour cela il avait besoin du consentement de son frère Pierre, de celui des autres capitaines et de tous les pirates ; c'était l'inconvénient d'une démocratie. Il pensait à Juliana, la comparant à la douce et docile Catherine, cette enfant qui était sa femme depuis l'âge de quatorze ans et, maintenant, la mère de son fils. Catherine méritait son amour inconditionnel. Elle lui manquait. Seule la séparation prolongée qu'ils avaient subie pouvait expliquer qu'il fût tombé amoureux de Juliana ; s'il avait dormi dans les bras de sa femme, cela ne serait jamais arrivé. Depuis la naissance de l'enfant, Catherine se consumait rapidement. En dernier recours, Madame Odilia l'avait confiée aux bons soins de guérisseuses africaines à La Nouvelle-Orléans. Lafitte ne s'y était pas opposé, car les médecins la jugeaient condamnée. Une semaine après l'accouchement, alors que Catherine était toujours en proie à la fièvre, Madame Odilia avait affirmé que sa fille avait le mauvais œil, envoyé par une rivale jalouse, et que le seul remède était la magie. Tous deux avaient emmené Catherine, qui ne tenait pas debout, consulter Marie Laveau, la grande prêtresse du vaudou. Ils s'étaient enfoncés dans les forêts les plus épaisses, loin des plantations de cannes à sucre des Blancs, entre îlots et marais, où les tambours conjuraient les esprits. A la lumière de grands feux et de torches, les officiants dansaient avec des masques d'animaux et de démons, les corps barbouillés de sang de coqs. Les puissants tambours vibraient, faisant trembler la forêt et s'échauffer le sang des esclaves. Une prodigieuse énergie reliait les êtres humains aux dieux et à la nature, les participants se fondaient en un seul être, personne ne pouvait se soustraire à l'envoûtement. Au centre du cercle, sur une caisse qui contenait un serpent sacré, Marie Laveau dansait, superbe, belle, couverte de sueur, presque nue et enceinte de neuf mois, sur le point d'accoucher. Lorsqu'elle tombait en transe ses membres s'agitaient, incontrôlés, elle se tordait, son ventre ballottait d'un côté à l'autre et elle lâchait un chapelet de paroles dans des langues dont personne n'avait le souvenir. Le cantique montait et descendait, telles de grandes vagues, tandis que les récipients remplis du sang des sacrifices passaient de main en main, afin que tous boivent. Les tambours s'accéléraient, hommes et femmes, convulsés, tombaient à terre, se transformaient en animaux, mangeaient de l'herbe, mordaient et griffaient, certains perdaient connaissance, d'autres s'en allaient par deux vers la forêt. Madame Odilia lui expliqua que dans la religion vaudou, arrivée au Nouveau Monde dans le cœur des esclaves du Dahomey et de Yoruba, il existait trois zones reliées : celle des vivants, celle des morts et celle des êtres qui ne sont pas encore nés. Au cours des cérémonies ils honoraient les ancêtres, appelaient les dieux, réclamaient la liberté. Les prêtresses, comme Marie Laveau, jetaient des sorts, enfonçaient des aiguilles dans des poupées pour provoquer des maladies, utilisaient des *gris-gris* et des poudres magiques pour soigner divers maux, mais rien de cela n'avait eu d'effet sur Catherine.

*

Malgré sa condition de prisonnier et de rival de Lafitte en amour, Diego ne put s'empêcher de l'admirer. En tant que corsaire il n'avait ni scrupules ni pitié, mais lorsqu'il se posait en chevalier personne ne pouvait le surpasser en bonnes manières, en culture et en charme. Cette double personnalité fascinait Diego, car lui-même prétendait à quelque chose de semblable avec Zorro. De plus, Lafitte était parmi les meilleurs spadassins qu'il eût connus. Seul Manuel Escalante pouvait lui être comparé ; Diego se sentait honoré lorsque son ravisseur l'invitait à pratiquer l'escrime avec lui. Au cours de ces semaines, le jeune homme vit comment fonctionnait une démocratie, ce qui jusqu'alors n'avait été pour lui qu'un concept abstrait. Dans la nouvelle nation américaine, les hommes blancs contrôlaient la démocratie, à Grande Isle tous l'exerçaient, sauf les femmes, cela va de soi. Les idées singulières de Lafitte lui paraissaient dignes de considération. L'homme soutenait que les puissants inventent les lois pour préserver leurs privilèges et contrôler les pauvres et les mécontents, en vue de quoi il serait très stupide de leur part de leur obéir. Par exemple, les impôts, que les pauvres payaient en fin de compte, alors que les riches s'arrangeaient pour les éviter. Il soutenait que personne, et moins encore le gouvernement, ne pouvait lui prendre un morceau de ce qui lui appartenait. Diego lui fit voir certaines contradictions. Lafitte punissait de coups de fouet le vol parmi ses hommes, mais son empire économique reposait sur la piraterie, une forme supérieure de vol. Le corsaire répliqua qu'il ne volait jamais les pauvres, uniquement les puissants. Ce n'était pas un péché, mais une vertu, que de dépouiller les navires impériaux de ce qui avait été volé dans les colonies par le sang et le fouet. Il s'était emparé des armes que le capitaine Santiago de Léon transportait aux troupes royalistes du Mexique, pour les vendre à un prix très raisonnable aux insurgés du même pays. Cette opération lui paraissait d'une irréprochable justice.

Lafitte conduisit Diego à La Nouvelle-Orléans, une ville à la mesure du corsaire, fière de son caractère décadent, aventurière, jouissant de la vie, changeante et tempétueuse. Elle endurait des guerres contre les Anglais et les Indiens, des ouragans, des inondations, des incendies, des épidémies, mais rien ne parvenait à abattre cette superbe courtisane. C'était l'un des principaux ports américains, d'où partaient le tabac, l'encre, le sucre, et où entraient toutes sortes de marchandises. La population cosmopolite cohabitait, faisant peu de cas de la chaleur, des moustiques, des marécages, et encore moins de la loi. Musique, alcool, bordels, tripots, il y avait de tout dans ces rues où la vie commençait dès que le soleil se couchait. Diego s'installait sur la place d'Armes pour observer la foule, des Noirs portant des paniers d'oranges et de bananes, des femmes disant la bonne aventure et proposant des fétiches vaudous, des bateleurs, des danseurs, des musiciens. Les vendeuses de friandises, avec leur turban et leur tablier bleu, proposaient sur des plateaux des gâteaux de gingembre, de miel, de noix. Sur les étals ambulants on pouvait acheter de la bière, des huîtres fraîches, des assiettes de crevettes. Il ne manquait jamais d'ivrognes pour provoquer des esclandres, à côté de messieurs d'allure raffinée, de propriétaires de plantations, de commerçants, de fonctionnaires. Des religieuses et des curés se mêlaient à des prostituées, des soldats, des bandits et des esclaves. Les célèbres quarteronnes se montraient lors de lentes promenades, recevant les compliments des messieurs et les regards hostiles de leurs rivales. Elles ne portaient ni bijoux ni chapeaux, interdits par décret pour donner satisfaction aux femmes blanches, qui ne pouvaient rivaliser avec elles. Elles n'en avaient nul besoin, ayant la réputation d'être les plus belles femmes du monde, avec leur peau dorée, leurs traits fins, leurs grands yeux liquides, leurs cheveux ondulés. Elles étaient toujours accompagnées de leurs mères ou de chaperonnes, qui ne les perdaient pas de vue. Catherine Villars était l'une de ces beautés créoles. Lafitte avait fait sa connaissance à l'un de ces bals que les mères organisaient pour présenter leurs filles aux hommes riches, une autre des nombreuses manières de se moquer de lois absurdes, comme l'expliqua le corsaire à Diego. On manquait de femmes blanches alors que celles de couleur se trouvaient en surnombre, il n'était pas nécessaire de savoir compter pour entrevoir la solution du dilemme, et pourtant les mariages mixtes étaient interdits. On préservait ainsi l'ordre social en garantissant le pouvoir des Blancs et en maintenant les gens de couleur dans la soumission, mais cela n'empêchait pas les Blancs d'avoir des concubines créoles. Les quarteronnes avaient trouvé une solution acceptable pour tous. Elles entraînaient leurs filles aux tâches domestiques et à des arts de la séduction que les femmes blanches étaient loin de soupçonner, faisant d'elles une combinaison exceptionnelle de maîtresse de maison et de courtisane. Elles les habillaient avec un luxe extrême, mais leur apprenaient à coudre leurs robes. Elles étaient élégantes et laborieuses. Dans les bals, auxquels n'assistaient que des hommes blancs, les mères plaçaient leurs filles auprès de quelqu'un capable de leur offrir un rang honorable. Entretenir l'une de ces superbes filles était considéré comme une marque de distinction pour un homme : le célibat et l'abstinence n'étaient pas considérés comme des vertus, hormis chez les puritains, mais il y en avait peu à La Nouvelle-Orléans. Les quarteronnes vivaient dans des maisons qui n'étaient pas somptueuses, mais pourvues de confort et de style ; elles avaient des esclaves, éduquaient leurs enfants dans les meilleures écoles et si, en privé, elles s'habillaient comme des reines, en public elles restaient discrètes. Ces arrangements étaient menés à bien selon certaines normes tacites, avec dignité et cérémonie.

« En bref, les mères offrent leurs filles aux hommes, résuma Diego, scandalisé.

— N'en est-il pas toujours ainsi ? Le mariage est un arrangement par lequel une femme rend des services et donne des enfants à l'homme qui l'entretient. Ici, une Blanche a moins de liberté de choix qu'une créole, répliqua Lafitte.

— Mais la créole n'est plus protégée lorsque son amant décide de se marier ou de la remplacer par une autre concubine.

— L'homme lui laisse une maison et une pension, en plus il paie les dépenses des enfants. Il arrive qu'elle forme une autre famille avec un créole. Nombre de ces créoles, fils d'autres quarteronnes, ont été éduqués en France et ont une profession.

— Et vous, capitaine Lafitte, auriez-vous deux familles ? demanda Diego en pensant à Juliana et à Catherine.

— La vie est compliquée, tout peut arriver », dit le pirate.

Lafitte invita Diego dans les meilleurs restaurants, au théâtre, à l'opéra et il le présenta à ses relations comme son « ami de Californie ». La plupart d'entre elles étaient des personnes de couleur, des artisans, des commerçants, des artistes, des gens qui exerçaient un métier. Il connaissait quelques Américains, tenus à l'écart du reste de la population créole et française par une ligne imaginaire qui divisait la ville.

Il préférait ne pas la franchir, car de l'autre côté régnait une ambiance moraliste qui ne lui convenait pas. Il emmena Diego dans plusieurs maisons de jeu, comme le lui avait demandé celui-ci. Il lui parut suspect que le jeune homme fût si sûr de gagner et il lui conseilla de se garder de tricher, car à La Nouvelle-Orléans cette faute se payait d'un poignard entre les côtes.

Diego ne prêta pas l'oreille aux conseils de Lafitte, car le mauvais pressentiment qu'il avait eu quelques jours plus tôt n'avait fait que s'accentuer. Il avait besoin d'argent. Il ne pouvait entendre Bernardo avec la précision habituelle, mais il sentait qu'il l'appelait. Il devait rentrer en Californie, non seulement pour éviter à Juliana de tomber entre les mains de Lafitte, mais parce qu'il avait la certitude qu'il était arrivé quelque chose qui requérait là-bas sa présence. Avec le médaillon comme capital initial, il jouait dans différents endroits, afin que ses gains inusités n'éveillent pas les soupçons. Il était très facile pour lui, entraîné à des tours d'illusionniste, de remplacer une carte par une autre ou de la faire disparaître. De plus, il avait une bonne mémoire et l'intelligence des chiffres : en quelques minutes il devinait le jeu de ses partenaires. Il ne perdit donc pas son médaillon, mais au contraire remplit sa bourse ; à ce rythme, il réunirait en peu de temps les huit mille dollars américains de la rançon. Il savait se modérer. Il commençait par perdre, pour mettre les autres joueurs en confiance, puis il se fixait une heure à laquelle terminer la partie et aussitôt commençait à gagner. Jamais il ne dépassait les limites du raisonnable. Dès que les autres hommes devenaient soupçonneux, il s'en allait dans un autre local. Un jour, cependant, la chance le favorisa à tel point qu'il ne voulut pas se retirer et continua à miser. Ses partenaires avaient beaucoup bu et ils parvenaient à peine à se concentrer sur le jeu, mais ils avaient encore assez de jugement pour se rendre compte que Diego trichait. Très vite une bagarre éclata et ils finirent dans la rue, après avoir sorti le jeune homme avec des bourrades, dans l'intention justifiée de le mettre en pièces. Dès que Diego parvint à se faire entendre au-dessus du brouhaha, il les défia par une proposition originale.

« Un instant, messieurs ! Je suis disposé à rendre l'argent que j'ai honnêtement gagné à celui qui sera capable de briser cette porte à coups de tête », annonça-t-il en montrant le portail de bois épais aux rivets métalliques du presbytère, un édifice colonial qui s'élevait à côté de la cathédrale.

Cela capta immédiatement l'attention des ivrognes. Ils étaient en train de discuter des règles de la compétition lorsqu'un sergent apparut, qui au lieu de mettre de l'ordre s'installa pour observer la scène. Ils lui demandèrent d'être l'arbitre et il accepta volontiers. Des musiciens sortirent de plusieurs habitations et se mirent à jouer de joyeuses chansons ; en quelques minutes la place se remplit de curieux. La nuit commençait à tomber et le sergent fit allumer des lanternes. D'autres hommes qui passaient par là se mêlèrent aux joueurs et voulurent participer à ce nouveau sport. L'idée d'enfoncer une porte avec leur crâne leur paraissait des plus désopilantes. Diego décida que les « têtes dures » devaient payer cinq dollars chacun pour participer au jeu. Le sergent en recueillit quarante-cinq en un clin d'œil et aussitôt mit de l'ordre dans la file. Les musiciens improvisèrent un roulement de tambours et le premier candidat s'élança au trot contre la porte du presbytère, une écharpe enroulée autour de la tête. Le coup le laissa raide par terre. Une salve d'applaudissements, de sifflets et d'éclats de rire accueillit la prouesse. Deux belles créoles s'approchèrent, pleines de sollicitude, pour secourir le blessé d'un verre d'orgeat, tandis que le deuxième de la file tentait sa chance de se briser le crâne, sans meilleurs résultats que le premier. Quelques participants se repentirent au dernier moment, mais les cinq dollars ne leur furent pas rendus. Finalement, aucun ne parvint à briser la porte et Diego garda l'argent gagné à la table de jeu, plus les trente-cinq dollars de la collecte. Le sergent en reçut dix pour le dérangement et tout le monde fut satisfait.

*

On amena les esclaves à la propriété de Lafitte pendant la nuit. On les débarqua en secret sur la plage et on les enferma dans une baraque de bois. Il y avait cinq hommes jeunes et deux plus âgés, ainsi que deux adolescentes et une femme avec un enfant d'environ six ans agrippé à ses jambes, et un autre de quelques mois dans ses bras. Isabel, qui était sortie prendre le frais sur la terrasse, aperçut les silhouettes qui se déplaçaient dans la nuit, éclairées par quelques torches. Ne pouvant résister à la curiosité, elle s'approcha et vit de près cette file d'êtres humains pathétiques, en haillons. Les jeunes filles pleuraient, mais la mère marchait en silence, le regard fixe, tel un zombie ; tous traînaient des pieds, exténués et affamés. Ils étaient surveillés par plusieurs pirates armés et commandés par Pierre Lafitte, qui laissa la « marchandise » dans la baraque et alla immédiatement rendre compte à son frère Jean, tandis qu'Isabel courait raconter ce qu'elle avait vu à Diego, Juliana et Nuria. Diego avait vu les affiches dans la ville, il savait qu'il y aurait une vente d'esclaves, au Temple, deux jours plus tard.

A Barataria, les amis avaient eu plus de temps qu'il n'en fallait pour se renseigner sur l'esclavage. On ne pouvait amener des esclaves d'Afrique, mais on en vendait et on en « élevait » tout de même en Amérique. La première impulsion de Diego fut d'essayer de les remettre en liberté, mais ses amies lui firent remarquer que même s'il pouvait entrer dans le hangar, rompre les chaînes et convaincre ces gens de s'échapper, ils ne sauraient où aller. On leur donnerait la chasse avec les chiens. Leur unique espoir serait d'arriver au Canada, mais ils n'y parviendraient jamais tout seuls. Diego décida de vérifier au moins les conditions dans lesquelles se trouvaient les prisonniers. Sans leur dire ce qu'il pensait faire, il quitta ses amies, mit son déguisement de Zorro et, profitant de l'obscurité, sortit de la maison. Sur la terrasse se trouvaient les frères Lafitte, Pierre avec un verre d'alcool à la main tandis que Jean fumait un cigare, mais il ne pouvait s'approcher pour les entendre sans courir le risque d'être découvert, aussi continua-t-il jusqu'au hangar. La lumière d'une torche éclairait un seul pirate montant la garde, un mousquet à l'épaule. Il s'approcha dans l'idée de le prendre par surprise, mais c'est lui qui fut surpris, car un autre homme surgit soudainement dans son dos.

« Bonsoir, *boss* », salua-t-il.

Diego se retourna et lui fit face, prêt à se battre, mais le bonhomme avait une attitude décontractée, aimable. Alors il se rendit compte que dans l'obscurité l'homme l'avait pris pour Jean Lafitte, qui était toujours vêtu de noir. L'autre pirate s'approcha également.

« On leur a donné à manger et ils se reposent, *boss*. Demain on les lavera et on leur donnera des vêtements. Ils sont en bon état, sauf le bébé, qui a de la fièvre. Ça m'étonnerait qu'il vive longtemps.

— Ouvrez la porte, je veux les voir », dit Diego en français, imitant le ton du corsaire.

Il garda son visage dans l'ombre tandis qu'ils enlevaient la barre de la porte, précaution inutile car les pirates ne suspectaient rien. Il leur ordonna d'attendre dehors et entra. Dans le hangar, une lanterne suspendue dans un coin répandait une faible lumière, cependant suffisante pour distinguer chacun de ces visages qui le regardaient en silence, terrorisés. Tous, sauf l'enfant et le bébé, portaient des anneaux de fer au cou et des chaînes fixées à des piquets. Diego s'approcha avec des gestes rassurants, mais en voyant le masque les esclaves crurent se trouver devant un démon et ils se recroquevillèrent aussi loin que le leur permettaient les chaînes. Il fut inutile de tenter de communiquer avec eux, ils ne le comprenaient pas. Il saisit qu'ils étaient récemment arrivés d'Afrique, il s'agissait de « marchandise fraîche », comme disaient les négriers, et ils n'avaient pas eu la possibilité d'apprendre la langue de leurs ravisseurs. Peut-être étaient-ils arrivés à Cuba, où les frères Lafitte les avaient achetés pour les revendre à La Nouvelle-Orléans. Ils avaient survécu au voyage par mer dans d'horribles conditions et supporté à terre les mauvais traitements. Etaient-ils du même village, de la même famille? Au cours de la vente aux enchères ils seraient séparés et ne se reverraient plus. Les souffrances leur avaient troublé l'esprit, ils avaient une expression de folie. Diego les laissa, le cœur en proie à une oppression insupportable. Une fois auparavant, en Californie, il avait senti cette même pierre lui écraser la poitrine, quand Bernardo et lui avaient vu les soldats attaquer un village d'Indiens. Il se souvenait de cette impression d'impuissance qu'il avait alors éprouvée, semblable à celle qui l'étouffait à présent.

Il retourna dans la maison de Lafitte, changea de vêtements et alla retrouver les filles de Romeu et Nuria pour leur faire part de ce qu'il avait vu. Il était désespéré.

« Combien coûtent ces esclaves, Diego? demanda Juliana.

— Je ne sais pas exactement, mais j'ai vu la liste des adjudications à La Nouvelle-Orléans et, à vue d'œil, je calcule que les Lafitte peuvent obtenir mille dollars pour chaque homme jeune, huit cents pour les deux autres, six cents pour chacune des jeunes filles et environ mille pour la mère et ses enfants. J'ignore s'ils peuvent vendre les enfants séparément, ils n'ont pas sept ans.

— Combien cela ferait-il au total?

— Disons environ huit mille huit cents dollars.

363

— C'est à peine plus que ce qu'ils demandent pour notre rançon.

— Je ne vois pas le rapport, dit Diego.

— Nous avons de l'argent. Isabel, Nuria et moi avons décidé de l'utiliser pour acheter ces esclaves, dit Juliana.

— Vous avez de l'argent? demanda Diego, surpris.

— Les pierres précieuses, tu ne te rappelles pas?

— Je pensais que les pirates vous les avaient prises! »

Juliana et Isabel lui expliquèrent comment elles avaient sauvé leur modeste fortune. Alors qu'ils naviguaient sur le bateau des corsaires, Nuria avait eu la brillante idée de cacher les pierres, parce que si leurs ravisseurs soupçonnaient leur existence, elles les perdraient pour toujours. Elles les avaient avalées une à une avec des gorgées de vin. Plus tôt que tard, les diamants, rubis et émeraudes étaient ressortis intacts à l'autre extrémité du tube digestif, il leur avait suffi d'être attentives au contenu des vases de nuit pour les récupérer. Ce n'avait pas été une solution agréable, mais elle avait fonctionné et maintenant les pierres, bien lavées, étaient de nouveau cousues dans les jupons.

« Avec ça, vous pouvez payer votre rançon! s'exclama Diego.

— Bien sûr, mais nous préférons rendre leur liberté aux esclaves, car même si l'argent de ton père n'arrive jamais, nous savons que tu vas le gagner en trichant au jeu », répliqua Isabel.

*

Jean Lafitte était assis sur la terrasse, avec une tasse de café et une assiette de délicieux *beignets* français, notant des chiffres dans son livre de comptes, lorsque Juliana se présenta, tenant à la main un mouchoir noué par les quatre coins, qu'elle posa sur la table. Le corsaire leva les yeux et, une fois de plus, son cœur fit un bond devant cette jeune fille qui chaque nuit l'avait accompagné dans ses rêves. Il dénoua le paquet et ne put retenir une exclamation.

« Combien croyez-vous que cela vaut ? » demanda-t-elle, les joues en feu, puis elle se mit à lui exposer le négoce qu'elle avait à l'esprit.

Pour le corsaire, la première surprise fut de découvrir que les sœurs avaient été capables de cacher les pierres ; la seconde, qu'elles les destinaient à l'achat des esclaves plutôt qu'à celui de leur propre liberté. Qu'allaient dire Pierre et les autres capitaines de cela ? Tout ce qu'il voulait, c'était effacer la mauvaise impression que la piraterie et, maintenant, les esclaves avaient produite sur Juliana. Pour la première fois il se sentait honteux de ses actions, indigne. Il ne prétendait pas gagner l'amour de cette jeune fille, car lui-même n'était pas libre de lui offrir le sien, mais du moins avait-il besoin de son respect. L'argent lui importait peu dans ce cas, il pouvait le récupérer, et de plus il en avait plus qu'assez pour faire taire ses associés.

« Ceci vaut beaucoup, Juliana. Vous avez plus qu'il ne faut pour acheter les esclaves, payer votre rançon, celle de vos amis et votre voyage pour la Californie. Il y a également assez pour votre dot et celle de votre sœur », dit-il.

Juliana n'avait pas imaginé que ces cailloux colorés pouvaient servir à tout cela. Elle divisa les pierres en deux tas, un gros et un autre plus petit, enveloppa le premier dans le mouchoir, le glissa dans son décolleté et laissa le reste sur la table. Elle fit mine de se retirer, mais il se leva, agité, et la retint par le bras.

« Que ferez-vous des esclaves ?

— Leur enlever leurs chaînes, avant tout, je verrai ensuite comment les aider.

— C'est bien. Vous êtes libre, Juliana. Je vais faire en sorte que vous puissiez partir rapidement. Pardonnez-moi les désagréments que je vous ai causés, vous n'imaginez pas combien j'aurais souhaité que nous nous fussions connus en d'autres circonstances. Je vous en prie, acceptez ceci comme un cadeau personnel », dit le pirate en lui donnant les pierres qu'elle avait laissées sur la table.

Juliana avait eu besoin de toutes ses forces pour affronter cet homme, et voilà que son geste la désarmait complètement. Elle n'était pas sûre de sa signification, mais son instinct l'avertissait que le sentiment qui la troublait était pleinement partagé par Lafitte : ce cadeau était une déclaration d'amour. Le corsaire la vit vaciller et, sans y penser, il la prit dans ses bras et l'embrassa sur la bouche. Ce fut le premier baiser d'amour de Juliana, et sûrement le plus long et le plus passionné qu'elle recevrait dans sa vie. Toujours est-il que ce fut le plus mémorable, comme il en est toujours du premier. La proximité du pirate, ses bras qui l'enveloppaient, son haleine, sa chaleur, son odeur virile, sa langue dans sa bouche à elle la remuèrent jusqu'à la moelle. Des centaines de romans d'amour, des années passées à imaginer l'amoureux que le destin lui réservait l'avaient préparée à cet instant. Elle désirait Lafitte avec une passion toute nouvelle pour elle, mais avec une antique et absolue certitude. Jamais elle n'en aimerait un autre, cet amour interdit serait le seul qu'elle aurait en ce monde. Elle s'accrocha à lui, saisissant des deux mains sa chemise, et lui rendit son baiser avec la même intensité, tandis qu'elle se déchirait intérieurement, sachant que cette caresse était un adieu. Lorsque enfin ils parvinrent à se séparer, elle s'appuya sur la poitrine du corsaire, nauséeuse, essayant de reprendre son souffle et de calmer le rythme de son cœur, tandis qu'il répétait son nom, Juliana, Juliana, dans un long murmure.

« Je dois m'en aller, dit-elle en se détachant de lui.

— Je vous aime de toute mon âme, Juliana, mais j'aime aussi Catherine. Jamais je ne l'abandonnerai. Pouvez-vous comprendre cela ?

— Oui, Jean. Mon malheur est d'être tombée amoureuse de vous et de savoir que nous ne pourrons jamais vivre ensemble. Mais votre fidélité à Catherine ne m'en fait vous aimer que davantage. Dieu veuille qu'elle se remette rapidement et que vous soyez heureux... »

Jean Lafitte voulut l'embrasser de nouveau, mais elle s'éloigna en courant. Aucun des deux, troublés comme ils l'étaient, ne s'aperçut qu'à quelques pas de là Madame Odilia avait assisté à la scène.

*

Il ne faisait aucun doute pour Juliana que sa vie était terminée. Il ne valait pas la peine de vivre en ce monde en étant séparée de Jean. Elle préférait mourir, comme les héroïnes tragiques de la littérature, mais elle ignorait comment on contracte la tuberculose ou une autre maladie distinguée, et périr du typhus lui paraissait indigne. Elle écarta l'idée de mourir de ses propres mains car, aussi profonde que fût sa souffrance, elle ne pouvait se condamner à l'enfer; même Lafitte ne méritait pas un tel sacrifice. De plus, si elle se suicidait, Isabel et Nuria auraient de la peine. La seule option qu'elle entrevoyait, c'était de devenir religieuse, mais l'idée de porter l'habit dans la chaleur de La Nouvelle-Orléans était peu attrayante. Elle imaginait ce que dirait feu son père – qui avec la faveur de Dieu avait toujours été athée – s'il connaissait ses intentions. Tomás de Romeu aurait préféré la voir mariée à un pirate plutôt que religieuse. Le mieux serait de partir d'ici aussitôt qu'elle trouverait un moyen de transport et de finir ses jours à soigner les Indiens sous les ordres du père Mendoza qui, d'après Diego, était un homme bon. Elle garderait le souvenir clair et pur de ce baiser et l'image de Jean Lafitte : son visage passionné, ses yeux de jais, ses cheveux peignés en arrière, son cou et sa poitrine que laissait voir sa chemise de soie noire, sa chaîne d'or, ses mains fermes la serrant contre lui. Elle n'avait pas le soulagement des pleurs. Elle était sèche, elle avait consumé toute sa réserve de larmes les jours précédents et pensait que plus jamais de sa vie elle ne pleurerait.

Elle en était là, regardant la plage par la fenêtre et subissant

367

en silence la souffrance de son cœur brisé, lorsqu'elle perçut la présence de quelqu'un dans son dos. C'était Madame Odilia, plus magnifique que jamais, entièrement vêtue de lin banc, avec un turban de même couleur, plusieurs colliers d'ambre, des bracelets aux bras et des boucles d'or aux oreilles. Une reine du Sénégal, comme sa mère.

« Tu es tombée amoureuse de Jean, dit-elle d'un ton neutre, la tutoyant pour la première fois.

— Ne vous inquiétez madame, jamais je ne m'interposerai entre votre fille et votre gendre. Je vais partir d'ici et il m'oubliera, répondit Juliana.

— Pourquoi as-tu acheté les esclaves?

— Pour les libérer. Pouvez-vous les aider? J'ai entendu dire que les quakers protègent les esclaves et les conduisent au Canada, mais je ne sais comment entrer en contact avec eux.

— A La Nouvelle-Orléans, de nombreux Noirs sont libres. Ils peuvent y trouver du travail et y vivre, je me chargerai de les placer », dit la reine.

Elle garda le silence un long moment, observant Juliana de ses yeux noisette, tripotant les boules d'ambre de ses colliers, l'étudiant, réfléchissant. Enfin son regard dur parut un peu s'adoucir.

« Veux-tu voir Catherine? demanda-t-elle à brûle-pourpoint.

— Oui, madame. Et j'aimerais voir l'enfant aussi, pour emporter une image des deux; ainsi, en Californie, il me sera plus facile d'imaginer le bonheur de Jean. »

Madame Odilia conduisit Juliana dans une autre aile de la maison, aussi propre et bien décorée que le reste, où elle avait installé une pouponnière pour son petit-fils. On aurait dit la chambre d'un petit prince européen, abstraction faite des fétiches vaudous qui le protégeaient du mauvais œil. Dans un berceau de bronze aux voiles de dentelle, Pierre dormait, accompagné de sa nourrice, une jeune Noire aux seins lourds et aux yeux languides, et d'une toute petite fille chargée de mouvoir les ventilateurs. La grand-mère écarta la moustiquaire et Juliana se pencha pour voir l'enfant de l'homme qu'elle adorait. Il lui parut très beau. Elle n'avait pas vu beaucoup de bébés à qui le comparer, mais elle aurait juré qu'il n'y en avait pas de plus joli au monde. Il n'avait sur lui qu'un lange et il était couché sur le dos, bras et jambes écartés, abandonné à son sommeil. D'un geste, Madame Odilia l'autorisa à le sortir du berceau. Lorsqu'elle l'eut dans ses bras et put sentir sa tête presque chauve, voir son sourire sans dents, toucher ses doigts semblables à de petits vers, l'énorme pierre noire qu'elle avait dans la poitrine parut se réduire, se disperser, disparaître. Elle se mit à l'embrasser partout, sur ses pieds nus, son ventre au nombril proéminent, son cou humide de sueur, et alors un fleuve de larmes chaudes lui baigna le visage et coula sur le nourrisson. Elle ne pleurait pas de jalousie pour ce qu'elle n'aurait jamais, mais d'une tendresse irrépressible. La grand-mère remit Pierre dans le berceau et, sans un mot, lui fit signe de la suivre.

Elles traversèrent le jardin planté d'orangers et de lauriers-roses, s'éloignèrent de la maison et arrivèrent à la plage où déjà les attendait un rameur dans un bateau pour les emmener à La Nouvelle-Orléans. Elles parcoururent rapidement les rues du centre et traversèrent le cimetière. Les inondations empêchaient d'enterrer les morts sous terre, si bien que la nécropole était une petite ville de mausolées, certains décorés de statues de marbre, d'autres entourés de grilles en fer forgé, surmontés de coupoles ou de clochetons. Un peu plus loin elles virent une rue bordée de maisons hautes et étroites, toutes semblables, avec une porte au centre et une fenêtre de chaque côté. On les appelait des « maisons de tir », parce qu'un coup de feu tiré à la porte principale traversait toute la maison et sortait par la porte de derrière sans toucher aucun mur. Madame Odilia entra sans frapper. A l'intérieur il y avait un désordre inouï de tout petits d'âges échelonnés, surveillés par deux femmes portant des tabliers de calicot. La maison était remplie de fétiches, de flacons de potions, de plantes pendues en bouquets au plafond, de statues en bois hérissées de clous, de masques et d'un grand nombre d'objets propres à la religion vaudoue. Il y flottait une odeur douce et poisseuse, comme de mélasse. Madame Odilia salua les femmes et se dirigea vers l'une des petites pièces. Juliana se retrouva face à une mulâtresse à la peau sombre et brillante de sueur, aux os longs et aux yeux jaunes de panthère, aux cheveux rassemblés en une cinquantaine de tresses décorées de rubans et de perles de couleurs, allaitant un nouveau-né. C'était la célèbre Marie Laveau, la pythonisse qui dansait le dimanche avec les esclaves sur la place du Congo et qui, au cours des cérémonies sacrées dans la forêt, tombait en transe et incarnait les dieux.

« Je te l'ai amenée, pour que tu me dises si c'est elle », dit Madame Odilia.

Marie Laveau se leva et s'approcha de Juliana, le bébé accroché à son sein. Elle avait décidé d'avoir un enfant chaque année tant que la jeunesse le lui permettrait, et elle en avait déjà cinq. Elle posa trois doigts sur son front et la regarda longuement dans les yeux. Juliana sentit une énergie formidable, un coup de fouet qui la secoua des pieds à la tête. Une longue minute s'écoula.

« C'est elle, dit Marie Laveau.

— Mais elle est blanche, objecta Madame Odilia.

— Je te dis que c'est elle », répéta la prêtresse, et sur ce elle considéra l'entrevue comme terminée.

La reine du Sénégal ramena Juliana sur le quai, elles traversèrent de nouveau le cimetière et la place d'Armes, puis retrouvèrent le rameur, qui les avait patiemment attendues en fumant son cigare. L'homme les conduisit par une autre voie vers la zone des marais. Bientôt elles se retrouvèrent dans le labyrinthe du marécage avec ses canaux, ses mares, ses lagunes et ses îlots. La solitude absolue du paysage, les miasmes du bourbier, les brusques coups de queue des caïmans, les cris des oiseaux, tout contribuait à créer une atmosphère de mystère et de danger. Juliana se souvint qu'elle n'avait averti personne de son départ. Sa sœur et Nuria devaient être en train de la chercher. Il lui vint à l'esprit que cette femme pouvait avoir des intentions retorses, après tout, elle était la mère de Catherine, mais elle écarta aussitôt cette idée. La traversée lui parut très longue et la chaleur commença à l'assoupir, elle avait soif, le soir était tombé et l'air se remplit de moustiques. Elle n'osa pas demander où ils allaient. Après avoir voyagé un long moment, alors qu'il commençait à faire nuit, ils amarrèrent l'embarcation à la rive. Le rameur resta près du bateau et Madame Odilia alluma une lanterne, prit Juliana par la main et la guida à travers les hautes herbes, où aucune trace n'indiquait de direction. « Attention de ne pas mettre le pied sur une vipère », fut tout ce qu'elle dit. Elles marchèrent un bon moment et enfin la reine trouva ce qu'elle cherchait. C'était une petite clairière au milieu des herbages, avec deux grands arbres dégoulinant de mousse et marqués de croix. Ce n'étaient pas des croix chrétiennes, mais des croix vaudoues, qui symbolisaient l'intersection des deux mondes, celui des vivants et celui des morts. Plusieurs masques et figures de dieux africains taillés dans le bois surveillaient l'endroit. A la lueur de la lanterne et de la lune, la scène était terrifiante.

« Ma fille est là », dit Madame Odilia en montrant la terre.

Catherine Villars était morte de fièvre puerpérale cinq semaines plus tôt. Les ressources de la science médicale, les prières chrétiennes pas plus que les incantations et les plantes de la magie africaine n'avaient pu la sauver. Sa mère et d'autres femmes avaient enveloppé son corps, consumé par l'infection et les hémorragies, et l'avait transporté à cet endroit sacré du marais, où elle avait été enterrée temporairement, en attendant que la jeune défunte indique la personne destinée à la remplacer. Catherine ne pouvait permettre que son fils tombât entre les mains de n'importe quelle femme choisie par Jean Lafitte, d'après ce qu'expliqua la reine du Sénégal. Son devoir de mère était de l'aider dans cette tâche, raison pour laquelle elle avait caché sa mort. Catherine se trouvait dans une région intermédiaire, allant et venant entre deux mondes. Juliana n'avait-elle pas entendu ses pas dans la maison de Lafitte? Ne l'avait-elle pas vue, la nuit, debout près de son lit? Cette odeur d'oranges qui flottait dans l'île, c'était le parfum de Catherine qui, dans son nouvel état, surveillait le petit Pierre et cherchait la marâtre adéquate. Madame Odilia était étonnée que Catherine fût allée chercher Juliana au bout du monde et elle n'aimait pas l'idée qu'elle eût choisi une Blanche, mais qui était-elle pour s'y opposer? Depuis la région des esprits, Catherine savait mieux que quiconque ce qui convenait le mieux. C'est ce que lui avait assuré Marie Laveau lorsqu'elle l'avait consultée. « Quand la femme qu'il faut se présentera, je saurai la reconnaître », avait promis la prêtresse. Madame Odilia avait eu le premier soupçon que ce pouvait être Juliana en s'apercevant qu'elle aimait Jean Lafitte, mais était prête à renoncer à lui par respect pour Catherine, et le second lorsque la jeune fille avait eu pitié du sort des esclaves. A présent elle était satisfaite, dit-elle, parce que sa pauvre fille reposerait en paix au ciel et pourrait être enterrée dans le cimetière, où la montée des eaux n'entraînerait pas son corps vers la mer.

Elle dut répéter plusieurs détails, parce que l'histoire n'entrait pas dans la tête de Juliana. Elle ne pouvait croire que cette femme eût caché la vérité à Jean pendant cinq semaines. Comment le lui expliquerait-elle à présent? Madame Odilia dit qu'il n'y avait aucun besoin que son gendre apprît toute l'histoire. Peu importait la date exacte, elle lui dirait que Catherine était morte la veille.

« Mais Jean exigera de voir le corps! allégua Juliana.

— Ce n'est pas possible. Seules les femmes sont admises à voir les cadavres. Il nous revient de mettre les enfants au monde et de dire adieu aux morts. Jean devra l'accepter. Après les funérailles de Catherine, il t'appartient, répliqua la reine.

— Il m'appartient?... balbutia Juliana, déconcertée.

— La seule chose qui importe dans ce cas, c'est mon petit-fils, Pierre. Lafitte n'est que le moyen qu'a utilisé Catherine pour te confier son fils. Elle et moi veillerons à ce que tu accomplisses ce devoir. Pour cela, il faut que tu restes près du père de l'enfant et que, grâce à toi, il soit satisfait et reste tranquille.

— Jean n'est pas le genre d'homme qui peut être satisfait et rester tranquille, c'est un corsaire, un aventurier...

— Je te donnerai des potions magiques et les secrets qui te permettront de le satisfaire au lit, comme je les ai donnés à Catherine lorsqu'elle a eu douze ans.

— Je ne suis pas l'une de ces femmes..., se défendit Juliana en rougissant.

— N'aie crainte, tu le seras. Bien sûr, tu ne seras jamais aussi habile que Catherine, parce que tu es un peu âgée pour apprendre et que tu as beaucoup d'idées idiotes dans la tête, mais Jean ne remarquera pas la différence. Les hommes sont maladroits, le désir les aveugle, ils s'y connaissent peu en plaisir.

— Je ne peux employer des ruses de courtisane ou des potions magiques, madame!

— Oui ou non, aimes-tu Jean, petite?

— Oui, admit Juliana.

— Dans ce cas, tu devras t'en donner la peine. Laisse-moi faire. Tu le rendras heureux et il se peut que tu le sois aussi, mais je t'avertis que tu dois considérer Pierre comme ton propre fils, ou tu auras affaire à moi. Tu as bien compris? »

*

Je ne sais comment vous transmettre dans sa véritable ampleur, chers lecteurs, la réaction du malheureux Diego de La Vega lorsqu'il apprit ce qui s'était passé. Le prochain bateau pour Cuba quittait La Nouvelle-Orléans deux jours plus tard, il avait acheté les billets et tout était prêt pour s'enfuir en courant de la chasse gardée de Jean Lafitte avec Juliana à sa suite. Après tout, il allait sauver sa bien-aimée. Il avait repris courage, lorsque le vent avait tourné et qu'il s'était avéré que son rival était veuf. Il se jeta aux pieds de Juliana pour la convaincre de la stupidité qu'elle allait commettre. Bon, c'est une façon de parler. Il resta debout, faisant de grands pas en long et en large, gesticulant, s'arrachant les cheveux, criant, tandis qu'elle le regardait, impassible, un sourire idiot sur son visage de sirène. Qui peut convaincre une femme amoureuse! Diego croyait qu'en Californie, loin du corsaire, la jeune fille retrouverait la raison et qu'il regagnerait le terrain perdu. Il faudrait que Juliana soit une bourrique pour continuer à aimer un type qui faisait du trafic d'esclaves. Il espérait qu'elle finirait par apprécier un homme tel que lui, aussi beau et courageux que Lafitte, mais beaucoup plus jeune, honnête, ayant un cœur droit et de saines intentions, qui pouvait lui offrir une vie très confortable sans assassiner des innocents pour les voler. Lui était presque parfait et il l'adorait. Parbleu! Qu'est-ce que Juliana voulait de plus? Elle n'en avait jamais assez! C'était un puits sans fond! Certes, il avait suffi de quelques semaines dans la chaleur de Barataria pour effacer d'un trait de plume les progrès qu'il avait faits au cours des cinq années passées à la courtiser. Quelqu'un de plus averti aurait jugé que cette jeune fille avait un cœur capricieux, mais pas Diego. La vanité l'empêchait d'y voir clair, comme c'est en général le cas des amoureux de son espèce.

Ebahie, Isabel observait la scène. Il s'était passé tant de choses au cours des dernières quarante-huit heures qu'elle était incapable de s'en souvenir dans l'ordre où elles étaient survenues. Disons que ce fut plus ou moins ainsi : après avoir défait les chaînes des esclaves, les avoir nourris, leur avoir donné des vêtements et expliqué avec de grandes difficultés qu'ils étaient libres, ils assistèrent à une scène déchirante lorsque mourut le bébé qui était à l'agonie à son arrivée. Il fallut la force de trois hommes pour enlever le corps inerte à la mère et il n'y eut pas moyen de la calmer, on entendait encore ses hurlements, repris en chœur par les chiens de l'île. Les malheureux esclaves ne comprenaient pas la différence entre être libres et ne pas l'être s'ils devaient de toute façon rester dans cet endroit détestable. Leur seul désir était de retourner en Afrique. Comment allaient-ils survivre sur cette terre hostile et barbare? Le Noir qui tenait lieu d'interprète essayait de les apaiser avec la promesse qu'ils n'auraient aucun mal à gagner leur vie, on avait toujours besoin de plus de pirates dans l'île; avec un peu de chance, les filles trouveraient un mari et la pauvre mère pourrait s'employer dans une famille, on lui apprendrait à cuisiner, elle n'aurait pas à se séparer de son autre enfant. Inutile, le misérable groupe répétait comme une litanie qu'on les renvoie en Afrique.

Juliana revint de sa longue excursion avec Madame Odilia transfigurée par un immense bonheur et racontant une histoire capable de hérisser les poils de la personne la plus raisonnable. Elle fit jurer à Diego, Isabel et Nuria de ne pas en répéter un mot, puis leur lâcha la nouvelle que Catherine ne pensait pas être malade, mais que c'était une sorte de zombie et qu'en plus elle l'avait choisie, elle, pour être la mère du petit Pierre. Elle allait épouser Jean Lafitte, mais lui ne le savait pas encore, on ne le lui dirait qu'après les obsèques de Catherine. En cadeau de noce, elle avait l'intention de lui demander de renoncer pour toujours au trafic d'esclaves, c'était la seule chose qu'elle ne pouvait tolérer, les autres méfaits n'avaient pas autant d'importance. Elle confessa aussi, un peu honteuse, que Madame Odilia allait lui apprendre à faire l'amour comme cela plaisait au pirate. A ce point, Diego perdit son sang-froid. Juliana était folle, ça ne faisait aucun doute. Une mouche transmettait cette maladie, elle l'avait sûrement piquée. Pensait-elle qu'il la laisserait entre les mains de ce criminel? N'avait-il pas promis à don Tomás de Romeu – que son âme repose en paix – de la conduire saine et sauve en Californie? Il tiendrait sa promesse, même s'il devait l'emmener en lui donnant des coups sur la tête.

Jean Lafitte fut submergé de nombreuses émotions très variées au cours de ces heures. Le baiser l'avait laissé étourdi. Renoncer à Juliana était ce qui lui était arrivé de plus pénible dans toute sa vie, il aurait besoin de tout son courage, qui n'était pas mince, pour surmonter le dépit et la frustration. Il se réunit avec son frère et les autres capitaines pour leur remettre leur part de la vente des esclaves et de la rançon des otages, qu'à leur tour ils répartiraient équitablement entre les hommes. L'argent sortait de sa propre bourse, ce fut là toute l'explication qu'il fournit. Les capitaines, étonnés, lui firent remarquer que du point de vue commercial cela n'avait pas le moindre sens : pourquoi diable apportait-il des esclaves et des otages, avec les frais et les embarras que cela occasionnait inévitablement, si c'était pour les libérer gratuitement? Pierre Lafitte attendit que les autres soient partis pour exprimer son opinion à Jean. Il pensait que celui-ci avait perdu la capacité de diriger les affaires, que son cerveau s'était ramolli, peut-être le moment de le destituer était-il venu.

« D'accord, Pierre. Nous soumettrons cela au vote des hommes, comme d'habitude. Tu veux me remplacer? » le défia-t-il.

Comme si cela n'était pas assez, sa belle-mère était venue lui annoncer quelques heures plus tard que Catherine était morte. Non, il ne pouvait la voir. L'enterrement aurait lieu dans deux jours à La Nouvelle-Orléans, avec l'assistance de la communauté créole. Il y aurait un bref rite chrétien, pour calmer le prêtre, puis une cérémonie africaine, avec festin, musique et danse, comme il se devait. La femme était triste, mais sereine, et elle eut assez de force pour le consoler lorsqu'il se mit à pleurer comme un enfant. Il adorait Catherine, elle avait été sa compagne, son seul amour, sanglotait Lafitte. Madame Odilia lui donna un verre de rhum et quelques tapes sur l'épaule. Elle n'éprouvait pas une compassion démesurée pour le veuf, car elle savait qu'il oublierait très vite Catherine dans d'autres bras. Par décence, Jean Lafitte ne pouvait partir

376

en courant demander à Juliana de l'épouser, il devait attendre un délai prudent, mais l'idée avait déjà pris forme dans son esprit et dans son cœur, même s'il n'osait l'exprimer. La perte de son épouse était terrible, mais elle lui offrait une liberté inespérée. Même dans sa tombe, la douce Catherine satisfaisait ses désirs les plus secrets. Il était prêt à modifier son cap pour Juliana. Les années passaient rapidement, il en avait assez de vivre comme un proscrit, avec un pistolet à la ceinture et la possibilité que sa tête fût mise à prix à tout moment. Au cours de ces années il avait amassé une fortune, Juliana et lui pourraient partir avec le petit Pierre au Texas, où les rufians allaient habituellement se réfugier, et se consacrer à d'autres activités moins dangereuses, quoique toujours illicites. Pas question de trafic d'esclaves, bien sûr, puisque apparemment cela irritait la sensibilité de Juliana. Lafitte n'avait jamais toléré qu'une femme interférât dans ses affaires et elle ne serait pas la première, mais il ne pouvait pas non plus ruiner son mariage en se querellant à ce sujet. Oui, ils partiraient au Texas, il avait déjà pris la décision. Cet endroit offrait bien des possibilités pour un homme de morale flexible et d'esprit aventureux. Il était prêt à renoncer à la piraterie, même si cela ne signifiait pas devenir un citoyen respectable, il ne fallait pas exagérer.

CINQUIÈME PARTIE

Haute-Californie, 1815

Diego, Isabel et Nuria embarquèrent sur une goélette dans le port de La Nouvelle-Orléans au printemps 1815. Juliana resta en arrière. Je regrette qu'il en eût été ainsi, car tout lecteur qui a du cœur attend un dénouement romantique en faveur du héros. Je comprends que la décision de Juliana vous déçoive, mais il ne pouvait en être autrement, car la plupart des femmes, à sa place, auraient agi de même. Remettre un pécheur sur le droit chemin est un projet irrésistible, que Juliana se fixa avec un zèle religieux. Isabel lui demanda pourquoi elle n'avait jamais essayé de faire pareil avec Rafael Moncada et elle lui expliqua que le jeu n'en valait pas la chandelle : Moncada n'était pas, comme Lafitte, atteint de vices extraordinaires, il ne souffrait que de mesquineries. « Et celles-ci, comme chacun sait, sont incurables », ajouta la belle. A cette époque, il manquait encore beaucoup à Zorro pour mériter qu'une femme se donnât la peine de le transformer.

Nous sommes arrivés à la cinquième et dernière partie de ce livre. Nous devrons bientôt nous dire adieu, chers lecteurs, car l'histoire prend fin au moment où le héros revient au point de départ, transformé par ses aventures et par les obstacles surmontés. C'est ce qui se passe habituellement dans les récits épiques, de l'Odyssée aux contes de fées, et je n'ai pas l'intention d'innover en la matière.

*

La terrible colère que laissa exploser Diego lorsqu'il apprit la décision de Juliana de rester auprès de Lafitte à La Nouvelle-Orléans ne servit à rien, car elle se débarrassa de lui d'une pichenette, comme s'il s'agissait d'un moustique. Qui était Diego pour lui donner des ordres? Ils n'étaient même pas unis par les liens du sang, allégua-t-elle. De plus, elle avait largement l'âge de savoir ce qui lui convenait. En dernier recours, Diego provoqua le pirate dans un duel à mort, « pour défendre l'honneur de la demoiselle de Romeu » – comme il le dit –, mais celui-ci l'informa alors qu'ils s'étaient mariés le matin même dans une paroisse créole, dans la plus stricte intimité, sans autres témoins que son frère Pierre et madame Odilia. Ils avaient agi de la sorte pour éviter les scènes que ne manqueraient pas de susciter ceux qui ne comprenaient pas les urgences de l'amour. Il n'y avait rien à faire, l'union était légale. Ainsi Diego perdit-il pour toujours sa bien-aimée et, en proie au plus grand chagrin, il jura de rester célibataire le reste de ses jours. Personne ne le crut. Isabel lui fit remarquer que Lafitte ne ferait pas long feu en ce monde, étant donné son mode de vie dangereux, et que dès que Juliana se retrouverait veuve il pourrait de nouveau la poursuivre jusqu'à l'épuisement, mais cet argument ne suffit pas à le consoler.

Nuria et Isabel firent leurs adieux à Juliana au milieu de beaucoup de larmes, malgré la promesse de Lafitte d'aller bientôt leur rendre visite en Californie. Nuria, qui considérait les jeunes de Romeu comme ses propres filles, hésitait entre rester auprès de Juliana pour la défendre du vaudou, des pirates et d'autres désagréments que lui préparait sans doute le destin, ou continuer le voyage pour la Californie avec Isabel qui, bien que plus jeune de plusieurs années, avait moins besoin d'elle. Juliana résolut le dilemme en exigeant qu'elle s'en aille, car la réputation d'Isabel serait à jamais ternie si elle voyageait seule en compagnie de Diego de La Vega. En cadeau d'adieu, Lafitte offrit à la duègne une chaîne d'or et une pièce de la soie la plus fine. Nuria la choisit de couleur noire, à cause du deuil.

La goélette s'éloigna du port sous une chaude averse, comme tant de celles qui survenaient quotidiennement en cette saison, et Juliana se retrouva trempée de larmes et éclaboussée de pluie, tenant le petit Pierre dans ses bras, escortée par son ineffable corsaire et la reine du Sénégal, qui s'était instituée son instructrice et sa gardienne. Juliana était vêtue avec simplicité, au goût de son mari, et elle rayonnait tellement de bonheur que Diego se mit à pleurer. Jamais elle ne lui avait paru si belle qu'à l'instant de la perdre. Juliana et Lafitte formaient un couple splendide, lui tout en noir, un perroquet sur l'épaule, elle vêtue de mousseline blanche, tous deux à demi protégés par les parapluies que tenaient deux jeunes Africaines, autrefois esclaves et maintenant libres. Nuria s'enferma dans sa cabine pour qu'on ne la voie pas pleurer à gros sanglots, tandis que Diego et Isabel, inconsolables, leur faisaient des signes d'adieu jusqu'à ce qu'ils les aient perdus de vue. Diego ravalait ses larmes pour les raisons que l'on sait, et Isabel parce qu'elle se séparait de sa sœur. De plus, il faut bien le dire, elle s'était fait des illusions concernant Lafitte, le premier homme à lui avoir appliqué le qualificatif de belle. Ainsi va la vie, qui est pure ironie. Mais reprenons notre histoire.

*

Le bateau emmena nos personnages à Cuba. La ville historique de La Havane, avec ses maisons coloniales et sa longue jetée, baignée par l'eau cristalline et la lumière impossible de la mer des Caraïbes, offrait des plaisirs décadents dont aucun ne sut profiter, Diego parce qu'il était au désespoir, Nuria parce qu'elle se sentait vieille et Isabel parce qu'ils ne lui en donnèrent pas la permission. Surveillée par les deux autres, la jeune fille ne put visiter les casinos ni participer aux défilés de joyeux musiciens ambulants. Pauvres et riches, Blancs et Noirs, tous prenaient leurs repas dans les tavernes et les auberges de la rue, buvaient du rhum sans mesure et dansaient jusqu'à l'aube. Si l'occasion lui en avait été donnée, Isabel aurait renoncé à la vertu espagnole – qui ne lui avait pas vraiment servi jusqu'alors – pour faire des incursions dans la luxure caribéenne, qui paraissait bien plus intéressante, mais elle resta sur sa faim. Par le propriétaire de l'hôtel, ils eurent des nouvelles de Santiago de León. Le capitaine était arrivé sain et sauf à Cuba avec les autres survivants de l'attaque des corsaires et, dès qu'il s'était remis de son insolation et de sa frayeur, il s'était embarqué pour l'Angleterre. Il espérait toucher une assurance et se retirer dans une petite maison à la campagne, où il continuerait à dessiner des cartes fantastiques à l'intention des collectionneurs de raretés.

Les trois amis restèrent à La Havane plusieurs jours, que Diego mit à profit pour se faire faire deux tenues de Zorro, copiées sur celle de Jean Lafitte. Lorsqu'il se vit dans le miroir de la boutique du tailleur, il dut admettre que son rival était d'une incontestable élégance. Il se regarda de face et de profil, mit une main sur sa hanche, l'autre sur la poignée de son arme, leva le menton et sourit, très satisfait; il avait des dents parfaites et il lui plaisait de les montrer. Il pensa qu'il avait l'air magnifique. Pour la première fois il regretta l'histoire de la double personnalité, car il aurait aimé se vêtir toujours de la sorte. « Enfin, on ne peut tout avoir dans la vie », soupira-t-il. Il ne manquait que le masque pour aplatir ses oreilles, la fine moustache postiche pour dérouter ses ennemis, et Zorro serait prêt à apparaître là où son épée serait requise. « Au fait, mon cher, il te faut une deuxième épée », dit-il à l'image dans le miroir. Jamais il ne se séparerait de sa chère Justine, mais une seule lame n'était pas suffisante. Il fit envoyer ses habits neufs à l'hôtel et s'en fut parcourir les armureries du port à la recherche d'une épée semblable à celle que lui avait offerte

384

Pelayo. Il trouva exactement ce qu'il voulait et acheta également deux dagues mauresques, fines et souples, mais très solides. L'argent mal acquis dans les tripots de La Nouvelle-Orléans s'évapora rapidement entre ses mains, et quelques jours plus tard, lorsqu'ils purent s'embarquer pour Portobelo, il était aussi pauvre qu'à l'époque où Jean Lafitte l'avait séquestré.

Pour Diego, qui avait déjà traversé l'isthme de Panamá en sens inverse, cette partie du voyage ne fut pas aussi intéressante que pour Nuria et Isabel, qui n'avaient jamais vu de crapauds venimeux et encore moins d'indigènes nus. Horrifiée, Nuria fixa les yeux sur le fleuve Chagres, convaincue que ses pires craintes sur la sauvagerie des Amériques se voyaient confirmées. Isabel, au contraire, profita de ce déploiement de nudisme pour satisfaire une vieille curiosité. Il y avait des années qu'elle se demandait en quoi consistait la différence entre hommes et femmes. Elle fut déçue, car cette différence tenait largement dans sa poche, comme elle en fit la remarque à sa duègne. En tout cas, grâce aux rosaires de Nuria, il leur fut épargné d'attraper la malaria ou d'être mordus par des vipères et ils arrivèrent sans encombre au port de Panamá. Là, ils trouvèrent un bateau qui les emmena en Haute-Californie.

*

Le bateau jeta l'ancre dans le petit port de San Pedro, près de Los Angeles, et les voyageurs furent amenés dans un canot jusqu'à la plage. Il ne fut pas facile de faire descendre Nuria par l'échelle de corde. Un marin de bonne volonté et aux muscles d'acier la prit par la taille sans lui demander son avis, il la mit sur son épaule et la porta comme un sac de sucre. En approchant de la terre ils virent la silhouette d'un Indien qui leur faisait des signes de la main. Quelques instants plus tard, Diego et Isabel se mirent à pousser des cris de joie lorsqu'ils reconnurent Bernardo.

« Comment savait-il que nous arriverions aujourd'hui ? demanda Nuria, étonnée.

— Je l'ai averti », répliqua Diego sans donner d'explications sur la manière dont il s'y était pris.

Bernardo attendait à cet endroit depuis plus d'une semaine, lorsqu'il avait eu le net pressentiment que son frère était sur le point d'arriver. Il ne douta pas du message télépathique et s'installa pour scruter la mer avec une patience à toute épreuve, ayant la certitude que tôt ou tard un bateau apparaîtrait à l'horizon. Il ne savait pas que Diego venait accompagné, mais il avait pensé qu'il serait chargé de bagages, c'est pourquoi il avait pris la précaution d'amener plusieurs chevaux. Il avait tellement changé que Nuria eut du mal à reconnaître le discret domestique qu'elle avait connu à Barcelone dans cet Indien robuste. Bernardo ne portait qu'un pantalon de toile maintenu à la taille par une bande de cuir de vache. Sa peau hâlée par le soleil était très sombre et ses longs cheveux tressés. Il portait un poignard à la ceinture et un mousquet accroché à l'épaule.

« Comment vont mes parents ? Et Eclair-dans-la-Nuit, et ton fils ? » furent les premières questions de Diego.

Par signes, Bernardo répondit qu'il y avait de mauvaises nouvelles et qu'ils devaient aller directement à la mission de San Gabriel, où le père Mendoza leur donnerait toutes les explications. Lui-même vivait depuis plusieurs mois parmi les Indiens et il n'était pas au courant des détails. Ils attachèrent une partie des bagages sur l'un des chevaux, enterrèrent le reste dans le sable et marquèrent l'endroit avec des pierres pour le retirer plus tard, puis ils enfourchèrent les autres montures et partirent en direction de la mission. Diego s'aperçut que Bernardo évitait le Chemin royal et l'hacienda de La Vega. Après avoir galopé sur quelques lieues ils atteignirent le territoire de la mission. Diego laissa échapper une exclamation de surprise lorsqu'il constata que les champs plantés avec tant de soin par le père Mendoza étaient envahis par les broussailles, qu'il manquait aux toits la moitié de leurs tuiles et que les huttes des néophytes semblaient abandonnées. Il régnait une atmosphère de misère sur ce qui était autrefois une propriété très prospère. Au bruit des sabots apparurent dans la cour quelques Indiennes avec leurs enfants sur les talons et, tout de suite après, le père Mendoza. Le missionnaire avait beaucoup vieilli au cours des cinq dernières années, on aurait dit un vieillard fragile et les quelques cheveux clairsemés sur son crâne ne parvenaient pas à cacher le coup de couteau de son oreille perdue. Il savait que Bernardo attendait son frère et il ne doutait pas de ce pressentiment, aussi l'arrivée de Diego ne fut-elle pas une surprise. Il lui ouvrit les bras et le jeune homme sauta de cheval pour courir le saluer. Diego, qui mesurait à présent une tête de plus que le prêtre, eut la sensation d'étreindre à peine un tas d'os, et son cœur se serra en prenant conscience de l'écoulement du temps.

« Voici Isabel, la fille de don Tomás de Romeu, que Dieu l'ait en sa sainte garde, et cette dame est Nuria, sa duègne – les présenta Diego.

— Bienvenue à la mission, mes filles. Je suppose que le voyage a été très pénible. Vous pourrez faire un brin de toilette et vous reposer pendant que Diego et moi nous mettrons au courant des nouvelles. Je vous préviendrai lorsque le dîner sera prêt », dit le père Mendoza.

Les nouvelles étaient pires que Diego ne les imaginait. Ses parents s'étaient séparés cinq ans auparavant ; le jour même où il était parti étudier en Espagne, Regina avait quitté la maison en n'emportant que les vêtements qu'elle avait sur le dos. Depuis, elle vivait dans la tribu de Chouette-Blanche et personne ne l'avait revue dans le village ou à la mission ; on disait qu'elle avait renoncé à ses manières de dame espagnole et était redevenue l'Indienne sauvage qu'elle avait été dans sa jeunesse. Bernardo, qui vivait dans la même tribu, confirma ses dires. La mère de Diego utilisait à présent son nom indigène, Toypurnia, et elle se préparait à remplacer un jour Chouette-Blanche comme guérisseuse et chamane. La réputation de visionnaires des deux femmes s'était répandue au-delà de la sierra et les Indiens d'autres tribus venaient de loin pour les consulter. Depuis, Alejandro de La Vega avait interdit la seule mention du nom de sa femme, mais il n'avait jamais pu s'habituer à son absence et avait vieilli de tristesse. Pour ne pas avoir à donner d'explications à la mesquine société blanche de la colonie, il avait abandonné sa charge d'alcade et se consacrait entièrement à l'hacienda et à ses négoces, accroissant sa fortune. Ce labeur lui avait peu profité, car quelques mois plus tôt, juste au moment où Diego se trouvait avec les gitans en Espagne, Rafael Moncada était arrivé en Californie, en qualité d'envoyé plénipotentiaire du roi Ferdinand VII, qui lui avait confié la mission officielle de le renseigner sur la situation politique et économique de la colonie. Son pouvoir était supérieur à celui du gouverneur et du chef militaire de la place. Diego ne douta pas que Moncada avait obtenu cette charge grâce à l'influence de sa tante Eulalia de Callís, et que sa seule raison de s'éloigner de la cour espagnole avait été l'espoir de rattraper Juliana. C'est ce qu'il déclara au père Mendoza.

« Moncada a dû être déçu en constatant que la demoiselle de Romeu n'était pas ici, dit Diego.

— Il a supposé que vous étiez en chemin, car il est resté. Mais il n'a pas perdu son temps, le bruit court qu'il est en train de bâtir une fortune, répliqua le missionnaire.

— Cet homme me déteste pour de nombreuses raisons, la principale étant que j'ai aidé Juliana à échapper à ses attentions, lui expliqua Diego.

— Je comprends mieux à présent ce qui s'est passé, Diego. La cupidité n'est pas la seule motivation de Moncada, il a également voulu se venger de toi... », soupira le père Mendoza.

Rafael Moncada avait initié son mandat en Californie en confisquant l'hacienda de La Vega, après avoir ordonné l'arrestation de son propriétaire, qu'il avait accusé d'être à la tête d'une insurrection visant à émanciper la Californie du joug de l'Espagne. Un tel mouvement n'existait pas, assura le père Mendoza à Diego, l'idée n'était pas encore venue à l'esprit des colons, en dépit du fait que la rébellion avait commencé à germer dans certains pays d'Amérique du Sud et était en train de gagner, telle une traînée de poudre, le reste du continent. Avec l'accusation non fondée de trahison, Alejandro de La Vega s'était retrouvé dans la terrible prison d'El Diablo. Moncado s'était installé avec sa suite dans l'hacienda, à présent transformée en sa résidence et sa caserne. Le missionnaire ajouta que cet homme avait fait beaucoup de mal en peu de temps. Lui aussi se trouvait dans la ligne de mire de Moncada, parce qu'il défendait les Indiens et avait osé lui dire ses quatre vérités, mais il le payait cher : la mission était ruinée. Moncada lui refusait les ressources habituelles, et en plus il avait emmené les hommes; il n'y avait plus de bras pour travailler la terre, il ne restait que des femmes, des enfants et des vieillards. Les familles indigènes étaient disper- sées, les gens démoralisés. Des rumeurs couraient sur un commerce de perles, mis sur pied par Rafael Moncada, pour lequel il employait le travail forcé des Indiens. Les perles de Californie, plus précieuses que l'or et l'argent des autres colonies, avaient contribué au trésor de l'Espagne pendant deux siècles, mais il était arrivé un moment où l'exploitation excessive les avait épuisées, expliqua le missionnaire. Personne ne s'était plus souvenu des perles pendant cinquante ans, ce qui avait donné aux huîtres le temps de récupérer. Les autori- tés, occupées à d'autres affaires et empêtrées dans la bureau- cratie, manquaient d'initiative pour entreprendre la recher- che. On supposait que les nouveaux bancs d'huîtres se trouvaient plus au nord, près de Los Angeles, mais personne ne s'était donné la peine de le confirmer jusqu'à ce qu'apparût Moncada avec des cartes marines. Le père Mendoza pensait qu'il avait l'intention d'obtenir les perles sans en informer l'Espagne, vu qu'en principe elles appartenaient à la Couronne. Pour les exploiter, il avait besoin de Carlos Alcázar, le chef de la prison d'El Diablo, qui fournissait des esclaves pour la plongée. Tous deux étaient en train de s'enrichir avec rapidité et discrétion. Autrefois, les pêcheurs de perles étaient des Indiens yaquis du Mexique, des hommes très robustes, qui pendant des générations avaient travaillé dans la mer et pouvaient rester près de deux minutes sous l'eau, mais les déplacer vers la Haute-Californie aurait attiré l'attention. Les associés avaient résolu le problème en décidant d'utiliser les Indiens de la région, qui n'étaient pas des nageurs experts et ne s'étaient jamais prêtés volontiers à cette besogne. Cela ne constituait pas un obstacle : ils les arrêtaient sous n'importe quel prétexte et les exploitaient jusqu'à ce que leurs poumons éclatent. Ils les enivraient ou les rouaient de coups et trempaient leurs vêtements d'alcool, puis les traînaient devant le juge qui faisait semblant de ne rien voir. Ainsi les malheureux finissaient-ils à El Diablo, malgré les démarches désespérées du missionnaire. Diego voulut savoir si c'était là que se trouvait son père, et le père Mendoza le lui confirma. Don Alejandro était malade et faible, il ne survivrait pas longtemps en ce lieu, ajouta-t-il. C'était le plus âgé et le seul Blanc parmi les prisonniers, les autres étaient des Indiens ou des métis. Ceux qui entraient dans cet enfer n'en ressortaient pas vivants; plusieurs étaient morts ces derniers mois. Personne n'osait parler de ce qui se passait entre ces murs, ni les gardes ni les détenus; un silence de tombe enveloppait El Diablo.

« Je ne peux même plus apporter de consolation spirituelle à ces pauvres âmes. Avant, j'allais souvent dire la messe, mais j'ai eu des mots avec Carlos Alcázar et il m'en a interdit l'entrée. A ma place viendra bientôt un prêtre de Basse-Californie.

— Ce Carlos Alcázar, c'est le dur dont on avait tellement peur quand on était gamins? demanda Diego.

— Lui-même, mon fils. Son caractère a empiré avec les

390

années, c'est un despote et un lâche. Sa cousine Lolita, au contraire, est une sainte. La jeune fille avait l'habitude de m'accompagner à la prison pour apporter des médicaments, de la nourriture et des couvertures aux prisonniers, mais elle n'a malheureusement aucune influence sur Carlos.

— Je me souviens de Lolita. La famille Pulido est noble et vertueuse. Francisco, le frère de Lolita, faisait ses études à Madrid. Nous avons échangé quelques lettres lorsque j'étais à Barcelone, commenta Diego.

— Enfin, mon fils, la situation de don Alejandro est très grave, tu es son seul espoir, tu dois intervenir au plus vite », conclut le père Mendoza.

Il y avait un bon moment que Diego marchait de long en large dans la pièce en essayant de contrôler l'indignation qui le submergeait. De sa chaise, Bernardo suivait la conversation les yeux fixés sur son frère, lui envoyant des messages mentaux. La première impulsion de Diego avait été d'aller trouver Moncada et de se battre avec lui, mais le regard de Bernardo lui fit comprendre que ces circonstances exigeaient plus d'astuce que de courage, cette mission revenait à Zorro et il faudrait la mener à bien avec sang-froid. Diego sortit un mouchoir de dentelle pour essuyer son front d'un geste affecté et soupira.

« J'irai à Monterrey parler au gouverneur. C'est un ami de mon père, proposa-t-il.

— Je l'ai déjà fait, Diego. Quand don Alejandro a été arrêté, j'ai parlé personnellement avec le gouverneur, mais il m'a répondu qu'il n'a pas d'autorité sur Moncada. Il ne m'a pas écouté non plus quand je lui ai suggéré de vérifier pourquoi tant de prisonniers mouraient à El Diablo, répliqua le missionnaire.

— Dans ce cas, il faudra que j'aille à Mexico voir le vice-roi.

— Mais cela va prendre des mois! » allégua le père Mendoza.

Il avait du mal à croire que le garçon audacieux qu'il avait mis au monde de ses propres mains et vu grandir fût devenu un gandin. L'Espagne lui avait amolli le cerveau et les muscles, c'était une honte. Il avait beaucoup prié pour que Diego revînt à temps sauver son père, et la réponse à ses prières était ce dandy au petit mouchoir de dentelle. Il parvenait à peine à dissimuler le mépris que lui inspirait le jeune homme.

Le missionnaire fit avertir Isabel et Nuria que le dîner attendait, et tous quatre s'assirent à table. Une Indienne apporta une marmite en terre contenant de la bouillie de maïs et quelques morceaux de viande cuite à l'eau, aussi dure et fade que de la semelle. Il n'y avait pas de pain, pas de vin ni de légumes, même pas du café, le seul vice que se permettait le père Mendoza. Ils mangeaient en silence lorsqu'ils entendirent un bruit de sabots et des voix dans le patio; quelques instants plus tard, un groupe d'hommes en uniforme fit irruption dans la salle, sous le commandement de Rafael Moncada.

« Excellence! Quelle surprise! s'exclama Diego sans se lever.

— Je viens d'apprendre votre arrivée, répliqua Moncada, cherchant Juliana des yeux.

— Nous voici, comme nous vous l'avons promis à Barcelone, monsieur Moncada. Puis-je savoir comment vous êtes sorti de la chambre secrète? lui demanda Isabel d'un ton moqueur.

— Où est votre sœur? l'interrompit Moncada.

— Ah! Elle se trouve à La Nouvelle-Orléans. J'ai le plaisir de vous annoncer que Juliana est mariée et très heureuse.

— Mariée! C'est impossible! Avec qui? cria le prétendant éconduit.

— Avec un homme d'affaires riche et beau qui a réussi à la séduire au premier regard », expliqua Isabel avec l'expression la plus innocente du monde.

Rafael Moncada donna un coup de poing sur la table et serra les lèvres pour ne pas laisser échapper un chapelet de jurons. Il ne pouvait croire que Juliana lui eût glissé une nouvelle fois entre les doigts. Il avait traversé le monde, quitté son poste à la Cour et négligé sa carrière pour elle. Sa fureur était telle qu'à cet instant il l'aurait volontiers étranglée de ses propres mains. Diego profita de la pause pour s'approcher d'un sergent gros et transpirant, qui le regardait avec des yeux de chien dressé.

« García ? demanda-t-il.

— Don Diego de La Vega... vous me reconnaissez... quel honneur ! murmura le gros, heureux.

— Bien sûr ! L'unique García ! » s'exclama Diego en le serrant dans ses bras.

Cette démonstration d'affection inappropriée entre Diego et son propre sergent déconcerta brièvement Moncada.

« Je profite de cette occasion pour vous demander des nouvelles de mon père, Excellence, dit Diego.

— C'est un traître, et en tant que tel il sera châtié, répliqua Moncada en crachant chaque mot.

— Un traître ? Vous ne pouvez dire cela de monsieur de La Vega, Excellence ! Vous êtes nouveau sur ces terres, vous ne connaissez pas les gens. Mais je suis né ici et je peux vous dire que la famille de La Vega est la plus honorable et la plus distinguée de toute la Californie..., intervint le sergent García, peiné.

— Silence, García ! Personne n'a sollicité ton opinion ! » l'interrompit Moncada en le foudroyant du regard.

Puis il aboya un ordre et le sergent transpirant ne put faire autrement que de saluer en claquant les talons et de prendre la tête du retrait de ses hommes. A la porte il hésita et, se tournant vers Diego, fit un geste d'impuissance, auquel celui-ci répondit par un clin d'œil de complicité.

« Je me permets de vous rappeler que mon père, don Alejandro de La Vega, est un hidalgo espagnol, héros de nombreuses batailles au service du roi. Seul un tribunal espagnol qualifié a pouvoir de le juger, dit Diego à Moncada.

— Son cas sera examiné par les autorités idoines à Mexico.

Pendant ce temps, votre père est sous bonne garde, là où il ne peut conspirer contre l'Espagne.

— Le procès tardera des années et don Alejandro est un homme âgé. Il ne peut demeurer à El Diablo, intercéda le père Mendoza.

— Avant de violer la loi, de La Vega aurait dû penser qu'il risquait la perte de sa liberté et de ses biens. Par son imprudence, cet ancien a condamné sa famille à la misère », répondit Moncada d'un ton de mépris.

La main droite de Diego empoigna son épée, mais Bernardo le prit par le bras et le retint, lui rappelant la nécessité d'être patient. Moncada lui recommanda de chercher le moyen de gagner sa vie, car il ne disposait plus de la fortune de son père, puis il fit demi-tour et sortit derrière ses hommes. Le père Mendoza donna une tape solidaire sur l'épaule de Diego et répéta son offre d'hospitalité. A la mission, la vie était austère et dure, dit-il, il n'y avait pas les commodités auxquelles ils étaient habitués, mais du moins auraient-ils un toit.

« Merci, mon père, sourit Isabel. Un jour, je vous raconterai ce qui nous est arrivé depuis la mort de mon pauvre père. Vous verrez que nous avons traversé l'Espagne à pied, que nous avons vécu avec des gitans et été enlevés par des pirates. Plusieurs fois nous n'avons été sauvés que par miracle. En ce qui concerne le manque de commodités, je vous assure que nous avons une grande expérience.

— Et dès demain, je me chargerai de la cuisine, car on mange plus mal ici qu'à la guerre, ajouta Nuria dans un mouvement d'humeur.

— La mission est très pauvre, s'excusa le père Mendoza.

— Avec les mêmes ingrédients et un peu d'inventivité, nous mangerons comme les humains », répliqua Nuria.

*

Cette nuit-là, alors que les autres dormaient, Diego et Bernardo se glissèrent hors de leurs chambres, ils allèrent chercher deux chevaux à l'écurie et, sans prendre le temps de leur mettre des harnais, partirent au galop en direction des cavernes des Indiens, où ils avaient joué tant de fois dans leur enfance. Ils avaient décidé que la première chose à faire serait de sortir Alejandro de La Vega de prison et de l'emmener en un lieu sûr, où Moncada et Alcázar ne pourraient le trouver, puis viendrait la difficile tâche de blanchir son nom de l'accusation de trahison. C'était la semaine de leur anniversaire à tous deux, cela faisait exactement vingt ans qu'ils avaient vu le jour. Il sembla à Diego que c'était un moment très important de leur vie et il voulut le marquer par quelque chose de spécial, c'est pourquoi il proposa à son frère de lait de se rendre dans les grottes. De plus, si les tremblements de terre n'avaient pas obstrué le passage qui les unissait à l'hacienda de La Vega, peut-être pourraient-ils épier Rafael Moncada.

Diego reconnut à peine le terrain, mais Bernardo le conduisit sans hésiter à l'entrée, cachée par d'épais arbustes. Une fois à l'intérieur, ils allumèrent une lampe à huile et purent s'orienter dans le labyrinthe des couloirs, jusqu'à arriver dans l'antre principal. Ils respirèrent à grandes bouffées l'indéfinissable odeur souterraine, qu'ils aimaient tant lorsqu'ils étaient enfants. Diego se souvint du jour fatidique où l'hacienda avait été assaillie par des pirates et où il s'était caché là avec sa mère blessée. Il lui sembla sentir l'odeur de ce moment, mélange de sang, de sueur, de peur et d'obscure fragrance de la terre. Tout était tel qu'ils l'avaient laissé, depuis les arcs et les flèches, les bougies et les flacons de miel entreposés là cinq ans auparavant jusqu'à la Roue magique qu'ils avaient construite avec des pierres alors qu'ils aspiraient à l'Okahué. Diego éclaira l'autel circulaire avec deux torches et posa au centre le paquet qu'il avait apporté, enveloppé dans un tissu sombre et attaché par un cordon.

« Mon frère, j'ai longtemps attendu cet instant. Nous avons vingt ans et tous deux sommes préparés à ce que je vais te proposer – annonça-t-il à Bernardo avec une solennité inattendue. Te souviens-tu des vertus de l'Okahué? Honneur, justice, respect, dignité, courage. J'ai essayé de faire en sorte que ces vertus guident ma vie et je sais qu'elles ont guidé la tienne. »

Dans l'éclat rougeâtre des torches, Diego entreprit de défaire le paquet, qui contenait la tenue complète de Zorro – pantalon, chemise, cape, bottes, chapeau, masque –, et il la remit à Bernardo.

« Je désire que Zorro soit le fondement de ma vie, Bernardo. Je vais me consacrer à lutter pour la justice et je t'invite à m'accompagner. Ensemble nous nous multiplierons par mille et nous confondrons nos ennemis. Il y aura deux Zorro, toi et moi, mais jamais on ne les verra ensemble. »

Le ton de Diego était si sérieux que, pour une fois, Bernardo ne fut pas tenté de lui répondre par un geste moqueur. Il se rendit compte que son frère de lait avait bien réfléchi à la chose, il ne s'agissait pas d'une impulsion née en apprenant le sort de son père, le déguisement noir qu'il avait rapporté de son voyage en était la preuve. Le jeune Indien se défit de son pantalon et, avec la même solennité que celle de Diego, il enfila un à un les éléments du costume, jusqu'à être transformé en une réplique de Zorro. Alors Diego enleva de son ceinturon l'épée qu'il avait achetée à Cuba et, la prenant à deux mains, il la lui offrit.

« Je jure de défendre les faibles et de lutter pour la justice! » s'exclama Diego.

Bernardo reçut l'arme et, dans un murmure inaudible, répéta les mots de son frère.

*

Les deux jeunes gens ouvrirent avec précaution la porte secrète de la cheminée, qui donnait dans le salon, constatant que malgré les années écoulées elle glissait sans bruit dans le rail. Autrefois, ils prenaient soin de garder le métal graissé et, apparemment, il l'était encore cinq ans plus tard. Les grands troncs dans la cheminée étaient les mêmes qu'autrefois, à présent couverts d'une épaisse couche de poussière. Personne n'avait allumé de feu pendant tout ce temps. Le reste de la pièce était intact, les mêmes meubles achetés par Alejandro de La Vega au Mexique pour faire plaisir à son épouse, le même grand lustre de cent cinquante bougies au plafond, la même table en bois et les chaises recouvertes de tissu, les mêmes tableaux prétentieux. Tout était semblable, et pourtant la maison leur parut plus petite et plus triste que dans leur souvenir. Une patine d'oubli la dénaturait, un silence de cimetière pesait dans l'air, une odeur de renfermé et de crasse imprégnait les murs. Ils se glissèrent comme des chats le long des corridors, mal éclairés par quelques lanternes. Dans le temps, un vieux domestique avait pour unique tâche d'entretenir l'éclairage ; l'homme dormait le jour et passait la nuit à surveiller les bougies et les lampes de suif. Ils se demandèrent si le vieil homme et d'autres anciens domestiques vivaient encore dans l'hacienda, ou si Moncada les avait remplacés par ses propres gens.

En cette heure tardive, même les chiens se reposaient ; seul un homme montait la garde dans la cour principale, son arme à l'épaule, luttant pour garder les yeux ouverts. Les deux jeunes hommes découvrirent le dortoir des soldats, où ils comptèrent douze hamacs accrochés à différentes hauteurs, les uns au-dessus des autres, bien que huit seulement fussent occupés. Une autre pièce tenait lieu d'arsenal, elle contenait des armes à feu, de la poudre et des sabres. Ils ne prirent pas le risque d'explorer les autres pièces par peur d'être surpris, mais par une porte entrouverte ils aperçurent Rafael Moncada en train d'écrire ou de faire les comptes dans la bibliothèque. Diego étouffa une exclamation de colère lorsqu'il vit son ennemi installé sur la chaise de son père, utilisant son papier et son encre. Bernardo lui donna un coup de coude pour donner le signal du départ, car cette expédition devenait dangereuse. Ils se retirèrent discrètement par où ils étaient entrés, après avoir soufflé l'épaisse poussière de la cheminée afin d'effacer leurs traces.

Ils arrivèrent à la mission au point du jour, heure à laquelle Diego sentit pour la première fois le coup de massue de la fatigue accumulée depuis qu'il avait débarqué sur la plage, la veille. Il tomba sur le lit à plat ventre et dormit jusqu'au lendemain matin bien entamé, lorsque Bernardo le réveilla pour l'avertir que les chevaux étaient prêts. L'idée d'aller voir Toypurnia et de lui demander de l'aide pour délivrer Alejandro de La Vega avait été la sienne. Ils ne virent pas le père Mendoza, qui était parti de bonne heure pour Los Angeles, mais Nuria leur servit un solide petit déjeuner de haricots et de riz avec des œufs au plat. Isabel se présenta à table les cheveux serrés dans une tresse, vêtue d'une jupe de voyage et d'une blouse de toile comme celles qu'utilisaient les néophytes à la mission, annonçant qu'elle irait avec eux car elle voulait connaître la mère de Diego et voir à quoi ressemblait un village d'Indiens.

« Dans ce cas, je vais devoir y aller aussi – ronchonna Nuria, que l'idée d'une longue chevauchée sur cette terre de barbares n'enchantait guère.

— Non. Le père Mendoza a besoin de toi ici. Nous reviendrons bientôt », répliqua Isabel en lui donnant un baiser de consolation.

Les trois jeunes gens partirent sur les meilleurs chevaux de la mission, et en prirent un de plus avec les bagages. Ils devraient voyager toute la journée, camper la nuit sous les étoiles et entreprendre l'ascension des montagnes le lendemain matin. Pour éviter les soldats, la tribu était partie le plus loin possible et changeait souvent d'endroit, mais Bernardo savait la situer. Isabel, qui avait appris à monter à califourchon, mais n'avait pas l'habitude des longues chevauchées, suivit ses deux amis sans se plaindre. A la première halte qu'ils firent pour se rafraîchir dans un ruisseau et se partager la collation préparée par Nuria, elle se rendit compte qu'elle était couverte de contusions. Diego se moqua d'elle parce qu'elle marchait comme un canard, mais Bernardo lui donna une pommade à base de plantes, préparée par Chouette-Blanche, pour qu'elle en frotte ses membres endoloris.

Le lendemain à midi, Bernardo montra des marques sur les arbres, qui indiquaient la proximité de la tribu; ainsi avertissait-elle d'autres Indiens lorsqu'elle changeait d'endroit. Quelques instants plus tard, deux hommes arrivèrent à leur rencontre, presque nus, le corps peint et les arcs tendus, mais en reconnaissant Bernardo ils baissèrent leurs armes et s'approchèrent pour saluer. Les présentations faites, ils les conduisirent entre les arbres jusqu'au village, un misérable ensemble de huttes de paille entre lesquelles déambulaient quelques chiens. Les Indiens sifflèrent et en quelques minutes les habitants de ce petit village fantomatique se matérialisèrent, sortis du néant, un groupe pathétique d'Indiens, quelques-uns nus et d'autres en haillons. Avec horreur, Diego reconnut sa grand-mère Chouette-Blanche et sa mère. Il lui fallut plusieurs secondes pour se remettre de sa peine en les voyant en si piteux état, mettre pied à terre d'un bond et courir les serrer dans ses bras. Il avait oublié combien les Indiens étaient pauvres, mais il n'avait pas oublié l'odeur de fumée et de plantes de sa grand-mère, qui lui arriva directement à l'âme, ainsi que le nouveau parfum de sa mère. Regina sentait le savon au lait et l'eau de fleurs; Toypurnia sentait la sauge et la sueur.

« Diego, comme tu as grandi... », murmura sa mère.

Toypurnia lui parlait dans la langue indigène, les premiers sons que Diego eût entendus dans son enfance et qu'il n'avait pas oubliés. Dans cette langue ils pouvaient se caresser, en espagnol ils s'adressaient l'un à l'autre de façon formelle, sans se toucher. La première langue était pour les sentiments, la seconde pour les idées. Les mains pleines de callosités de Toypurnia palpèrent son fils, ses bras, sa poitrine, son cou, le reconnaissant, le mesurant, effrayée par les changements. Ce fut ensuite au tour de sa grand-mère de lui souhaiter la bienvenue. Chouette-Blanche souleva ses cheveux pour examiner ses oreilles, comme si c'était là la seule façon de l'identifier sans possibilité d'erreur. Diego se mit à rire de bon cœur et, la prenant par la taille, il la souleva à un empan du sol. Elle pesait fort peu, il avait l'impression de porter un enfant, mais sous les nippes et les peaux de lapin qui la couvraient, Diego put sentir son corps fibreux, dur comme le bois. Elle n'était ni aussi vieille ni aussi fragile qu'elle le paraissait à première vue.

Bernardo n'avait d'yeux que pour Eclair-dans-la-Nuit et son fils, le petit Diego, un enfant de cinq ans, de la couleur et de la solidité d'une brique, aux yeux sombres et au même rire que sa mère, nu et armé d'un arc et de flèches en miniature. Diego, qui avait connu Eclair-dans-la-Nuit dans son enfance, lorsqu'il venait en visite dans le village de sa grand-mère, par les rares références télépathiques de Bernardo et une lettre du père Mendoza, fut impressionné par sa beauté. Avec elle et l'enfant, Bernardo paraissait un autre homme, il grandissait en taille et son expression s'illuminait.

Passé la première joie des retrouvailles, Diego se rappela qu'il devait les présenter à Isabel, qui observait la scène à une certaine distance. Par les anecdotes que Diego lui avait racontées sur sa mère et sa grand-mère, elle les avait imaginées semblables à des figures de tableaux épiques, sur lesquels les conquistadors sont représentés dans des armures resplendissantes et les indigènes américains sous l'apparence de demi-dieux emplumés. Ces femmes échevelées et sales, qui n'avaient que la peau et les os, ne ressemblaient en rien, même de loin, à celles des tableaux des musées, mais elles avaient la même dignité. Elle ne pouvait communiquer avec l'aïeule, mais peu après son arrivée elle s'était liée d'amitié avec Toypurnia. Elle se promit de lui rendre visite souvent, car elle supposa qu'elle pouvait beaucoup apprendre de cette femme étrange et sage. Je voudrais être aussi indomptable qu'elle, pensa-t-elle. La sympathie fut mutuelle, car la jeune Espagnole aux yeux bigles plut à Toypurnia. Elle pensait que cela indique la capacité de voir ce que les autres ne voient pas.

De la tribu restait un groupe important d'enfants, des femmes et des vieillards, mais il n'y avait que cinq chasseurs, qui devaient aller loin pour ramener du gibier, car les Blancs s'étaient répartis la terre et la défendaient à coups de fusil. La faim les poussait parfois à voler du bétail, mais s'ils étaient surpris ils le payaient de coups de fouet ou du gibet. La plupart des hommes travaillaient dans les ranchs, mais le clan de Chouette-Blanche et de Toypurnia avait préféré la liberté, avec tous les risques qu'elle comporte. Ils n'avaient pas de problèmes avec les tribus guerrières, grâce à la réputation de chamanes et de guérisseuses des deux femmes. Si des inconnus arrivaient au campement, c'était pour demander des conseils et des remèdes, qu'ils rétribuaient avec de la nourriture et des peaux. Ils avaient survécu, mais depuis que Rafael Moncada et Carlos Alcázar passaient leur temps à arrêter les hommes jeunes, ils ne pouvaient rester en un lieu fixe. La vie nomade avait mis fin aux plantations de maïs et d'autres graines, ils devaient se contenter de champignons et de fruits sauvages, de poisson et de viande, lorsqu'ils en trouvaient.

Bernardo et Eclair-dans-la-Nuit apportèrent le cadeau qu'ils avaient pour Diego, un coursier noir aux grands yeux intelligents. C'était Tornado, le poulain sans mère que Bernardo avait connu lors de son rite d'initiation, sept ans plus tôt, et qu'Eclair-dans-la-Nuit avait dompté, lui apprenant à obéir à des sifflements. C'était un animal à l'allure noble, un compagnon splendide. Diego lui caressa le museau et enfouit son visage dans sa longue crinière, en répétant son nom.

« Nous devrons te garder caché, Tornado. Seul te montera

Zorro », lui dit-il, et le cheval répondit par un hennissement et une secousse de sa queue.

*

Le reste de l'après-midi passa à faire rôtir des carcajous et des oiseaux qu'ils avaient réussi à chasser, et à se mettre au courant des mauvaises nouvelles. A la tombée de la nuit, Isabel, épuisée, s'enroula dans une couverture et s'endormit près du feu. Pendant ce temps, Toypurnia écouta de la bouche de son fils la tragédie d'Alejandro de La Vega. Elle lui avoua qu'il lui manquait, il était le seul homme qu'elle eût aimé, mais elle n'avait pu rester à ses côtés. Elle préférait la misérable existence nomade de sa tribu au luxe de l'hacienda, où elle se sentait prisonnière. Elle avait passé son enfance et sa jeunesse en plein air, elle ne supportait pas l'oppression des murs d'adobe et d'un toit au-dessus de sa tête, la vanité des coutumes, l'inconfort des vêtements espagnols, le poids du christianisme. Avec l'âge, Alejandro était devenu plus sévère dans son jugement du prochain. En fin de compte, ils avaient peu de choses en commun, et quand leur fils était parti en Espagne, la passion de leur jeunesse s'étant refroidie, il n'était rien resté. Cependant, elle s'émut en apprenant le sort de son mari et offrit son aide pour le sortir de sa geôle et le cacher au plus secret de la nature. La Californie était vaste et Toypurnia en connaissait presque tous les sentiers. Elle lui confirma que les soupçons du père Mendoza étaient fondés.

« Depuis deux mois, ils ont une grande barcasse ancrée en mer, près des bancs d'huîtres, et ils transportent les prisonniers dans des chaloupes », dit Toypurnia.

Elle lui expliqua qu'ils avaient emmené plusieurs jeunes de la tribu et qu'ils les obligeaient à plonger de l'aube au coucher du soleil. On les faisait descendre au fond attachés à une corde, avec une pierre en guise de lest et un panier pour y mettre les huîtres. Lorsqu'ils tiraient sur la corde, on les hissait sur le canot. La récolte de la journée était déposée dans la barcasse, où d'autres prisonniers ouvraient les huîtres pour en extraire les perles, tâche qui leur déchirait les mains. Toypurnia supposait qu'Alejandro se trouvait parmi eux, car il était trop âgé pour plonger. Elle ajouta que les prisonniers dormaient sur la plage, enchaînés sur le sable et affamés, car personne ne peut vivre en ne mangeant que des huîtres.

« Je ne vois pas comment tu peux sauver ton père de cet enfer », dit-elle.

Ce serait impossible tant qu'il serait sur le bateau, mais Diego savait, par le père Mendoza, qu'un curé allait arriver à la prison. Moncada et Alcázar, qui devaient garder le secret sur l'exploitation des perles, avaient suspendu l'opération pour quelques jours, afin que les prisonniers se trouvent à El Diablo quand le curé arriverait. Ce serait sa seule chance, expliqua-t-il. Il comprit qu'il serait impossible de dissimuler l'identité de Zorro à sa mère et sa grand-mère ; dans ce cas, il avait besoin d'elles. En leur parlant de Zorro et de ses projets, lui-même se rendit compte qu'ils avaient l'air complètement fous, aussi fut-il surpris que les deux femmes ne se troublent pas, comme si l'idée de se mettre un masque et d'attaquer El Diablo était une chose normale. Toutes deux promirent de garder le secret. Ils se mirent d'accord sur un plan : dans quelques jours Bernardo, accompagné de trois hommes de la tribu, les plus athlétiques et les plus courageux, se présenteraient avec plusieurs chevaux à La Croix des Têtes de Mort, à quelques lieues d'El Diablo, une croisée de chemins où deux bandits avaient été pendus. Leurs crânes, blanchis par la pluie et le soleil, étaient toujours exposés sur une croix de bois. Elles ne donneraient pas de détails aux Indiens, car moins ils en sauraient, mieux cela vaudrait au cas où ils seraient pris.

Diego expliqua à grands traits le plan qu'il avait imaginé pour délivrer son père et, dans la mesure du possible, les autres prisonniers. La plupart d'entre eux étaient des indigènes, ils connaissaient parfaitement le terrain et, s'ils disposaient d'un avantage, ils courraient se perdre dans la nature. Chouette-Blanche lui raconta que beaucoup d'Indiens avaient travaillé à la construction d'El Diablo, parmi eux son propre frère, que les Blancs appelaient Arsenio, mais dont le vrai nom était Yeux-qui-voient-dans-l'Ombre. Il était aveugle, or les Indiens pensaient que ceux qui naissent sans voir la lumière du soleil peuvent voir dans l'obscurité, comme les chauves-souris, et Arsenio était un bon exemple. Habile de ses mains, il fabriquait des outils et pouvait réparer n'importe quel mécanisme. Il connaissait la prison comme personne, se déplaçait à l'intérieur sans difficultés, car elle était le seul monde qu'il connaissait depuis quarante ans. Il travaillait là depuis bien avant l'arrivée de Carlos Alcázar et tenait dans sa prodigieuse mémoire le compte de tous les prisonniers qui étaient passés par El Diablo. La grand-mère remit à Diego des plumes de chouette.

« Peut-être mon frère pourra-t-il t'aider. Si tu le vois, dis-lui que tu es mon petit-fils et donne-lui ces plumes, il saura ainsi que tu ne mens pas », lui dit-elle.

Le lendemain, très tôt, Diego entreprit le voyage de retour à la mission, après s'être mis d'accord avec Bernardo sur l'endroit et le moment où ils se retrouveraient. Bernardo resta avec la tribu pour préparer sa part de l'équipement avec des matériaux qu'ils avaient pris à la mission, à l'insu du père Mendoza. « C'est l'un de ces rares cas où la fin justifie les moyens », avait assuré Diego tandis qu'ils furetaient dans la réserve du missionnaire à la recherche d'une longue corde, de salpêtre, de poudre de zinc et de mèches.

Avant de partir, le jeune homme demanda à sa mère pour-quoi elle lui avait choisi le prénom de Diego.

« C'est ainsi que s'appelait mon père, ton grand-père espagnol : Diego Salazar. C'était un homme courageux et bon, qui comprenait l'âme des Indiens. Il a déserté son bateau parce qu'il voulait être libre, il n'a jamais accepté l'obéissance aveugle qu'on exigeait de lui à bord. Il respectait ma mère et s'est adapté aux coutumes de notre tribu. Il m'a enseigné beaucoup de choses, entre autres le castillan. Pourquoi me poses-tu la question ? répliqua Toypurnia.

— J'ai toujours été curieux de le savoir. Savais-tu que Diego veut dire *imposteur* ?

— Non. Qu'est-ce que c'est ?

— Quelqu'un qui usurpe le nom, la qualité d'un autre », expliqua Diego.

*

Diego fit ses adieux à ses amis de la mission pour se rendre à Monterrey, comme il l'annonça. Il insisterait auprès du gouverneur pour qu'il fasse justice dans l'affaire de son père. Il ne voulut pas être accompagné et dit qu'il ferait le voyage sans effort, en s'arrêtant dans les missions situées le long du Chemin royal. Le père Mendoza le vit s'éloigner monté sur un cheval, un autre, derrière lui, transportant son équipage. Il avait la certitude que c'était un voyage inutile, une perte de temps qui pouvait coûter la vie à don Alejandro, car chaque nouveau jour que le vieil homme passait à El Diablo risquait d'être le dernier. Ses arguments n'avaient eu aucun effet sur Diego.

Dès que Diego eut laissé la mission derrière lui, il quitta la grand-route et, faisant demi-tour, se dirigea vers le sud en rase campagne. Il espérait que Bernardo avait préparé sa part et l'attendrait à la Croix des Têtes de Mort. Quelques heures plus tard, peu avant d'arriver sur le lieu, il changea de vêtement. Il passa l'habit ravaudé de moine qu'il avait pris au bon père Mendoza, se colla une barbe, improvisée avec des mèches de cheveux de Chouette-Blanche, et compléta le déguisement avec les lunettes de Nuria. La duègne devait être en train de remuer ciel et terre pour les trouver. Il arriva au croisement où les crânes des bandits saluaient, cloués sur les bouts de bois de la croix, et il n'eut pas à attendre longtemps : bientôt surgirent du néant Bernardo et trois jeunes Indiens, seulement vêtus de cache-sexe, armés d'arcs et de flèches, le corps couvert de peintures de guerre. Bernardo ne leur révéla pas l'identité du voyageur et il ne leur donna pas non plus d'explications lorsqu'il remit au présumé religieux les sacs qui contenaient les bombes et la corde. Les frères échangèrent un clin d'œil : tout était prêt. Diego remarqua que parmi la demi-douzaine de chevaux conduits par les Indiens se trouvait Tornado, et il ne put résister à la tentation de s'approcher pour lui caresser l'encolure avant de s'éloigner.

Diego prit à pied le chemin de la prison, il lui sembla qu'ainsi son aspect était inoffensif, une pathétique silhouette dans la blanche réverbération du soleil. L'un des chevaux portait son équipage et l'autre les articles préparés par Bernardo, y compris une grande croix de bois de cinq empans de hauteur. En arrivant au sommet d'une petite colline il put voir la mer au loin et distinguer la tache noire du sombre édifice d'El Diablo, dressé sur les rochers. Il avait soif et son habit était trempé de sueur, mais il pressa le pas, car il avait hâte de voir son père et de se jeter dans l'aventure. Il avait marché une vingtaine de minutes lorsqu'il entendit un bruit de sabots et vit le nuage de poussière d'une voiture. Il ne put éviter une exclamation de colère : cela venait compliquer ses plans, car personne ne circulait dans ces parages à moins de se rendre à la forteresse. Il baissa la tête, mit son capuchon et s'assura que sa barbe était à sa place. La sueur pouvait la décoller, bien qu'il eût utilisé une colle épaisse, faite avec la résine la plus forte. La voiture s'arrêta à côté de lui et, à son immense surprise, une fort jolie jeune fille apparut à la fenêtre.

« Vous devez être le prêtre qui vient à la prison, n'est-ce pas ? Nous vous attendions, mon père », salua-t-elle.

Le sourire de la jeune fille était enchanteur et le cœur capricieux de Diego fit un bond. Il commençait à se remettre du dépit que lui avait causé Juliana et il avait la capacité d'admirer d'autres femmes, surtout lorsqu'elles étaient aussi charmantes que celle-ci. Il dut faire un effort pour se rappeler son nouveau rôle.

« En effet, ma fille, je suis le père Aguilar, répliqua-t-il de la voix la plus éraillée possible.

— Montez dans ma voiture, mon père, ainsi vous pourrez vous reposer un peu. Moi aussi je vais à El Diablo, voir mon cousin, offrit-elle.

— Que Dieu te le rende, ma fille. »

Ainsi, cette beauté était Lolita Pulido! Cette fillette maigrichonne qui lui envoyait des billets tendres lorsqu'il avait quinze ans. Quel coup de chance! Ce l'était en vérité, car lorsque la voiture de Lolita arriva à la prison, avec les deux chevaux du faux curé à sa suite, Diego n'eut pas à donner d'explications. Dès que le cocher eut annoncé la jeune fille et le père Aguilar, les gardes leur ouvrirent les portes et les reçurent avec amabilité. Lolita était une figure connue, les soldats la saluèrent par son prénom et deux prisonniers qui se trouvaient aux ceps lui sourirent. « Donnez de l'eau à ces pauvres hommes, ils sont en train de cuire au soleil », suppliat-elle un gardien, qui se précipita pour satisfaire ses désirs. Pendant ce temps, Diego observait l'édifice et comptait discrètement les hommes en uniforme. Avec sa corde il pourrait glisser le long du mur vers l'extérieur, mais il n'avait aucune idée de la façon dont il sortirait son père de là; la prison paraissait inexpugnable et il y avait trop de gardes.

Les visiteurs furent immédiatement conduits au bureau de Carlos Alcázar, une salle sans autres meubles qu'une table, des chaises et des étagères avec les livres de registre de la prison. Dans ces bouquins usés on notait tout, depuis la dépense en fourrage pour les chevaux jusqu'aux morts des prisonniers, tout sauf les perles, qui de l'huître passaient directement dans les coffres de Moncada et Alcázar, sans laisser de traces visibles. Dans un coin, une statue en plâtre peint de la Vierge Marie écrasait du pied le démon.

« Bienvenue, mon père – salua Carlos Alcázar après avoir

embrassé sur les joues sa cousine, dont il était toujours aussi amoureux que dans son enfance. Nous ne vous attendions que demain. »

Diego, la tête penchée, les yeux baissés, la voix onctueuse, répondit en récitant la première chose en latin qui lui vint à l'esprit et termina par un emphatique *sursum corda*, qui ne venait pas à propos, mais qui lui cloua le bec. Carlos fit le distrait, il n'avait jamais été doué pour les langues mortes. Il était encore jeune, il ne devait pas avoir plus de vingt-trois ou vingt-quatre ans, mais son expression cynique lui donnait l'air plus âgé. Il avait des lèvres cruelles et des yeux de rat. Diego pensa que Lolita ne pouvait être de la même famille, cette fille méritait mieux que d'être la cousine de Carlos.

L'imposteur déguisé en curé accepta un verre d'eau et annonça que le lendemain il dirait la messe, confesserait et donnerait la communion à ceux qui solliciteraient les sacrements. Il était très fatigué, ajouta-t-il, mais il souhaitait voir cet après-midi même les prisonniers malades et ceux punis, y compris les deux qui étaient aux ceps. Lolita se joignit au programme; entre autres choses, elle apportait une caisse de médicaments qu'elle mit à la disposition du père Aguilar.

« Ma cousine a le cœur très tendre, mon père. Je lui ai dit que El Diablo n'est pas un endroit recommandable pour des demoiselles, mais elle ne m'écoute pas. Elle ne veut pas non plus comprendre que la plupart de ces hommes sont des bêtes sans morale ni sentiments, capables de mordre la main de celui qui leur donne à manger.

— Aucun ne m'a encore mordue, Carlos, répliqua Lolita.

— Nous dînerons bientôt, mon père. Ne vous attendez pas à un festin, ici nous vivons avec modestie, dit Alcázar.

— Ne t'inquière pas, mon fils, je mange très peu et cette semaine je jeûne. Du pain et de l'eau seront suffisants. Je préfère une collation dans ma chambre, car après avoir vu les malades je dois dire mes prières.

— Arsenio! » appela Alcázar.

Un Indien surgit de l'ombre. Il avait tout le temps été dans son coin, tellement immobile et silencieux que Diego ne s'était pas rendu compte de sa présence. Il le reconnut à la description de Chouette-Blanche. Il avait les yeux voilés par une pellicule blanche, mais se déplaçait sans hésitation.

« Conduis le père à sa chambre, pour qu'il se rafraîchisse. Mets-toi à ses ordres, tu m'as entendu ? ordonna Alcázar.

— Oui, monsieur.

— Tu peux l'emmener voir les malades.

— Sebastián aussi, monsieur ?

— Non, pas ce pauvre type.

— Pourquoi ? intervint Diego.

— Celui-là n'est pas malade. Nous avons dû lui donner quelques coups de fouet, rien de grave, ne vous inquiétez pas, mon père. »

Lolita se mit à pleurer : son cousin lui avait promis qu'il n'y aurait plus de châtiments de ce genre. Diego les laissa discuter et suivit Arsenio à la chambre qu'on lui avait assignée où l'attendaient, intacts, ses bagages, y compris la grande croix.

*

« Vous n'êtes pas un homme d'Eglise », dit Arsenio lorsqu'ils furent dans la chambre de l'hôte, à huis clos.

Diego eut un sursaut de frayeur ; si un aveugle pouvait deviner qu'il était déguisé, il n'avait aucun espoir de tromper les voyants.

« Vous n'avez pas l'odeur d'un curé, ajouta Arsenio en guise d'explication.

— Non ? Et qu'est-ce que je sens ? demanda Diego, surpris, car il était vêtu de l'habit du père Mendoza.

— Les cheveux d'indienne et la colle à bois », répliqua Arsenio.

Le jeune homme toucha sa barbe postiche et ne put retenir

un éclat de rire. Il décida de profiter de l'occasion, car il n'y en aurait sûrement pas d'autre, et avoua à Arsenio qu'il était venu pour une mission particulière et avait besoin de son aide. Il lui mit dans la main les plumes de sa grand-mère. L'aveugle les tâta de ses doigts clairvoyants et l'émotion qu'il éprouva en reconnaissant sa sœur se peignit sur son visage. Diego lui précisa qu'il était le petit-fils de Chouette-Blanche et cela suffit pour qu'Arsenio s'ouvrît; il n'avait aucune nouvelle d'elle depuis des années, dit-il. Il lui confirma que El Diablo avait été une forteresse avant d'être une prison, et qu'il avait aidé à sa construction, puis qu'il était resté pour servir les soldats, et maintenant les geôliers. L'existence avait toujours été dure entre ces murs, mais depuis que Carlos Alcázar en avait la charge, c'était un enfer; la cupidité et la cruauté de cet homme étaient indescriptibles, expliqua-t-il. Alcázar imposait des travaux forcés et des châtiments brutaux aux prisonniers, il gardait l'argent destiné à la nourriture et les nourrissait des restes du rata des soldats. En ce moment, l'un d'eux était à l'agonie, d'autres avaient la fièvre car ils avaient été en contact avec des méduses venimeuses et plusieurs avaient les poumons éclatés, ils saignaient du nez et des oreilles.

« Et Alejandro de La Vega? demanda Diego, la mort dans l'âme.

— Il ne durera pas longtemps, il a perdu l'envie de vivre, il ne bouge presque plus. Les autres prisonniers font son travail pour qu'on ne le punisse pas et ils lui donnent à manger, dit Arsenio.

— Je t'en prie, Yeux-qui-voient-dans-l'Ombre, conduis-moi auprès de lui. »

Dehors le soleil n'était pas encore couché, mais à l'intérieur la prison était sombre. Les murs épais et les fenêtres exiguës laissaient à peine entrer la lumière. Arsenio, qui n'avait pas besoin de lampe à huile pour se situer, prit Diego par la manche et le conduisit sans hésiter le long des couloirs plongés dans la pénombre et dans les étroits escaliers de l'édifice jusqu'aux cachots de la cave, qui avaient été ajoutés à la forteresse lorsqu'on avait décidé de l'utiliser comme prison. Ces cellules se trouvaient au-dessous du niveau de l'eau, et à marée haute l'humidité s'infiltrait, produisant une patine verdâtre sur les pierres et une odeur nauséabonde. Le gardien de service, un métis au visage grêlé portant une moustache de phoque, ouvrit la grille de fer qui donnait accès à un couloir, et remit le trousseau de clés à Arsenio. Le silence surprit Diego. Il supposait qu'il devait y avoir plusieurs prisonniers, mais ceux-ci étaient apparemment si épuisés et si faibles qu'ils n'émettaient pas un seul murmure. Arsenio se dirigea vers l'un des cachots, palpa le trousseau, choisit la clé adéquate et ouvrit la grille sans hésiter. Diego eut besoin de plusieurs secondes pour adapter sa vue à l'obscurité et distinguer des silhouettes appuyées contre le mur ainsi qu'une masse sur le sol. Arsenio alluma une bougie et lui s'agenouilla près de son père, si ému qu'il ne put prononcer un seul mot. Il souleva avec précaution la tête d'Alejandro de La Vega et la posa sur ses genoux, écartant les mèches de cheveux collés à son front. A la lumière de la flamme tremblotante il put mieux le voir et ne le reconnut pas. Il ne restait rien de l'élégant et superbe hidalgo, héros d'anciennes batailles, alcade de Los Angeles et propriétaire foncier prospère. Il était immonde, n'avait que la peau sur les os, crevassée et terreuse, il tremblait de fièvre, avait les yeux collés par les chassies et un filet de salive coulait sur son menton.

« Don Alejandro, pouvez-vous m'entendre ? C'est le père Aguilar..., dit Arsenio.

— Je suis venu vous secourir, monsieur, nous allons vous sortir d'ici », murmura Diego.

Les trois autres hommes qui se trouvaient dans la cellule sentirent une étincelle d'intérêt, mais aussitôt ils s'adossèrent de nouveau au mur. Ils étaient au-delà de l'espoir.

« Donnez-moi les derniers sacrements, mon père. Il est trop tard pour moi, murmura le malade dans un filet de voix.

411

« — Il n'est pas trop tard. Allons, monsieur, asseyez-vous... », le supplia Diego.

Il parvint à le redresser et à lui faire boire de l'eau, puis il lui nettoya les yeux avec le bord mouillé de son habit.

« Faites un effort pour vous mettre debout, car pour sortir vous devez marcher, insista Diego.

— Laissez-moi, mon père, je ne sortirai pas d'ici en vie.

— Si, vous sortirez. Je vous assure que vous reverrez votre fils, et je ne veux pas dire au ciel, mais en ce monde...

— Mon fils, avez-vous dit?

— C'est moi, Diego, ne me reconnaissez-vous pas, Votre Grâce? » murmura le moine, en essayant que les autres ne l'entendent pas.

Alejandro de La Vega l'examina quelques secondes, essayant de fixer la vue de ses yeux troublés, mais il ne trouva pas l'image connue dans ce moine encapuchonné et hirsute. Toujours dans un murmure, le jeune homme lui expliqua qu'il portait l'habit et une barbe postiche, car personne ne devait savoir qu'il se trouvait là.

« Diego... Diego... Dieu a entendu ma supplique! J'ai tant prié pour te revoir avant de mourir, mon fils!

— Vous avez toujours été un homme combatif et courageux, Votre Grâce. Ne me faites pas défaut, je vous en prie. Vous devez vivre. Il faut que je m'en aille à présent, mais préparez-vous, car dans un moment un ami à moi va venir vous délivrer.

— Dis à ton ami que ce n'est pas moi qu'il doit libérer, Diego, mais mes compagnons. Je leur dois beaucoup, ils ont retiré le pain de leur bouche pour me le donner. »

Diego se retourna pour regarder les autres prisonniers, trois Indiens aussi sales et aussi maigres que son père, avec la même expression d'abattement absolu, mais jeunes et encore sains. Apparemment, ces hommes avaient réussi à changer en quelques semaines l'attitude de supériorité qui avait soutenu l'hidalgo espagnol tout au long de sa vie. Il pensa aux retour-

412

nements du destin. Le capitaine Santiago de León lui avait dit une fois, alors qu'ils observaient les étoiles en pleine mer, que si l'on vit assez longtemps, on en vient à revoir ses convictions et à en corriger certaines.

« Ils sortiront avec vous, Votre Grâce, je vous le promets », lui assura Diego en s'en allant.

*

Arsenio laissa le supposé prêtre dans sa chambre et peu après lui apporta une simple collation de pain rassis, de soupe aqueuse, avec un verre de vin ordinaire. Diego se rendit compte qu'il avait une faim de loup et il regretta d'avoir annoncé à Carlos Alcázar qu'il jeûnait. Il n'y avait pas de raison d'aller si loin dans l'imposture. Il pensa qu'à cette heure Nuria devait être en train de préparer un ragoût de queue de bœuf à la mission de San Gabriel.

« Je suis seulement venu explorer le terrain, Arsenio. Une autre personne va tenter de délivrer les prisonniers et d'emmener don Alejandro de La Vega en lieu sûr. Il s'agit de Zorro, un vaillant chevalier, vêtu de noir et masqué, qui apparaît toujours lorsqu'il faut faire justice », expliqua-t-il à l'aveugle.

Arsenio crut qu'il se moquait de lui. Il n'avait jamais entendu parler d'un tel personnage; cela faisait cinquante ans qu'il voyait l'injustice de toutes parts sans que personne n'eût jamais fait mention d'un homme masqué. Diego lui assura que les choses allaient changer en Californie. On allait voir qui était Zorro! Les faibles recevraient protection et les scélérats goûteraient le fil de son épée et le coup de son fouet. Arsenio se mit à rire, à présent tout à fait convaincu que cet homme était timbré.

« Croyez-vous que Chouette-Blanche m'aurait envoyé vous parler s'il s'agissait d'une plaisanterie! » s'exclama Diego, irrité.

Cet argument parut avoir un certain impact sur l'Indien, car il demanda comment ce Zorro pensait libérer les prisonniers, vu que personne ne s'était jamais échappé d'El Diablo. Il ne s'agissait pas de sortir d'un pas tranquille par la porte principale. Diego lui expliqua qu'aussi magnifique que fût l'homme masqué, il ne pourrait réussir tout seul, il avait besoin d'aide. L'autre réfléchit un bon moment, et enfin lui confia qu'il existait une autre issue, mais il ne savait pas si elle était encore praticable. Lorsqu'on avait construit la forteresse, on avait creusé un tunnel pour s'échapper en cas de siège. A cette époque, les attaques de pirates étaient fréquentes et on disait que les Russes avaient l'intention de s'emparer de la Californie. Le tunnel, qu'on n'avait jamais utilisé et dont personne ne se souvenait, débouchait au milieu d'une épaisse forêt, à peu de distance à l'ouest, justement dans un ancien site sacré des Indiens.

« Béni soit Dieu, c'est justement ce dont j'ai besoin, je veux dire, ce dont Zorro a besoin. Où est l'entrée du tunnel?

— Si ce Zorro vient, je vous le montrerai », répliqua Arsenio d'un ton narquois.

Une fois seul, Diego entreprit d'ouvrir ses bagages, qui contenaient son costume noir, son fouet et un pistolet. Dans les sacs de Bernardo il trouva la corde, une ancre métallique et plusieurs récipients en terre. C'étaient les bombes fumigènes préparées avec du nitrate et de la poudre de zinc, conformément aux instructions copiées, avec d'autres curiosités, dans les livres du capitaine Santiago de León. Il avait projeté de faire l'une de ces bombes pour donner une bonne frayeur à Bernardo, se doutant peu qu'elle servirait à sauver son père. Il enleva sa barbe avec assez de difficulté, se mordant pour ne pas crier de douleur en tirant. Son visage resta irrité, comme s'il se l'était brûlé, et il décida que ce n'était pas la peine de coller sa moustache, le masque suffirait; mais tôt ou tard il devrait se laisser pousser la moustache. Il se lava avec l'eau qu'Arsenio avait laissée dans une cuvette et s'habilla en Zorro.

414

Il entreprit ensuite de démonter la grande croix de bois et sortit l'épée de l'intérieur. Il mit les gants de cuir et fit quelques pas, essayant la flexibilité de l'acier et la fermeté de ses muscles. Il sourit, satisfait.

Il regarda par la fenêtre, vit que dehors il faisait déjà sombre et supposa que Carlos et Lolita avaient dîné et devaient se trouver dans leurs chambres. La prison était calme et silencieuse, le moment d'agir était venu. Il mit le fouet et le pistolet dans sa ceinture, l'épée dans son fourreau, et s'apprêta à sortir. « Au nom de Dieu ! » murmura-t-il en croisant les doigts, pour qu'au dessein divin s'ajoutât la chance. Il avait mémorisé le plan de l'édifice et compté les marches de l'escalier, afin de pouvoir se déplacer sans lumière. Son costume obscur lui permettait de disparaître dans l'ombre et il espérait qu'il n'y aurait pas trop de surveillance.

Se glissant sans faire de bruit, il arriva à l'une des terrasses et chercha où cacher les bombes, qu'il transporta deux par deux. Elles étaient lourdes et il ne pouvait courir le risque de les faire tomber. Lors du dernier voyage, il mit à son épaule la corde enroulée et l'ancre de fer. Après s'être assuré que les bombes étaient bien à l'abri, il sauta de la terrasse jusqu'à la muraille périphérique qui enfermait la prison, faite de pierres et de mortier, d'une largeur suffisante pour que des sentinelles s'y promènent, et éclairée par des torches tous les cinquante pas. De son refuge il vit passer un garde et compta les minutes jusqu'au passage du second. Lorsqu'il fut certain que seuls deux hommes circulaient, il calcula qu'il disposerait juste du temps qu'il lui fallait pour réaliser l'étape suivante. Il courut en se baissant vers l'aile sud de la prison, car il avait décidé avec Bernardo qu'il l'attendrait à cet endroit, où un petit promontoire rocheux pourrait faciliter l'ascension. Tous deux connaissaient les environs de la prison, les ayant explorés à plusieurs reprises dans leur enfance. Une fois qu'il eut situé l'endroit précis, il laissa passer la sentinelle avant de prendre l'une des torches et de tracer avec plusieurs arcs de lumière ;

c'était le signal pour Bernardo. Puis il assura l'ancre de fer sur le mur et lança la corde vers l'extérieur, priant pour qu'elle atteigne le sol et que son frère la voie. Il dut se cacher de nouveau car la deuxième sentinelle approchait, qui s'arrêta pour regarder le ciel à deux pas de l'ancre métallique. Son cœur fit un bond et il sentit son masque se mouiller de sueur lorsqu'il vit que les jambes de l'homme étaient si près de l'ancre qu'il pourrait la toucher. Si cela arrivait, il devrait le pousser et le jeter par-dessus la muraille, mais cette sorte de violence lui répugnait. Comme il l'avait expliqué un jour à Bernardo, le plus grand défi était de faire justice sans tacher sa conscience du sang d'autrui. Bernardo, qui avait toujours les pieds bien posés sur terre, lui avait fait remarquer que cet idéal ne pourrait pas toujours être respecté.

Le garde reprit sa promenade au moment même où, d'en bas, Bernardo tirait la corde, faisant bouger l'ancre. Le bruit parut assourdissant à Zorro, mais la sentinelle n'hésita que quelques secondes, puis elle arrangea son arme sur son épaule et continua son chemin. Avec un soupir de soulagement, l'homme masqué jeta un coup d'œil par-dessus le mur. Il ne pouvait pas encore voir ses compagnons, mais la tension de la corde lui indiquait que ceux-ci avaient commencé l'ascension. Comme ils l'avaient prévu, les quatre hommes arrivèrent en haut juste à temps pour se cacher avant d'entendre les pas de l'autre garde dans sa ronde. Zorro indiqua aux Indiens où se trouvait la sortie du tunnel dans la forêt, comme le lui avait dit Arsenio, et il demanda à deux d'entre eux de descendre dans la cour de la prison et de chasser les chevaux de la garnison afin d'empêcher les soldats de les suivre. Aussitôt, chacun partit exécuter la tâche qui lui avait été assignée.

Zorro retourna à la terrasse où il avait caché les bombes et, après avoir échangé avec Bernardo un bref aboiement de coyote, il les lui lança une à une sur la muraille. Il en garda deux, que lui-même devait utiliser à l'intérieur de l'édifice. Bernardo alluma les mèches des siennes, il les fit passer à l'Indien qui l'accompagnait et tous deux coururent le long du mur, silencieux et rapides, comme ils le faisaient lorsqu'ils allaient à la chasse. Ils se placèrent à des endroits différents et, au moment où les flammes consumaient les mèches et atteignaient le contenu des pots en terre, ils les lancèrent sur leurs objectifs : l'écurie, l'arsenal, le logement des soldats, la cour. Tandis que l'épaisse fumée blanche des bombes enveloppait la prison, Zorro faisait exploser les siennes au rez-de-chaussée et au premier étage de l'édifice principal. La panique se répandit en quelques minutes. Au cri de « Au feu! » les soldats sortirent en titubant, enfilant leur pantalon et leurs bottes, tandis qu'une cloche sonnait l'alarme. Tout le monde courait pour sauver ce qui pouvait l'être, les uns faisaient passer des seaux d'eau de main en main et les vidaient à l'aveuglette, suffoquant, d'autres ouvraient les écuries et obligeaient les animaux à sortir. Le lieu se remplit de chevaux épouvantés, ajoutant à la confusion. Les deux Indiens de Toypurnia, qui étaient descendus du mur et étaient cachés dans la cour, profitèrent du tohu-bohu pour ouvrir les portes de la forteresse et provoquer la fuite éperdue des chevaux, qui partirent à travers champs. C'étaient des bêtes domestiquées et elles n'allèrent pas très loin, se regroupant à peu de distance, où les Indiens les rejoignirent. Ils montèrent deux d'entre elles et excitèrent les autres vers l'endroit du rassemblement indiqué par Zorro, à proximité de la sortie du tunnel.

Carlos Alcázar se réveilla au bruit de la cloche et sortit s'enquérir de la cause de tant de vacarme. Il essaya d'imposer le calme à ses hommes en leur expliquant que les murs de pierre ne pouvaient brûler, mais personne ne fit attention à lui, car les Indiens avaient tiré des flèches enflammées sur la paille des écuries et l'on voyait des flammes au milieu du nuage de fumée. A ce moment, la fumée à l'intérieur de l'édifice était insupportable et Alcázar courut chercher sa cousine bien-aimée, mais avant d'atteindre sa chambre il la trouva au milieu du couloir.

« Les prisonniers ! Il faut sauver les prisonniers ! » s'exclama Lolita, désespérée.

Mais lui avait d'autres priorités. Il ne pouvait permettre que l'incendie détruisît ses précieuses perles.

*

Au cours des deux derniers mois, les prisonniers avaient récolté des milliers d'huîtres, aussi Moncada et Alcazar avaient-ils déjà plusieurs poignées de perles. Dans la répartition, deux tiers revenaient à Moncada, qui finançait l'opération, et le dernier tiers à Alcázar, qui la dirigeait. Le négoce étant illégal, ils ne tenaient pas un registre, mais avaient mis au point un système de comptabilité. Les perles étaient introduites par un petit trou dans un coffre scellé, fixé au sol par deux barres métalliques, qui s'ouvrait avec deux clés. Chacun des associés était en possession d'une clé, et ils se réuniraient à la fin de la saison pour ouvrir le coffre et se partager le contenu. Moncada avait désigné un homme de confiance pour surveiller la récolte dans le bateau, et il exigeait que ce soit Arsenio qui les introduise une à une dans le coffre. L'aveugle, avec son extraordinaire mémoire tactile, était le seul capable de se rappeler le nombre exact des perles et, si nécessaire, peut-être pourrait-il même décrire la taille et la forme de chacune d'elles. Carlos Alcázar le détestait, car il gardait ces chiffres en tête et avait fait la preuve qu'il était incorruptible. Il prenait garde de ne pas le maltraiter, car Moncada le protégeait, mais il ne perdait pas une occasion de l'humilier. En revanche, il avait suborné l'homme qui surveillait sur le bateau et, moyennant une rémunération raisonnable, celui-ci permettait à Alcázar de soustraire les perles les plus rondes, les plus grosses et du plus bel orient, qui ne passaient pas par les mains d'Arsenio ni n'arrivaient au coffre. Rafael Moncada ne saurait jamais rien de leur existence.

Tandis que les trois Indiens de la tribu de Toypurnia ache-
vaient de semer le chaos et volaient les chevaux, Bernardo
s'introduisit dans l'édifice où l'attendait Zorro, qui le guida
jusqu'aux cachots. Ils avaient parcouru quelques mètres de
couloir, se couvrant le visage de mouchoirs mouillés pour
supporter la fumée, quand une main saisit le bras de Zorro.

« Padre Aguilar ! Suivez-moi, c'est plus court par ici... »

C'était Arsenio, qui ne pouvait apprécier la transformation
du missionnaire en l'ineffable Zorro, mais qui avait reconnu
sa voix. Il n'était pas indispensable de le tirer de son erreur.
Les frères s'empressèrent de le suivre, mais la silhouette de
Carlos Alcázar apparut soudain dans le corridor, bloquant le
passage. En voyant ces deux inconnus – l'un d'eux vêtu de la
plus pittoresque façon –, le chef de la prison porta la main à
son pistolet et tira. Un cri de douleur résonna entre les murs
et la balle alla se ficher dans une poutre du plafond : Zorro lui
avait arraché le pistolet d'un coup de fouet au poignet à
l'instant où il appuyait sur la détente. Bernardo et Arsenio se
dirigèrent vers les cachots tandis que Diego, l'épée à la main,
poursuivait Alcázar en haut des escaliers. Il venait d'avoir une
idée pour résoudre les problèmes du père Mendoza et, par la
même occasion, faire passer un mauvais quart d'heure à
Moncada. En fait, je suis un génie, conclut-il en courant.

Alcázar atteignit son bureau en quatre bonds et parvint à
fermer la porte à clé avant que l'autre ne le rejoigne. La fumée
n'avait pas pénétré dans cette pièce. Zorro déchargea son
pistolet sur le verrou de la porte et la poussa, mais celle-ci ne
céda pas, elle était munie d'une barre à l'intérieur. Il avait
perdu son unique balle, il n'avait pas le temps de recharger
son arme et chaque minute comptait. Il savait, pour avoir été
dans cette salle, que les fenêtres donnaient sur le balcon
extérieur. Il était évident, à simple vue, qu'il ne pourrait
l'atteindre d'un saut, comme il l'envisageait, sans risquer de se
rompre le cou sur les pierres de la cour, mais à l'étage supérieur dépassait une gargouille décorative taillée dans la pierre.

Il réussit à y enrouler l'extrémité de son fouet, donna une secousse pour l'assurer et, priant que la figure résiste à son poids, il se balança, tombant en beauté sur le balcon. Dans son bureau, Carlos Alcázar était occupé à charger son pistolet pour faire sauter les verrous du coffre, en tirant dessus, et il ne vit pas l'ombre à la fenêtre. Zorro attendit qu'il ait déchargé son arme, pulvérisant l'un des cadenas, et il fit irruption dans la pièce par la fenêtre ouverte. Sa cape s'entortilla et le fit vaciller l'espace d'une seconde, temps suffisant pour qu'Alcázar lâche le pistolet, à présent inutile, et saisisse son épée. Cet homme, si cruel avec les faibles, était lâche face à un adversaire de même force et, en plus, il avait peu de pratique de l'escrime; en moins de trois minutes sa lame sautait dans les airs, il se trouvait les bras levés et la pointe d'une épée sur la poitrine.

« Je pourrais te tuer, mais je ne veux pas me tacher du sang d'un chien. Je suis Zorro et je viens pour tes perles.

— Les perles appartiennent à Monsieur Moncada!

— Appartenaient. Elles sont à moi maintenant. Ouvre le coffre.

— Il faut deux clés et j'en ai une seule.

— Utilise le pistolet. Attention, au moindre geste suspect, je te transperce le cou sans le moindre scrupule. Zorro est généreux, il te fera grâce de la vie à condition que tu obéisses », le menaça l'individu masqué.

En tremblant, Alcázar parvint à recharger son pistolet et à briser d'un coup l'autre cadenas. Il souleva le couvercle en bois et le trésor apparut, si blanc et si brillant qu'il ne put s'empêcher d'y plonger la main et de laisser couler les merveilleuses perles entre ses doigts. Pour sa part, Zorro n'avait jamais rien vu de si précieux. Comparées à cela, les pierres précieuses qu'il avait obtenues à Barcelone pour la valeur des propriétés de Tomás de Romeu paraissaient bien modestes. Dans cette caisse se trouvait une fortune. Il fit signe à son adversaire de vider le contenu dans un gousset.

« Le feu va atteindre la poudrière d'un instant à l'autre et El Diablo va voler en éclats. Je tiens ma parole, je te laisse la vie sauve, profites-en », dit-il.

L'autre ne répondit pas. Au lieu de se précipiter vers la sortie, comme on aurait pu s'y attendre, il resta dans le bureau. Zorro avait remarqué qu'il jetait des coups d'œil furtifs vers l'autre bout de la pièce, là où se trouvait la statue de la Vierge Marie sur son piédestal en pierre. Apparemment, cela l'intéressait davantage que sa propre vie. Zorro prit le gousset contenant les perles, enleva la barre de la porte et disparut dans le corridor, mais il n'alla pas loin. Il attendit, comptant les secondes, et comme Alcázar ne sortait pas, il retourna dans le bureau, à temps pour le surprendre en train de briser la tête de la statue avec la crosse de son pistolet.

« Quelle manière irrévérencieuse de traiter la Madone! » s'exclama-t-il.

Carlos Alcázar se retourna, décomposé par la fureur, et il lui lança le pistolet à la tête, le manquant d'une bonne marge, en même temps qu'il tendait la main vers son épée, laquelle gisait au sol à deux pas de lui. A peine s'était-il redressé que le masqué était déjà sur lui, tandis que la fumée blanche du corridor commençait à envahir la pièce. Ils croisèrent le fer pendant plusieurs minutes, aveuglés par la fumée, toussant. Alcázar recula peu à peu vers sa table de travail et, au moment où il perdait son épée pour la deuxième fois, sortit du tiroir un pistolet chargé. Il n'eut pas l'occasion de viser, car un formidable coup de pied dans le bras le désarma, puis Zorro lui marqua la joue de trois rayures vertigineuses avec sa lame, formant la lettre Z. Alcázar poussa un hurlement, tomba à genoux et porta les mains à son visage.

« Ce n'est pas mortel, mon vieux, c'est la marque de Zorro, pour que tu ne m'oublies pas », dit l'homme masqué.

Par terre, au milieu des morceaux brisés de la statue, il y avait une petite bourse en peau de chamois que Zorro saisit au vol avant de sortir en courant. Il ne verrait que plus tard, en examinant son contenu, qu'elle contenait cent trois perles magnifiques, plus précieuses que toutes celles du coffre.

*

Zorro avait mémorisé le trajet et il arriva rapidement aux cachots. La cave était la seule partie d'El Diablo où la fumée n'était pas arrivée et où l'on n'entendait pas non plus le vacarme des coups de cloche, des courses précipitées et des cris. Les prisonniers ignoraient ce qui se passait dehors avant qu'apparût Lolita, donnant l'alarme. La jeune fille était descendue en chemise de nuit et nu-pieds pour exiger des gardiens qu'ils sauvent les hommes. Face à l'éventualité d'un incendie, les gardes saisirent la torche sur le mur et prirent la poudre d'escampette, oubliant complètement les prisonniers, tandis que Lolita se retrouvait en train de tâter dans les ténèbres à la recherche des clés. Lorsqu'ils comprirent qu'il s'agissait d'un incendie, les captifs affolés se mirent à pousser des hurlements et à secouer les grilles pour essayer de sortir. Sur ce apparurent Arsenio et Bernardo. Le premier se dirigea calmement vers la petite armoire où l'on gardait les bougies et les clés des cellules, qu'il pouvait reconnaître au toucher, tandis que le second allumait des lampes et essayait de calmer Lolita.

Zorro fit son entrée quelques instants plus tard. Lolita poussa une exclamation en voyant cet homme masqué en deuil qui brandissait une épée ensanglantée, mais sa frayeur fit place à la curiosité lorsqu'il rengaina son épée et s'inclina pour lui baiser la main. Bernardo intervint en donnant une tape sur l'épaule de son frère : le moment était mal choisi pour des galanteries.

« Du calme! C'est seulement de la fumée! Suivez Arsenio, il connaît une autre sortie », indiqua Zorro aux prisonniers qui émergeaient de leurs cachots.

Il jeta sa cape à terre et ils posèrent Alejandro de La Vega dessus. Quatre Indiens saisirent la cape par les pointes, comme un hamac, et emportèrent le malade. D'autres aidèrent le malheureux qui avait été fouetté et tous, y compris Lolita, suivirent Arsenio en direction du tunnel, Bernardo et Zorro se tenant en arrière-garde pour les protéger. L'entrée se trouvait derrière une pile de barils et des vieux meubles, non dans l'intention de la cacher, mais parce qu'on ne l'avait jamais utilisée et qu'au fil du temps les choses s'étaient accumulées à cet endroit. Il était évident que personne n'avait remarqué son existence. Ils dégagèrent la petite porte et pénétrèrent un à un dans la galerie. Zorro expliqua à Lolita qu'il n'y avait pas de danger d'incendie, la fumée était une diversion pour sauver ces hommes, innocents pour la plupart. Elle entendait à peine ses paroles, mais elle acquiesçait, comme hypnotisée. Qui était ce jeune homme si séduisant ? Peut-être un hors-la-loi, raison pour laquelle il cachait son visage, mais une telle possibilité, loin de la freiner, excitait son enthousiasme. Elle était prête à le suivre au bout du monde, mais il ne lui en fit pas la demande ; en revanche, il la pria de retourner arrimer les barils et les vieux meubles devant la porte une fois qu'ils seraient tous entrés dans le tunnel. De plus, elle devait mettre le feu à la paille des cachots, cela leur donnerait plus de temps pour s'enfuir, lui indiqua-t-il. Lolita, ayant perdu toute volonté, acquiesça avec un sourire niais, mais le regard brûlant.

« Merci, mademoiselle, dit-il.

— Qui êtes-vous ?

— Mon nom est Zorro.

— Quelle sorte de sottise est-ce là, monsieur ?

— Ce n'est pas une sottise, je vous assure, Lolita. Je ne peux vous donner plus d'explications à présent, car le temps presse, mais nous nous reverrons, répliqua-t-il.

— Quand ?

— Bientôt. Ne fermez pas la fenêtre de votre balcon et un de ces soirs je vous rendrai visite. »

Cette proposition aurait dû être prise comme une insulte, mais le ton de l'inconnu était galant et ses dents très blanches.

Lolita ne sut que répondre et, lorsque son bras ferme entoura sa taille, elle ne fit rien pour l'écarter, au contraire, elle ferma les yeux et lui offrit ses lèvres. Zorro, un peu surpris par la rapidité avec laquelle il avançait sur ce terrain, l'embrassa sans aucune trace de la timidité qu'il éprouvait autrefois devant Juliana. Caché derrière le masque de Zorro, il pouvait laisser libre cours à sa galanterie. Etant donné les circonstances, ce fut un baiser assez délicieux. En réalité, il aurait été parfait si tous deux n'avaient pas toussé à cause de la fumée. Zorro se détacha d'elle avec regret et s'introduisit dans le tunnel à la suite des autres. Il fallut trois bonnes minutes à Lolita pour recouvrer l'usage de la raison et son souffle, puis elle se mit en devoir d'exécuter les instructions du fascinant homme masqué, qu'elle avait l'intention d'épouser un jour pas très lointain, avait-elle déjà décidé. C'était une fille éveillée.

Une demi-heure après qu'eurent explosé les bombes, la fumée commença à se dissiper; les soldats avaient alors éteint le feu dans les écuries et luttaient contre celui des cachots, tandis que Carlos Alcázar, étanchant le sang de sa joue avec un chiffon, avait repris le contrôle de la situation. Il ne parvenait pas encore à comprendre ce qui s'était passé. Ses hommes avaient trouvé les flèches qui avaient mis le feu, mais personne n'avait vu les responsables. Il ne pensait pas qu'il s'agissait d'une attaque d'Indiens, cela ne s'était pas produit depuis vingt-cinq ans, ce devait être une diversion de ce Zorro pour dérober les perles. Ce n'est qu'un bon moment plus tard qu'il sut que les prisonniers avaient disparu sans laisser de traces.

Le tunnel, renforcé par des planches pour éviter les affaissements, était étroit, mais il permettait largement le passage d'une personne. L'air y était raréfié, les conduits d'aération s'étaient obstrués au fil du temps et Zorro décida qu'ils ne pouvaient consommer le peu d'oxygène disponible avec les flammes des bougies, ils devraient avancer dans l'obscurité. Arsenio, qui n'avait pas besoin de lumière, allait devant, avec la seule bougie autorisée, comme signal pour les autres. La sensation d'être enterrés vivants et l'idée qu'un éboulement les emprisonne là pour toujours étaient terrifiantes. Bernardo perdait rarement son calme, mais il était habitué aux grands espaces et là, il avait l'impression d'être une taupe ; la panique s'emparait peu à peu de lui. Il ne pouvait avancer plus vite ni reculer, l'air lui manquait, il étouffait, il croyait marcher sur des rats et des serpents, il était sûr que le tunnel se rétrécissait par moments et que jamais il ne pourrait sortir. Quand la terreur l'arrêtait, la main ferme de son frère dans son dos et sa voix rassurante lui donnaient du courage. Zorro était le seul du groupe que n'affectait pas ce confinement, car il était très occupé par la pensée de Lolita. Comme le lui avait dit Chouette-Blanche pendant son initiation, les cavernes et la nuit étaient les éléments du renard.

Le parcours du tunnel leur parut très long, bien que la sortie ne fût pas éloignée de la prison. De jour, les gardes auraient pu les voir, mais en pleine nuit les fugitifs réussirent à émerger du tunnel sans risquer d'être vus, protégés par les arbres. Ils sortirent couverts de terre, assoiffés, avides de respirer l'air pur. Les Indiens se dépouillèrent de leurs guenilles de prisonniers, secouèrent la terre qu'ils avaient sur eux et, nus, levèrent les bras et le visage vers le ciel pour célébrer ce premier instant de liberté. Lorsqu'ils comprirent qu'ils se trouvaient en un lieu sacré, ils se sentirent réconfortés : c'était de bon augure. Des sifflements répondirent à ceux de Bernardo et bientôt les Indiens de Toypurnia apparurent, conduisant les chevaux volés et les leurs, parmi lesquels se trouvait Tornado. Les fugitifs les montèrent par deux et se dispersèrent en direction des montagnes. C'étaient des gens de la région et ils pourraient rejoindre leurs tribus avant que les soldats ne s'organisent pour les rattraper. Ils pensaient se tenir le plus loin possible des Blancs jusqu'à ce que la normalité fût revenue en Californie.

Zorro secoua la terre qu'il avait sur lui, regrettant que le costume récemment acheté à Cuba fût déjà immonde, et il se félicita que les choses se fussent passées encore mieux qu'il ne l'avait espéré. Arsenio prit en croupe sur son cheval l'homme qui avait été flagellé; Bernardo installa Alejandro de La Vega sur le sien et s'assit derrière lui pour le soutenir. Le chemin de la montagne était escarpé et ils en parcourraient la plus grande partie pendant la nuit. L'air frais avait secoué la léthargie du vieil homme et la joie de revoir son fils lui avait rendu l'espoir. Bernardo lui assura que Toypurnia et Chouette-Blanche le soigneraient en attendant qu'il puisse retourner dans son hacienda.

Pendant ce temps, Zorro galopait sur Tornado en direction de la mission de San Gabriel.

*

Le père Mendoza passa plusieurs nuits à se tourner et se retourner sur son grabat sans pouvoir dormir. Il avait lu et prié sans trouver la tranquillité d'esprit depuis qu'il avait découvert qu'il manquait des choses dans sa réserve, ainsi que son habit de rechange. Il n'en avait que deux, qu'il alternait toutes les trois semaines pour les laver, si usés et loqueteux qu'il n'imaginait pas qui pouvait avoir eu la tentation de lui en subtiliser un. Il avait voulu donner au voleur l'occasion de rendre ce qu'il avait dérobé, mais il ne pouvait retarder davantage la décision d'agir. L'idée de réunir ses néophytes, de leur faire un sermon sur le troisième commandement et de vérifier qui était le responsable lui enlevait le sommeil. Il savait que ses gens avaient de nombreux besoins, ce n'était pas le moment d'imposer des punitions, mais il ne pouvait laisser passer cette faute. Il ne comprenait pas pourquoi, au lieu d'emporter des aliments, ils avaient pris des cordes, du nitrate, du zinc et son habit; cette histoire n'avait pas de sens. Il était fatigué de tant de lutte, de tant de travail et de solitude, il avait mal aux os et à l'âme. Les temps avaient tellement changé qu'il ne reconnaissait plus le monde, la cupidité

426

régnait, personne ne se souvenait plus des enseignements du Christ, plus personne ne le respectait, il ne pouvait protéger ses néophytes des abus des Blancs. Il se demandait parfois si les Indiens n'étaient pas plus heureux autrefois, lorsqu'ils étaient les maîtres de la Californie et vivaient à leur manière, avec leurs coutumes et leurs dieux, mais aussitôt il se signait et demandait pardon à Dieu d'une telle hérésie. « Où allons-nous si même moi je doute du christianisme! » soupirait-il, repenti.

La situation avait beaucoup empiré depuis l'arrivée de Rafael Moncada, qui représentait ce qu'il y avait de pire dans la colonisation : il venait pour faire fortune à la hâte et s'en aller aussi vite que possible. Pour lui, les Indiens étaient des bêtes de somme. Depuis plus de vingt ans qu'il vivait à San Gabriel, le missionnaire avait traversé des moments difficiles – tremblements de terre, épidémies, sécheresses, et jusqu'à une attaque d'Indiens –, mais jamais il n'avait perdu courage, parce qu'il était sûr de remplir un mandat divin. A présent, il se sentait abandonné de Dieu.

La nuit tombait et on avait allumé des torches dans la cour. Après une journée de dur labeur, le père Mendoza, les manches retroussées, en sueur, coupait du bois pour la cuisine. Il soulevait la hache avec difficulté, chaque jour elle lui paraissait plus lourde, chaque jour le bois était plus dur. Sur ce il entendit le galop d'un cheval. Il fit une pause et ajusta sa vue, qui n'était plus aussi bonne qu'autrefois, se demandant qui pouvait venir si pressé à cette heure tardive. Lorsque le cavalier s'approcha, il vit qu'il s'agissait d'un homme vêtu de noir, au visage couvert d'un masque, sans doute un bandit. Il poussa un cri d'alarme, pour que les femmes et les enfants aillent se mettre à l'abri, puis il s'apprêta à l'affronter, la hache dans les mains et une prière sur les lèvres; il n'avait pas le temps d'aller chercher son vieux mousquet. L'inconnu n'attendit pas que son coursier s'arrête pour sauter à terre, appelant le missionnaire par son nom.

« N'ayez pas peur, père Mendoza, je suis un ami!

— Dans ce cas, le masque est de trop. Ton nom, mon fils, répliqua le prêtre.

— Zorro. Je sais que ça paraît étrange, mais plus étrange est ce que je vais vous dire, mon père. Allons à l'intérieur, je vous en prie. »

Le missionnaire conduisit l'inconnu à la chapelle, avec l'idée que là il aurait la protection du ciel et pourrait le convaincre qu'il n'y avait rien à voler en ce lieu. L'individu semblait redoutable, il portait épée, pistolet et fouet, il était armé pour la guerre, mais il avait un air vaguement familier. Où avait-il entendu cette voix? Zorro commença par lui assurer qu'il n'était pas un rufian, puis il lui confirma ses soupçons concernant l'exploitation de perles de Moncada et Alcázar. Légalement, il ne leur revenait que dix pour cent du trésor, le reste appartenant à l'Espagne. Ils utilisaient les Indiens comme esclaves, certains que personne, sauf le père Mendoza, n'intercéderait en leur faveur.

« Je ne puis avoir recours à personne, mon fils. Le nouveau gouverneur est un homme faible et il craint Moncada, allégua le missionnaire.

— Dans ce cas, vous devrez faire appel aux autorités du Mexique et de l'Espagne, mon père.

— Avec quelles preuves? Personne ne me croira, j'ai la réputation d'être un vieux fanatique, obsédé par le bien-être des Indiens.

— Voici la preuve », dit Zorro en lui mettant un lourd gousset dans les mains.

Le missionnaire regarda le contenu et poussa une exclamation de surprise en voyant le tas de perles.

« Par Dieu, mon fils, comment as-tu obtenu ceci?

— C'est sans importance. »

Zorro lui suggéra de porter le butin à l'évêque de Mexico et de dénoncer ce qui s'était passé, seule façon d'éviter qu'ils ne réduisent les néophytes en esclavage. Si l'Espagne décidait d'exploiter les bancs d'huîtres, on embaucherait les Indiens yaquis, comme on le faisait autrefois. Il lui demanda ensuite d'informer Diego de La Vega que son père était libre, sain et sauf. Le missionnaire commenta que ce jeune homme l'avait beaucoup déçu, on n'aurait jamais dit le fils d'Alejandro et de Regina, il n'avait pas d'estomac. Il demanda de nouveau au visiteur de lui montrer son visage, car sinon il ne pouvait avoir confiance en sa parole, ce pouvait être un piège. L'autre répliqua que son identité devait rester secrète, mais il lui promit qu'il ne serait plus seul dans l'engagement qu'il avait pris de défendre les pauvres, car désormais Zorro veillerait au respect de la justice. Le père Mendoza laissa échapper un rire nerveux ; ce type pouvait être un fou en liberté.

« Une dernière chose, mon père... Cette petite bourse en peau de chamois contient cent trois perles beaucoup plus fines que les autres, elles valent une fortune. Elles sont à vous. Inutile d'en parler à qui que ce soit, je vous garantis que la seule personne qui connaît leur existence ne prendra pas le risque de les réclamer.

— J'imagine qu'elles sont volées.

— Oui, elles le sont, mais en toute justice elles appartiennent à ceux qui les ont arrachées à la mer avec leur dernier souffle. Vous saurez en faire bon usage.

— S'il s'agit d'un bien mal acquis, je ne veux pas les voir, mon fils.

— Vous n'avez nul besoin de les voir, mon père, mais gardez-les », répliqua Zorro avec un clin d'œil de complicité.

Le missionnaire cacha la bourse dans les plis de son habit et accompagna le visiteur dans la cour, où attendait le cheval noir lustré, entouré par les enfants de la mission. L'homme enfourcha le coursier et, pour amuser les enfants, lui fit faire des courbettes avec un sifflement, puis il fit briller son épée à la lumière des torches et chanta quelques vers qu'il avait lui-même composés pendant ses mois d'oisiveté à La Nouvelle-Orléans, évoquant un vaillant cavalier qui fait son apparition par les nuits de lune pour défendre la justice, châtier les méchants et graver la lettre Z de la pointe de sa lame. La chanson séduisit les enfants, mais accrut la crainte du père Mendoza que ce type fût dingue. Isabel et Nuria, qui passaient la plus grande partie de la journée à coudre, enfermées dans leur chambre, arrivèrent dans la cour juste à temps pour apercevoir la galante silhouette faisant des pirouettes sur l'étalon noir avant de disparaître. Elles demandèrent qui était ce personnage extraordinaire et le père Mendoza répliqua que, si ce n'était pas un démon, ce devait être un ange envoyé par Dieu pour fortifier sa foi.

*

Ce soir-là, Diego de La Vega revint à la mission couvert de poussière, racontant qu'il avait dû écourter son voyage car il avait failli périr entre les mains de bandits. Il avait vu venir de loin deux sujets suspects et, pour les éviter, avait quitté le Chemin royal et s'était mis à galoper en direction des bois, mais il s'était perdu. Il avait passé la nuit blotti sous les arbres, à l'abri des brigands, mais à la merci des ours et des loups. A l'aube il avait pu s'orienter et avait décidé de retourner à San Gabriel, c'était une imprudence de continuer tout seul. Il avait chevauché toute la journée, sans rien avaler, il était mort de fatigue et avait mal à la tête. Il partirait pour Monterrey dans quelques jours, mais cette fois il irait bien armé et avec une escorte. Le père Mendoza l'informa que sa visite au gouverneur ne serait plus nécessaire, car don Alejandro de La Vega avait été délivré de la prison par un valeureux inconnu. Il ne restait plus à Diego que le devoir de récupérer les biens de sa famille. Il passa sous silence ses doutes concernant le fait que ce muscadin hypocondriaque en fût capable.

« Qui a délivré mon père? demanda Diego.

— Il se faisait appeler Zorro et portait un masque, dit le missionnaire.

« — Un masque? Un brigand peut-être? s'enquit le jeune homme.

— Moi aussi je l'ai vu, Diego, et l'homme a beau être un hors-la-loi, il n'est pas mal du tout. Et je ne te dis pas comme il était beau et élégant! En plus, il montait un cheval qui a dû lui coûter les yeux de la tête, intervint Isabel, enthousiaste.

— Toi, tu as toujours eu plus d'imagination qu'il ne convient », répliqua-t-il.

Nuria les interrompit pour annoncer le dîner. Ce soir-là, Diego mangea avec voracité, malgré la migraine annoncée haut et fort, et lorsqu'il termina il félicita la duègne, qui avait amélioré l'ordinaire de la mission. Isabel l'interrogea impitoyablement, elle voulait vérifier pourquoi ses chevaux n'étaient pas arrivés fatigués, l'aspect des supposés malandrins, le temps qu'il avait mis pour aller d'un point à un autre et la raison pour laquelle il n'avait pas logé dans d'autres missions, à seulement une journée de route. Le père Mendoza ne perçut pas l'imprécision des réponses, plongé qu'il était dans ses réflexions. Il mangeait de la main droite et de la gauche palpait dans sa poche la petite bourse en peau de chamois, calculant que son contenu pourrait rendre à la mission son ancien bien-être. Avait-il péché en acceptant ces perles tachées de souffrance et de cupidité? Non. Sûrement pas, mais elles pourraient lui porter la guigne... Il sourit en constatant qu'il était devenu plus superstitieux en vieillissant.

Deux jours plus tard, alors que le père Mendoza avait envoyé une lettre à Mexico à propos des perles et préparait ses bagages pour son voyage avec Diego, Rafael Moncada et Carlos Alcázar arrivèrent à la tête de plusieurs soldats, parmi eux l'obèse sergent García. Alcázar arborait une vilaine balafre sur la joue, qui défigurait son visage, et il était inquiet, car il n'avait pas réussi à convaincre son associé de la façon dont les perles s'étaient volatilisées. La vérité ne lui servait à rien dans ce cas, car elle aurait mis en évidence son triste rôle dans la défense de la prison et du butin. Il avait préféré lui raconter qu'une cinquantaine d'Indiens avaient incendié El Diablo tandis qu'une bande de hors-la-loi, sous les ordres d'un homme masqué vêtu de noir qui s'était identifié sous le nom de Zorro, s'était introduite dans l'édifice. Après une lutte sanglante, au cours de laquelle lui-même avait été blessé, les assaillants avaient réussi à réduire les soldats et filé avec les perles. Dans la confusion, les prisonniers s'étaient enfuis. Il savait que Moncada n'aurait pas de repos tant qu'il n'aurait pas élucidé la vérité et trouvé les perles. Les prisonniers fugitifs étaient ce qui importait le moins, il y avait plus de main-d'œuvre indigène qu'il n'en fallait pour les remplacer.

La forme bizarre de la balafre sur le visage d'Alcázar – un Z parfait – rappela à Moncada un homme masqué, dont la description correspondait à ce Zorro, qui avait tracé une lettre semblable dans la résidence du chevalier Duchamp et dans une caserne de Barcelone. Les deux fois, le prétexte avait été de libérer des prisonniers, comme à El Diablo. En plus, dans le second cas, il avait eu l'audace d'utiliser son propre nom et celui de sa tante Eulalia. Il avait juré de lui faire payer cet affront, mais on n'avait jamais réussi à mettre la main dessus. Il en arriva rapidement à la seule conclusion possible : Diego de La Vega se trouvait à Barcelone à l'époque où quelqu'un taillait un Z sur les murs, et dès qu'il débarquait en Californie on marquait la même lettre sur la joue d'Alcázar. Ce n'était pas une simple coïncidence. Ce Zorro ne pouvait être autre que Diego. Il avait du mal à le croire, mais c'était de toute façon un bon prétexte pour lui faire payer les ennuis qu'il lui avait causés. Il arriva à la mission à bride abattue, car il craignait que sa proie se fût enfuie, mais il trouva Diego assis sous une treille en train de boire une citronnade et de lire des poèmes. Il ordonna au sergent García de l'arrêter et le pauvre gros, qui avait toujours la même admiration inconditionnelle de son enfance pour Diego, se disposa de mauvais gré à obéir, mais le père Mendoza objecta que l'homme masqué qui disait être Zorro ne ressemblait en rien à Diego de La Vega. Isabel l'appuya : même un idiot ne pouvait confondre ces deux hommes, dit-elle, elle connaissait Diego comme un frère, elle avait vécu avec lui pendant cinq ans, c'était un gentil garçon inoffensif, sentimental, maladif, qui n'avait rien d'un bandit, et encore moins d'un héros.

« Merci », la coupa Diego, offensé, mais il remarqua que l'œil vagabond de son amie tournait comme une toupie.

« Zorro a aidé les Indiens parce qu'ils sont innocents, vous le savez aussi bien que moi, monsieur Moncada. Il n'a pas volé les perles, il les a prises comme preuve de ce qui se passe à El Diablo, dit le missionnaire.

— De quelles perles parlez-vous ? » l'interrompit Carlos Alcázar, très nerveux, car jusqu'alors personne ne les avait mentionnées et il ignorait ce que le curé savait au juste de leurs manigances.

Le père Mendoza admit que Zorro lui avait remis la bourse en le chargeant de se rendre aux tribunaux de Mexico. Rafael Moncada dissimula un soupir de soulagement : il avait été plus facile de récupérer son trésor qu'il l'avait imaginé. Ce vieux ridicule ne représentait pas un obstacle, il pouvait le rayer de la carte d'une chiquenaude, à chaque instant se produisaient des accidents regrettables. Avec une expression préoccupée il le remercia de son habileté à retrouver les perles et de son zèle à en prendre soin. Puis il exigea qu'il les lui remît, il allait lui-même se charger de cette histoire. Si Carlos Alcázar, en tant que chef de la prison, avait commis des irrégularités, les mesures adéquates seraient prises, il n'y avait aucune raison de déranger qui que ce soit à Mexico. Le curé dut obéir. Il n'osa pas l'accuser de complicité avec Alcázar, car un faux pas lui coûterait ce qu'il avait de plus cher au monde : sa mission. Il apporta le gousset et le mit sur la table.

« Ceci appartient à l'Espagne. J'ai envoyé une lettre à mes supérieurs et il y aura une enquête sur cette affaire, dit-il.

— Une lettre ? Mais le bateau n'est même pas encore arrivé..., l'interrompit Alcázar.

433

— Je dispose d'autres moyens, plus rapides et plus sûrs que le bateau.

— Toutes les perles sont-elles ici? demanda Moncada, ennuyé.

— Comment puis-je le savoir? Je n'étais pas présent lorsqu'elles ont été subtilisées, je ne sais combien il y en avait à l'origine. Seul Carlos peut répondre à cette question », répliqua le missionnaire.

Ces paroles augmentèrent les soupçons que Moncada avait déjà sur son associé. Il prit le missionnaire par un bras et le traîna de force devant le crucifix qui se trouvait sur une console, contre le mur.

« Jurez devant la croix de Notre Seigneur que vous n'avez pas vu d'autres perles. Si vous mentez votre âme sera condamnée à l'enfer », lui intima-t-il.

Un silence abominable envahit la pièce, tous retinrent leur souffle, même l'air s'immobilisa. Livide, le père Mendoza se libéra d'un coup de la serre qui le paralysait.

« Comment osez-vous! marmotta-t-il.

— Jurez! » répéta l'autre.

Diego et Isabel s'avancèrent pour intervenir, mais le père Mendoza, les arrêtant d'un geste, posa un genou à terre, la main droite sur sa poitrine et les yeux sur le Christ taillé dans le bois par des mains d'Indien. Il tremblait de saisissement et de rage pour la violence à laquelle il était soumis, mais il n'avait pas peur d'aller en enfer, du moins pour ce motif.

« Je jure devant la Croix que je n'ai pas vu d'autres perles. Que mon âme soit damnée si je mens », dit-il d'une voix ferme.

Pendant une longue pause, personne ne souffla mot, le seul son fut le soupir de soulagement que poussa Carlos Alcázar, dont la vie ne valait pas un clou si Rafael Moncada apprenait qu'il avait gardé la meilleure part du butin. Il supposait que la petite bourse en peau de chamois était entre les mains de l'homme masqué, mais il ne comprenait pas pourquoi celui-ci avait remis les autres perles au curé alors qu'il pouvait tout garder. Diego devina le cours de ses pensées et lui sourit, provocant. Moncada dut accepter le serment du père Mendoza, mais il leur rappela à tous qu'il ne considérerait cette affaire comme terminée que lorsque le coupable serait pendu.

« García! Arrête de La Vega! » répéta Rafael Moncada.

Le gros essuya son front avec la manche de son uniforme et, à contrecœur, se disposa à accomplir son devoir.

« Je suis désolé », balbutia-t-il en faisant signe aux soldats de l'emmener.

Isabel se plaça devant Moncada, alléguant qu'il n'y avait pas de preuves contre son ami, mais il l'écarta d'une brusque poussée.

*

Diego de La Vega passa la nuit enfermé dans l'une des anciennes chambres de service de l'hacienda où il était né. Il se souvenait même de la personne qui l'occupait à l'époque où il y vivait avec ses parents, une Indienne mexicaine du nom de Roberta qui avait eu la moitié du visage brûlée par une casserole de chocolat bouillant qui s'était renversée. Qu'était-elle donc devenue? Il ne se rappelait pas, en revanche, que ces chambres étaient si misérables, des cubiculums sans fenêtres, au sol de terre battue et avec des murs d'adobe sans peinture, meublés d'une paillasse de feuilles sèches, d'une chaise et d'un grand coffre fait de bouts de bois. Il pensa que l'enfance de Bernardo s'était passée ainsi, tandis qu'à quelques mètres de là lui-même dormait dans un lit en bronze, avec un voile de tulle pour le protéger des araignées, dans une chambre remplie de jouets. Comment, à cette époque, ne l'avait-il pas remarqué? La maison était divisée par une ligne invisible qui séparait l'enceinte familiale de l'univers complexe des domestiques. La première, spacieuse et luxueuse, décorée dans le style colonial, était un prodige d'ordre, de calme et de propreté, qui sentait les fleurs en bouquets et le tabac de son père. Dans le second, la vie bouillonnait : bavardage incessant, animaux domestiques, bagarres, travail. Cette partie de la maison sentait le piment moulu, le pain sorti du four, le linge laissé à tremper dans le savon, les ordures. Les terrasses de la famille, avec leurs carreaux de faïence peints, leurs bougainvillées et leurs fontaines, étaient un paradis de fraîcheur, alors que les cours des domestiques se remplissaient de poussière en été et de boue en hiver.

Diego passa des heures interminables sur la paillasse du sol, transpirant de la chaleur de mai, sans voir la lumière du jour. Il manquait d'air, la poitrine lui brûlait. Il ne pouvait mesurer le temps, mais il avait l'impression d'être là depuis plusieurs jours. Sa bouche était sèche et il craignait que le plan de Moncada fût de le vaincre par la soif et la faim. Par moments il fermait les yeux et essayait de dormir, mais il était trop mal installé. Il n'y avait pas d'espace pour faire plus de deux pas, des crampes raidissaient ses muscles. Il examina la pièce pouce par pouce en cherchant la façon de sortir, mais ne la trouva pas. La porte était pourvue d'une solide barre de fer à l'extérieur ; Galileo Tempesta lui-même n'aurait pu l'ouvrir de l'intérieur. Il essaya de détacher les planches du plafond, mais elles étaient renforcées, cette pièce servant à l'évidence de cellule. Beaucoup plus tard, la porte de sa tombe s'ouvrit et le visage rubicond du sergent García apparut sur le seuil. Malgré sa faiblesse, Diego calcula qu'il pouvait étourdir le bon sergent avec un minimum de violence, en utilisant la pression sur le cou que lui avait enseignée maître Escalante lorsqu'il l'entraînait à la méthode de lutte des membres de La Justice, mais il ne voulait pas que son vieil ami ait des problèmes avec Moncada. De plus, de cette façon il pourrait sortir de sa cellule, mais pas s'échapper de l'hacienda ; mieux valait attendre. Le gros posa par terre un pot à eau et une écuelle contenant du riz et des haricots.

« Quelle heure est-il, mon ami ? » lui demanda Diego en simulant une bonne humeur qu'il était loin d'éprouver.

García répondit par des grimaces et des gestes des doigts.

« Neuf heures du matin de mardi, dis-tu ? Cela veut dire que je suis resté ici deux nuits et un jour. Comme j'ai bien dormi ! Sais-tu quelles sont les intentions de Moncada ? »

García fit non de la tête.

« Que t'arrive-t-il ? Tu as l'ordre de ne pas me parler ? Bon, mais personne ne t'a dit de ne pas m'écouter, n'est-ce pas ?

— Hmm », acquiesça l'autre.

Diego s'étira, bâilla, but de l'eau et savoura avec parcimonie la nourriture, qui lui parut délicieuse, comme il le commenta à García tout en dissertant sur le bon vieux temps : les aventures extraordinaires de leur enfance, le courage dont avait toujours fait preuve García lorsqu'il avait affronté Alcázar et attrapé un ours vivant. Les gamins de l'école avaient de bonnes raisons de tant l'admirer, conclut-il. Ce n'était pas exactement ainsi que le sergent se rappelait cette époque, mais ces mots tombèrent comme un baume sur son âme meurtrie.

« Au nom de notre amitié, García, tu dois m'aider à sortir d'ici, conclut Diego.

— Je voudrais bien, mais je suis soldat et mon devoir passe avant tout, répondit l'autre dans un murmure, en regardant par-dessus son épaule pour s'assurer que personne ne l'entendait.

— Jamais je ne te demanderais de manquer à ton devoir ou de commettre un acte illégal, García, mais personne ne peut te rendre responsable si la porte n'est pas bien barricadée... »

Ils n'eurent pas le temps de continuer à bavarder, car un soldat vint dire au sergent que don Rafael Moncada attendait le prisonnier. García tira sur sa veste, bomba le torse et claqua les talons d'un air martial, mais il fit un clin d'œil à Diego. Ils soulevèrent le détenu par les bras et le conduisirent au salon principal, le soutenant presque en l'air jusqu'à ce qu'il pût tenir sur ses jambes engourdies par l'immobilité. Avec peine, Diego constata une fois de plus les changements, son foyer avait tout d'une caserne. Ils l'assirent sur l'une des chaises du salon et l'attachèrent par la poitrine au dossier et par les chevilles aux pieds du siège. Il se rendit compte que le sergent n'accomplissait sa tâche qu'à moitié ; les liens n'étaient pas bien serrés et avec un peu d'habileté il pourrait se libérer, mais il y avait des soldats partout. « J'ai besoin d'une épée », murmura-t-il à García à un moment où l'autre homme en uniforme s'était éloigné de deux pas. Le gros s'étouffa presque de frayeur en entendant une telle requête ; Diego exagérait, comment allait-il lui donner une arme dans ces circonstances ? Cela lui coûterait plusieurs jours aux arrêts et sa carrière militaire. Il lui tapota affectueusement l'épaule et s'en fut, tête basse et traînant les pieds, tandis que le garde se postait dans un coin pour surveiller le captif.

Diego resta sur la chaise plus de deux heures, qu'il employa à desserrer en cachette les cordes qui attachaient ses mains, mais il ne pouvait ôter les liens de ses chevilles sans attirer l'attention du soldat, un inébranlable métis à l'aspect de statue aztèque. Il essaya de l'attirer en feignant de s'étouffer en toussant, puis il le pria de lui donner une cigarette, un verre d'eau, un mouchoir, mais il n'y eut pas moyen de le faire approcher. Pour toute réponse il levait son arme et l'observait de ses petits yeux de pierre, qui ressortaient à peine au-dessus de ses pommettes proéminentes. Diego conclut que si c'était là une stratégie de Moncada pour lui rabattre ses grands airs et amollir sa volonté, elle donnait d'excellents résultats.

*

Enfin, au milieu de l'après-midi, Rafael Moncada fit son entrée en s'excusant d'avoir incommodé une personne aussi raffinée que Diego. Rien de plus éloigné de son intention que de lui faire passer un mauvais moment, dit-il, mais étant

438

donné les circonstances il ne pouvait agir autrement. Diego savait-il combien de temps il avait été enfermé dans la pièce de service? Exactement le même nombre d'heures que lui-même était resté dans la chambre secrète de Tomás de Romeu, avant que sa tante vînt l'en sortir. Curieuse coïncidence. Bien qu'il se flattât d'avoir le sens de l'humour, il avait trouvé cette plaisanterie d'assez mauvais goût. En tout cas, il le remerciait de l'avoir débarrassé de Juliana; épouser une femme de condition inférieure aurait ruiné sa carrière, comme l'en avait tant de fois averti sa tante, mais enfin, ils n'étaient pas là pour parler de Juliana, c'était un chapitre clos. Il supposait que Diego – ou devait-il l'appeler Zorro? – souhaitait connaître le sort qui l'attendait. C'était un délinquant de la même engeance que son père, Alejandro de La Vega; tel père, tel fils. On remettrait la main sur le vieillard, cela ne faisait aucun doute, et il dépérirait dans un cachot. Rien ne lui ferait davantage plaisir que de pendre Zorro de ses propres mains, mais tel n'était pas son rôle, ajouta-t-il. Il l'enverrait en Espagne, enchaîné et sous bonne garde, afin qu'il fût jugé là où avait commencé sa carrière criminelle, et où il avait laissé assez de pistes pour être condamné. Sous le gouvernement de Ferdinand VII, on appliquait la loi avec la plus grande fermeté, non pas comme dans les colonies où l'autorité était une véritable plaisanterie. Aux délits commis en Espagne s'ajoutaient ceux de Californie : il avait attaqué la prison d'El Diablo, provoqué un incendie, détruit des propriétés du royaume, blessé un militaire et conspiré dans la fuite de prisonniers.

« Je comprends qu'un sujet appelé Zorro est l'auteur de ces actes de violence. Et je crois qu'en plus il s'est emparé de perles. Ou son Excellence préfère-t-elle ne pas évoquer ce sujet? répliqua Diego.

— Zorro, c'est vous, de La Vega!

— Je voudrais l'être, l'homme paraît fascinant, mais ma santé délicate ne me permet pas de telles aventures. Je souffre d'asthme, de maux de tête et de palpitations cardiaques. »

Rafael Moncada lui mit sous le nez un document, rédigé de sa propre main faute de secrétaire, et il exigea qu'il y apposât son nom. Le prisonnier objecta qu'il serait imprudent de signer un papier sans en connaître le contenu. A l'instant même il ne pouvait le lire, car il avait oublié ses lunettes et avait la vue basse, autre différence avec Zorro, à qui l'on attibuait une extraordinaire adresse au maniement du fouet et de l'épée. Un myope ne possédait pas de telles habiletés, ajouta-t-il.

« Assez! » s'exclama Moncada en lui appliquant un soufflet en travers du visage.

Diego s'attendait à une réaction violente, mais il dut tout de même faire un effort terrible pour se maîtriser et ne pas se jeter sur Moncada. Son heure n'était pas encore venue. Il garda ses mains dans son dos, serrant les cordes dans ses poings, tandis que du sang coulait de son nez et de sa bouche sur sa chemise. A ce moment précis apparut le sergent García, qui voyant son ami d'enfance dans cet état s'arrêta net, sans savoir quel parti prendre. La voix de commandement de Moncada le tira de sa stupeur.

« Je ne t'ai pas appelé, García!

— Excellence... Diego de La Vega est innocent. Je vous ai dit qu'il ne pouvait être Zorro! Nous venons de voir le véritable Zorro dehors..., bégaya le sergent.

— Qu'est-ce que tu me chantes?

— La vérité, Excellence, nous l'avons tous vu. »

Moncada sortit comme l'éclair, suivi par le sergent, mais le garde resta dans la salle, tenant Diego en joue. Au portail du jardin, Moncada vit pour la première fois la silhouette théâtrale de Zorro nettement découpée sur le ciel violet du crépuscule, et la surprise le paralysa pendant quelques secondes.

« Suivez-le, imbéciles! » cria-t-il en dégainant son pistolet et tirant sans viser.

Quelques soldats partirent en courant chercher leurs chevaux et d'autres firent feu, mais déjà le cavalier s'éloignait au galop. Le sergent, désirant plus que personne découvrir l'identité de Zorro, sauta sur sa monture avec une agilité inattendue, donna de l'éperon et partit à sa poursuite suivi d'une demi-douzaine de ses hommes. Ils se perdirent ventre à terre vers le sud, à travers collines et forêts. Le bandit masqué avait l'avantage et il connaissait bien le terrain, mais même ainsi la distance entre lui et la troupe se réduisit peu à peu. Au bout d'une demi-heure de galop, alors que les chevaux commençaient à blanchir d'écume, que le soleil avait disparu et que les soldats étaient sur le point de le rattraper, ils arrivèrent aux falaises : Zorro était pris entre eux et la mer.

Pendant ce temps, dans le salon de la maison, il sembla à Diego que la petite porte dissimulée dans la cheminée s'ouvrait. Ce ne pouvait être que Bernardo, qui avait dû s'arranger d'une manière ou d'une autre pour revenir à l'hacienda. Il ignorait les détails de ce qui s'était passé à l'extérieur, mais d'après les jurons de Moncada, les cris, les coups de feu et l'agitation des chevaux, il supposait que son frère avait réussi à confondre l'ennemi. Pour distraire le garde, il feignit une nouvelle quinte de toux spectaculaire, puis il prit son élan, renversa la chaise et resta couché au sol sur le côté. L'homme vint se planter près de lui et lui ordonna de rester tranquille ou il lui ferait sauter la cervelle, mais Diego remarqua que son ton était hésitant, les instructions de la statue aztèque n'incluaient peut-être pas de le tuer. Du coin de l'œil il perçut une ombre qui se détachait de la cheminée et s'approchait. Il se remit à tousser, en s'agitant comme s'il s'étouffait, tandis que le garde le piquait avec le canon de son arme, sans savoir quoi faire. Diego libéra ses mains et lui administra un terrible coup dans les jambes, mais le type devait être un bloc de pierre, car il ne bougea pas. A cet instant, le garde sentit le canon d'un pistolet sur sa tempe et il vit un homme masqué qui lui souriait sans dire un mot.

« Rendez-vous, brave homme, avant que Zorro ne laisse partir une balle », lui conseilla Diego depuis le sol, tandis qu'il défaisait rapidement les liens de ses chevilles.

L'autre Zorro désarma le soldat, lança le fusil à Diego, qui le saisit au vol, et aussitôt recula vers les ombres de la cheminée, prenant congé d'un clin d'œil complice. Diego ne donna pas au garde l'occasion de voir ce qui se passait dans son dos, il l'allongea par terre d'un seul coup sec du revers de sa main sur le cou. L'homme demeura inconscient quelques minutes, que Diego mit à profit pour l'attacher avec les mêmes cordes qu'on avait utilisées sur lui, puis il rompit la fenêtre à coups de pied, en prenant soin de ne pas laisser de morceaux de verre coupants sur les bords, car il pensait revenir par là, puis il se glissa par la petite porte secrète qui menait aux grottes.

En revenant au salon, Rafael Moncada découvrit que de La Vega s'était évaporé et que l'homme chargé de le surveiller occupait sa place sur la chaise. La fenêtre était cassée, et tout ce dont se rappelait le garde ahuri, c'était une silhouette sombre et le froid glacial d'un pistolet sur sa tempe. « Imbéciles, fieffés imbéciles », fut la conclusion de Moncada. A ce moment, la moitié de ses hommes galopait derrière un fantôme tandis que son prisonnier avait pris la fuite à son nez et à sa barbe. En dépit des évidences, il restait convaincu que Zorro et Diego de La Vega étaient une seule et même personne.

*

Dans la caverne, Diego ne trouva pas Bernardo, comme il s'y attendait, mais celui-ci lui avait laissé plusieurs lampes de suif allumées, son déguisement, son épée et son cheval. Tornado s'ébrouait, impatient, secouant son épaisse crinière sombre et piaffant. « Tu t'habitueras à cet endroit, mon ami », lui dit Diego en caressant l'encolure lustrée de l'animal. Il trouva aussi une gourde de vin, du pain, du fromage et du miel pour se remettre des mauvais moments qu'il venait de passer. Visiblement, aucun détail n'échappait à son frère. Il devait également admirer son habileté à tromper la poursuite

442

nelles, dormaient. Il laissa Tornado les rênes lâchées sous des arbres proches, certain qu'il ne bougerait pas jusqu'à ce qu'il l'appelle; il avait parfaitement assimilé les enseignements d'Éclair-dans-la-Nuit. Bien qu'on eût doublé la garde, il n'eut aucune difficulté à s'approcher de la maison et à épier par la fenêtre du salon, la seule qui avait de la lumière. Sur la table se trouvait un candélabre avec trois bougies, qui éclairait une partie de la pièce, mais le reste était dans la pénombre. Il passa avec prudence ses jambes à travers la fenêtre brisée, entra dans la pièce et, se cachant derrière les meubles alignés le long des murs, avança vers la cheminée, où il put se blottir derrière les gros troncs. À l'autre bout de la pièce, Rafael Moncada se promenait en fumant et le sergent Garcia, au garde-à-vous et le regard fixé droit devant lui, essayait de lui expliquer ce qui s'était passé. Ils avaient suivi Zorro au triple galop jusqu'aux falaises, dit-il, mais alors qu'ils étaient sur le point de le rattraper, le hors-la-loi avait préféré sauter à la mer plutôt que de se rendre. À ce moment, il restait peu de lumière, et il était en outre impossible d'approcher du bord de crainte de glisser sur les pierres détachées. Bien que ne voyant pas le fond du précipice, ils avaient vidé leurs armes, si bien que Zorro s'était rompu la nuque dans les rochers et, en plus, avait reçu une rafale de balles.

« Imbécile! répéta Moncada pour la énième fois. Cet individu a réussi à te tromper et pendant ce temps-là de La Vega s'est enfui. »

Une innocente expression de soulagement dansa brièvement sur le visage coloré de Garcia, mais elle disparut aussitôt, foudroyée par le regard tranchant de son supérieur.

« Demain tu te rendras à la mission avec un détachement de huit hommes armés. Si de La Vega s'y trouve, tu l'arrêtes sur-le-champ; s'il résiste, tu le tues. S'il n'y est pas, tu m'amènes le père Mendoza et Isabel de Romeu. Ils seront mes otages jusqu'à ce que ce bandit se rende. Tu m'as compris?

des soldats et apparaître comme par magie pour le délivrer au moment opportun. Avec quelle silencieuse élégance il avait agi! Bernardo était un aussi bon Zorro que lui-même, en-semble ils seraient invincibles, conclut-il. L'étape suivante ne pressait pas, il devait attendre qu'il fasse tout à fait nuit et que l'agitation retombe dans la maison. Après s'être restauré, il fit quelques flexions pour se dégourdir et se coucha pour dormir à quelques pas de Tornado, avec la béatitude de qui a fait du bon travail.

Il se réveilla quelques heures plus tard, reposé et joyeux. Il fit sa toilette et changea de vêtements, mit le masque et eut même l'intention d'ajouter la moustache. « J'ai besoin d'un miroir, il n'est pas facile de se coller des poils au jugé. C'est décidé, je dois me laisser pousser la moustache, je ne peux l'éviter. Cette caverne nécessite quelques commodités, cela facilitera nos aventures, tu ne crois pas? » commenta-t-il à Tornado. Il se frotta les mains, ravi à l'idée des immenses possibilités que laissait entrevoir l'avenir; tant qu'il aurait la santé et la force, il ne s'ennuierait jamais. Il pensa à Lolita et sentit un chatouillement au creux de l'estomac, semblable à celui que lui causait autrefois Juliana, mais il ne fit pas le rapprochement. Son attirance pour Lolita était aussi fraîche que si c'était la première et la seule de sa vie. Attention! Il ne devait pas oublier qu'elle était la cousine de Carlos Alcázar, et de ce fait ne pouvait être sa fiancée. Fiancée? Il rit de bon cœur : jamais il ne se marierait, les renards sont des animaux solitaires.

Il vérifia que son épée Justine glissait avec facilité dans son fourreau, mit son chapeau et se prépara à l'action. Il conduisit Tornado à la sortie des grottes, que Bernardo avait pris la précaution de bien dissimuler avec des roches et des arbustes, il l'enfourcha et se dirigea vers l'hacienda. Il ne voulait pas courir le risque qu'on découvrît le passage secret de la chemi-née. Il calcula qu'il avait dormi plusieurs heures, qu'il devait être plus de minuit, et que probablement tous, sauf les senti-

« — Mais comment peut-on faire ça au père! Je pense que...

— Ne pense pas, García! Ton cerveau est trop petit pour penser. Obéis et tais-toi.

— Oui, Excellence. »

Depuis sa cachette dans le foyer de la cheminée, Diego se demandait comment Bernardo s'était débrouillé pour être à deux endroits à la fois. Ayant fini d'insulter García, Moncada le renvoya, puis il se servit un verre du cognac d'Alejandro de La Vega et s'assit pour réfléchir, se balançant sur sa chaise, les pieds sur la table. Les choses s'étaient compliquées, il y avait des imprévus, il allait devoir éliminer plusieurs personnes, sous peine de ne pouvoir garder le secret des perles. Il but lentement la liqueur, examina le document qu'il avait écrit pour le faire signer à Diego et, enfin, se dirigea vers une lourde armoire dans laquelle il prit le gousset. L'une des bougies acheva de se consumer et la cire s'égoutta sur la table avant qu'il termine de compter les perles une fois de plus. Zorro attendit un délai prudent, puis il sortit de son refuge avec une discrétion de chat. Il avait fait plusieurs pas, collé au mur, quand Moncada, se sentant observé, se retourna. Ses yeux se posèrent sur l'homme qui se confondait avec l'ombre, sans le voir, mais son instinct l'avertit du danger. Il saisit une fine épée, à poignée d'argent et glands de soie rouge, qui était pendue à la chaise.

« Qui va là? demanda-t-il.

— Zorro. Je crois que nous avons quelques petites affaires en suspens... », dit celui-ci en s'avançant.

Moncada ne lui laissa pas le temps de continuer, il se jeta sur lui avec un cri de haine, décidé à le transpercer de part en part. Zorro esquiva la lame d'une feinte de torero, sans oublier une gracieuse passe de la cape, et en deux sauts il s'écarta, toujours avec élégance, la main droite gantée sur la poignée, la gauche sur sa hanche, l'œil attentif et le sourire éblouissant sous la petite moustache de travers. Au deuxième coup esquivé, il dégaina son épée sans hâte, comme si

445

l'insistance que l'autre mettait à le tuer l'ennuyait au plus haut point.

« Il n'est pas bon de se battre sous le coup de la colère », le provoqua-t-il.

Il para trois bottes et un coup de manchette en levant à peine son arme, puis il recula pour mettre en confiance son adversaire, qui sans hésiter attaqua de nouveau. Zorro bondit d'un seul élan sur la table et de là, presque en dansant, se défendit des estocades de Moncada. Quelques-unes lui passaient entre les jambes, il esquivait les autres avec des cabrioles ou les parait avec une telle fermeté que les fers projetaient des étincelles. Il descendit de la table et s'éloigna en bondissant sur les chaises, poursuivi de près par Moncada, de plus en plus furibond. « Ne vous fatiguez pas, c'est mauvais pour le cœur », l'aiguillonnait-il. Par moments, Zorro se perdait dans l'ombre des coins, que n'atteignait pas la faible lueur des bougies, mais au lieu de profiter de son avantage pour attaquer en traître, il réapparaissait d'un autre côté, appelant son rival en sifflant. Moncada avait une excellente maîtrise de l'épée, et au combat sportif il aurait donné du fil à retordre à n'importe quel adversaire, mais un ressentiment fanatique l'aveuglait. Il ne pouvait supporter cet insolent qui défiait son autorité, troublait l'ordre, se moquait de la loi. Il devait le tuer avant qu'il ne détruisît ce qui avait pour lui le plus de valeur : les privilèges qui lui revenaient de par sa naissance.

Le duel continua ainsi, l'un attaquant avec une fureur désespérée et l'autre esquivant avec une légèreté narquoise. Lorsque Moncada s'apprêtait à clouer Zorro au mur, celui-ci roulait à terre et se relevait d'une pirouette d'acrobate à deux pas de distance. Moncada comprit enfin qu'il ne gagnait pas de terrain, qu'il en perdait au contraire, et il se mit à pousser des cris pour appeler ses hommes, alors Zorro donna le jeu pour terminé. En trois longues enjambées il atteignit la porte et d'une main ferma la clé à double tour tandis que de l'autre il tenait son ennemi en respect. Puis il fit passer son épée dans sa main gauche, ruse qui déconcertait toujours l'adversaire, du moins pendant quelques secondes. De nouveau il sauta sur la table, de là se pendit au grand lustre en fer du plafond qui se trouvait là depuis l'époque de la construction de la maison, et se balança, tombant derrière Moncada au milieu d'une pluie de cent cinquante bougies couvertes de poussière. Avant que Moncada pût se rendre compte de ce qui s'était passé, il se retrouva désarmé, la pointe d'une autre épée sur la nuque. La manœuvre n'avait duré que quelques secondes, mais déjà une douzaine de soldats ouvraient la porte à coups de crosse et coups de pied et faisaient irruption dans le salon, les mousquets chargés. (C'est du moins ainsi que l'a raconté Zorro à maintes reprises et, comme personne ne l'a démenti, il me faut le croire, bien qu'il ait tendance à exagérer ses prouesses. Excusez cette brève parenthèse et revenons dans le salon.) Il disait que les soldats étaient entrés avec précipitation, commandés par le sergent García qui venait de sortir du lit et était en caleçon, mais portait la casquette de l'uniforme vissée sur ses cheveux gras. Les hommes marchèrent sur les bougies et plusieurs d'entre eux roulèrent à terre. L'un d'eux laissa échapper une balle de son mousquet, qui frôla la tête de Rafael Moncada et alla atterrir dans le tableau accroché au-dessus de la cheminée, perforant un œil de la reine Isabel la Catholique.

« Attention, imbéciles ! brama Moncada.

— Ecoutez votre chef, les amis », leur recommanda aimablement Zorro.

Le sergent García ne pouvait en croire ses yeux. Il aurait juré sur son âme que Zorro gisait sur les rochers au pied de la falaise, et voilà qu'il était là ressuscité, comme Lazare, taquinant la nuque de Son Excellence. La situation était très grave, pourquoi alors sentait-il un agréable battement d'ailes de papillons dans son ample panse de glouton ? Il fit signe à ses hommes de reculer, tâche qui n'avait rien d'aisé car ils glissaient sur les bougies, et une fois qu'ils furent sortis, il ferma la porte, restant à l'intérieur.

« Le mousquet et le sabre, sergent, je vous prie », lui demanda Zorro du même ton amical.

García se défit de ses armes avec une promptitude suspecte, puis il se planta devant la porte, jambes écartées et bras croisés sur la poitrine, imposant en dépit du caleçon. Reste à déterminer s'il veillait à l'intégrité physique de son supérieur ou s'il se disposait à jouir du spectacle.

Zorro ordonna à Rafael Moncada de s'asseoir à la table et de lire le document à voix haute. C'était une confession par laquelle il reconnaissait avoir incité les colons à se rebeller contre le roi et à déclarer la Californie indépendante. Cette trahison se payait de la mort, la famille de l'accusé perdant de plus ses biens et son honneur. Le papier restait en blanc, il ne manquait que le nom du coupable. Apparemment, Alejandro de La Vega avait refusé de le signer, à quoi se devait l'insistance pour que son fils le fasse.

« Bien pensé, Moncada. Comme vous voyez, il reste de la place au bas de la page. Prenez la plume et écrivez ce que je vais vous dicter à présent », lui indiqua Zorro.

Rafael Moncada se vit obligé d'ajouter au document le négoce des perles, outre le délit de réduire les Indiens en esclavage.

« Signez.

— Jamais je ne signerai cela !

— Pourquoi pas ? C'est écrit de votre main et c'est la pure vérité. Signez ! » intima l'homme masqué.

Rafael Moncada posa la plume sur la table et fit mine de se lever, mais en trois mouvements brefs l'épée de Zorro lui incisa un Z sur le cou, sous l'oreille gauche. Un rugissement de douleur et de colère s'échappa de la poitrine de Moncada. Il porta la main à sa blessure et la retira ensanglantée. La pointe d'acier s'appuya sur sa jugulaire et la voix ferme de son ennemi lui précisa qu'il allait compter jusqu'à trois, et que s'il refusait d'apposer son nom et son sceau il se ferait un plaisir de l'occire. Un... deux... et... Moncada inscrivit sa signature au bas de la feuille, puis il fit fondre de la cire à cacheter à la flamme de la bougie, en laissa tomber quelques gouttes sur le papier et appliqua sa bague ornée du sceau de sa famille. Zorro attendit que l'encre eût séché et la cire refroidi, puis il appela García et lui demanda de signer en tant que témoin. Le gros sergent écrivit son nom avec une douloureuse lenteur, puis il roula le document et, sans pouvoir dissimuler un sourire de satisfaction, le donna à l'homme masqué qui le glissa sous sa chemise, sur sa poitrine.

« Très bien, Moncada. Vous prendrez le bateau dans deux jours et quitterez ce pays pour toujours. Je garderai cette confession en lieu sûr, et si vous revenez dans ces parages, je la daterai et la présenterai aux tribunaux ; dans le cas contraire, personne ne la verra. Seuls le sergent et moi savons qu'elle existe.

— Ne me mêlez pas à ça, je vous en prie, monsieur Zorro, balbutia García, épouvanté.

— En ce qui concerne les perles, ne vous inquiétez pas, car je vais me charger du problème. Quand les autorités les réclameront, le sergent García dira la vérité : que Zorro les a emportées. »

Il prit le gousset, se dirigea vers la fenêtre et émit un sifflement aigu. Quelques instants plus tard, il entendit les sabots de Tornado dans la cour, salua d'un geste et sauta à l'extérieur. Rafael Moncada et le sergent García coururent derrière lui en appelant la troupe. Se découpant sur la pleine lune, ils virent la silhouette noire du mystérieux masqué sur son magnifique étalon.

« Au revoir, messieurs ! » leur lança Zorro en guise d'adieu, se souciant peu des balles qui sifflaient autour de lui.

*

Deux jours plus tard, Rafael Moncada embarqua sur la *Santa Lucía* avec son volumineux équipage et les domestiques qu'il avait amenés d'Espagne pour son service personnel. Diego, Isabel et le père Mendoza l'accompagnèrent jusqu'au rivage, en partie pour s'assurer qu'il partirait et en partie pour le plaisir de le voir furieux. Diego lui demanda d'un ton innocent pourquoi il partait si subitement et pourquoi il portait un bandage au cou. Aux yeux de Moncada, l'image de ce jeune homme tiré à quatre épingles qui suçait des pastilles à l'anis contre la migraine et utilisait un mouchoir de dentelle ne cadrait absolument pas avec celle de Zorro, mais il restait absolument persuadé que tous deux étaient le même homme. La dernière chose qu'il leur dit, en s'embarquant, fut qu'il ne prendrait pas un seul jour de repos tant qu'il n'aurait pas démasqué Zorro et ne se serait pas vengé.

Le soir même, Diego et Bernardo se retrouvèrent dans les grottes. Ils ne s'étaient pas revus depuis l'opportune apparition de Bernardo à l'hacienda pour sauver Zorro. Ils entrèrent par la cheminée de la maison, que Diego avait récupérée et qu'ils commençaient à restaurer des abus de la soldatesque, dans l'idée que, dès qu'elle serait prête, Alejandro de La Vega reviendrait l'occuper. Pour le moment, celui-ci était en convalescence entre les mains de Toypurnia et de Chouette-Blanche, tandis que son fils éclaircissait sa situation légale. Rafael Moncada parti, il ne serait pas difficile d'obtenir du gouverneur qu'il levât les chefs d'accusation. Les deux jeunes gens s'apprêtaient à entreprendre la tâche de transformer les grottes pour en faire le repaire de Zorro.

Diego voulut savoir comment Bernardo s'y était pris pour se présenter à l'hacienda, galoper un bon moment poursuivi par la troupe, sauter dans le vide depuis les falaises et, simultanément, apparaître par la petite porte de la cheminée dans le salon de la maison. Il dut répéter la question, car Bernardo ne comprit pas bien de quoi il parlait. Il n'avait jamais été dans la maison, lui affirma-t-il par gestes. Diego avait dû rêver cet épisode. Il s'était jeté à la mer avec le cheval parce qu'il connaissait très bien le terrain et savait exactement où tomber. Il faisait nuit, expliqua-t-il, mais la lune s'était levée, éclairant l'eau, et il avait pu atterrir sur la plage sans dommage. Une fois sur la terre ferme, il s'était rendu compte qu'il ne pouvait exiger davantage de son coursier exténué et lui avait rendu sa liberté. Il avait dû marcher plusieurs heures pour arriver au lever du jour à la mission de San Gabriel. Bien avant cela, il avait laissé Tornado dans la caverne, pour que Diego le trouve, car il était sûr qu'il trouverait le moyen de s'échapper une fois que lui-même aurait distrait ses ravisseurs.

« Je te dis que Zorro est venu à l'hacienda pour m'aider. Si ce n'était pas toi, qui était-ce? Je l'ai vu de mes propres yeux. »

Alors Bernardo siffla et Zorro sortit de l'ombre dans son superbe costume, tout en noir, avec le chapeau, le masque et la moustache, la cape jetée sur une épaule et la main droite sur la poignée de son épée. Il ne manquait rien à l'impeccable héros, il portait même le fouet enroulé à sa ceinture. Il se tenait là, en pied, éclairé par plusieurs douzaines de lampes de suif et deux torches, superbe, élégant, impossible à confondre.

Diego resta ébahi, tandis que Bernardo et Zorro retenaient leur rire, savourant cet instant. Le mystère dura moins longtemps que ces derniers l'auraient voulu, car Diego se rendit compte que les yeux du masqué louchaient.

« Isabel! Ce ne pouvait être que toi! » s'exclama-t-il dans un éclat de rire.

La jeune fille l'avait suivi lorsqu'il s'était rendu à la grotte avec Bernardo la nuit où ils avaient débarqué en Californie. Elle les avait épiés quand Diego avait donné le costume noir à son frère et qu'ils avaient planifié l'existence de deux Zorros au lieu d'un; il lui était alors venu à l'idée qu'il serait encore mieux qu'il y en eût trois. Elle n'avait pas eu beaucoup de mal à obtenir la complicité de Bernardo, qui lui cédait en tout. Aidée par Nuria, elle avait coupé la pièce de taffetas noir, cadeau de Lafitte, et cousu le déguisement. Diego argua que c'était là un travail d'hommes, mais elle lui rappela qu'elle l'avait tiré des pattes de Moncada.

« Il faut plus d'un justicier, car il y a beaucoup de méchanceté en ce monde, Diego. Tu seras Zorro, Bernardo et moi nous t'assisterons », décida Isabel.

Il n'y eut d'autre solution que de l'accepter dans la bande, car comme argument final elle menaça de révéler l'identité de Zorro s'ils l'excluaient.

Les frères enfilèrent leurs déguisements et les trois Zorros formèrent un cercle à l'intérieur de l'antique Roue magique des Indiens qu'ils avaient dessinée avec des pierres dans leur enfance. Avec le couteau de Bernardo ils se firent une entaille à la main gauche. « Pour la justice! » s'exclamèrent à l'unisson Diego et Isabel. Bernardo se joignit à eux en faisant le geste correspondant dans la langue des signes. Et à cet instant, alors que le sang mêlé des amis coulait goutte à goutte au centre du cercle, ils crurent voir jaillir du fond de la terre une lumière incandescente qui dansa dans l'air pendant plusieurs secondes. C'était le signal de l'Okahué, promis par la grand-mère Chouette-Blanche.

BREF EPILOGUE ET POINT FINAL

Haute-Californie, 1840

A moins que vous ne soyez des lecteurs très distraits, sans doute aurez-vous deviné que le chroniqueur de cette histoire n'est autre que moi, Isabel de Romeu. J'écris trente ans après avoir connu Diego de La Vega dans la maison de mon père, en 1810, et bien des choses se sont passées depuis. Malgré le temps écoulé, je ne crains pas de commettre de graves inexactitudes, car j'ai pris des notes tout au long de ma vie et, lorsque ma mémoire me fait défaut, je consulte Bernardo. Dans les épisodes où il fut présent, je me suis vue obligée d'écrire avec une certaine rigueur, car il ne me permet pas d'interpréter les faits à ma façon. Pour les autres, j'ai eu davantage de liberté. Mon ami me met parfois hors de moi. On dit que les années rendent les gens plus souples, mais ce n'est pas son cas : à quarante-cinq ans, il n'a rien perdu de sa rigueur. Je lui ai vainement expliqué qu'il n'y a pas de vérités absolues, que tout passe par le filtre de l'observateur. La mémoire est fragile et capricieuse, chacun se souvient et oublie à sa convenance. Le passé est un cahier qui compte de nombreux feuillets, où nous notons la vie avec une encre qui change en fonction de notre état d'âme. Dans mon cas, le cahier ressemble aux cartes fantastiques du capitaine Santiago de León et mérite d'être inclus dans l'*Encyclopédie des Désirs, version intégrale*. Dans le cas de Bernardo, le cahier est un enquiquineur. Enfin, du moins cette précision lui a-t-elle permis d'élever plusieurs enfants et d'administrer l'hacienda de La Vega avec discernement. Il a augmenté sa fortune et celle de Diego, qui est toujours occupé à rendre justice, en partie parce qu'il a bon cœur, mais surtout parce qu'il aime s'habiller en Zorro et courir des aventures de cape et d'épée. Je ne parle pas de pistolets, car il a très vite abandonné leur usage; il considère que les armes à feu, outre leur imprécision, ne sont pas dignes d'un brave. Pour se battre il n'a besoin que de Justine, l'épée qu'il aime comme une femme. Il n'a plus l'âge de ces enfantillages, mais selon toute apparence, mon ami ne s'assagira jamais.

Je suppose que vous souhaitez savoir ce que sont devenus les autres personnages de cette histoire, personne n'aime rester avec des questions non résolues après avoir lu tant de pages, n'est-ce pas? Il n'y a rien d'aussi frustrant qu'une fin en suspens, cette tendance moderne qui consiste à laisser les livres à moitié terminés. Nuria a la tête toute blanche, elle s'est ratatinée jusqu'à atteindre la taille d'un nain et respire en faisant beaucoup de bruit, comme les lions de mer, mais elle va bien. Elle n'a pas l'intention de mourir et dit que nous devrons l'éliminer à coups de bâton. Il y a peu, nous avons enterré Toypurnia, qui a été pour moi une grande amie. Elle n'est jamais revenue vivre parmi les Blancs, elle est restée dans sa tribu, mais il lui arrivait de rendre visite à son mari à l'hacienda. Ils étaient de bons amis. Neuf ans plus tôt, nous avions enterré Alejandro de La Vega et le père Mendoza, décédés pendant l'épidémie de grippe. La santé de don Alejandro ne s'était jamais totalement remise de l'expérience d'El Diablo, mais jusqu'au dernier jour de sa vie il a dirigé son hacienda à cheval. C'était un vrai patriarche, il n'y a plus d'hommes comme lui aujourd'hui.

Le courrier des Indiens a répandu la nouvelle que le père Mendoza était mourant et des tribus entières sont venues lui dire adieu. Des Chumash, des Shoshones et bien d'autres sont arrivés de la Haute et de la Basse-Californie, de l'Arizona et du Colorado. Pendant des jours et des nuits ils ont dansé, psalmodiant des chants funéraires, et avant de s'en aller ont déposé sur sa tombe des cadeaux de coquillages, de plumes et d'os. Les plus anciens racontaient la légende des perles : comment le missionnaire les avait un jour trouvées sur la plage, apportées par les dauphins depuis le fond de la mer pour secourir les Indiens.

Vous pourrez avoir des nouvelles de Juliana et de Lafitte par d'autres voies, car je n'ai plus de place dans ces pages. Les journaux ont publié des articles sur le corsaire, bien que sa situation actuelle soit un mystère. Il a disparu après que les Américains, qu'il avait défendus dans plus d'une bataille, eurent rasé son empire de Grande Isle. Je peux seulement vous dire que Juliana, devenue une robuste matrone, a l'originalité d'être toujours amoureuse de son mari. Jean Lafitte a changé de nom, il s'est acheté un ranch au Texas et fait figure d'homme respectable, même si dans le fond il sera toujours un bandit, avec la grâce de Dieu. Le couple a huit enfants et j'ai perdu le compte de ses petits-enfants.

Je préfère ne pas parler de Rafael Moncada, ce coquin ne nous laissera jamais en paix, mais Carlos Alcázar a été expédié ad patres par plusieurs coups de feu dans une taverne de San Diego, peu après la première intervention de Zorro. On n'a pas retrouvé les coupables, mais on a dit que c'étaient des tueurs à gages. Qui les avait engagés ? J'aimerais vous dire que ce fut Moncada, lorsqu'il apprit que son associé l'avait trompé au sujet des perles, mais ce serait un tour littéraire pour achever rondement cette histoire, car Moncada était de retour en Espagne lorsque Alcázar fut transpercé de plusieurs balles. Sa mort, certes méritée, laissa le champ libre à Diego de La Vega pour courtiser Lolita, à qui il dut confesser l'identité de Zorro avant d'être accepté. Ils ne furent mariés que deux ans, car elle se brisa la nuque en tombant de cheval. Ce ne fut pas de chance. Quelques années plus tard, Diego épousa une autre jeune fille, prénommée Esperanza, qui mourut tragiquement elle aussi, mais son histoire est trop longue pour entrer dans ce récit.

Si vous me voyiez, mes amis, je crois que vous me reconnaîtriez, car j'ai peu changé. L'âge enlaidit les belles femmes. Les femmes comme moi ne font que vieillir, et il arrive même que leur aspect s'améliore. Je me suis adoucie au fil des ans. Mes cheveux sont parsemés de gris, mais je n'en ai pas perdu, comme Zorro; il y en a encore assez pour deux têtes. J'ai quelques rides, qui me donnent du caractère, il me reste presque toutes mes dents, je suis toujours aussi forte, osseuse, et je continue à loucher. Je ne suis pas si mal pour le nombre de mes années bien vécues. Cela oui, j'exhibe fièrement plusieurs cicatrices de sabre et de balles, obtenues en aidant Zorro dans ses missions de justice.

Vous allez sans doute me demander si je suis toujours amoureuse de lui, et je devrai avouer que oui, mais je n'en souffre pas. Je me souviens du jour où je l'ai vu pour la première fois, il avait quinze ans et moi onze, nous étions deux gamins. Je portais une robe jaune, qui me donnait l'air d'un canari mouillé. Je suis alors tombée amoureuse de lui et il a été mon seul amour, sauf pendant la brève période où je me suis amourachée du corsaire Jean Lafitte, mais ma sœur me l'a ravi, comme vous savez. Cela ne veut pas dire que je sois vierge, ça non; les amants de bonne volonté ne m'ont pas manqué, certains meilleurs que d'autres, mais aucun mémorable. Par chance, je n'ai pas aimé Zorro à la folie, comme c'est le cas de la plupart des femmes qui font sa connaissance, j'ai toujours gardé la tête froide à son égard. Je me suis rendu compte à temps que notre héros n'est capable d'aimer que celles qui ne répondent pas à son amour, et j'ai décidé d'être l'une d'elles. Il a souhaité m'épouser chaque fois que l'une de ses fiancées le laissait tomber ou qu'il se retrouvait veuf – ce qui est arrivé deux fois –, et j'ai refusé. C'est peut-être pour cela qu'il rêve de moi quand il fait un repas trop lourd. Si je l'acceptais pour mari, il se sentirait très vite pris au piège et il me faudrait mourir pour lui rendre sa liberté, comme l'ont fait ses deux épouses. Je préfère attendre notre vieillesse avec une patience de bédouin. Je sais que nous serons ensemble quand il sera un vieillard aux jambes souffreteuses n'ayant plus très bonne mémoire, alors que d'autres Zorro plus jeunes l'auront remplacé, et au cas improbable où une dame lui ouvrirait son balcon et qu'il ne serait pas capable d'y grimper. Alors je me vengerai des pénuries par lesquelles Zorro m'a fait passer!

Et sur ce je conclus mon récit, chers lecteurs. J'ai promis de vous raconter les origines de la légende et j'ai tenu ma promesse, je peux à présent me consacrer à mes propres affaires. J'ai eu mon content de Zorro, et je crois que le moment est venu de mettre le point final.

TABLE

Cet ouvrage a été imprimé par

FIRMIN DIDOT
GROUPE CPI
Mesnil-sur-l'Estrée

pour le compte des Éditions Grasset
en mai 2005

Imprimé en France

Dépôt légal : mai 2005
N° d'édition : 13821 – N° d'impression : 73912
ISBN : 2-246-68691-1